LA DÉFENSE
LINCOLN

D1456759

Michael Connelly

LA DÉFENSE LINCOLN

roman

TRADUIT DE L'ANGLAIS (ÉTATS-UNIS)
PAR ROBERT PÉPIN

ÉDITIONS DU SEUIL
27, rue Jacob, Paris VIe

COLLECTION DIRIGÉE
PAR ROBERT PÉPIN

Titre original : *The Lincoln Lawyer*
Éditeur original : Little, Brown and Company
© 2005 by Hieronymus, Inc.
ISBN original : 0-316-73493-4

ISBN 2-02-066275-2

www.seuil.com

Ce livre est dédié à Daniel F. Daly et Roger O. Mills

« Il n'y a pas de client plus effrayant qu'un innocent. »

J. Michael Haller, avocat de la défense au criminel
Los Angeles, 1962

PREMIÈRE PARTIE

AVANT LE PROCÈS

I

On ne saurait respirer air plus vif et plus propre dans le comté de Los Angeles que celui qui monte du désert de Mojave à la fin de l'hiver. C'est un goût de promesses qu'il porte en lui. Lorsqu'il se fait vent et se met à souffler, j'aime garder une fenêtre ouverte dans mon bureau. Rares sont ceux qui, comme Fernando Valenzuela, connaissent cette particularité qui m'est propre. Fernando Valenzuela le garant de cautions, pas le lanceur de base-ball. J'arrivais juste à Lancaster pour une convocation à neuf heures lorsqu'il m'appela. Il avait dû entendre le vent siffler dans mon portable car il me lança :

– Mick ! T'es dans le nord ce matin ?

– Pour l'instant, oui, répondis-je en remontant ma vitre pour mieux l'entendre. T'as quelque chose ?

– Oui, j'ai quelque chose. Je pense tenir un client pactole. Mais il ne se montrera qu'à onze heures. Tu pourrais arriver ici en temps utile ?

C'est à une rue du centre administratif de Van Nuys Boulevard, qui abrite deux tribunaux et la prison, que se trouve le bureau de Valenzuela. Il a donné à son affaire le nom de Liberty Bail Bonds[1]. Son numéro de téléphone – en gros néons rouges sur le toit de son immeuble –, se voit de l'aile de haute surveillance du troisième étage du pénitencier. Et, dans tous les autres quartiers de la prison, il est gravé sur les parois de chaque cabine téléphonique.

On pourrait aussi dire qu'il est gravé en permanence sur ma liste de cadeaux de Noël. À la fin de l'année, j'offre en effet une

---

1. Soit « Garanties de conditionnelle ». Jeu de mot sur Liberty Bell, la cloche de Philadelphie qui symbolise l'indépendance américaine *(NdT)*.

boîte de fruits secs (Mélange du Planteur « spécial Holidays ») à tous ceux que j'y ai inscrits. La boîte s'orne d'un ruban avec un joli nœud. Mais il n'y a pas de fruits secs dans la boîte. Juste du liquide. J'ai beaucoup de garants de conditionnelle sur ma liste. Le Mélange du Planteur « spécial Holidays », j'en mange dans un Tupperware jusqu'au cœur du printemps. Depuis mon dernier divorce, c'est même souvent tout ce que j'avale en guise de dîner.

Avant de répondre à la question de Valenzuela, je réfléchis à ma convocation. Mon client s'appelait Harold Casey. À condition que le rôle des causes soit tenu selon l'ordre alphabétique je pouvais, et sans problème, arriver en temps voulu pour une audience de onze heures. Sauf que le juge Orton Powell était en toute fin de carrière. Qu'il prenait sa retraite. Ce qui voulait dire qu'au contraire de ses confrères du barreau il n'avait plus à gérer les pressions inhérentes au processus de réélection. Et que, pour bien montrer qu'il était libre – et peut-être aussi pour rendre la monnaie de leur pièce à tous ceux et à toutes celles auxquels il avait été redevable douze ans durant –, il aimait assez mélanger un peu tout dans sa salle d'audiences. Certaines fois il appelait les affaires par ordre alphabétique, mais d'autres fois aussi dans l'ordre inverse, quand ce n'était pas par ordre d'inscription du dossier au greffe du tribunal. On ne savait donc jamais quand une affaire allait passer en audience jusqu'à ce qu'on soit devant lui. Il n'était pas rare que des avocats aient à battre la semelle pendant plus d'une heure dans son tribunal. Ça lui plaisait beaucoup.

– Onze heures ? Je devrais y arriver, répondis-je sans en être vraiment certain. C'est quelle affaire ?

– Le mec doit avoir un tas de pognon. Adresse à Beverly Hills et l'avocat de la famille se pointe ici tout de suite. C'est pas du toc, Mick. Ils lui ont collé une caution d'un demi-million de dollars et l'avocat de sa mère s'est ramené aujourd'hui, tout prêt à garantir le truc avec une propriété à Malibu. Il n'a même pas demandé qu'on réduise le montant de la caution. Ils doivent pas trop avoir peur qu'il se taille.

– Et c'est pour quel crime ? demandai-je.

D'un ton égal. Pour les requins, l'odeur du fric conduit souvent à une fringale proprement frénétique, mais j'avais assez chou-

chouté Valenzuela à des tas de Noëls pour savoir que je le tenais, et pour moi tout seul. Je pouvais la jouer cool.

– Les flics l'ont serré d'entrée de jeu pour voies de fait, blessures graves et tentative de viol, me répondit-il. À ma connaissance, le district attorney n'est pas encore entré dans la danse.

La police a l'habitude d'en rajouter sur les charges. Ce qui compte, c'est ce que les procureurs finissent par retenir et porter devant la cour. Je dis toujours qu'au début les affaires rugissent comme des lions et qu'à la fin elles bêlent comme des agneaux. Une affaire de tentative de viol et voies de fait avec blessures graves est facilement requalifiée en simples coups et blessures. Ça n'est pas pour me surprendre et ne se termine pas forcément par le pactole. Il n'empêche : si j'arrivais à joindre le client et à conclure un accord financier sur la base des charges envisagées, je lui ferais très bonne impression lorsque le district attorney ramènerait tout ça à des accusations raisonnables.

– Tu as des détails ?

– Il s'est fait coincer hier soir, répondit Valenzuela. Ça ressemble pas mal à une histoire de nana qu'on lève dans un bar, l'affaire finissant par tourner mal. D'après l'avocat de la famille, la fille en voudrait à son fric. Tu sais bien... le procès au civil après le procès au criminel. Mais je n'en suis pas sûr. D'après ce que j'ai entendu dire, elle s'est quand même fait salement amocher.

– Comment s'appelle l'avocat de la famille ?

– Attends une seconde. J'ai sa carte quelque part.

Je jetai un coup d'œil par la vitre en attendant que Valenzuela la retrouve. J'étais à deux minutes du tribunal de Lancaster et à douze de mon rendez-vous. Et, là-dessus, il m'en fallait au moins trois pour conférer avec mon client et lui annoncer la mauvaise nouvelle.

– Ah, voilà, reprit Valenzuela. Il s'appelle Cecil C. Dobbs, Esquire. Il habite à Century City. Tu vois, je te l'avais bien dit qu'y avait du fric à la clé.

Il avait raison. Mais ce n'était pas l'adresse à Century City qui disait le fric. C'était le nom du type. Je connaissais ce bonhomme de réputation et me doutais que parmi ses clients il ne devait pas y avoir beaucoup plus d'un ou deux types qui n'habitaient pas à

Bel-Air ou à Holmby Hills. Après le travail, ces messieurs et dames devaient regagner des maisons où, la nuit, les étoiles semblaient descendre du ciel pour adouber les puissants.

— Tu me donnes le nom du client ? demandai-je.

— Il s'agit d'un certain Louis Ross Roulet.

Il m'épela le nom, je l'inscrivis sur un bloc-notes.

— C'est presque comme la roulette, mais faut prononcer « Roulay », précisa-t-il. Alors, tu vas venir ?

Avant de lui répondre, je portai aussi le nom de C. C. Dobbs sur mon bloc. Et finis par lui renvoyer une question en guise de réponse.

— Bon mais... pourquoi moi ? demandai-je. C'est lui qui m'a demandé ? Ou c'est toi qui le lui as suggéré ?

Parce que là, il fallait faire attention. Je devais absolument tenir pour acquis que Dobbs était le genre d'avocat à en appeler au barreau de Californie en un tournemain si jamais il tombait sur un avocat de la défense qui paie des garants de caution pour se faire envoyer des clients. De fait, je commençais même à me demander si tout cela n'était pas un piège du barreau auquel Valenzuela n'avait vu que du feu. Il faut dire que ce barreau ne me portait pas vraiment dans son cœur. Qu'il avait déjà essayé de me coincer, et pas qu'une fois.

— J'ai demandé à Roulet s'il avait un avocat, tu vois ? Un avocat de la défense et il m'a répondu que non. Alors, j'y ai causé de toi. Sans forcer. J'y ai juste dit que t'étais bon. La pédale douce, quoi, tu vois ?

— Et t'as fait ça avant ou après que Dobbs se soit pointé ?

— Avant. Roulet m'a appelé de la prison ce matin. Les flics lui ont mis sacrément la pression et il a dû comprendre. Dobbs s'est pointé après. J'y ai dit que t'étais sur le coup et qui t'étais et il a pas râlé. Il sera ici à onze heures. Tu verras comme il est.

Je gardai longtemps le silence. Je me demandais jusqu'où Valenzuela me disait la vérité. Un type comme Dobbs devait avoir ce qu'il fallait. À supposer même que ce ne soit pas dans ses cordes, il avait sûrement un spécialiste du criminel dans son cabinet, à tout le moins en stand-by. Sauf que l'histoire de Valenzuela semblait signifier le contraire. C'était sans rien dans les mains que Roulet était venu à lui. Et moi, cela me disait que, dans cette histoire, il y avait plus de trucs que j'ignorais que de trucs que je connaissais.

– Hé, Mick ! T'es toujours avec moi ? me lança Valenzuela.

Je pris ma décision – une décision qui devait me ramener à Jesus Menendez et que je devais finir par regretter, et plutôt deux fois qu'une. Sauf qu'au moment où je la pris, elle ne reflétait qu'un choix tout droit sorti de l'habitude et de la nécessité.

– J'y serai, dis-je dans mon téléphone. On se retrouve à onze heures.

J'allais refermer l'appareil lorsque j'entendis la voix de Valenzuela me revenir.

– Et tu vas pas m'oublier, hein, Mick ? Enfin tu vois... si c'est vraiment le client pactole.

C'était la première fois qu'il me demandait de lui garantir un renvoi d'ascenseur. Cela ne faisant qu'accroître ma paranoïa, je lui concoctai une réponse qui puisse le satisfaire lui, mais aussi le barreau... si jamais j'étais sur écoutes.

– T'inquiète pas, Val ! lui renvoyai-je. T'es sur ma liste du Père Noël.

Et je refermai mon portable avant qu'il puisse ajouter quoi que ce soit et demandai à mon chauffeur de me déposer à l'entrée des employés du tribunal. La queue au portique de détection des métaux y serait plus courte et l'attente moins longue. Les types de la sécurité n'avaient en général rien contre le fait que les avocats, en tout cas les habitués de ce tribunal, passent par là pour arriver à l'heure en salle d'audience.

C'est en repensant à Louis Ross Roulet, à son affaire, à tout ce pactole possible et aux dangers qui m'attendaient que je redescendis ma vitre pour goûter encore une minute à l'air propre et frais du désert. Il était toujours porteur de promesses.

2

Quand j'y arrivais, la salle d'audience de la chambre 2A était pleine d'avocats en train de négocier et de bavarder des deux côtés de la barre. Je sus que la séance débuterait à l'heure en voyant que l'huissier avait pris place à son bureau. Cela voulait dire que le juge était sur le point de siéger.

Dans le comté de Los Angeles, les huissiers sont en fait des adjoints au shérif assermentés détachés auprès du Service des prisons. Je m'approchai du mien, son bureau se trouvant juste à côté de la balustrade de la barre afin que les citoyens puissent venir poser des questions sans avoir à violer l'espace réservé aux avocats, aux accusés et au personnel de la salle. Je vis le rôle accroché à une écritoire à pinces posée devant lui. Je vérifiai le nom porté sur sa plaque – R. Rodriguez –, avant de parler.

– Roberto, lui lançai-je, vous avez mon gars sur votre feuille ? Harold Casey ?

Il posa son doigt en haut de la liste et ne le descendit que très peu avant de me répondre. Autrement dit, j'avais de la chance.

– Casey, dit-il, oui. C'est le deuxième.

– On bosse en alphabétique aujourd'hui ? Génial. J'ai le temps de passer derrière et d'aller voir le mec ?

– Non. On doit amener le premier groupe dans une minute. Je viens juste de les appeler. Le juge va arriver. Vous n'aurez que deux ou trois minutes pour voir votre type dans l'enclos.

– Merci.

Je me dirigeais vers le portillon lorsqu'il me rappela.

– Et c'est Reynaldo, pas Roberto !

– D'accord, d'accord. Je m'excuse pour ce Roberto.

— Parce que nous autres, huissiers, on a tous la même gueule, c'est ça?

Je ne savais pas trop s'il essayait de faire de l'humour ou s'il se foutait de moi. Je ne répondis pas, me contentai de sourire, franchis le portillon, saluai deux ou trois avocats que je ne connaissais pas, et deux ou trois autres que je connaissais. L'un d'eux m'arrêta pour me demander combien de temps je pensais tenir le juge, parce qu'il voulait avoir une idée de l'heure à laquelle revenir pour son client. Je lui répondis que je ne traînerais pas.

Avant la séance, les prévenus incarcérés sont conduits à la salle d'audience par groupes de quatre et enfermés dans une enceinte tout en bois et verre appelée «l'enclos». Cela leur permet de conférer avec leurs avocats avant que, leur affaire appelée, les charges retenues contre eux soient examinées par la cour.

J'arrivai au bord de l'enclos au moment même où, un adjoint au shérif ayant ouvert la porte de la cellule, les quatre premiers prévenus recevaient l'ordre d'avancer. Le dernier à entrer dans l'enclos fut Harold Casey, mon client. Je pris place près du mur latéral de façon à ce que nous soyons un peu à l'écart et lui fis signe d'approcher.

Casey était un grand costaud, du genre qu'on tend à recruter chez les Road Saints, un gang de motards qui, eux, préfèrent parler de «club». Il avait profité de son séjour à la prison de Lancaster pour se couper les cheveux et se raser, comme je le lui avais demandé. Il était donc relativement présentable, en dehors des tatouages qu'il avait sur les bras et de ceux qui dépassaient de son col de T-shirt. On fait ce qu'on peut. Je ne sais pas trop quel effet peuvent avoir des tatouages sur les jurés, mais je ne crois pas que ce soit vraiment positif, surtout lorsque ces tatouages représentent des crânes ricanants. Ce que je sais, c'est qu'en général les jurés n'aiment pas les queues-de-cheval – qu'elles ornent la tête du prévenu ou celle de l'avocat qui le représente.

Casey, ou «Hard Case[1]» comme l'appelaient les membres du «club», était accusé de cultiver, posséder et vendre de la marijuana, en plus d'autres délits ayant à voir avec la drogue et les armes à feu.

---

1. Soit «le cas pas facile» *(NdT)*.

Lors d'une descente effectuée avant l'aube dans le ranch où il vivait et travaillait, les adjoints du shérif avaient découvert une grange et des baraquements militaires transformés en lieux de culture. Plus de deux mille plants de marijuana arrivés à parfaite maturité y avaient été saisis, sans parler de trente-deux kilos de la même marijuana mise en paquets plastique de divers poids. Et de 340 grammes de cristaux de méthédrine que les types chargés de l'emballage auraient dû éparpiller sur la récolte afin de lui donner un petit coup de fouet, tout cela saisi avec un petit arsenal dont il avait été plus tard reconnu que l'essentiel avait été volé.

Bref, l'affaire Casey semblait bien foutue. La justice de Californie le tenait. Il avait été trouvé endormi sur un lit de camp dans la grange, à un mètre cinquante du plan d'emballage. Sans oublier qu'il avait été déjà condamné deux fois pour trafic de drogue, et qu'il était encore en liberté conditionnelle pour sa dernière condamnation. Or, en Californie, le troisième coup est le bon. Soyons réalistes : Casey devait s'attendre à une décennie de taule, même en en défalquant ce qu'il s'était déjà tapé.

À ceci près que, fait inhabituel, l'accusé Casey attendait avec impatience d'être jugé – et surtout condamné. Il avait refusé de renoncer au droit d'être jugé rapidement et là, moins de trois mois après son arrestation, il n'avait plus qu'une envie : passer devant une cour. Et s'il le voulait, c'était parce que son seul espoir raisonnable était de faire appel de sa très probable condamnation. Et c'est vrai que, grâce à son avocat, il avait un semblant d'espoir – cette petite lueur vacillante que seul un bon avocat peut apporter dans un dossier aussi sombre. De cette lueur une stratégie était née, qui plus tard pourrait contribuer à le libérer. C'était dangereux et osé, et lui coûterait de la taule en attendant l'appel, mais il savait aussi bien que moi que c'était sa seule chance véritable.

La faille du dossier de l'accusation ne résidait en effet pas du tout dans l'hypothèse selon laquelle Casey cultivait, emballait et vendait de la marijuana. De ce côté-là, le procureur avait parfaitement raison et les pièces à conviction le prouvaient plus qu'amplement. C'était plutôt dans la manière dont l'accusation en était venue à détenir ces éléments de preuve que ces charges vacillaient sur leurs bases. Il me revenait donc de titiller cette faille, de l'exploiter et de la faire apparaître aux minutes du procès afin d'emporter l'adhésion d'une cour d'appel quant à la validité de ma demande, repoussée par le juge Orton Powell, de ne pas prendre ces éléments de preuve en considération.

C'était un mardi de la mi-décembre qu'Harold Casey avait semé les germes de son accusation en entrant dans un Home Depot de Lancaster pour y faire l'acquisition d'un certain nombre d'articles courants – dont trois ampoules du genre de celles qu'on utilise pour les cultures hydroponiques. Il se trouvait que le type qu'il avait derrière lui, dans la queue pour arriver à la caisse, était un adjoint au shérif qui s'apprêtait à acheter des guirlandes lumineuses pour Noël. Ledit adjoint, qui n'était pas en service, avait reconnu certains des tatouages que Casey avait sur les bras (surtout le crâne avec sa petite auréole qui est l'emblème des Road Saints) et avait aussitôt fait le lien. Il avait alors suivi Casey jusqu'à son ranch proche de Pearblossom. Le renseignement avait ensuite été transmis à la Brigade antidrogue du shérif, lequel s'était alors arrangé pour qu'un hélicoptère banalisé survole la propriété et en prenne des photos avec une caméra à imagerie thermique. Ces clichés, où l'on voyait en détails d'un beau rouge vif la grange et les baraquements, ajoutés aux déclarations de l'adjoint qui avait vu Casey acheter des ampoules pour cultures hydroponiques, avaient été consignés dans un dossier qu'on avait transmis à un juge. Dès le lendemain matin, Casey était réveillé en plein sommeil sur son lit de camp par des adjoints au shérif munis de commissions rogatoires.

Lors d'une audience précédente, j'avais soutenu que tous les éléments de preuve retenus contre mon client devaient être rejetés dans la mesure où la raison de la perquisition constituait une violation de la loi sur la protection de la vie privée. Il ne faisait en effet aucun doute que se servir des achats ordinaires d'un citoyen lambda dans une quincaillerie pour violer ensuite son espace privé à l'aide d'une surveillance terrestre et aérienne et de clichés pris avec une caméra à imagerie thermique ne pouvait être considéré que comme un procédé excessif par ceux qui avaient façonné la Constitution.

Le juge Powell ayant rejeté mes arguments, il avait été décidé que l'affaire passerait devant une cour, avec possibilité de plaider coupable. Entre-temps, de nouveaux renseignements étaient apparus qui ne pouvaient que renforcer l'appel que Casey n'allait pas manquer d'interjeter. L'examen des photos prises pendant le survol de son ranch et l'analyse des focales utilisées avec la caméra thermique indiquaient en effet clairement que l'hélico ne se trouvait pas à plus de soixante mètres du sol lorsque les adjoints du shérif avaient photographié les lieux. Et si la Cour suprême des États-Unis a effectivement arrêté que le survol de l'habitation d'un suspect lors d'une surveillance aérienne ne constitue pas une violation des droits de ce dernier à être protégé dans sa vie privée, il convient néanmoins que l'aéronef reste dans les limites de l'espace aérien public. J'avais donc demandé à mon enquêteur, Raul Levin, de se renseigner auprès de la Federal Aviation Administration, et il avait découvert que, le ranch de Casey ne se trouvant pas dans le rayon de survol des avions mis en attente d'atterrissage dans un aéroport, le plancher de survol légal était à 600 mètres. Bref, les adjoints du shérif avaient manifestement violé l'espace privé de Casey en essayant de collecter des indices qui pourraient leur donner une raison juridiquement recevable de fouiller les lieux.

Ma tâche consistait maintenant à présenter le dossier à la cour et à pousser mes adjoints au shérif et le pilote de l'hélico à dire à quelle altitude ils volaient lorsqu'ils étaient passés au-dessus du ranch. Qu'ils disent la vérité et je les tenais. Et qu'ils mentent et je les tenais aussi. Je n'aimais pas trop l'idée de coincer des représentants des forces de l'ordre en plein tribunal, mais j'espérais quand même bien qu'ils mentent. Dès qu'un jury s'aperçoit qu'un flic ment à la barre, l'accusation ferait mieux de tout laisser tomber. Et faire appel d'un verdict de non-culpabilité est inutile. On ne revient jamais sur un tel jugement.

Dans un cas comme dans l'autre, j'étais sûr de l'emporter. Il nous fallait seulement passer devant la cour et une seule chose nous retenait de le faire. C'était pour ça que j'avais besoin de parler à Casey avant que le juge siège et appelle l'affaire.

Mon client gagna le coin de l'enclos d'un pas nonchalant et ne me lança même pas un petit bonjour. Mais moi non plus : il savait ce que je voulais. Cet entretien, nous l'avions déjà eu.

– Harold, lui dis-je, c'est l'heure. C'est là que je dis au juge si nous sommes prêts à passer devant un tribunal. Je sais déjà que le procureur est prêt, lui. Bref, aujourd'hui, c'est à nous de jouer.

– Et alors ?

– Et alors, y a un problème. La dernière fois qu'on s'est vus, vous m'avez dit que je recevrais du fric. Sauf que nous revoilà ensemble et que je n'ai toujours rien.

– T'inquiète pas. Je l'ai, ton fric.

– C'est bien pour ça que je suis inquiet : c'est vous qui l'avez. Et moi qui ne l'ai pas.

– Il arrive. J'en ai parlé à mes hommes hier. Il arrive.

– Vous m'avez déjà dit ça la dernière fois. Je travaille pas à l'œil, Harry. Et l'expert auquel j'ai demandé d'analyser les photos non plus. Y a longtemps que votre dépôt de garantie a fondu. Je veux du fric, sinon va falloir que vous vous trouviez un autre avocat. Un avocat commis d'office.

– Je veux pas d'avocat commis d'office, mec. Je te veux, toi.

– Ben, j'ai des frais et faut que je bouffe, moi. Vous savez combien ça me coûte par semaine rien que pour payer les Pages jaunes ? Allez, devinez un peu.

Il garda le silence.

– Mille dollars. Ouais, mille dollars en moyenne rien que pour y garder ma pub et ça, c'est avant que je bouffe, que je paie mes traites, ma pension alimentaire et l'essence pour la Lincoln. Je travaille pas à crédit, Harold. Moi, c'est le billet vert qui m'inspire.

Ça n'eut pas l'air de l'impressionner.

– Je me suis renseigné, me renvoya-t-il. T'as même pas le droit de me lâcher. Pas maintenant. Le juge te l'interdira.

Le silence se fit dans la salle lorsque ce dernier franchit la porte de son cabinet et gravit les deux marches qui conduisaient à son siège. L'huissier ouvrit la séance. Enfin du spectacle. Je me contentai de regarder longuement Casey, puis je m'éloignai. Sa connaissance du droit et de la façon dont ça fonctionnait était celle d'un amateur, d'un type qui a fait de la taule. Il en savait plus long que beaucoup. Mais il ne savait pas la surprise qui l'attendait.

Je m'installai sur un siège adossé à la rambarde, derrière la table de la défense. La première affaire était une histoire de réduction de caution et fut vite expédiée. Puis l'huissier appela la nôtre – l'État de Californie contre Casey –, et je gagnai la table.

– Michael Haller pour la défense, lançai-je.

Le procureur signala lui aussi qu'il était là. Il était jeune, s'appelait Victor DeVries et n'avait aucune idée de ce qui allait lui tomber dessus lorsque nous irions au procès. Comme il est d'usage, le juge Orton Powell s'enquit de savoir si un arrangement de dernière minute ne pouvait pas être conclu. Tous les juges croulent sous les affaires et doivent faire de leur mieux pour les évacuer à l'amiable. La dernière chose qu'ils ont envie d'entendre est bien qu'il n'y a aucun espoir d'accord et que le passage devant une cour est inévitable.

Cela dit, Powell accueillit comme si de rien n'était la mauvaise nouvelle que DeVries et moi lui avions réservée et nous demanda si nous étions prêts à fixer la date du procès à un peu plus tard dans la semaine. DeVries répondit que oui. Et moi que non.

– Monsieur le juge, lui lançai-je, j'aimerais bien repousser le jugement à la semaine prochaine, si c'est possible.

– Pourquoi ce délai, maître Haller ? me demanda-t-il d'un ton impatient. L'accusation est prête et j'aimerais en finir avec ce dossier.

– Tout comme moi, monsieur le juge. Sauf que la défense a du mal à localiser un témoin qui lui sera nécessaire. Un témoin indispensable, monsieur le juge. Un report d'une semaine devrait suffire. Nous devrions pouvoir y aller la semaine prochaine.

Comme prévu, DeVries éleva une objection.

– Monsieur le juge ! s'écria-t-il. C'est bien la première fois que l'accusation entend parler d'un témoin manquant. Maître Haller a eu presque trois mois pour retrouver son témoin. C'est lui qui voulait un jugement rapide et voilà qu'il nous demande d'attendre ? Il ne s'agit sans doute que d'une demande de report motivée par le fait qu'il se trouve devant un dossier qui le…

– Vous pouvez garder le reste de votre phrase pour les jurés, maître DeVries. Maître Haller, vous êtes sûr qu'une semaine devrait vous permettre de résoudre votre problème ?

– Oui, monsieur le juge.

– Parfait. Nous vous reverrons donc, vous et M. Casey, lundi prochain et vous devrez être prêts. Est-ce bien compris ?

– Oui, monsieur le juge. Merci.

L'huissier appelant l'affaire suivante, je m'écartai de la table de la défense. Puis je regardai un adjoint au shérif faire sortir mon client de l'enclos. Casey me coula un regard par-dessus son épaule, un regard où la perplexité le disputait à la colère. Je m'approchai de Reynaldo Rodriguez et lui demandai la permission de me rendre à la cellule de détention pour conférer avec mon client. C'est là une faveur qu'on accorde à pratiquement tous les habitués. Rodriguez se leva, déverrouilla une porte derrière son bureau et me laissa passer. Je veillai à le remercier en l'appelant par le prénom qui convenait.

Casey se trouvait dans une cellule avec un autre accusé, celui dont on avait appelé l'affaire avant la nôtre. La cellule était grande et munie de bancs sur trois côtés. L'ennui, lorsque son affaire est appelée tôt, est qu'après on est obligé de rester dans cette cage jusqu'à ce qu'elle soit assez pleine d'accusés pour remplir le bus qui les ramènera à la prison du comté. Casey se rua sur les barreaux pour me parler.

— De quel témoin tu causais ? voulut-il savoir.

— M. Billetvert, lui répondis-je. M. Billetvert est le seul individu dont nous ayons besoin pour faire avancer notre affaire.

Son visage se crispa sous la colère. J'essayai de coincer mon bonhomme au tournant.

— Écoutez-moi, Harold. Je sais que vous voulez que ça avance et qu'on arrive à la condamnation pour pouvoir interjeter appel. Mais va falloir payer le fret à un moment donné du parcours. Et je sais de très longue et de très douloureuse expérience que ça ne me fait aucun bien de traquer des gens pour qu'ils me paient ce qu'ils me doivent une fois que l'oiseau s'est envolé. Vous voulez jouer le coup tout de suite, vous payez tout de suite.

Je hochai la tête et m'apprêtai à regagner la porte qui conduisait à la liberté. Mais recommençai à parler.

— Et n'allez pas croire que le juge n'a pas compris ce qui se passe, repris-je. Vous avez affaire à un jeune procureur que, si on lui pressait le nez, il en sortirait du lait ; mais lui n'a pas à s'inquiéter de savoir d'où lui tombera le chèque à la fin du mois. Il se trouve qu'Orton Powell, lui, a passé quatre ans du côté de la défense avant de devenir juge. Il sait donc parfaitement ce que ça veut dire de retrouver des témoins indispensables du genre de M. Billetvert et y a des chances qu'il n'ait guère de sympathie pour un accusé qui ne paie pas son baveux. Je lui ai fait un clin d'œil, Harold. Si je veux lâcher l'affaire, je la lâcherai. Cela dit, je préférerais beaucoup qu'on se retrouve ici lundi prochain et que je me lève pour lui dire qu'on a retrouvé notre témoin et que nous sommes prêts à foncer. Vous comprenez?

Il commença par ne rien dire. Il gagna l'autre bout de la cellule et s'assit sur un banc. Et ne me regarda même pas lorsque enfin il parla :

— Dès que j'ai accès à un téléphone, dit-il.

— Ça me paraît bien, lui renvoyai-je. Je vais dire à un des adjoints au shérif que vous avez un appel à passer. Vous le passez, vous faites pas de conneries et on se retrouve la semaine prochaine. Ça va gazer, vous verrez.

Sur quoi je regagnai la porte d'un pas rapide. Je déteste me trouver à l'intérieur d'une prison. Je ne sais pas trop pourquoi. Faut croire que j'ai parfois l'impression que la frontière est bien mince – la frontière qui sépare l'avocat au criminel de l'avocat qui l'est. Il y a des moments où je ne sais plus trop de quel côté de la barre je me trouve. À mes yeux, pouvoir ressortir par le chemin par lequel je suis entré a toujours quelque chose de miraculeux.

3

Ayant retrouvé les couloirs du tribunal, je rallumai mon portable et appelai mon chauffeur pour l'avertir que j'arrivais. Puis je vérifiai ma boîte vocale et y trouvai des messages de Lorna Taylor et de Fernando Valenzuela. Je décidai d'attendre d'être à nouveau dans ma voiture pour leur répondre.

Earl Briggs, mon chauffeur, avait garé la Lincoln juste devant le tribunal. Il n'en descendit pas pour m'ouvrir la portière ou autre. Selon notre arrangement, il devait simplement me conduire à droite et à gauche, cela afin de me régler les honoraires qu'il me devait suite à la conditionnelle que je lui avais décrochée après sa condamnation pour trafic de cocaïne. Je le payais vingt dollars de l'heure, mais en retenais la moitié. Ce n'était pas vraiment ce qu'il gagnait en vendant du crack dans les cités, mais c'était légal et moins dangereux et pouvait figurer sur un CV. Earl disait vouloir rentrer dans le droit chemin et je le croyais.

J'entendis du hip-hop pulser derrière les vitres en m'approchant de la Lincoln Town Car. Mais Earl l'arrêta net dès que je tendis la main vers la poignée de la portière. Je me glissai à l'arrière et lui demandai de prendre la direction de Van Nuys.

– Qui est-ce que vous écoutiez ? lui demandai-je.

– Euh... le Three Six Mafia.

– Sud crade ?

– Voilà !

Au fil des ans je me suis familiarisé avec les distinctions subtiles – régionales et autres –, qui ont cours dans le rap et le hip-hop. Quels qu'ils soient, pratiquement tous mes clients en écoutent, nombre d'entre eux en tirant même des stratégies de vie.

Je me penchai en avant, attrapai la boîte à chaussures pleine de cassettes consacrées à l'affaire Boyleston et en choisis une au hasard. Puis je notai l'heure et le numéro de la cassette dans le petit carnet que je gardais dans la boîte à chaussures et passai la bande à Earl par-dessus le dossier du siège. Il la glissa dans le lecteur du tableau de bord. Je n'eus pas besoin de lui demander de baisser suffisamment le son pour n'entendre qu'un bruit de fond. Earl travaillait pour moi depuis trois mois et savait ce qu'il fallait faire.

Roger Boyleston était un des clients que m'avait envoyés le tribunal. Il devait répondre de diverses accusations de trafic de drogue. Des écoutes téléphoniques de la DEA[1] avaient conduit à son arrestation et à la saisie de six kilos de cocaïne qu'il prévoyait de distribuer grâce à un réseau de dealers. Les bandes étaient nombreuses – il y en avait pour plus de cinquante heures d'enregistrement. Boyleston avait dit à beaucoup de gens ce qui allait arriver et à quel moment s'y attendre. Pour le parquet, l'affaire était dans le sac. Boyleston allait en prendre pour longtemps et je ne pouvais pratiquement rien faire, hormis négocier sa coopération contre une diminution de peine. Mais cela n'avait guère d'importance. Ce qui en avait à mes yeux, c'était les bandes. C'était à cause d'elles que j'avais pris l'affaire. L'administration fédérale était obligée de me payer pour que je les écoute et puisse ainsi défendre mon client. Ce qui voulait dire que j'allais toucher un minimum de cinquante heures d'écoute, payables par mon client et par l'administration avant que tout soit réglé. Voilà pourquoi je m'assurais que ces bandes tournent toujours comme il faut quand je me trouvais dans ma Lincoln. Je voulais être certain de pouvoir dire en conscience que j'avais bien écouté tout ce dont je m'étais fait payer l'écoute par Uncle Sugar[2] si jamais je devais un jour poser la main sur la Bible et jurer de dire la vérité.

Ce fut Lorna Taylor que je rappelai en premier. Lorna s'occupe de gérer mes dossiers. Le numéro de téléphone que l'on découvre

---

1. Drug Enforcement Administration *(NdT)*.
2. Soit «Tonton Sucre», surnom donné à «Oncle Sam» quand il paie les avocats commis d'office *(NdT)*.

sur ma demi-page de publicité dans les Pages jaunes et sur les trente-six bancs d'abribus éparpillés dans les zones de haute criminalité du sud et de l'est du comté est celui de son bureau/chambre d'ami de l'appartement en copropriété qu'elle occupe dans Kings Road, à West Hollywood. L'adresse que j'ai communiquée au barreau de Californie et à tous les huissiers des tribunaux est, elle aussi, celle de cet appartement.

Lorna est donc mon premier rempart. Pour m'atteindre, il faut d'abord passer par elle. Mon numéro de portable n'étant connu que de quelques personnes, Lorna est celle qui monte la garde à ma porte. Elle est dure, elle est maligne, elle est professionnelle – et belle. Depuis quelque temps néanmoins, je ne vérifie ce dernier point qu'environ une fois par mois, lorsque je l'emmène déjeuner et signer des chèques – car c'est aussi elle qui tient ma comptabilité.

– Cabinet d'avocat, lança-t-elle quand je l'appelai.

– Je m'excuse. J'étais encore au tribunal, lui dis-je pour lui expliquer que je n'avais pas pu prendre son appel. Quoi de neuf ?

– T'as parlé avec Val ?

– Oui. À l'heure qu'il est, je me dirige vers Van Nuys. J'ai eu l'affaire à onze heures.

– Il a appelé ici pour être sûr. Il a l'air inquiet.

– Il croit que c'est la poule aux œufs d'or et veut être sûr de pas rater le coche. Je le rappelle pour le rassurer.

– J'ai procédé aux premières vérifications sur le dénommé Louis Ross Roulet. Le crédit est excellent. Son nom apparaît plusieurs fois dans les archives du *Times*. Tout dans l'immobilier. On dirait qu'il travaille pour une boîte de Beverly Hills, la Windsor Residential Estates. Ils s'occupent de biens exclusifs – pas le genre de maisons devant lesquelles on plante un panneau « À vendre ».

– Très bien, ça. Autre chose ?

– Sur ça, non. Et rien que de très habituel côté téléphone... pour l'instant.

Ce qui signifiait qu'elle avait vérifié le nombre habituel d'appels provenant des Pages jaunes et des abribus, tous d'individus qui voulaient engager les services d'un avocat. Avant de pouvoir me parler, ils doivent convaincre Lorna qu'ils ont les moyens de me payer. Lorna, c'est comme l'infirmière à la réception des urgences : il faut arriver à la convaincre qu'on a une bonne assurance-maladie avant qu'elle vous donne l'autorisation d'aller voir le médecin dans la salle du fond. À côté de son téléphone, elle a affiché un tarif qui démarre à 5 000 dollars pour conduite en état d'ivresse et monte jusqu'à ce que j'exige de l'heure en cas de poursuites au criminel. Elle s'assure que tout client potentiel sera un client qui paie et saura ce qu'il lui en coûtera que je le défende pour le crime dont on l'accuse. Il y a un dicton qui déclare : «Tu veux pas la prison, tu fais pas le couillon.» Lorna, elle, aime à dire qu'avec moi cela devient : «T'as pas le pognon, tu fais pas le couillon.» Elle accepte Visa et Master Card et demande à vérifier la solvabilité du client avant qu'il puisse me contacter.

— Personne qu'on connaîtrait? lui demandai-je.

— Laura Larsen a appelé des Tours jumelles.

Je poussai un grognement. Situées en centre-ville, les Tours jumelles sont la prison principale du comté. Elles abritent des femmes dans l'une et des hommes dans l'autre. Laura Larsen était une prostituée de haut vol qui avait besoin de mes services de temps en temps. Au moins dix ans s'étaient écoulés depuis que je l'avais représentée pour la première fois – elle était alors jeune et, n'ayant pas touché à la drogue, avait encore de la vie dans le regard. Elle n'était plus maintenant qu'une cliente que je prenais *pro bono*. Je ne la faisais jamais payer. Je me contentais d'essayer de l'amener à renoncer à l'existence qu'elle menait.

— Quand est-ce qu'elle s'est fait serrer?

— Hier soir. Non, plutôt ce matin. Elle doit comparaître après le déjeuner.

— Je ne sais pas si je vais y arriver avec mon truc à Van Nuys.

— Et y a une complication. Possession de cocaïne en plus des trucs ordinaires.

Je savais que Laura ne travaillait que par contacts sur Internet, où elle se mettait en vitrine sur divers sites sous le nom de Laura Larceny[1]. Pas question pour elle de faire le trottoir ou de jouer les entraîneuses de bar. Quand elle se faisait gauler, c'était en général après qu'un flic des Mœurs en civil avait pu passer à travers ses

---

1. Soit «Laura Délit» *(NdT)*.

vérifications et prendre rendez-vous avec elle. Qu'elle ait été prise avec de la coke sur elle me faisait l'effet d'un relâchement fort étonnant de sa part. Ou alors c'était le flic qui la lui avait glissée dans la poche pour la compromettre.

– Bon. Si elle rappelle, dis-lui que j'essaierai d'y être et que si je ne peux pas je lui trouverai quelqu'un d'autre pour la représenter. Tu téléphones au greffe pour confirmer qu'on y sera?

– Je m'en occupe, mais… Mickey, quand vas-tu lui dire que c'est la dernière fois?

– Je ne sais pas. Peut-être aujourd'hui. Quoi d'autre?

– Ça fait pas assez pour une journée?

– Bah, faudra sans doute faire avec.

Nous parlâmes encore un peu de mon emploi du temps pour le reste de la semaine, puis j'ouvris mon portable sur la tablette repliable du dossier de façon à pouvoir synchroniser nos agendas. J'avais deux ou trois audiences chaque matin et une qui durerait toute la journée de jeudi. Rien que des affaires de drogue dans le sud du comté. Mon ordinaire. À la fin de notre entretien, je l'avertis que je l'appellerais après l'audience à Van Nuys pour lui dire si et comment l'affaire Roulet risquait de modifier la donne.

– Un dernier truc, ajoutai-je. Tu m'as bien dit que Roulet travaille dans une boîte où on gère de l'immobilier plutôt sélect, non?

– Si, si. D'après les archives, aucune des affaires qu'il a gérées ne s'est traitée à moins d'un million de dollars. Certaines ont même dépassé les dix. Holmby Hills, Bel-Air, voilà le genre d'endroits.

Je hochai la tête en me disant que le standing du monsieur risquait d'intéresser les médias.

– Bon, mais… pourquoi ne pas en glisser un mot à Sticks?

– Vraiment?

– Mais oui! On pourrait peut-être faire quelque chose.

– D'accord.

– À plus.

Lorsque je refermai mon portable, Earl m'avait déjà ramené à l'Antelope Valley Freeway, direction sud. Nous roulions bien, arriver à Van Nuys pour la première comparution de Roulet ne poserait pas de problème. J'appelai Fernando Valenzuela pour le lui dire.

– Ça, c'est vraiment bien! s'exclama-t-il. Je t'attends.

Je lui parlais encore lorsque je vis deux motards passer le long de ma portière. L'un comme l'autre, ils portaient un gilet en cuir noir avec un crâne et son auréole cousus dans le dos.

– Autre chose? demandai-je.

– Oui, un autre truc qu'il faut sans doute que je te dise, reprit Valenzuela. En vérifiant au greffe pour savoir quand il devait comparaître, je me suis aperçu qu'on aurait Maggie McFierce en face de nous. Je sais pas si ça va te poser un problème ou pas.

Maggie McFierce[1], autrement dit Margaret McPherson, une des adjointes du procureur les plus dures et, oui, les plus féroces affectées au tribunal de Van Nuys. Et, ça aussi, mon ex-épouse.

– Ça ne sera pas un problème, lui répondis-je sans hésitation. Le problème, c'est elle qui l'aura.

Le prévenu ayant le droit de choisir son avocat, s'il y a conflit d'intérêts entre l'avocat de la défense et le procureur, c'est ce dernier qui doit s'incliner. Je savais que Maggie me tiendrait pour personnellement responsable si ce qui pouvait devenir une grosse affaire lui échappait, mais je n'y pouvais rien. Ce n'était pas la première fois que ça se produisait. Dans mon ordinateur portable, j'avais encore une demande de désistement pour la dernière affaire qui nous avait opposés. Si c'était nécessaire, je n'aurais qu'à changer le nom du prévenu avant de l'imprimer. J'étais donc prêt à y aller, et elle à boire la tasse ou presque.

En attendant, les deux motards nous étaient passés devant. Je me retournai et jetai un coup d'œil par la lunette arrière. Nous avions trois Harley de plus derrière nous.

– Mais tu sais ce que ça veut dire, non? enchaînai-je.

– Non, quoi?

– Ça veut dire qu'elle ne voudra pas de caution. C'est toujours ce qu'elle fait quand la victime est une femme.

– Merde. Et elle pourrait gagner? C'est que j'en attends un paquet de petite monnaie, moi, de cette affaire.

– Je ne sais pas. T'as pas dit qu'il avait de la famille et C. C. Dobbs avec lui? Je devrais pouvoir en tirer quelque chose. Nous verrons.

– Merde, répéta-t-il.

---

1. Soit Maggie «McLaféroce» *(NdT)*.

Il voyait disparaître son pactole.

— On se retrouve là-bas, Val.

Je refermai mon téléphone et jetai un coup d'œil à Earl par-dessus le dossier du siège.

— On a cette escorte depuis longtemps? lui demandai-je.

— Non, ils viennent juste de nous rattraper. Vous voulez que je fasse quelque chose?

— Voyons voir ce qu'ils...

Je n'eus même pas à aller jusqu'au bout de ma phrase. Un des motards derrière nous s'avança le long de la voiture et nous fit signe de sortir à la prochaine bretelle, celle du parc du comté de Vasquez Rocks. Je reconnus en lui un certain Teddy Vogel, un de mes anciens clients et le Road Saint le plus haut dans la hiérarchie à ne pas être encore incarcéré. Et le plus large de carrure aussi, ce n'est pas impossible. Avec ses quelque cent soixante kilos, il ressemblait à un gamin grassouillet juché sur la bécane de son petit frère.

— Arrêtez-vous, Earl! Voyons voir ce qu'il veut.

Nous entrâmes dans le parking proche de l'amas de rochers déchiquetés qui doit son nom au hors-la-loi qui s'y était planqué un siècle plus tôt. Je vis deux personnes en train de pique-niquer, perchées sur la corniche la plus élevée. Je ne crois pas que je me serais senti très à l'aise pour manger un sandwich dans un endroit aussi dangereux.

J'abaissai ma vitre en voyant Teddy Vogel approcher à pied. Les quatre autres Saints avaient coupé les gaz, mais restaient assis sur leurs engins. Vogel se pencha à ma fenêtre et posa un de ses gigantesques avant-bras sur le rebord. Je sentis la voiture s'incliner de quelques centimètres.

— Comment ça va, l'avocat? me lança-t-il.

— Ça va bien, Ted, répondis-je en refusant de l'appeler par le surnom évident qu'on lui donnait dans le gang, celui de Teddy Bear[1]. Quoi de neuf par chez vous?

— Ben... et la queue-de-cheval?

— Y avait des gens à qui ça plaisait pas, alors je l'ai coupée.

— Des jurés, c'est ça? Ça devait être des culs serrés de par là-bas.

---

1. Soit «Gros Nounours» *(NdT)*.

– Qu'est-ce qui vous amène, Ted?

– J'ai reçu un coup de fil de Hard Case, là-bas, à l'enclos de Lancaster. Il m'a dit que je pourrais te rattraper sur la voie sud. L'a ajouté que tu lui ferais faire du sur-place tant qu'y aurait pas des billets verts. C'est vrai, l'avocat?

Conversation de routine, et rien de plus. Aucune menace ni dans le ton ni dans les mots. Et je ne me sentais pas menacé. Deux ans plus tôt, j'avais réussi à réduire son accusation de coups et blessures à un simple trouble à l'ordre public. Vogel tenait un club de strip-tease des Saints dans Sepulveda Boulevard, à Van Nuys. Son arrestation s'était produite après qu'il avait appris qu'une de ses danseuses les plus rentables l'avait laissé tomber pour aller bosser dans le club d'en face. Il avait traversé la rue, puis il l'avait fait descendre de la scène et l'avait ramenée dans son club. Toute nue. Un motocycliste qui passait par là avait appelé la police. Avoir réduit son chef d'inculpation avait été un de mes plus jolis coups et il le savait. Bref, il m'aimait bien.

– Ben, en gros, il a bien pigé, le Hard Case. Je bosse pour gagner ma croûte, moi. S'il veut que je travaille pour lui, faut qu'il me paie.

– On t'a filé cinq mille dollars en décembre, me renvoya Vogel.

– Y a longtemps qu'y en a plus, Ted. Plus de la moitié est allée à l'expert qui va casser la baraque de l'accusation. Le reste m'est revenu, mais ça couvre pas toutes les heures que j'y ai mises. Et s'il veut que je porte l'affaire devant le tribunal, va falloir qu'il me remplisse le réservoir.

– T'en veux cinq de mieux.

– Non, dix, et ça, je le lui ai dit la semaine dernière. Il y aura trois jours d'audience et faudra que je fasse venir mon expert de chez Kodak de New York. Faudra que je le paie et lui, il veut de la première classe dans les airs et le Château Marmont[1] sur terre. Il se voit déjà en train de boire au bar avec des stars de cinéma. Et c'est du quatre cents dollars la nuit pour les chambres les moins chères.

– Tu me tues, le baveux. Et ton slogan dans les Pages jaunes,

---

1. Un des hôtels les plus fastueux de Sunset Boulevard (NdT).

hein ? « Un doute raisonnable[1] pour un tarif raisonnable. » Tu trouves que dix mille dollars, c'est raisonnable ?

– Je l'aimais bien, moi, ce slogan. Il me rapportait pas mal de clients. Mais le barreau de Californie n'appréciait pas des masses et m'a obligé à m'en débarrasser. Dix, c'est mon prix et c'est un prix raisonnable, Ted. Si vous pouvez pas ou ne voulez pas le payer, je fais la paperasse dès aujourd'hui. Je laisse tomber et il pourra avoir un avocat commis d'office. Je lui passerai tout le dossier. Mais y a des chances pour qu'il ait pas assez de fric pour faire venir l'expert en photo.

Vogel changea de position, la Lincoln frémissant sous son poids.

– Non, non, c'est toi qu'on veut. Hard Case, c'est un mec important pour nous, tu vois c'que j'veux dire ? Je veux qu'il sorte et qu'il se remette au boulot.

Je le regardai glisser dans son gilet une main tellement pleine de chair qu'il en avait les articulations en creux. Elle en ressortit avec une grosse enveloppe qu'il me passa par la vitre.

– C'est du liquide ?

– Du liquide, ouais. Y a un problème ?

– Non. Mais faut que je vous donne un reçu. C'est les Impôts qui l'exigent. Les dix y sont ?

– Ils y sont.

J'ôtai le couvercle d'une boîte-classeur que je garde sur le siège près de moi. Mon carnet de reçus se trouvait derrière les dossiers en cours. Je commençai à écrire mon reçu. Les trois quarts des avocats qui se font virer du barreau tombent pour des délits financiers. On a mal géré, voire détourné les honoraires du client. Moi, j'en tenais un décompte méticuleux, avec reçus à la clé. Il n'était pas question que le barreau me flingue de cette manière.

– Alors comme ça, vous aviez la somme dès le début, dis-je en continuant d'écrire. Qu'est-ce qui se serait passé si j'étais descendu à cinq ? Qu'est-ce que vous auriez fait ?

Il sourit. Il lui manquait une dent de devant, en bas. Une bagarre

---

1. Allusion au texte de la Constitution américaine qui stipule qu'on ne saurait condamner un accusé s'il existe un « doute raisonnable » sur sa culpabilité (*NdT*).

au club, il y avait des chances. Il tapota l'autre côté de son gilet.

— J'avais une autre enveloppe avec cinq dedans, l'avocat. J'étais prêt.

— Putain! Du coup, j'me sens mal de vous laisser avec tout ce fric sur vous.

J'arrachai le reçu du carnet et le lui passai par la vitre.

— C'est au nom de Casey. C'est lui le client.

— Ça me gêne pas.

Il me prit le reçu et ôta son bras de la voiture en se redressant. La Lincoln retrouva son niveau normal. J'eus envie de lui demander d'où venait l'argent, par quelle entreprise criminelle les Saints s'en étaient rendus maîtres, si une centaine de filles avaient dansé des centaines d'heures pour me payer, mais c'était là des questions dont il valait mieux ne pas connaître la réponse. Je regardai Vogel se traîner jusqu'à sa Harley et se battre pour faire passer une patte grosse comme une poubelle par-dessus le siège. Et, pour la première fois, je remarquai les amortisseurs doubles sur la roue arrière. Je dis à Earl de reprendre le freeway en direction de Van Nuys, où j'avais maintenant besoin de m'arrêter à la banque avant de regagner le tribunal pour y retrouver mon nouveau client.

Tandis que nous roulions, j'ouvris l'enveloppe et comptai l'argent. Rien que des billets de vingt, de cinquante et de cent, mais le compte y était. J'avais fait le plein et j'étais prêt à reprendre l'affaire Harold Casey. J'irais jusqu'au procès et ferais la leçon à ce jeune procureur. Je gagnerais, sinon au procès, à tout le moins en appel. Casey retrouverait sa famille et reprendrait son boulot chez les Road Saints. Sa culpabilité dans le crime dont on l'accusait? Je ne m'y arrêtai même pas en rédigeant une fiche de dépôt pour le compte où je déposais mes honoraires.

— Monsieur Haller? me lança Earl au bout d'un instant.

— Qu'est-ce qu'il y a, Earl?

— Le type que vous lui avez dit qu'il arrivait de New York pour faire l'expert… Va falloir que j'aille le chercher à l'aéroport?

Je hochai la tête.

— Il n'y a pas d'expert qui arrive de New York, Earl. Les meilleurs experts en photo et matériel photographique sont tous ici, à Hollywood.

Ce fut à son tour de hocher la tête, son regard soutenant le mien un instant dans le rétroviseur. Enfin il reporta les yeux sur la route.

– Je vois, dit-il en hochant encore une fois la tête

Je me hochai, moi aussi, la tête à moi-même. Je n'avais eu aucune hésitation à faire et dire ce que j'avais fait et dit. C'était mon boulot. C'était comme ça que ça marchait. Après quinze ans de pratique du droit, j'envisageais la chose en des termes fort simples. Le droit était une grande machine toute rouillée qui avalait des gens, des vies et de l'argent. Moi, je n'étais que mécano. J'étais devenu expert dans l'art d'entrer dans la machine, d'y réparer des trucs et de soustraire à *x* ou à *y* ce dont j'avais besoin en retour.

Le droit n'avait plus rien pour me séduire. Les idées qu'on ingurgite en faculté sur les vertus du système du débat contradictoire, des contrepoids et de la recherche de la vérité s'étaient depuis longtemps érodées comme les visages sur les statues de civilisations antérieures. Pour moi, le droit n'avait rien à voir avec la vérité. Mais tout avec la négociation, l'amélioration et la manipulation. Je ne faisais ni dans la culpabilité ni dans l'innocence, parce que tout le monde était coupable. De quelque chose. De toute façon cela n'avait aucune importance, parce que toutes les affaires que je prenais tenaient de la maison construite sur des fondations creusées par des ouvriers surmenés et sous-payés. On avait rogné sur les coûts. On avait commis des erreurs. Et après, on avait couvert les erreurs de peinture au mensonge. Mon travail consistait à écailler la peinture et à trouver les failles. À y faire entrer mes doigts et mes outils et à les agrandir. À les rendre si énormes que c'était la maison qui s'écroulait ou mon client qui filait au travers.

Les trois quarts de la société me prenaient pour le diable, mais les trois quarts de la société avaient tort. Je n'étais qu'un ange crapoteux. Le véritable saint du voyage, c'était moi. On avait besoin de moi, on me voulait. Des deux côtés. J'étais l'huile dans la machine. C'était moi qui permettais aux rouages de tourner. Qui aidais à ce que le moteur du système continue de tourner.

Mais tout cela devait changer avec l'affaire Roulet. Pour moi. Pour lui. Et plus que certainement pour Jesus Menendez.

4

Louis Ross Roulet était dans une cellule avec sept autres types qui avaient fait le parcours en bus de la prison de Van Nuys au tribunal. Il ne s'y trouvait que deux Blancs, et ces deux Blancs étaient assis côte à côte sur un banc alors que les six autres détenus, tous Noirs, occupaient l'autre côté de la cellule. C'était là une manière de ségrégation darwinienne. Personne ne se connaissait, mais le nombre faisait la force.

Roulet étant censé représenter le fric de Beverly Hills, je regardai mes deux Blancs et n'eus aucun mal à le reconnaître. Maigre comme un clou et le regard mouillé de l'accro qui n'a pas eu son fix depuis longtemps, tel était le premier. Le second, lui, avait tout du cerf pris dans le faisceau des phares d'une voiture. C'est à lui que je m'adressai.

– Monsieur Roulet ? lançai-je en prononçant son nom comme Valenzuela m'avait dit de le faire.

Le cerf acquiesça d'un hochement de tête. Je lui fis signe de s'approcher des barreaux afin que je puisse lui parler tout bas.

– Mon nom est Michael Haller, lui dis-je. Tout le monde m'appelle Mickey. C'est moi qui vous représenterai pour cette première comparution aujourd'hui même.

Nous nous trouvions au quartier des cellules de détention, juste derrière la chambre des mises en accusation. C'est là que les avocats ont communément le droit de conférer avec leurs clients avant l'audience. Une ligne bleue y est peinte par terre, devant les cellules. La ligne des un mètre. J'étais tenu de rester à cette distance. Roulet s'agrippa aux barreaux en face de moi. Comme les autres détenus, il était enchaîné aux chevilles, aux poignets et à la taille. Ces chaînes ne pourraient lui être enlevées qu'au moment où il entrerait dans la salle d'audience. Il avait aux environs de trente ans et, bien que faisant au moins un mètre quatre-vingts pour quatre-vingt-dix kilos, il paraissait frêle. La prison. Il avait les yeux bleu pâle et je n'avais que rarement eu l'occasion de voir la panique que j'y décelai alors. Les trois quarts du temps, mes clients ont déjà fait de la taule et ont le regard froid du prédateur. C'est ainsi qu'ils survivent en prison.

Roulet, lui, était différent. Il avait plutôt l'air d'une proie. Il avait peur et se moquait bien de savoir qui le voyait et savait.

– C'est un coup monté, me lança-t-il tout fort et d'un ton pressant. Il faut que vous me sortiez d'ici. J'ai fait une erreur avec cette femme, c'est tout. Elle essaie de me coincer et...

Je levai les mains en l'air pour l'arrêter.

– Ici, faut faire attention à ce qu'on dit, lui fis-je savoir à voix basse. De fait même, faites très attention à tout ce que vous direz avant de sortir d'ici et de pouvoir me parler en privé.

Il regarda autour de lui comme s'il ne comprenait pas.

– On ne sait jamais dans quelles oreilles ça peut tomber, lui expliquai-je. Et on ne sait jamais non plus qui dira vous avoir entendu dire ceci ou cela, même si vous n'avez rien dit du tout. Le mieux est de ne pas parler de votre affaire. Vous comprenez? Le mieux est de ne dire absolument rien à personne, point à la ligne.

Il acquiesça d'un hochement de tête et je lui fis signe de s'asseoir sur le banc près des barreaux.

– En fait, je ne suis ici que pour faire votre connaissance et vous dire qui je suis, enchaînai-je. Nous parlerons de l'affaire après que nous vous aurons sorti d'ici. Je me suis laissé dire que vous aviez un avocat personnel, nous nous contenterons donc de dire au juge que vous êtes prêt à accepter une mise en liberté sous caution. Est-ce que j'ai bien compris?

J'ouvris un classeur Mont Blanc en cuir et me préparai à prendre des notes. Roulet acquiesça. Il apprenait.

– Bien, repris-je. Parlez-moi de vous. Dites-moi votre âge, si vous êtes marié, ce qui vous lie à votre communauté...

– Euh... j'ai trente-deux ans. J'ai toujours habité ici... j'y suis même allé en fac. À UCLA[1]. Pas marié. Pas d'enfants. Je travaille...

---

1. Soit Université de Californie, campus de Los Angeles *(NdT)*.

– Divorcé ?

– Non, jamais marié. Je travaille dans l'affaire familiale. La Windsor Residential Estates. Du nom du deuxième époux de ma mère. C'est dans l'immobilier. On vend des biens.

Je prenais des notes. Sans le regarder, je lui demandai tout bas :

– Combien avez-vous gagné l'année dernière ?

Ne l'entendant pas répondre, je levai les yeux sur lui.

– Pourquoi avez-vous besoin de le savoir ? me répondit-il.

– Parce que je vais vous faire sortir d'ici avant que le soleil se couche. Et que pour y arriver, il faut que je sache absolument tout de votre position dans la société. Position financière comprise.

– Je ne sais pas exactement combien j'ai gagné. Il y en a beaucoup dans les actions de la société.

– Vous n'avez pas fait de déclaration d'impôts ?

Il jeta un coup d'œil par-dessus son épaule, regarda ses codétenus et me chuchota sa réponse.

– Si, si, dit-il. J'ai déclaré deux cent cinquante mille dollars de revenus.

– Mais ce que vous êtes en train de me dire, c'est qu'avec ces actions que vous avez dans votre société, en fait, vous avez gagné plus.

– Voilà.

Un des codétenus se colla aux barreaux près de lui. L'autre Blanc. Agité, il n'arrêtait pas de bouger les mains, celles-ci passant de ses hanches à ses poches avant de se refermer sur elles-mêmes en des étreintes désespérées.

– Hé, mec, moi aussi, j'ai besoin d'un avocat. T'as une carte de visite ?

– Pas pour toi, l'ami. Un avocat, ils t'en donneront un là-bas.

Je me retournai vers Roulet et attendis un moment que l'accro se soit éloigné. Mais pas moyen. Je le regardai à nouveau.

– Écoute, mec. Ceci est un entretien privé. Tu vas nous laisser tranquilles ?

Il fit un geste bizarre avec ses mains et regagna son coin. Je revins à Roulet.

– Et côté organismes charitables ? lui demandai-je.

– Que voulez-vous dire ?

– Avez-vous des liens avec un quelconque organisme de charité ? Avez-vous donné de l'argent à des œuvres ?

– Oui, c'est la société qui s'en charge. Nous donnons à Make a Wish[1] et à un relais pour fugueurs d'Hollywood. Ça doit s'appeler My Friend's Place[2] ou un truc comme ça.

– Bien, parfait.

– Vous allez me sortir d'ici ?

– Je vais essayer. Les charges retenues contre vous ne sont pas rien, j'ai vérifié avant de venir, et j'ai l'impression que le district attorney ne voudra pas de la caution, mais ce sera bon pour nous. Je pourrai m'en débrouiller.

Je lui montrai mes notes.

– Pas de caution ? répéta-t-il tout haut d'un ton paniqué.

Les autres se tournèrent dans sa direction : ce qu'il venait de dire était leur pire cauchemar. Pas de caution.

– Calmez-vous. Je viens juste de vous dire ce qu'elle va essayer d'obtenir. Je ne vous ai pas dit qu'elle réussirait. Quand avez-vous été arrêté pour la dernière fois ?

Je balançais toujours ça sans avertir de façon à regarder l'inculpé dans les yeux et voir s'il ne me réservait pas une surprise pour l'audience.

– Jamais. Je n'ai jamais été arrêté. Toute cette histoire est une…

– Je sais, je sais, mais ça, on ne veut pas en parler ici, vous vous rappelez ?

Il acquiesça. Je consultai ma montre. L'audience allait commencer et je devais encore m'entretenir avec Maggie McFierce.

– Bon, je vais y aller, lui dis-je. Je vous retrouve là-bas dans quelques minutes et on s'occupe de vous faire sortir de là. Ah… quand on sera de l'autre côté, vous ne dites rien sans mon accord. Si le juge vous demande comment ça va, vous me consultez avant de répondre. D'accord ?

– Eh bien mais… faut pas que je dise « non coupable » quand on me lira les charges ?

– Non, parce que ça, on ne vous le demandera même pas. Aujour-

---

1. Soit « Fais un souhait » *(NdT)*.
2. Soit « Un lieu pour mon ami » *(NdT)*.

d'hui, on ne fera que vous lire l'acte d'accusation ; après quoi on parlera caution et date de votre inculpation formelle. C'est ce jour-là que vous direz «non coupable». Bref, aujourd'hui vous ne dites rien. Pas question d'exploser ou de déclarer quoi que ce soit. Pigé ?

Il acquiesça d'un signe de tête et fronça les sourcils.

— Ça va aller, Louis ?

Il hocha de nouveau la tête d'un air lugubre.

— Juste pour que vous sachiez… Je prends deux mille cinq cents dollars pour une première comparution avec établissement de la caution. Ça va vous poser un problème ?

Il fit non de la tête. Qu'il ne parle pas me plut assez. Les trois quarts de mes clients jacassent trop. Jusqu'à s'expédier eux-mêmes en prison.

— Bien. Nous parlerons de la suite quand vous serez sorti et que nous pourrons discuter en privé.

Je refermai mon classeur en cuir en espérant qu'il le remarque et en soit impressionné, puis je me levai.

— Une dernière chose, ajoutai-je. Pourquoi m'avez-vous choisi ? Ce ne sont pas les avocats qui manquent. Pourquoi moi ?

Nos relations ne dépendaient pas de sa réponse, c'était juste une façon de savoir si Valenzuela ne m'avait pas menti.

Il haussa les épaules.

— Je ne sais pas, dit-il. Je me suis rappelé avoir lu votre nom dans un article de journal.

— Un article qui disait quoi ?

— C'était à propos d'une affaire où les preuves à charge avaient été rejetées. Une histoire de drogue ou autre. Vous avez gagné parce que après votre intervention l'accusation n'avait plus rien.

— L'affaire Hendricks ?

C'était la seule qui, dans mon souvenir, avait été relatée dans la presse depuis quelque temps. Hendricks était lui aussi un Road Saint, dont le shérif avait suivi les livraisons en collant un GPS sur sa Harley. Faire ce genre de choses sur la voie publique ne pose pas de problèmes. Sauf que lorsque Hendricks garait sa bécane dans sa cuisine le soir venu, la pose de ce mouchard constituait une violation de domicile. L'accusation avait été rejetée par le juge dès l'audience préliminaire. Cela m'avait valu un joli coup de projecteur dans le *Times*.

– Je ne me rappelle plus le nom du client, enchaîna Roulet. Je me suis juste rappelé le vôtre. Et quand j'ai appelé le mec des cautions, je lui ai donné le nom de Haller en lui demandant de vous contacter et de passer un coup de fil à mon avocat. Pourquoi cette question ?

– Pour rien. Simple curiosité. Merci d'avoir pensé à moi. On se retrouve en salle d'audience.

Je regagnai le prétoire et y découvris Maggie McFierce assise au bout de la table de l'accusation. Elle s'y trouvait avec cinq autres procureurs. En forme de L, cette table était assez grande pour accueillir une incessante procession d'avocats et leur permettre de faire face au juge. Tout procureur dépêché au prétoire devait gérer la plupart des comparutions ordinaires et des mises en accusation prévues du début jusqu'à la fin de la journée. Cela étant, certaines affaires attiraient les gros canons du bureau du district attorney situé au deuxième étage du tribunal voisin. Même chose pour les caméras de télé.

Je venais de passer devant la barre lorsque je vis un type installer une caméra vidéo sur un trépied, près du bureau de l'huissier. Il n'y avait aucun logo de chaîne de télé sur l'appareil ou sur le bonhomme. Il s'agissait donc d'un type qui travaillait en free-lance. Il avait eu vent de l'affaire et décidé de vidéoter l'audience dans l'espoir de vendre son enregistrement à une des stations de télé locales en mal de sujets de trente secondes. Lorsque je lui avais demandé à quelle heure Roulet devait passer, l'huissier m'avait dit que le juge avait autorisé le vidéotage.

Je m'approchai de mon ex par-derrière et me penchai en avant pour lui chuchoter à l'oreille. Elle regardait des photos dans un dossier. Elle portait un tailleur bleu marine à fines rayures grises. Ses cheveux d'un noir de jais étaient retenus en arrière par un ruban du même gris. J'adorais ses cheveux quand elle les coiffait de cette façon.

– C'est toi qui avais l'affaire Roulet ? lui demandai-je.

Sans m'avoir reconnu, elle leva le nez. Le sourire qui se formait involontairement sur son visage se transforma en froncement de sourcils quand elle vit que c'était moi. Elle savait parfaitement pourquoi je m'étais servi d'un imparfait et referma son dossier d'un coup sec.

— Non, ne me dis pas que… ! me lança-t-elle.

— Désolé. Il a bien aimé mon boulot dans l'affaire Hendricks et m'a passé un coup de fil.

— Fils de pute! Je le voulais, moi, ce dossier. C'est la deuxième fois que tu me fais le coup, Haller.

— Faut croire que cette ville n'est pas assez grande pour nous deux, lui répliquai-je en une pâle imitation de James Cagney.

Elle grogna.

— Bon, bon, dit-elle en capitulant aussitôt. Je me retire sur la pointe des pieds dès la fin de l'audience. À moins que même ça, tu me le refuses.

— Ce n'est pas impossible. Tu pensais à la préventive sans possibilité de caution?

— C'est ça même. Mais ça ne changera pas avec le nouveau procureur. L'ordre vient du deuxième étage.

J'acquiesçai d'un signe de tête. Cela signifiait qu'un superviseur avait dû demander le refus de caution.

— Il est bien connecté dans la communauté, lui fis-je remarquer. Et il n'a jamais été arrêté.

J'étudiai sa réaction, car je n'avais pas eu le temps de m'assurer que Roulet m'avait bien dit la vérité sur ce point. Ça m'étonne toujours de voir combien de clients mentent dès qu'on leur demande s'ils ont déjà eu maille à partir avec la justice, alors que ce genre de mensonges n'a aucune chance de résister à l'examen.

Mais Maggie ne me laissa pas entendre qu'il en serait allé autrement. Il n'était donc pas impossible que ce soit vrai. Peut-être tenais-je enfin un client qui ne mentait pas en affirmant ne pas être récidiviste.

— De toute façon, me précisa-t-elle, qu'il ait ou n'ait pas fait quelque chose avant n'a aucune importance. Ce qui compte, c'est ce qu'il a fait hier soir.

Elle rouvrit son dossier et feuilleta rapidement les photos avant de m'en sortir une qui lui plaisait bien.

— Tiens! Voilà ce que ton pilier de la communauté a fait hier soir. Voilà pourquoi je me fiche pas mal de ce qu'il a pu faire avant. Je vais m'assurer qu'il ne puisse jamais ressortir de taule pour recommencer ce genre de choses.

De format 18 × 24, le cliché montrait un visage de femme en gros plan. Les chairs autour de l'œil droit étaient tellement gonflées qu'il était complètement fermé. Le nez, lui, était cassé et décentré, de la gaze trempée de sang sortant des deux narines. Au-dessus du sourcil droit, une profonde entaille avait été recousue à l'aide de neuf points de suture. La lèvre inférieure était coupée et s'ornait d'une grosseur de la taille d'une bille. Le pire était encore l'œil qui n'avait pas souffert. La victime regardait l'appareil photo d'un air apeuré, la douleur et l'humiliation se lisant clairement dans cet œil qui pleurait.

– Si c'est bien lui qui a fait ça, lui renvoyai-je parce que c'était ce qu'on attendait de moi.

– Évidemment, dit-elle, si c'est bien lui qui a fait ça. On l'a arrêté chez elle et on a trouvé du sang de la victime sur lui, mais tu as raison : c'est une question qui se pose.

– J'adore quand tu fais dans le sarcasme. Tu as le PV d'arrestation ? J'aimerais bien en avoir une copie.

– Tu pourras en demander une à la personne qui reprendra l'affaire après moi. Pas question de te rendre service, monsieur Haller. Pas ce coup-ci.

Je m'attendais à d'autres railleries, à plus d'indignation, voire à une flèche décochée en traître, mais elle n'en dit pas plus. Je compris qu'essayer de lui soutirer autre chose sur cette affaire serait peine perdue. Je changeai de sujet.

– Bon, dis-je, comment va-t-elle ?

– Elle a une trouille à chier et souffre le martyre. Qu'est-ce que tu crois ?

Elle me regarda et, dans l'instant, je retrouvai la condamnation dans ses yeux.

– Ce n'était même pas de la victime que tu parlais, n'est-ce pas ? Je gardai le silence. Je n'avais pas envie de lui mentir.

– Ta fille va bien, me répondit-elle d'un ton indifférent. Ce que tu lui as envoyé lui plaît, mais elle préférerait que tu te pointes un peu plus souvent.

Ce n'était pas un coup en traître. Il avait fait mouche et je le méritais. En vérité, je passais mon temps à courir après le client, y compris le week-end. Tout au fond de moi, je savais que j'aurais mieux fait de courir un peu plus souvent après ma fille dans le jardin. L'heure d'y aller avait plus que sonné.

– Je vais le faire, dis-je. Tout de suite. Qu'est-ce que tu dirais de ce week-end ?

– Parfait. Tu veux que je le lui annonce ce soir ?

– Euh… vaudrait peut-être mieux attendre demain, que je sois sûr.

Elle m'asséna un de ses petits regards entendus. Ce n'était pas la première fois qu'on jouait à ça.

– Génial. Tu me dis demain.

Cette fois, je n'appréciai guère le sarcasme.

– De quoi a-t-elle besoin ? lui demandai-je en essayant d'être au moins à égalité avec elle.

– Ce dont elle a besoin, je viens de te le dire. Que tu existes plus dans sa vie.

– D'accord, c'est promis. Je m'y attaque.

Elle ne réagit pas.

– Et je ne plaisante pas, Maggie. Je t'appellerai demain.

Elle me regarda – elle était prête à me flinguer plein pot. Elle l'avait déjà fait en me signifiant que côté paternité, je n'étais qu'un baratineur qui ne faisait jamais rien. Je fus sauvé par l'ouverture de la séance. Le juge venait de sortir de son cabinet, déjà il bondissait sur les marches pour gagner son siège. L'huissier ayant rappelé tout le monde à l'ordre, je quittai la table de l'accusation et regagnai un des sièges près de la barre sans ajouter un mot à l'adresse de Maggie.

Le juge demanda à l'huissier s'il y avait des problèmes de procédure à discuter avant qu'on fasse appeler les prévenus. Il n'y en avait pas, il ordonna qu'on fasse entrer le premier groupe. Comme au tribunal de Lancaster, ils avaient droit à un grand box. Je me levai et me dirigeai vers l'ouverture pratiquée dans le panneau en verre. Dès que je le vis franchir la porte, je fis signe à Roulet de s'approcher.

– C'est vous qui passez en premier, lui dis-je. J'ai demandé au juge de me rendre un service et de ne pas vous prendre par ordre alphabétique. Je vais essayer de vous faire sortir d'ici au plus vite.

Ce n'était pas vrai. Je n'avais rien demandé au juge et même si je l'avais fait, il n'aurait jamais fait un truc pareil pour me rendre service. Si Roulet passait en premier, c'était parce qu'il y avait des médias dans la salle et qu'il était de coutume de traiter en premier les affaires qui attiraient leur présence. Simple courtoisie envers des cameramen que, sans doute, d'autres tâches attendaient. Cela permettait aussi qu'il y ait moins de tensions dans la salle lorsque avocats, prévenus, voire le juge lui-même, tout le monde pouvait enfin travailler sans avoir des caméras de télévision braquées sur soi.

– Pourquoi il y a cette caméra ? me chuchota Roulet d'un ton paniqué. C'est pour moi ?

– Oui, c'est pour vous. Quelqu'un a dû les mettre au courant de votre affaire. Si vous ne voulez pas être filmé, essayez de vous planquer derrière moi.

Il changea de position afin que je puisse bloquer la vue à l'opérateur qui avait pris place à l'autre bout de la salle. La manœuvre diminuerait les chances qu'aurait ce dernier de pouvoir vendre son reportage à une chaîne d'infos locales. Ce qui était bon. Cela signifiait aussi que, si jamais il y arrivait, ce serait moi qui serais au centre de l'image. Ce qui était bon aussi.

L'affaire étant appelée par un huissier qui écorcha le nom du prévenu, Maggie annonça qu'elle plaiderait pour l'accusation avant que je déclare assurer la défense de Roulet. Maggie en avait rajouté sur les charges – Maggie McFierce ne procédait jamais autrement. Roulet devait maintenant répondre d'une accusation de tentative de meurtre en plus de celle de tentative de viol. Plaider pour la mise en détention sans possibilité de libération sous caution n'en serait que plus facile pour elle.

Le juge informa Roulet des droits qui lui étaient garantis par la Constitution et fixa la date de la mise en accusation formelle au 21 mars. Au nom de mon client, je demandai à plaider contre la mise en détention sans possibilité de libération sous caution. Cela déclencha une série d'échanges houleux entre Maggie et moi, échanges qu'arbitra le juge qui savait fort bien que nous avions été mariés, ayant lui-même assisté à la cérémonie. Maggie dressant la liste des atrocités infligées à la victime, je lui renvoyai celle des liens qui unissaient mon client à la communauté. J'y ajoutai ses dons aux œuvres, montrai du doigt C. C. Dobbs qui se trouvait dans le public et proposai qu'il vienne dire à la barre combien mon client était respectable. Dobbs était mon atout maître. Sa propre respectabilité dans le monde de la justice allait s'imposer à la place de celle de Roulet et influencer en bien un juge qui ne devait son poste qu'au bon vouloir des électeurs... et de ceux et celles qui contribuaient à sa campagne.

– Le fond du problème, monsieur le juge, c'est que l'accusation est dans l'impossibilité d'arguer que cet homme puisse vouloir s'enfuir ou constituer un danger pour la communauté, lançai-je en guise de conclusion. M. Roulet est profondément ancré dans cette communauté et a pour seule et unique intention celle de s'attaquer avec la dernière vigueur aux accusations portées contre lui.

J'avais eu recours au mot «s'attaquer» au cas où, ma déclaration passant à la télé, la victime aurait pu m'entendre.

– Monsieur le juge, me contra Maggie, toute démagogie mise à part, ce qu'il ne faut pas oublier dans cette affaire, c'est que la victime a été brutalement...

– Maître McPherson, l'interrompit le juge, je pense que nous en avons assez entendu sur ce point. Je suis tout aussi conscient des blessures de la victime que de la place de M. Roulet dans la communauté. Sans même parler du fait que j'ai beaucoup d'affaires à régler aujourd'hui. Je vais donc ordonner une caution d'un million de dollars. Et je vais aussi exiger que M. Roulet soit suivi par la cour à raison d'une visite par semaine. Qu'il en manque une seule et ce sera la fin de sa liberté.

Je m'empressai de jeter un coup d'œil à la galerie, où Dobbs avait pris place à côté de Fernando Valenzuela. Maigre, Dobbs était un monsieur qui se rasait la tête afin de cacher un début de mâle calvitie. Sa maigreur était accentuée par l'embonpoint de Valenzuela. J'attendis qu'il me fasse signe d'accepter la caution ou d'essayer d'en abaisser le montant. Il arrive que, un juge pensant vous avoir fait un cadeau, l'affaire se retourne contre vous et que le client demande plus – ou, dans ce cas, moins.

Dobbs s'était posé sur le premier siège du premier rang. Il se contenta de se lever et de se diriger vers la sortie en laissant Valenzuela derrière lui. J'en conclus que je pouvais laisser tomber, la famille Roulet ne trouvant rien à redire à ce million. Je me retournai vers le juge.

– Merci, monsieur le juge, lui lançai-je.

L'huissier appela aussitôt l'affaire suivante. Je jetai un coup d'œil à Maggie, qui refermait déjà ce dossier qui lui échappait. Elle se leva, longea la barre et descendit dans l'allée centrale de la salle d'audience. Elle n'avait rien ajouté et ne regarda pas une fois en arrière.

– Monsieur Haller?

Je me retournai vers mon client. Derrière lui, je vis arriver l'adjoint au shérif qui allait le ramener en cellule. Roulet serait ensuite reconduit à la prison en bus, puis, plus ou moins vite selon la manière dont Dobbs et Valenzuela s'y prendraient, libéré dans la journée.

– Je vais travailler avec Dobbs pour vous faire sortir, lui dis-je. Après quoi, nous discuterons de votre affaire.

– Merci, répondit-il alors qu'on l'emmenait. Merci d'être venu.

– N'oubliez pas ce que je vous ai dit. On ne parle pas à un inconnu. On ne parle à personne.

– Oui, monsieur.

Après son départ, je gagnai la barre. Valenzuela m'attendait au portillon avec un grand sourire sur la figure. La caution de Roulet devait être la plus forte qu'il ait jamais eu à garantir. Cela voulait dire que son pourcentage serait lui aussi le plus haut qu'il ait jamais empoché. Il me flanqua une grande claque sur le bras au moment où je franchissais le portillon.

– Qu'est-ce que j't'avais dit? me lança-t-il. On se le tient, ce pactole, Boss!

– Nous verrons bien, Val, lui répliquai-je. Nous verrons bien.

5

Tout avocat qui fait tourner le système a deux tarifs. Le A qui indique ce qu'il aimerait percevoir pour certains services rendus. Et le B qui, lui, donne les honoraires qu'il accepte parce que c'est tout ce que son client peut lui verser. Le client pactole est celui qui tient à aller jusqu'au procès et a assez d'argent pour régler son avocat au tarif A. De sa première comparution à l'appel en passant par la mise en accusation formelle et le procès lui-même, il exige de son avocat des centaines, voire des milliers d'heures de travail. Grâce à lui, ce dernier peut faire le plein pendant deux ou trois ans. Sur mon territoire de chasse, c'est l'animal le plus rare et le plus convoité de la jungle.

Et tout semblait indiquer que Valenzuela avait mis dans le mille. Louis Roulet avait de plus en plus le profil du client pactole, et cela au moment même où je connaissais une période de vaches maigres. Cela faisait en effet presque deux ans que je n'avais pas eu l'ombre d'un client qui approche de ce rêve. D'une affaire où on gagne au moins un million de dollars, s'entend. Nombreuses étaient celles qui semblaient le promettre – mais ne tenaient jamais la distance.

C. C. Dobbs m'attendait dans le couloir de la chambre des mises en accusation lorsque je sortis de la salle d'audience. Il se tenait à côté de la grande baie vitrée qui donne sur le terre-plein du centre administratif au-dessous. Je m'empressai de le rejoindre. J'avais quelques secondes d'avance sur Valenzuela et voulais lui parler en privé.

– Je m'excuse, me lança Dobbs avant même que j'aie le temps de l'ouvrir. Je n'avais pas envie de rester là-dedans une minute de plus. Voir ce gamin ainsi pris avec le troupeau était trop déprimant.

– Ce « gamin » ? répétai-je.

– Louis. Cela fait vingt-cinq ans que je représente sa famille. Il faut croire que pour moi, c'est toujours un gamin.

– Vous allez réussir à le faire sortir ?

– Ça ne posera aucun problème. Il faut que j'appelle sa mère pour voir comment elle veut gérer ça : en mettant un bien en garantie ou en réglant directement la somme.

Mettre un bien en garantie pour couvrir une caution d'un million de dollars signifiait que, sur la valeur du bien en question, un million de dollars au moins ne faisait l'objet d'aucune hypothèque. De plus, la cour pouvait exiger qu'on procède à une évaluation du bien, ce qui risquait de prendre des jours entiers, pendant lesquels Roulet devrait attendre en prison. Cela étant, une garantie pouvait aussi être obtenue par l'intermédiaire de Valenzuela, moyennant versement d'une prime de dix pour cent, la seule différence étant que, dans ce cas, cette prime de dix pour cent n'était jamais rendue au client. Elle servait à rembourser les risques encourus par Valenzuela et constituait, en l'occurrence, la raison même qui l'avait amené à se fendre d'un grand sourire dans la salle d'audience. Après avoir réglé sa prime d'assurance sur cette caution d'un million, il ne serait pas loin d'empocher 90 000 dollars. Voilà pourquoi il avait peur que je l'oublie.

– Je peux vous faire une suggestion ? lançai-je à Dobbs.

– Allez-y, je vous en prie.

– Louis m'a paru un peu fragile quand je l'ai vu dans l'enclos. À votre place, je me dépêcherais de le faire sortir. Et pour ça, vous devriez demander à Valenzuela de déposer sa garantie au tribunal. Ça vous coûtera 100 000 dollars, mais votre gamin sera en sûreté dehors… si vous voyez ce que je veux dire.

Dobbs se tourna vers la baie et s'appuya à la rambarde qui courait le long de la vitre. Je regardai en bas et m'aperçus que la place se remplissait d'employés de l'administration qui prenaient leur pause déjeuner. Je vis des tas de gens arborer les badges rouge et blanc qu'on donne aux jurés.

– Je vois ce que vous voulez dire, me répondit Dobbs.

– L'autre problème, c'est que ce genre d'affaires fait sortir les rats des égouts.

– De quoi parlez-vous?

– Des détenus qui diront avoir entendu ceci ou cela. Surtout lorsque l'affaire passe aux infos télévisées ou dans les journaux. Ils s'en emparent et laissent entendre que c'est bien ce que disait le prévenu.

– Mais c'est criminel! s'écria Dobbs, indigné. Ça devrait être interdit!

– Oui, je sais, mais ça arrive. Et plus longtemps votre gamin restera en taule, plus grande sera la fenêtre de tir pour un de ces types.

Valenzuela nous rejoignit à la rambarde et garda le silence.

– Je lui suggérerai de choisir le dépôt de garantie, reprit Dobbs. Je l'ai déjà appelée, mais elle était en réunion. Dès qu'elle me rappelle, on y va.

Ces dernières paroles réveillèrent quelque chose qui m'avait inquiété pendant l'audience.

– Elle n'a pas pu se dégager d'une réunion pour parler de son fils en prison? Je me demandais justement pourquoi elle n'était pas à l'audience si ce «gamin», comme vous dites, est si droit et probe que ça.

Il me regarda comme si je ne m'étais pas lavé les dents depuis un mois.

– Mme Windsor est une femme très puissante et très occupée. Si je lui avais dit qu'il s'agissait d'une urgence pour son fils, je suis sûr qu'elle aurait tout de suite décroché son téléphone.

– Mme... Windsor? répétai-je.

– Elle s'est remariée après son divorce d'avec le père de Louis. Ça remonte à loin.

J'acquiesçai d'un signe de tête, comprenant qu'il y avait d'autres choses à discuter avec Dobbs, mais rien que j'aie envie d'aborder en présence de Valenzuela.

– Val, lançai-je alors, pourquoi tu n'irais pas voir à quelle heure Louis sera de retour à la prison de Van Nuys pour qu'on puisse aller l'y chercher tout de suite?

– Ça, c'est facile, me renvoya-t-il. Il retournera en prison par le premier bus après le déjeuner.

– Oui, bon, mais vaudrait quand même mieux vérifier. J'en profiterai pour finir ce que j'ai à faire avec M. Dobbs.

Il s'apprêtait à me faire remarquer qu'il n'avait pas besoin de vérifier lorsqu'il comprit enfin ce que je voulais lui dire.

– OK, dit-il. Je m'en occupe.

Après son départ, j'étudiai Dobbs un instant avant de me remettre à parler. Il semblait approcher de la soixantaine. Déférent dans ses manières – ce qui lui venait sans doute de trente ans de pratique auprès des gens riches. Il s'était lui-même enrichi dans ce travail, c'était probable, mais cela n'avait pas altéré la façon dont il se comportait en public.

– Étant donné que nous risquons de travailler ensemble, je devrais peut-être vous demander comment vous voulez qu'on vous appelle. Cecil ? C. C. ? Monsieur Dobbs ?

– Cecil m'ira très bien.

– Et donc, voici ma première question, Cecil : allons-nous travailler ensemble ? L'affaire me revient-elle ?

– M. Roulet m'a très clairement dit vous vouloir, vous. À vrai dire, ce n'est pas vous que j'aurais choisi en premier. Peut-être même ne vous aurais-je pas choisi du tout dans la mesure où, pour parler franchement, je n'ai jamais entendu parler de vous. Mais c'est sur vous qu'a porté le choix de M. Roulet et je l'accepte. De fait même, je trouve que vous vous êtes très bien acquitté de votre tâche à l'audience, surtout quand on pense à l'hostilité du procureur à l'endroit de mon client.

Je remarquai que le gamin était devenu M. Roulet. Je me demandai ce qui s'était passé pour que Dobbs le promeuve ainsi.

– Oui, bon, on ne l'appelle pas Maggie McFierce pour rien. Elle est très consciencieuse.

– Je trouve qu'elle a dépassé les bornes. Pensez-vous qu'il y ait moyen de lui retirer l'affaire et d'avoir quelqu'un de plus… sensé ?

– Je ne sais pas. Essayer de faire son marché pour avoir un autre procureur est risqué. Mais si vous pensez qu'il faut la virer, je peux y arriver.

– Ça fait plaisir à entendre. J'aurais peut-être dû en savoir plus long sur vous avant aujourd'hui.

– Peut-être bien, oui. Voulez-vous qu'on parle honoraires tout de suite, qu'on se débarrasse de ce problème ?

– Si vous voulez.

Je regardai dans le couloir pour être sûr qu'il n'y avait pas d'autres avocats à portée d'oreille. Ç'allait être le tarif A, et à fond.

– Pour aujourd'hui, ça fera 2 500 dollars, et Louis m'a déjà donné son accord. Si vous voulez qu'on y aille à l'heure à partir de maintenant, ce sera trois cents dollars de l'heure, trois cents qui passent à cinq quand il y a audience parce qu'à ce moment-là je ne peux rien faire d'autre. Maintenant, si vous préférez un forfait, je vous en demanderai 60 000 de maintenant jusqu'à l'audience préliminaire. Si ça se termine par un plaider coupable, je vous en prendrai douze de plus. Mais si nous allons au jugement, il m'en faudra 60 000 de mieux le jour où on aura pris la décision, plus 25 000 dès qu'on passera à la sélection des jurés. Pour moi, tout cela ne devrait pas excéder une semaine, sélection des jurés incluse, mais si ça devait prendre plus, j'aurai droit à 25 000 de mieux par semaine. Nous parlerons de l'appel en temps voulu si c'est nécessaire.

J'hésitai un instant pour voir comment il réagissait. Son visage restant impassible, je poursuivis.

– J'aurai donc besoin d'un dépôt de garantie de 30 000 dollars et de 10 000 de plus pour engager un détective privé, ceci avant demain. Je n'ai aucune envie de perdre du temps sur cette affaire. Je veux embaucher mon privé tout de suite pour qu'il puisse enquêter avant que ça arrive à l'oreille des médias ou que les flics parlent à certaines des personnes concernées.

Il acquiesça lentement de la tête.

– Ce sont vos honoraires habituels ?

– Quand j'arrive à me les faire payer, oui. Et ça les vaut. Vous demandez combien à la famille, Cecil ?

J'étais sûr et certain qu'il ne sortirait pas de cette affaire complètement sur la paille.

– Ça, c'est entre mon client et moi. Mais ne vous inquiétez pas. J'inclurai vos honoraires dans ma discussion avec Mme Windsor.

– Je vous remercie. Et n'oubliez pas : il faut que cet enquêteur se mette au boulot dès aujourd'hui.

Je lui tendis une carte de visite professionnelle que je sortis de la poche droite de ma veste de costume. Ces cartes-là donnaient mon numéro de portable. Celles de ma poche gauche le numéro de Lorna Taylor.

– J'ai une autre audience en ville, repris-je. Dès que vous arrivez à le faire sortir, passez-moi un coup de fil qu'on se fixe un rendez-vous. Le plus vite sera le mieux. Je devrais être libre plus tard dans l'après-midi et ce soir.

– Parfait, dit-il en empochant ma carte sans même y jeter un coup d'œil. Nous irons chez vous ?

– Non, c'est moi qui passerai chez vous. J'aimerais bien voir comment vit l'autre moitié de l'humanité, là-bas, dans les gratte-ciel de Century City.

Il eut un sourire désinvolte.

– À voir votre costume, il est évident que vous connaissez bien, et pratiquez, l'adage qui veut qu'un avocat qui plaide à l'audience ne s'habille jamais trop bien. Il convient que le jury vous aime, pas qu'il soit jaloux. Cela dit, Mickey, l'avocat de Century City ne saurait, lui, avoir un cabinet plus beau que la maison de son client. Je vous assure donc que nos bureaux sont tout ce qu'il y a de plus modeste.

Je lui signifiai mon accord d'un hochement de tête. Mais ne m'en sentis pas moins insulté : c'était mon plus beau costume que je portais ce jour-là. Comme tous les lundis.

– C'est bon à savoir, lui répondis-je.

La porte du prétoire s'ouvrit sur le vidéaste qui traînait sa caméra et son trépied replié. Dobbs le vit et se tendit aussitôt.

– Les médias, dit-il. Comment les contrôler ? Jamais Mme Windsor ne…

– Attendez une seconde.

J'appelai le cameraman, qui s'approcha. Je lui tendis immédiatement la main. Il fut obligé de poser son trépied pour me la serrer.

– Je m'appelle Michael Haller, lui dis-je. Je vous ai vu filmer la comparution de mon client.

User de mon vrai nom était un code.

– Robert Gillen. On m'appelle Sticks, me renvoya-t-il en montrant son trépied en guise d'explication[1].

Me donner son vrai nom était un autre code. Il comprenait que je jouais fin et me le laissait savoir.

---

1. *Sticks* veut dire « bâtons » en anglais *(NdT)*.

– Vous êtes en free-lance ou bien c'est une commande? lui demandai-je.

– Non, aujourd'hui, c'est juste du free-lance.

– Et comment avez-vous eu vent de cette affaire?

Il haussa les épaules comme s'il rechignait à répondre.

– J'ai mes sources. Un flic.

Je hochai la tête. Gillen était ferré et jouait son rôle.

– Ça vous rapporte combien si vous arrivez à vendre ce truc à une station télé?

– Ça dépend. Je prends 750 pour une exclusivité et 500 pour un normal.

Normal signifiait que le directeur de l'info qui lui achèterait la bande savait pouvoir la revendre à une autre station. De fait, Gillen avait doublé le montant de ce qu'il recevait d'habitude. Joli coup. Il avait dû écouter ce qui se disait dans la salle pendant qu'il filmait.

– Bon, voyons, repris-je. Que diriez-vous qu'on vous le prenne tout de suite au prix d'une exclusivité?

Il fut parfait. Il hésita comme si l'éthique de la chose l'ennuyait.

– Bon, allez, disons mille, insistai-je.

– D'accord, dit-il. Affaire conclue.

Pendant qu'il posait sa caméra par terre pour en extraire la bande, je sortis un tas de billets de ma poche. J'avais gardé 1 200 dollars sur le liquide que Teddy Vogel m'avait donné. Je me tournai vers Dobbs.

– Je fais passer en note de frais, d'accord?

– Absolument, répondit-il, radieux.

J'échangeai le liquide contre la bande et remerciai Gillen. Il empocha l'argent et, tout heureux, gagna les ascenseurs.

– Superbe! s'écria Dobbs. Il faut contrôler tout ça. L'affaire familiale pourrait être littéralement détruite si ce… En fait, je pense même que c'est une des raisons pour lesquelles Mme Windsor n'est pas venue aujourd'hui. Elle ne voulait pas qu'on la reconnaisse.

– Eh bien, il faudra reparler de tout ça si jamais on allait au procès. En attendant, je vais faire de mon mieux pour que ça ne s'ébruite pas.

— Merci.

Un portable s'étant mis à jouer un morceau de Bach, de Beethoven ou d'un autre compositeur décédé sans copyright, Dobbs plongea la main dans sa veste, en retira l'appareil et jeta un coup d'œil au petit écran de contrôle.

— C'est elle, dit-il.

— Alors, je vous laisse.

Je m'éloignais lorsque je l'entendis dire :

— Mary, tout est en ordre. Maintenant, il faut tout mettre en œuvre pour le faire sortir. On va avoir besoin d'un peu d'argent…

En attendant l'ascenseur, je me dis que je tenais un client pour qui « un peu » d'argent devait en faire beaucoup plus que je n'en avais jamais vu. Puis je revins à la remarque vestimentaire que Dobbs m'avait servie. Ça faisait toujours mal. De fait, je n'avais dans ma penderie aucun costume qui vaille moins de six cents dollars et me sentais toujours bien et sûr de moi quand j'en enfilais un. Je me demandai s'il avait voulu m'insulter ou s'il n'avait pas plutôt essayé de reprendre la direction des opérations dès les premières passes d'armes. Je décidai que j'allais devoir faire gaffe à mes arrières avec lui. L'avoir toujours près de soi, oui, mais pas trop.

6

En regagnant le centre-ville, je tombai sur un bouchon au col de Cahuenga. J'en profitai pour travailler dans ma voiture et donnai des coups de fil en essayant d'oublier ce que Maggie McPherson m'avait dit sur mes qualités de père. Mon ex avait raison et ça faisait mal. J'avais trop longtemps fait passer mon travail avant ma fille. C'était quelque chose que je me promettais de changer. J'avais juste besoin de temps et d'argent pour pouvoir ralentir. Je songeai que Louis Roulet allait peut-être me donner les deux.

Tout au fond de ma Lincoln, je commençai par appeler Raul Levin, mon détective privé, afin de l'avertir d'un rendez-vous possible avec Roulet. Je lui demandai un compte rendu d'enquête préliminaire sur l'affaire, histoire de savoir ce qu'il pourrait trouver. Levin avait pris sa retraite anticipée du LAPD, où il avait encore des contacts et des amis qui lui rendaient service de temps en temps. Lui aussi devait avoir sa liste de gens à soigner pour Noël. Je lui dis de ne pas passer trop de temps sur ce boulot avant que je sois sûr de m'être attaché Louis Roulet en qualité de client payant. Ce que C. C. Dobbs m'avait dit en face à face dans le couloir du tribunal n'avait aucune valeur. Je ne considérerais tenir l'affaire qu'au moment où je recevrais le premier chèque.

Après ça, je m'enquis de savoir où on en était dans d'autres dossiers, puis je rappelai Lorna Taylor. Je savais que les trois quarts du temps le courrier lui était livré avant midi. Elle m'informa qu'il n'était arrivé rien d'important. Chèques ou courriers des tribunaux, rien ne requérait mon attention immédiate.

– As-tu vérifié pour la mise en examen de Laura Larsen? lui demandai-je.

– Oui. Ils risquent de la garder jusqu'à demain pour un examen médical.

Je grognai. La justice n'a que quarante-huit heures pour inculper quelqu'un après son arrestation et l'amener devant un juge. Repousser la comparution de Laura au lendemain pour cause d'examen médical signifiait qu'elle devait être sous l'emprise de la drogue. Ce qui aurait expliqué qu'elle soit en possession d'une certaine quantité de cocaïne lorsqu'elle s'était fait arrêter. Cela faisait au moins sept mois que je ne l'avais pas vue. Sa dégringolade avait dû être rapide. La frontière délicate qui sépare l'individu qui maîtrise sa consommation de drogue et celui que la drogue tient en son pouvoir avait été franchie.

– As-tu trouvé le nom du procureur ?

– Leslie Faire, me répondit-elle.

Je grognai une deuxième fois.

– Génial, ça, tiens ! Bon, bien… Je vais aller voir ce que je peux faire. Je n'ai rien d'autre avant que Roulet me rappelle.

Leslie Faire – et elle n'avait rien de fair-play – était un procureur pour qui faire un cadeau à un accusé ou lui accorder le bénéfice du doute consistait à lui offrir de la mise en liberté surveillée – en plus d'une peine de prison.

– Mick, quand vas-tu enfin comprendre pour cette femme ? reprit Lorna en parlant de Laura Larsen.

– Comprendre quoi ? lui demandai-je alors que je savais très bien ce qu'elle me répondrait.

– Elle te fait ramer chaque fois que tu dois t'occuper d'elle. Elle ne décrochera jamais de ce style de vie et tu peux déjà te dire qu'à partir de maintenant, chaque fois qu'elle fera appel à toi, ça sera pour du doublé. Toutes choses qui sont parfaites, sinon que tu ne lui demandes jamais de fric.

Ce qu'elle avait voulu dire par du « doublé » ? Elle avait parfaitement compris qu'il y avait désormais toutes les chances pour que des accusations de trafic de drogue viennent doubler celle de prostitution. Et elle s'inquiétait de voir que cela signifiait plus de travail pour moi, sans plus de revenus au bout du compte.

– Sauf que le barreau exige que tous les avocats aient quelques affaires en *pro bono*, Lorna. Tu sais bien que…

— Tu ne m'écoutes pas, Mick, me lança-t-elle d'un ton sans réplique. C'est exactement pour ça que nous n'avons pas pu rester mariés.

Je fermai les yeux. Quelle journée ! Réussir à mettre en colère mes deux ex en moins de vingt-quatre heures !

— Par où te tient-elle, cette femme ? reprit-elle. Pourquoi ne lui fais-tu pas payer le tarif minimum ?

— Écoute ! Cette femme ne me tient absolument pas, d'accord ? lui répliquai-je. On pourrait pas changer de sujet ?

Je ne lui dis pas que bien des années plus tôt, en feuilletant les vieux registres poussiéreux du cabinet d'avocat de mon père, j'avais découvert qu'il avait un faible pour les belles de nuit. Il en avait défendu beaucoup et n'en avait fait payer que très peu. Peut-être ne faisais-je que reprendre une tradition familiale.

— Bien, dit-elle. Comment ça s'est passé avec Roulet ?

— Tu veux dire… est-ce que j'ai décroché l'affaire ? Je crois que oui. Val doit être en train de le faire sortir de taule en ce moment même. On fixera un rendez-vous tout de suite après. J'ai déjà demandé à Raul de renifler un peu partout.

— As-tu reçu un chèque ?

— Non, pas encore.

— Exige-le, Mick.

— J'y travaille.

— Que penses-tu du dossier ?

— Je n'ai vu que les photos, mais c'est dégueu. J'en saurai plus en voyant ce que Raul aura trouvé.

— Et Roulet lui-même ?

Je savais très bien ce qu'elle me demandait. Quel genre de client était-il ? Un jury, si on allait jusqu'au procès, le trouverait-il bien ou le mépriserait-il ? Le sort de bien des affaires dépend de l'impression que les jurés se font de l'inculpé.

— On dirait un faon dans les bois.

— Puceau ?

— Oui. Il n'a jamais été en taule.

— Bon mais… il l'a fait ?

Toujours à poser des questions sans intérêt. En termes de stratégie, que l'accusé ait ou n'ait pas fait ce qu'on lui reproche n'a aucune importance. Ce qui en a, ce sont les preuves rassemblées contre lui et si, oui ou non, on peut les neutraliser. Mon boulot à moi consistait à les enterrer, ou à les ternir. À les recouvrir d'un gris qui est la couleur même du doute raisonnable. Il n'empêche : la question de savoir s'il «l'avait fait ou pas» semblait toujours lui importer.

– Qui sait, Lorna ? Et ce n'est pas la question. La question, c'est de savoir si nous avons affaire à un client qui paiera ou pas. Et la réponse est oui, à mon avis.

– Bon, tu me dis si tu as besoin de… ah oui, il y a autre chose.

– Quoi ?

– Sticks vient d'appeler pour dire qu'il te devra quatre cents dollars la prochaine fois qu'il te verra.

– C'est exact.

– Tu t'en sors plutôt bien, aujourd'hui !

– Je ne me plains pas.

Nous nous séparâmes sur cette note amicale, la dispute qui nous avait opposés sur Laura Larsen paraissant oubliée pour l'instant. Sans doute le sentiment de sécurité qu'on éprouve en sachant qu'il y a de l'argent qui arrive. Être sûre qu'un gros client était ferré devait lui faire voir mon travail *pro bono* d'un œil plus clément. Cela étant, je me demandai si elle aurait été aussi vigilante si j'avais défendu gratuitement un trafiquant de drogue plutôt qu'une prostituée. Nous avions connu un amour aussi doux que bref, elle et moi découvrant rapidement que nous nous étions remariés un peu trop vite après nos divorces respectifs. Nous avions mis un terme à notre couple et nous étions restés amis, Lorna continuant de travailler avec et non pour moi. Les seuls instants où cet arrangement me mettait mal à l'aise étaient ceux où elle se conduisait à nouveau comme une épouse et trouvait à redire au choix de mes clients et à ce que je leur faisais payer ou pas.

Satisfait de la manière dont je m'étais débrouillé avec elle, j'appelai les services du district attorney de Van Nuys. Je demandai qu'on me passe Margaret McPherson et la surpris en train de déjeuner à son bureau.

– Je voulais juste te dire que je suis désolé pour ce matin. Je sais que tu aurais aimé avoir cette affaire.

— Bah, tu en as probablement plus besoin que moi. Il doit pouvoir payer, s'il a C. C. Dobbs pour lui porter son rouleau.

C'était à un rouleau de papier hygiénique qu'elle faisait référence. Les avocats très chers payés par une famille sont généralement considérés par les procureurs comme de simples torche-culs des gens riches et célèbres.

— C'est vrai que ça ne me ferait pas de mal d'en avoir un comme lui, répondis-je. De client, s'entend, pas de torche-cul. Ça fait un moment que je n'ai pas eu de client pactole.

— Mais t'as un peu moins de chance depuis quelques minutes, me chuchota-t-elle. Le dossier a été réassigné à Ted Minton.

— Jamais entendu parler de ce mec.

— C'est un des jeunes loups de Smithson. On vient de l'importer du centre-ville, où il ne s'occupait que d'histoires de drogue. Il n'avait jamais vu un prétoire avant de venir ici.

John Smithson était un assistant-chef ambitieux en charge de la division de Van Nuys. Meilleur politique que procureur, il avait profité de ce don pour passer vite par-dessus des assistants plus expérimentés et décrocher la direction de la division. Maggie McPherson était une des personnes par-dessus lesquelles il était passé. Le créneau une fois occupé, il s'était mis en devoir de bâtir un staff de jeunes procureurs qui ne se sentent pas lésés par lui et lui restent fidèles à cause de ce coup de pouce qu'il leur avait donné.

— Ce type n'a jamais vu un prétoire ? répétai-je sans comprendre comment devoir affronter un bleu pouvait être une pareille malchance.

— Il a plaidé plusieurs fois, mais toujours avec un baby-sitter. Ce sera avec Roulet qu'il volera pour la première fois de ses propres ailes. Smithson pense lui avoir donné un truc enfantin.

Je me la représentai assise dans son cagibi, pas très loin sans doute de celui dans lequel mon nouvel adversaire avait pris place.

— Je pige pas, Mags. Si c'est un bleu, pourquoi est-ce que je n'ai pas de chance ?

— Parce que tous les gars que choisit Smithson sortent du même moule. Ce sont des connards prétentieux. Ils croient ne jamais se tromper et en plus, ils... (elle baissa encore plus la voix) ils ne jouent pas franc jeu. Et la rumeur veut que Minton soit un tricheur. Fais gaffe à tes fesses, Haller. Ou mieux : surveille-le, lui.

– Eh bien… merci du conseil.

Mais elle n'en avait pas terminé.

– Beaucoup de ces nouveaux ne comprennent pas, tout simplement. Pour eux, être procureur n'est pas une vocation. Ça n'a rien à voir avec la justice. C'est juste un jeu… on établit des moyennes, comme au base-ball. Ils adorent compter les points et voir jusqu'où ça les conduira dans la hiérarchie. En fait, ce n'est rien de plus que des Smithson juniors.

La vocation. C'était bien ça qui avait fini par nous coûter notre couple. Intellectuellement, Maggie se débrouillait bien d'avoir épousé un type qui travaillait de l'autre côté de la barrière. Mais dès qu'il fallait en venir à la réalité de ce que nous faisions… nous avions eu de la chance de durer huit ans. *Chéri, comment s'est passée ta journée ? Oh, moi, j'ai récolté un gus qu'a trucidé son colocataire à coups de piolet. Du sept ans de taule. Et toi ?… Oh, moi, j'ai expédié un type cinq ans en prison parce qu'il avait piqué un autoradio pour pouvoir se payer sa drogue…* Ça ne marchait tout simplement pas. Au bout de quatre ans, une fille nous était arrivée et ce n'était pas de sa faute, mais ça ne nous avait donné que quatre ans de plus ensemble.

Pourtant je ne regrettais rien. Ma fille, je l'adorais. C'était la seule chose de bien dans ma vie, la seule dont je pouvais être fier. Je crois que, tout au fond, je ne la voyais pas assez souvent et passais mon temps à courir après le client au lieu de courir après elle… parce que je me sentais indigne d'elle. Sa mère, elle, avait tout d'une héroïne. Elle flanquait des méchants en taule. Comment pouvais-je, moi, dire à ma fille que ce que je faisais avait quoi que ce soit de bon et de sacré alors que je l'avais moi-même oublié depuis longtemps ?

– Hé, Haller, t'es toujours avec moi ?

– Oui, oui, Mags, je suis toujours là. Qu'est-ce que tu manges aujourd'hui ?

– Juste la salade orientale d'en bas. Rien de bien spécial. Où es-tu ?

– Je me dirige vers le centre-ville. Écoute… dis à Hayley qu'on se verra ce samedi. Je vais préparer quelque chose. On fera un truc.

— Tu es sérieux ? Je ne veux pas lui donner de faux espoirs.

Je sentis quelque chose remuer en moi — l'idée que ma fille puisse espérer me voir ! Une des choses auxquelles Maggie ne se laissait jamais aller était bien de m'enfoncer auprès d'elle. Ce n'était pas son genre. Et j'admirais cela depuis toujours.

— Oui, je suis sérieux, lui répondis-je.

— Génial. Je vais le lui annoncer. Tu me dis à quelle heure tu viendras la chercher ou si tu veux que je la dépose.

— D'accord.

J'hésitai. Je voulais lui parler encore, mais il n'y avait plus rien à dire. Je finis par lui dire au revoir et refermai mon portable. Quelques minutes plus tard, nous sortions de l'embouteillage. Je regardai par la vitre et ne vis pas d'accident. Je ne vis personne avec un pneu crevé et pas davantage de voitures de flics garées sur le bas-côté. Rien donc qui aurait pu expliquer ce bouchon. C'était souvent comme ça. À Los Angeles, la circulation sur les autoroutes est aussi mystérieuse que la vie de couple. Ça roule tranquille jusqu'au moment où ça coince, puis ça s'arrête sans raison facilement explicable.

Je sors d'une famille d'avocats. Mon père, mon demi-frère, une de mes nièces et un de mes neveux sont eux aussi dans la partie. Mon père était célèbre à une époque où il n'y avait ni câble ni *Court TV*. Il fut le doyen des avocats au criminel pendant presque trois décennies. De Mickey Cohen[1] aux filles Manson, ses clients faisaient toujours la une des journaux. Je n'avais été qu'un ajout dans sa vie, qu'un visiteur qui avait débarqué par surprise dans son deuxième mariage avec une actrice de série B célèbre pour son exotisme latin et beaucoup moins pour son talent. C'est à ce mélange que je dois mes airs d'Irlandais noiraud. Déjà âgé lorsque j'arrivai, mon père disparut bien avant que je sois assez vieux pour le connaître vraiment ou lui parler du droit en tant que vocation. De fait, il ne m'a laissé que son nom : Mickey Haller, la légende du barreau. Cela m'ouvre encore des portes.

---

1. Ancien boxeur et adjoint d'Al Capone, il fut condamné à quinze ans de prison qu'il purgea à Alcatraz *(NdT)*.

Mais mon frère aîné, lui – mon demi-frère de son premier mariage –, m'a dit que mon père lui parlait de la pratique du droit et de la défense au criminel. Il disait souvent qu'il aurait défendu le diable en personne à condition que celui-ci puisse lui régler ses honoraires. La seule affaire qu'il ait jamais refusé de prendre est celle de Sirhan Sirhan. Il aurait déclaré à mon frère qu'il aimait bien trop Bob Kennedy pour défendre son assassin et ce, quelle que fût sa foi dans l'idéal selon lequel tout client mérite la meilleure défense possible.

Au fur et à mesure que je grandissais, je lus tout ce qu'on avait écrit sur mon père et ses affaires. J'admirai l'adresse, la vigueur et les stratégies qu'il apportait à la table de la défense. Il était sacrément bon et j'étais fier de porter son nom. Mais le droit a beaucoup changé. Il s'est teinté de gris. Et il y a longtemps que les idéaux ne sont plus que des idées. Des idées en option.

Mon portable sonnant, je jetai un coup d'œil à l'écran avant de répondre.

– Quoi d'neuf, Val ?

– On est en train de le sortir de taule. Ils l'ont déjà ramené et on s'occupe des papiers.

– Dobbs a marché pour la caution ?

– Et comment !

J'entendis du ravissement dans sa voix.

– Arrête de te monter le bourrichon. T'es sûr que c'est pas un mec qui va filer ?

– Je ne suis jamais sûr de rien. Je vais l'obliger à porter un bracelet. Je le perds, je perds ma baraque avec.

Je me rendis compte que ce que j'avais pris pour du ravissement devant le pactole que cette caution de 100 000 dollars allait lui rapporter était surtout de la nervosité. Il serait aussi tendu qu'un ressort tant que, d'une façon ou d'une autre, l'affaire ne serait pas terminée. Même si la cour ne l'avait pas ordonné, il allait mettre un bracelet électronique à la cheville de Roulet. Il n'était pas question de risquer quoi que ce soit avec ce type.

– Où est Dobbs ? lui demandai-je.

– Il est retourné à mon bureau et nous y attend. Je lui ramène Roulet dès sa sortie. Ça ne devrait pas tarder.

— Maisy est là-bas ?

— Oui.

— Bon, je l'appelle.

Je mis fin à la conversation et appuyai sur la touche rapide pour appeler la Liberty Bail Bonds. Ce fut la réceptionniste et assistante de Valenzuela qui décrocha.

— Maisy, lui lançai-je, c'est moi, Mick. Tu peux me passer Dobbs ?

— Pas de problème, Mick.

Quelques secondes plus tard, Dobbs prenait la communication. Il avait l'air contrarié. Rien qu'à la façon dont il avait dit : « Cecil Dobbs à l'appareil »...

— Mick Haller. Comment ça se passe ?

— Pas très bien, si l'on considère que je laisse courir mes obligations envers d'autres clients en restant assis dans ce bureau à lire des revues vieilles d'un an.

— Vous n'avez pas de portable pour vos affaires ?

— Si, mais là n'est pas la question. Mes clients ne sont pas du genre portable. Ils aiment qu'on soit en face à face.

— Je vois. Bon, la bonne nouvelle, c'est que je viens d'apprendre que notre gamin est sur le point d'être libéré.

— « Notre gamin » ?

— M. Roulet. Valenzuela devrait le faire sortir dans l'heure. Je suis moi-même sur le point d'entrer en conférence avec un client, mais, comme je vous l'ai déjà dit, je serai libre dans l'après-midi. Voulez-vous que nous nous retrouvions pour jeter un œil au dossier avec notre client mutuel ou préférez-vous que je prenne le relais dès maintenant ?

— Non, Mme Windsor exige que je suive tout ça de près. De fait, il se pourrait qu'elle assiste à la réunion elle aussi.

— Ça ne me gêne pas de faire la connaissance de cette dame, mais lorsqu'il faudra parler du dossier il ne devra plus y avoir que les avocats de la défense, que l'équipe. Cela peut vous inclure, mais certainement pas la mère. D'accord ?

— Je comprends. Disons quatre heures à mon cabinet. Louis y sera.

— Moi aussi.

– Mon cabinet loue les services d'un as de l'enquête. Je vais lui demander de nous rejoindre.

– Ce ne sera pas nécessaire, Cecil. J'ai le mien et il s'est déjà mis au boulot. On se retrouve à quatre heures.

Je mis fin à l'entretien avant qu'il ait le temps de démarrer sur le choix de l'enquêteur. Il fallait veiller à ce qu'il ne prenne pas la direction de l'enquête, de la préparation du dossier et de la stratégie à établir. Suivre tout cela était une chose. Mais maintenant, l'avocat de Louis Roulet, c'était moi. Pas lui.

J'appelai ensuite Raul Levin – il m'informa qu'il s'était déjà mis en route pour le commissariat de la division de Van Nuys afin d'y prendre une copie du PV d'arrestation.

– Juste comme ça ? lui demandai-je.

– Non, pas juste comme ça. On pourrait dire que ça m'a pris vingt ans pour l'avoir.

Je compris. Les contacts qu'il avait établis dans la police, au fil du temps et de l'expérience, lui avaient renvoyé l'ascenseur. Pas étonnant qu'il demande 500 dollars par jour chaque fois qu'il pouvait les décrocher. Je l'informai qu'on se retrouvait à quatre heures, il me répondit qu'il serait au rendez-vous et pourrait nous fournir un aperçu de ce qui se passait côté police.

Je refermais mon portable lorsque la Lincoln s'arrêta. Nous étions arrivés à la prison des Tours jumelles. L'édifice n'avait pas encore dix ans d'âge que le smog commençait déjà à en souiller les murs couleur sable d'un gris monotone. L'endroit était triste et menaçant et j'y passais trop de temps. J'ouvris ma portière et m'apprêtai à y entrer encore une fois.

7

Le guichet réservé aux avocats me permit d'éviter la longue file de visiteurs qui attendaient d'entrer pour voir des proches incarcérés dans une des tours. Lorsque j'annonçai au gardien-chef qui je voulais voir, il entra le nom de Laura Larsen dans l'ordinateur et ne me dit rien ni d'une indisponibilité de ma cliente ni d'un quelconque examen médical auquel elle aurait été soumise. Il m'imprima un laissez-passer de visiteur, le glissa dans le cadre en plastique d'un badge à clip et me demanda de porter ce dernier pendant toute la durée de ma visite. Puis il m'ordonna de m'écarter du guichet et d'attendre mon escorte.

– Cela prendra quelques minutes, ajouta-t-il.

Je savais d'expérience que mon portable ne captait rien dans l'enceinte de la prison et qu'en allant dehors pour téléphoner je risquais de louper mon escorte et de devoir reprendre toute la procédure d'admission à zéro. Je ne bougeai donc pas de l'endroit où je me trouvais et regardai les gens qui venaient rendre visite aux détenues. Presque tous étaient noirs ou basanés. Presque tous avaient l'air d'habitués. Tous connaissaient sans doute bien mieux la routine que moi.

Vingt minutes plus tard, une femme imposante en tenue d'adjoint au shérif entra dans la zone d'attente pour venir me chercher. Je compris que ce n'était pas avec la taille qu'elle avait maintenant qu'elle était entrée au service du shérif. Elle faisait au moins cinquante kilos de trop et semblait avoir du mal à les porter en marchant. Mais je savais aussi qu'une fois entré dans le saint des saints, il était difficile de s'en faire virer. Il faut dire qu'en cas d'évasion de prisonnier, elle n'avait qu'à s'adosser au chambranle d'une porte pour l'interdire.

– Désolée que ç'ait pris si longtemps, dit-elle en attendant entre les deux portes en acier du sas d'entrée de la prison des femmes. Il a fallu que j'aille la chercher et m'assurer qu'on l'avait encore chez nous.

Elle fit signe à la caméra installée au-dessus de la porte d'entrée que tout allait bien. La serrure de cette dernière s'ouvrit en claquant et elle entra.

– Elle était à l'infirmerie pour sa dose, reprit-elle.

– Sa dose?

Je ne savais pas que la prison avait un traitement pour les drogués qui incluait qu'on lui donne «sa dose».

– Oui, elle a reçu sa dose de coups dans une bagarre. Elle vous en dira plus.

Je décidai de ne plus poser de questions. D'une certaine manière, j'étais soulagé que ce délai médical ne soit pas dû – pas directement au moins – à une ingestion de drogue.

L'adjointe me conduisit à la salle des avocats, où j'étais déjà venu bien des fois avec d'autres clients. La grande majorité d'entre eux étaient des hommes et je ne faisais pas de discrimination, mais je dois à la vérité de dire que je détestais représenter des femmes incarcérées. Des prostituées aux meurtrières – et je les avais défendues les unes comme les autres –, il y a quelque chose de lamentable à voir une femme en prison ou qui risque d'y être jetée. Chaque fois ou presque, je m'en suis aperçu, leurs crimes ont les hommes pour origine. Ceux qui profitent d'elles, ceux qui les violent, ceux qui les abandonnent ou les battent. Cela ne signifie pas qu'elles ne sont pas responsables de leurs actes ou que certaines d'entre elles ne méritent pas le châtiment qui leur est infligé. Il y a chez les femmes des prédateurs qui valent bien ceux qu'on trouve chez les hommes. Mais, malgré tout, les femmes que je voyais ici semblaient très différentes des hommes enfermés dans l'autre tour. Là-bas, les hommes survivaient encore grâce à leur force et à leurs ruses. Les femmes, elles, sont dépossédées de tout lorsque la porte de la prison se referme sur elles.

La zone des visites se réduisait à une rangée de cabines où l'avocat pouvait s'asseoir d'un côté, sa cliente se trouvant de l'autre et séparée de lui par une paroi de Plexiglas transparent de quarante-cinq centimètres d'épaisseur. Une adjointe au shérif surveille tout le monde d'une cabine en verre située à l'autre bout de la pièce – censément sans écouter personne. S'il y a besoin de faire passer un document à la cliente, il faut le tenir en l'air afin que l'adjointe puisse le voir et donner son accord.

Je fus conduit à une cabine et mon escorte me quitta. J'attendis alors une dizaine de minutes de plus avant que la même adjointe apparaisse de l'autre côté de la paroi avec Laura Larsen. Je remarquai tout de suite que ma cliente avait l'œil gauche enflé et qu'un point de suture fermait une lacération qu'elle avait juste au-dessous d'une mèche de cheveux en plein milieu du front. Laura avait les cheveux d'un noir de jais et la peau mate. Elle avait été belle en son temps. La première fois que je l'avais représentée, soit sept ou huit ans plus tôt, elle l'était vraiment. Elle avait le genre de beauté qui laissait pantois quand on songeait qu'elle la vendait, quand il fallait bien se dire qu'elle avait décidé de se vendre à des inconnus parce qu'elle n'avait pas d'autre choix que celui-là. Maintenant elle n'avait plus que l'air dur. Elle avait le visage tendu et s'était fait soigner par des chirurgiens qui n'étaient pas les meilleurs – même si de fait il n'y avait rien qu'ils auraient pu faire pour arranger des yeux qui en avaient trop vu.

– Mickey Mantle, me lança-t-elle. Tu vas encore monter au filet pour moi ?

Elle avait dit ça de la voix de petite fille qui devait plaire à ses clients et les exciter. Pour moi, c'était plus simplement bizarre d'entendre ces mots tomber de la bouche d'une femme aux lèvres si serrées et aux yeux si durs et sans vie qui y brille.

Elle me donnait toujours du Mickey Mantle alors même qu'elle était née bien après que ce grand batteur de base-ball avait pris sa retraite. Sans même parler du fait qu'elle ne devait pas savoir grand-chose de sa façon de jouer. Pour elle, ce n'était qu'un nom. L'alternative était peut-être de me donner du Mickey Mouse et ça, je n'aurais probablement pas beaucoup apprécié.

– Je vais essayer, lui répondis-je. Qu'est-ce qui t'est arrivé à la figure ? Tu t'es fait mal ?

Elle écarta la question d'un geste de la main.

– J'ai eu des mots avec des filles de mon dortoir.

– À propos de quoi ?

– Oh, des trucs de filles.

– Dis donc, tu planes en taule ?

Elle prit l'air indigné, puis tenta de faire la moue.

– Non, je ne plane pas.

Je la regardai de plus près. Elle avait l'air normale. Peut-être ne planait-elle effectivement pas. Peut-être même cette bagarre n'avait-elle eu rien à voir avec la drogue.

– Mickey, reprit-elle de sa voix ordinaire, je veux pas rester ici.

– Comme si je pouvais te le reprocher ! J'aime pas venir ici moi non plus et moi, je peux m'en aller.

Je regrettai aussitôt ces derniers mots qui lui rappelaient la situation dans laquelle elle se trouvait. Mais elle n'eut pas l'air de remarquer.

– Tu crois que tu pourrais me faire admettre à un de ces machins avant le jugement où c'est que je pourrais me faire du bien ?

Je trouvai intéressant que, pour une accro, consommer et cesser de se droguer aient droit au même terme de « se faire du bien ».

– Sauf qu'y a un problème, Laura. Ce programme d'aide, tu y as déjà eu droit, tu te rappelles ? Et il est clair que ça n'a pas marché. Ce qui fait que cette fois, je ne sais pas. Il n'y a qu'un nombre limité de places dans ces trucs et les juges et les procureurs n'aiment pas y renvoyer quelqu'un quand ce quelqu'un n'en a pas profité la première fois.

– Comment ça ? protesta-t-elle. Bien sûr que j'en ai profité ! Je suis allée à toutes les séances !

– C'est vrai. Et c'est bien. Mais après, quand ç'a été fini, tu as recommencé et on est encore une fois l'un en face de l'autre. Pour eux, ce n'est pas une réussite, Laura, et je ne pense pas pouvoir te faire admettre dans un programme ce coup-ci. Pour moi, faut plutôt s'attendre à ce qu'ils soient plus durs avec toi.

Elle baissa les yeux.

– J'y arrive pas, dit-elle d'une petite voix.

– Écoute, des programmes comme ça, il y en a aussi en taule. Tu te remets d'aplomb et tu ressors avec une chance de recommencer à zéro.

Elle hocha la tête d'un air perdu.

— Tu as tenu longtemps, Laura, mais ça ne peut pas continuer comme ça. À ta place, j'essaierais de partir d'ici. De Los Angeles, je veux dire. Va ailleurs et repars à zéro.

Elle leva des yeux pleins de colère sur moi.

— Repartir à zéro en faisant quoi, hein ? Regarde-moi ! Que veux-tu que je fasse ? Que je me marie, que j'aie des enfants et que je plante des fleurs ?

Je n'avais pas de réponse à ça, et elle non plus.

— On en reparlera le moment venu. Pour l'instant, occupons-nous de ton affaire. Dis-moi ce qui s'est passé.

— Il s'est passé ce qui se passe à chaque fois. J'avais vérifié le mec et tout allait bien. Il m'avait l'air OK. Sauf que c'était un flic et que voilà.

— C'est toi qui es allée chez lui ?

Elle acquiesça d'un signe de tête.

— Au Mondrian. Il avait une suite... et, tiens, y a aussi ça : les flics, des suites, en général ils en ont pas. Ils ont pas le fric pour ça.

— Je ne t'ai pas déjà dit comme c'est con d'avoir de la coke sur toi quand tu bosses ? Même que si un mec te dit d'en ramener, tu peux être sûre que c'est un flic.

— Tout ça, je le sais, et y ne m'avait pas demandé d'en amener. La coke, j'ai oublié que je l'avais, d'accord ? C'est un type que j'avais vu avant lui qui me l'avait filée. Qu'est-ce tu voulais que je fasse ? Que je la laisse dans la bagnole pour que les voituriers du Mondrian me la piquent ?

— C'est qui, ce mec qui te l'a fourguée ?

— Un gars qu'est au Travel Lodge de Santa Monica Boulevard. Je me l'étais fait et c'est là qu'il me l'a proposée, tu vois ? Au lieu de me filer du fric. Et après, quand je suis partie, j'ai écouté mes messages et j'en avais reçu un du mec du Mondrian. Alors je l'ai rappelé, j'ai arrangé le coup et je suis montée directement chez lui. En oubliant que j'avais la coke dans mon sac.

J'acquiesçai d'un signe de tête et me penchai en avant. Je sentais quelque chose dans cette histoire – il y avait une lueur d'espoir.

— C'était qui, le mec du Travel Lodge ?

— Je sais pas, juste un mec qu'avait vu ma pub sur le site.

Elle arrangeait ses rendez-vous à partir d'un site web où l'on trouvait des photos, des numéros de téléphone et des e-mails d'hôtesses d'accompagnement.

– Il t'a dit d'où il venait?

– Non. C'était un mec dans le genre mexicain ou cubain. Il suait encore d'avoir consommé.

– As-tu vu s'il en avait encore quand il t'a filé la coke?

– Ouais, il en avait un peu... J'espérais qu'il me rappelle... mais je crois que je n'étais pas ce qu'il attendait.

La dernière fois que j'étais allé sur LA-Darlings.com[1] pour voir si elle travaillait encore, les photos qu'elle avait mises sur le site dataient de cinq ans, et semblaient remonter à dix. Ça devait conduire à certaines déceptions lorsque ses clients lui ouvraient la porte de leur chambre.

– Il en avait beaucoup?

– Je sais pas. J'ai juste compris qu'il devait en avoir parce que si ç'avait été tout ce qui lui restait, il me l'aurait pas filée.

C'était bien vu. L'espoir brillait plus fort.

– Tu l'avais passé au crible?

– 'Vident!

– Quoi? T'avais vérifié son permis de conduire?

– Non, son passeport. Il m'avait dit qu'il avait pas de permis.

– Comment s'appelait-il?

– Hector Quelquechose.

– Allons, Laura! Hector quoi? Essaie de te rap...

– Hector Quelquechose Moya. Il avait trois noms. Mais je me souviens de Moya parce que j'y ai dit qu'il avait sûrement les Moyas de me payer quand il m'a sorti la coke.

– Bon, parfait.

– Tu crois que tu pourrais te servir de ça pour m'aider?

– Peut-être. Ça dépendra de son identité. Si ça peut servir de monnaie d'échange.

– Je veux sortir d'ici.

– Bon, écoute, Laura. Je vais aller causer au procureur et voir un peu ce qu'elle dit et ce que je peux faire pour toi. Ils t'ont collé une caution de 25 000 dollars.

_____

1. Cf. *Darling Lily* publié dans cette même collection *(NdT)*.

– Quoi?!

– C'est plus fort que d'habitude à cause de la drogue. T'as pas les 2 500 pour le dépôt de garantie, si?

Elle fit non de la tête. Je vis les muscles de son visage se contracter. Elle savait ce qui l'attendait.

– Tu pourrais pas me les avancer, Mickey? Je te promets de te les…

– Je peux pas faire ça, Laura. C'est le règlement et je pourrais avoir de gros ennuis si je l'enfreignais. Il va falloir que tu passes la nuit ici et ils te notifieront tes charges demain matin.

– Non, dit-elle plus comme on grogne que comme on parle.

– Je sais que ça va être dur, mais va falloir que tu t'en passes. Et vaudrait mieux que tu sois claire demain matin quand tu seras devant le juge, sinon je n'aurai aucune chance d'abaisser ta caution et de te faire sortir. Et donc, tu prends rien de ce qu'ils vendent ici! T'as compris?

Elle leva les bras au-dessus de sa tête, presque comme si elle voulait se protéger de ce qui allait lui tomber dessus, et serra les poings d'angoisse. La nuit allait être longue.

– Faut que tu me sortes d'ici demain.

– Je vais faire de mon mieux.

Je fis un signe à l'adjointe dans la cabine d'observation. J'étais prêt à partir.

– Ah, une dernière chose, ajoutai-je. Tu te rappelles dans quelle chambre était le mec du Travel Lodge?

Elle réfléchit un instant avant de répondre.

– Ça, c'est facile. Il était dans la 333.

– Bon, merci. Je vais voir ce que je peux faire.

Elle resta assise lorsque je me levai. L'escorte ne tarda pas à revenir et me demanda d'attendre qu'elle ait ramené Laura à son dortoir. Je consultai ma montre. Il était presque deux heures. Je n'avais toujours pas mangé et commençais à avoir mal au crâne. Et je n'avais plus que deux heures pour aller voir Leslie Faire au bureau du district attorney et lui parler de Laura avant de filer à Century City pour y retrouver Dobbs et Roulet.

– Y aurait pas quelqu'un d'autre qui pourrait me faire sortir d'ici? demandai-je d'un ton irrité. Il faut que j'aille au tribunal.

– Désolée, maître, mais c'est comme ça que ça marche.

– Bon, ben, faites vite.

– C'est toujours ce que je fais.

Un quart d'heure plus tard je compris que m'être plaint n'avait fait que la décider à me laisser attendre encore plus longtemps que si je l'avais fermée. J'étais comme le client du restaurant qui retrouve certes bien chaude la soupe qu'il a renvoyée à la cuisine parce qu'elle était froide, mais aussi avec un petit goût de salive dedans. J'aurais dû m'en douter.

Je téléphonai à Raul Levin en regagnant au plus vite les bâtiments de la cour pénale. Il était revenu à son bureau de Glendale et passait en revue le PV d'arrestation de Roulet et les rapports ayant trait à l'enquête en cours. Je lui demandai de mettre tout ça de côté et de donner quelques coups de fil. Je voulais savoir ce qu'il pourrait trouver sur le type de la suite 333 du Travel Lodge de Santa Monica Boulevard. Et, bien sûr, qu'il me donne tout ça la veille au soir. Ses sources et les moyens de se renseigner sur Moya, je savais qu'il les avait, mais je n'avais aucune envie de les connaître. Seules m'intéressaient les informations qu'il pourrait dégoter.

Earl s'étant arrêté devant la cour, je lui demandai d'aller vite chercher des sandwiches au roast-beef chez Philippe pendant que je filais au tribunal. Je mangerais le mien en allant à Century City. Je lui tendis un billet de vingt dollars par-dessus le dossier du siège et descendis de la Lincoln.

Arrivé devant les ascenseurs de l'entrée comme toujours noire de monde, je sortis un comprimé de Tylenol de ma mallette et l'avalai en espérant qu'il repousserait la migraine que je sentais monter par manque de nourriture. Il me fallut dix minutes pour arriver au neuvième étage – et quinze de mieux pour que Leslie Faire m'accorde une audience. Cette attente me gêna d'autant moins que, quelques instants seulement avant d'être introduit dans son cabinet, je reçus un appel de Raul Levin. Leslie Faire m'aurait-elle pris tout de suite que je n'aurais pas eu ce surplus de munitions.

Levin m'avait en effet appris que le type de la suite 333 s'était fait passer pour un certain Gilberto Rodriguez à la réception du Travel Lodge. Le motel n'avait pas exigé de pièce d'identité, ledit Rodriguez ayant réglé cash une semaine d'avance et déposé cinquante dollars d'acompte pour les coups de téléphone. Levin avait aussi enquêté sur le patronyme que je lui avais donné et retrouvé la trace d'un Colombien du nom d'Hector Arrande Moya qui était en cavale après avoir fui San Diego, où une chambre d'accusation l'avait inculpé de trafic de drogue. Tout cela nous faisait un joli paquet, dont j'avais très envie de faire usage avec le procureur.

Leslie Faire partageait son cabinet avec trois autres procureurs, chacun ayant son bureau dans un coin. Deux d'entre eux étaient absents – partis au tribunal sans doute –, mais un type que je ne connaissais pas était, lui, assis au bureau installé dans le coin opposé à celui de Faire. Je devrais donc parler à cette dernière en étant constamment à portée d'oreille de ce monsieur. Je détestais ça, nombre de procureurs auxquels j'avais affaire profitant alors de la situation pour faire les malins devant les autres : on essayait de jouer les durs et les petits rigolos, parfois au détriment de mon client.

Je pris une chaise à un des bureaux vides et l'apportai pour m'y asseoir. Et laissai tomber les plaisanteries parce qu'il n'y en avait pas et allai droit au but parce que j'avais faim et pas énormément de temps.

– Vous avez déposé contre Laura Larsen ce matin, lançai-je à Leslie Faire. C'est ma cliente. Je voulais voir ce qu'on peut faire.

– Eh bien, on peut lui demander de plaider coupable, moyennant quoi elle aura droit à trois ans de taule à la prison de Frontera.

Tout ça d'un ton neutre et avec un sourire qui tenait plutôt de la moue méprisante.

– Je pensais plutôt à des soins.

– Et moi, je me disais qu'elle y a déjà eu droit et qu'elle a craché dessus. Donc, pas question.

– Écoutez... combien avait-elle de coke sur elle? Deux ou trois grammes?

– Quelle que soit la quantité, ça demeure illégal. Laura Larsen a eu de nombreuses occasions de se reprendre et de ne pas repiquer au poison. Maintenant, c'est fini.

Elle se tourna vers son bureau, ouvrit un dossier et en consulta la première page.

– Neuf arrestations rien que ces cinq dernières années, reprit-elle. C'est sa troisième accusation pour trafic de drogue et elle n'a jamais passé plus de trois jours en prison. Des soins ? Rien à faire. Il faut qu'elle apprenne et ce coup-ci est le bon. Je n'ai aucune envie de discuter de ce point. Si elle plaide coupable, je lui donne de un à cinq ans. Si elle ne le fait pas, je vais au procès et elle tente sa chance avec un juge. Et moi, je demanderai le maximum.

J'acquiesçai d'un signe de tête. Tout ça partait bien dans la direction à laquelle je m'attendais. Une condamnation de un à cinq ans se réduirait très probablement à neuf mois de taule. Je savais que Laura pouvait le supporter – peut-être même cela valait-il mieux pour elle. Mais j'avais encore une carte dans mon jeu.

– Et si elle avait quelque chose à donner en échange ?

Leslie Faire ricana comme si je plaisantais.

– Du genre ?

– Un numéro de chambre d'hôtel où opère un trafiquant de drogue de premier plan.

– C'est un peu vague.

Ça l'était sans doute, mais rien qu'à son changement de ton je compris que ça l'intéressait. Tous les procureurs adorent faire du troc.

– Appelez vos gars des Stups. Demandez-leur ce qu'ils ont sur un certain Hector Arrande Moya. C'est un Colombien. Je peux attendre.

Elle hésita. Il était manifeste qu'elle n'aimait pas se faire manipuler par un avocat de la défense, surtout lorsqu'il y avait un autre procureur à portée d'oreille. Mais elle avait déjà mordu à l'appât.

Elle se retourna encore une fois vers son bureau et passa un coup de fil. J'entendis son côté de la conversation, elle demanda qu'on vérifie le passé de Moya. Elle attendit un moment, puis écouta la réponse. Elle remercia celui ou celle qu'elle avait appelé et raccrocha. Et prit tout son temps pour se retourner vers moi.

– Bien, dit-elle. Qu'est-ce qu'elle veut ?

J'avais tout préparé.

– Elle veut une place dans un programme de soins. Et on laisse tomber toutes les charges lorsqu'elle sera guérie. Elle n'aura pas non plus à témoigner contre le type et son nom n'apparaîtra nulle part. Elle se contente de donner le numéro de la chambre d'hôtel où il est descendu et vos gens procèdent à l'arrestation.

– Ils vont être obligés de bâtir un dossier. Il faudra qu'elle témoigne. Les deux grammes qu'elle avait sur elle provenant de ce mec… c'est bien ça?… il va falloir qu'elle nous en cause.

– Non. Le type ou la nana avec qui vous avez parlé vous a dit qu'il y avait déjà un mandat d'amener. Vous n'avez qu'à coincer Moya pour ça.

Elle réfléchit quelques instants – en remuant la mâchoire d'avant en arrière comme si elle goûtait au plat et se demandait si elle en voulait davantage. Je savais ce qui coinçait. Échange il y avait, mais cela conduisait à une affaire fédérale. Ce qui voulait dire que le FBI allait arrêter le type et reprendre le dossier. Rien de glorieux à en tirer pour la dame – à moins qu'elle songe à entrer au cabinet de l'attorney fédéral un jour.

– Les fédéraux vont vous adorer, repris-je en essayant de m'immiscer dans sa conscience. C'est un méchant qui risque de se barrer dans pas longtemps et l'occasion de le pincer sera perdue.

Elle me regarda comme si je n'étais qu'un vulgaire insecte.

– Ne jouez pas à ça avec moi, Haller.

– Je vous demande pardon.

Elle se remit à réfléchir. J'essayai encore un coup.

– Dès que vous aurez le lieu, vous pourrez toujours arranger un achat.

– Ça ne vous ferait rien de vous taire, s'il vous plaît? Je n'arrive pas à réfléchir.

Je levai les bras en l'air en signe de reddition et la fermai.

– Bon, dit-elle enfin. J'en parle au patron. Donnez-moi votre numéro, que je vous rappelle. Mais je vous avertis tout de suite: si on marche, il faudra qu'elle se soigne en taule. Disons… à County-USC. Pas question de gâcher une place de résident pour elle.

Je réfléchis et acquiesçai d'un signe de tête. County-USC était un hôpital équipé d'une prison, où l'on soignait les blessés, les malades et les drogués. De fait, Leslie Faire m'offrait un programme où Laura Larsen pourrait être traitée pour sa dépendance – et libérée lorsqu'elle serait guérie. Elle ne serait plus accusée de rien et n'aurait pas à faire de prison.

– Ça me va, répondis-je. (Je consultai ma montre, il allait falloir que j'y aille.) Notre offre n'est valable que jusqu'à sa première comparution demain, précisai-je. Après, j'appelle la DEA pour voir si ses agents veulent traiter directement. Et là, ce ne sera plus entre vos mains.

Elle me regarda d'un air indigné. Elle savait que si j'arrivais à un accord avec les fédéraux elle serait écrabouillée. Quand il y avait confrontation, c'étaient toujours les fédéraux qui l'emportaient sur les représentants de l'État local. Je me levai pour partir et déposai une carte de visite sur son bureau.

– N'essayez pas de me passer par-dessus, Haller! me lança-t-elle. Si jamais ça cafouille de votre côté, je m'en prendrai à votre cliente.

Je ne répondis pas. Je remettais à sa place la chaise que j'avais empruntée lorsqu'elle formula sa menace.

– De toute façon, je suis bien sûre qu'on pourra régler ça à un niveau satisfaisant pour tout le monde.

Je me retournai vers elle en arrivant à la porte.

– Pour tout le monde sauf Hector Moya, lui rappelai-je.

8

Le cabinet Dobbs et Delgado se trouvait au vingt-neuvième étage d'une des deux tours jumelles caractéristiques de la ligne d'horizon de Century City. J'arrivai juste à l'heure, mais tout le monde s'était déjà rassemblé dans la salle de conférences équipée d'une grande table en bois poli et d'une paroi de verre qui encadrait toute la vue à l'ouest, de Santa Monica à l'océan Pacifique et aux îles au-delà. L'air était si clair que j'aperçus Catalina et Anacapa tout là-bas au bout du monde. Le soleil commençant à se coucher et semblant se trouver presque au niveau des yeux, une pellicule plastique avait été abaissée sur la vitre afin d'atténuer la lumière. On aurait dit que la pièce avait mis des lunettes de soleil.

Comme mon client. Assis au bout de la table, Louis Roulet portait des Ray-Ban à monture noire. À peine sorti de sa combinaison grise de prisonnier, il avait enfilé un costume marron foncé et un T-shirt en soie pâle. Il avait tout du jeune agent immobilier cool et sûr de lui, et plus rien du gamin apeuré que j'avais vu dans l'enclos du tribunal.

À sa gauche se trouvait Cecil Dobbs et juste à côté de ce dernier, bien conservée, superbement coiffée et couverte de bijoux, une femme qui devait être la mère de Roulet, Mary Alice Windsor. Dobbs, ça aussi je le supposai, n'avait pas dû lui dire qu'elle ne pourrait pas assister à cette réunion.

À droite de Roulet, un siège vide m'attendait. Et, juste à côté, celui où avait pris place mon enquêteur, Raul Levin. Il avait un dossier fermé devant lui sur la table.

Dobbs me présenta Mme Windsor. Celle-ci me serra la main avec une belle vigueur. Je m'assis et Dobbs m'expliqua qu'elle réglerait les frais de défense de son fils et acceptait les termes de l'accord que j'avais détaillés auparavant. Après quoi, il me glissa une enveloppe en travers de la table. Je jetai un coup d'œil à l'intérieur et y découvris un chèque de 60 000 dollars avec mon nom dessus. C'était le dépôt de garantie que j'avais demandé, dépôt dont je ne comptais vraiment toucher que la moitié lors de ce premier règlement. J'avais déjà obtenu plus pour certaines affaires, mais ça n'en restait pas moins le plus gros chèque que j'avais jamais reçu.

Il était tiré sur le compte de Mary Alice Windsor. Et la banque était du costaud : la First National de Beverly Hills. Je refermai l'enveloppe et la fis repasser de l'autre côté de la table.

– Il va falloir que ce paiement soit effectué par Louis, lançai-je en regardant Mme Windsor. Ça m'est égal que ce soit vous qui lui passiez l'argent et qu'il me le donne ensuite. Tout ce que je veux, c'est que ce soit un chèque de Louis. C'est pour lui que je travaille et ça, il faut qu'on soit tous bien d'accord sur ce point.

Je savais que c'était bien différent de ce que j'avais fait ce matin-là – à savoir accepter un paiement d'un tiers. De fait, c'était plutôt une question d'attribution. Il m'avait suffi de regarder une seconde C. C. Dobbs et Mary Alice Windsor de l'autre côté de la table pour savoir que j'allais devoir leur faire comprendre que ce serait à moi et à personne d'autre de gérer cette affaire – que je la perde ou que je la gagne.

Je ne pensais pas que ça se produirait, mais je vis le visage de Mary Windsor se durcir. Va savoir pourquoi, avec sa figure plate et carrée, elle me fit penser à une horloge à balancier.

– Maman, lança Roulet comme pour éviter quelque chose avant que ça commence, ce n'est pas grave. Je vais lui faire un chèque. Je devrais pouvoir le couvrir jusqu'à ce que tu me donnes l'argent.

Mary Windsor passa de moi à son fils, puis revint sur moi.

– Très bien, dit-elle.

– Madame Windsor, enchaînai-je, le soutien que vous apportez à votre fils est capital. Et pas seulement en termes financiers. Si nous ne réussissons pas à faire tomber ces charges et décidons d'aller au procès, il sera de la plus haute importance que vous montriez ce soutien en public.

– Ne soyez pas idiot, me renvoya-t-elle. Qu'il gèle ou qu'il vente, je soutiendrai Louis jusqu'au bout. Ces charges doivent être abandonnées et cette femme… elle n'obtiendra jamais un sou de nous.

– Merci, maman, dit Roulet.

– Merci, c'est le mot, insistai-je. Je ferai en sorte de vous informer, par l'intermédiaire de M. Dobbs, des lieux et des moments où nous aurons besoin de vous, madame Windsor. Il est bon de savoir que vous serez là pour lui.

Je n'ajoutai rien et attendis. Il ne lui fallut pas longtemps pour comprendre qu'elle venait d'être congédiée.

– Mais pour l'instant, vous ne voulez pas de moi dans cette pièce, c'est bien ça?

– C'est exact. Nous avons besoin de discuter du dossier et il vaut mieux, et me semble plus approprié, que Louis ne le fasse qu'en présence de l'équipe qui va le défendre. La confidentialité avocat-client ne s'étend à aucune autre personne. Vous risqueriez de devoir témoigner contre votre fils.

– Mais comment Louis va-t-il revenir à la maison si je m'en vais tout de suite?

– J'ai un chauffeur. Je le ramènerai.

Elle regarda Dobbs dans l'espoir que, placé un cran plus haut que moi dans la société, il arrive à me contrer. Dobbs se contenta de sourire et de se lever pour l'aider à en faire autant. Elle finit par accepter et se prépara à partir.

– Très bien, dit-elle. Louis, je te retrouve au dîner.

Dobbs la raccompagna jusqu'au couloir, où je les vis échanger quelques mots. Mais je n'arrivai pas à entendre ce qu'ils se disaient. Enfin elle s'éloigna, Dobbs réintégrant la salle et en refermant la porte.

J'expliquai certains détails préliminaires à Roulet, puis je l'informai qu'il serait officiellement inculpé dans quinze jours et qu'il devrait alors annoncer sa décision. Il aurait la possibilité de déclarer au juge qu'il ne souhaitait pas renoncer à son droit d'être jugé rapidement.

– C'est la première décision qu'il faut prendre, insistai-je. Il faut que vous décidiez si vous voulez faire traîner les choses ou si vous désirez procéder rapidement, ce qui met la pression sur l'accusation.

– Quelles sont nos chances? demanda Dobbs.

Je le regardai, puis je revins sur Roulet.

– Je vais être très honnête avec vous, répondis-je. Quand mon client n'est pas incarcéré, j'ai tendance à faire traîner. C'est la liberté du client qui est en jeu… et donc, pourquoi ne pas en profiter au maximum avant le coup d'envoi.

– Là, vous parlez d'un client qui est coupable, me fit remarquer Roulet.

– D'un autre côté, repris-je, si l'accusation a un dossier un peu faible, repousser ne fait que lui donner la possibilité de le renforcer. Tout ça pour dire que, pour l'instant, la question du délai est notre seul atout. Si vous ne renoncez pas au droit d'être jugé rapidement, ça met sacrément la pression sur l'accusation.

– Je n'ai pas commis les actes dont on m'accuse, insista Roulet. Je n'ai aucune envie de perdre du temps. Je veux en finir avec cette merde.

– Bref, si nous refusons, théoriquement ils doivent vous faire passer en jugement moins de soixante jours après l'inculpation officielle. En réalité, c'est repoussé s'ils exigent une audience préliminaire. Au cours de cette audience, le juge prend connaissance des éléments de preuve et décide s'il y en a assez pour aller au procès. Si oui, il vous déclare bon pour jugement, vous réinculpe et le réveil est remis à soixante jours.

– Incroyable! s'écria Roulet. Ça va durer une éternité, ce truc!

– On pourrait renoncer à l'audience préliminaire. Ça leur forcerait vraiment la main. Le dossier a été rétrocédé à un jeune procureur. Et ce genre d'affaire est assez neuf pour lui. C'est peut-être cette voie qu'il faut choisir.

– Minute, dit Dobbs. L'audience préliminaire n'est-elle pas utile si on veut savoir ce que l'accusation a dans sa manche?

– Pas vraiment, lui répondis-je. Plus maintenant. Le législateur a rationalisé tout ça il y a quelque temps et réduit l'audience préliminaire à une espèce d'approbation bureaucratique sans véritable discussion, en assouplissant les règles de validation des preuves par ouï-dire. Au jour d'aujourd'hui, le juge fait passer le flic en charge de l'affaire à la barre et celui-ci lui dit ce que tout le monde sait. En général, la défense n'a pas droit à d'autres témoins. Moi, si vous me demandez mon avis, je dirais que la meilleure stratégie serait de forcer l'accusation à montrer ses cartes ou à la fermer. On les oblige à se pointer soixante jours après l'inculpation.

– J'aime assez, dit Roulet. Je veux en finir le plus rapidement possible.

J'acquiesçai d'un signe de tête. Il avait dit ça comme si un verdict non coupable était évident.

– Et si ça n'allait même pas au procès ?! lança Dobbs. Si ces accusations ne tiennent pas la route…

– Le district attorney ne va pas laisser tomber, l'interrompis-je. En général, les flics chargent la barque et le D. A. réduit les chefs d'accusation. Ce qui ne s'est pas produit dans notre affaire. De fait, le D. A. les a alourdis. Ce qui, à moi, me dit deux choses : un, pour eux l'accusation est solide, et deux, ils ont accru les charges pour pouvoir le prendre de plus haut lorsque nous commencerons à négocier.

– Quoi ? Vous parlez de plaider coupable ? demanda Roulet.

– Oui, d'un arrangement.

– Pas de plaider coupable, on laisse tomber cette idée tout de suite. Je n'irai pas en taule pour quelque chose que je n'ai pas fait.

– Ça n'implique pas forcément que vous alliez en prison. Vous n'avez pas de casi…

– Je me moque de savoir si je pourrais rester libre. Je ne plaiderai pas coupable pour un crime que je n'ai pas commis. Si ça vous pose problème, c'est maintenant que nous nous séparons.

Je le regardai de plus près. Presque tous mes clients protestent de leur innocence à un moment ou à un autre. Surtout quand c'est la première fois que je travaille avec eux. Mais là, Roulet s'était exprimé avec une ferveur et une franchise que je n'avais pas vues depuis longtemps. Les menteurs bredouillent. Et se détournent. Roulet, lui, me fixait des yeux avec l'intensité d'un aimant.

– N'oublions pas les questions de responsabilité civile, reprit Dobbs. Un plaider coupable permettrait à cette femme de…

– Tout ça, je le comprends, dis-je en l'interrompant à nouveau. Je crois que nous allons tous un peu vite en besogne. Je voulais seulement donner à Louis une idée de la manière dont tout ça va se dérouler. Nous n'aurons aucune décision irréversible à prendre avant deux ou trois semaines. Tout ce que nous devons savoir, c'est la façon dont nous allons jouer la partie à la mise en accusation.

— Louis a fait un an de droit à UCLA, dit Dobbs. Il voit assez bien la situation.

Roulet acquiesça d'un signe de tête.

— Bon, parfait, dis-je. Et donc, allons-y. Louis, commençons par vous. Votre mère vient de dire qu'elle vous attendait au dîner. Vous habitez à la maison ? Enfin, je veux dire... chez votre mère ?

— J'occupe la maison d'amis. Elle habite dans la grande.

— D'autres personnes chez vous ?

— La bonne. Chez ma mère.

— Des frères ? Des sœurs ? Des copains ? Des copines ?

— Non.

— Et vous travaillez pour votre mère ?

— Disons plutôt que c'est moi qui dirige son affaire. Elle ne s'en occupe plus beaucoup.

— Où étiez-vous samedi soir ?

— Same... vous voulez dire hier soir, non ?

— Non, samedi soir. Commençons par là.

— Samedi soir, je n'ai rien fait. Je suis resté à la maison et j'ai regardé la télé.

— Tout seul ?

— Tout seul.

— Qu'avez-vous regardé ?

— Un DVD. Un vieux film intitulé *Conversation secrète.* Coppola.

— Je l'ai vu, mais ça remonte à loin. Ce qui fait que vous n'étiez avec personne et que personne ne vous a vu. Vous avez regardé le film et vous êtes allé vous coucher, c'est tout.

— En gros.

— En gros. Bon. Ce qui nous amène à dimanche matin. Qu'avez-vous fait pendant la journée d'hier ?

— J'ai joué au golf au Riviera, partie à quatre habituelle. J'ai commencé à dix heures et fini à quatre. Après, je suis revenu chez moi, me suis douché et changé, j'ai dîné chez ma mère... vous voulez savoir ce qu'on a mangé ?

— Ce ne sera pas nécessaire. Mais plus tard, j'aurai sans doute besoin des noms des types avec qui vous avez joué au golf. Que s'est-il passé après le dîner ?

— J'ai dit à ma mère que je rentrais chez moi, mais au lieu de ça je suis sorti.

Je remarquai que Levin avait commencé à prendre des notes dans un petit carnet qu'il avait sorti de sa poche.

— Quel genre de voiture conduisez-vous ?

— J'en ai deux. Une Land Rover 0.4, dans laquelle j'emmène mes clients, et une Carrera 0.1 pour moi.

— Hier soir, vous vous êtes donc servi de la Porsche ?

— Exact.

— Où êtes-vous allé ?

— De l'autre côté de la colline, dans la Valley.

Il avait dit ça comme s'il était risqué pour un gamin de Beverly Hills de descendre dans les quartiers ouvriers de la San Fernando Valley.

— Où ça ?

— Ventura Boulevard. J'ai bu un verre chez Nat's North, puis je suis descendu jusque Chez Morgan, où j'ai pris un autre verre.

— Ce sont bien des endroits où on lève des filles, non ?

— Oui. C'est pour ça que j'y suis allé.

Il avait dit ça d'un ton neutre, je lui sus gré de son honnêteté.

— Et donc, vous cherchiez quelqu'un. Une femme. N'importe laquelle ? Une que vous connaissiez ?

— Non, personne en particulier. J'avais envie de baiser, purement et simplement.

— Que s'est-il passé chez Nat's North ?

— Ce qui s'est passé, c'est qu'il ne se passait pas grand-chose et que je suis parti. Je n'ai même pas fini mon verre.

— Vous y allez souvent ? Les barmans vous connaissent-ils ?

— Oui, ils me connaissent. Hier soir, c'était une certaine Paula qui travaillait.

— Bon, et donc, ça ne marchait pas trop fort pour vous et vous êtes parti. Vous avez repris le volant et vous êtes descendu Chez Morgan. Pourquoi ?

— C'est juste un autre bar où je vais.

— Vous y êtes connu ?

— Je devrais. Je laisse de bons pourboires. Hier soir, Denise et Janice bossaient au bar. Elles me connaissent.

Je me tournai vers Levin.

— Raul, c'est quoi, le nom de la victime ?

Il ouvrit son dossier pour en sortir un rapport de police, mais répondit avant même de le consulter.

— Regina Campo. Ses amis l'appellent Reggie. Vingt-six ans. Elle a dit aux flics être actrice et vendre des produits par téléphone.

— Et espérer prendre sa retraite rapidement, ajouta Dobbs.

Je l'ignorai.

— Louis, connaissiez-vous Reggie Campo avant ? demandai-je.

Il haussa les épaules.

— Un peu. Je l'avais déjà vue dans ce genre d'endroits. Mais je n'étais jamais sorti avec elle. Je ne lui avais même jamais parlé.

— Aviez-vous essayé ?

— Non, je n'ai jamais vraiment pu l'aborder. Elle était toujours avec un type, voire plusieurs. Et je n'ai pas envie de me frayer un chemin dans la foule, vous voyez ? Moi, mon style, c'est de repérer les filles seules.

— Qu'y a-t-il eu de différent hier soir ?

— Hier soir, c'est elle qui m'a abordé, voilà ce qu'il y a eu de différent.

— Racontez-nous.

— Il n'y a rien à raconter. J'étais au bar à m'occuper de mes oignons, à regarder un peu ce qu'il y avait de jouable, et elle, elle était à l'autre bout du comptoir avec un type. Elle n'était donc même pas dans ma ligne de mire vu qu'elle donnait l'impression d'être déjà en main, d'accord ?

— Bon, bon, et donc que s'est-il passé ?

— Eh bien, au bout d'un moment, le type avec qui elle était se lève pour aller pisser ou fumer une cigarette dehors et, dès qu'il est parti, elle se lève à son tour et fait tout le comptoir pour venir me voir et me demander si elle m'intéresse. Je lui dis que oui, mais... et le type avec qui elle est ? Elle me répond de pas m'inquiéter pour lui, qu'il sera parti à dix heures et qu'elle sera libre pour le reste de la soirée. Sur quoi, elle m'écrit son adresse et me dit de passer après dix heures. Je lui dis que j'y serai.

– Sur quoi a-t-elle écrit son adresse ?

– Sur une serviette, mais la réponse à la question suivante est non : non, je ne l'ai plus. J'ai appris l'adresse par cœur et jeté la serviette. Je travaille dans l'immobilier. Les adresses, je m'en souviens.

– Quelle heure était-il, environ ?

– Je ne sais pas.

– Elle ne vous avait pas dit de passer à dix heures ? Avez-vous regardé votre montre à un moment ou à un autre pour savoir combien il vous restait de temps à attendre ?

– Je crois qu'il n'était pas loin de neuf heures. Dès que le type est revenu, ils sont partis.

– Quand avez-vous quitté le bar ?

– J'y suis resté encore quelques minutes avant de partir. Et j'ai fait un autre arrêt avant de passer chez elle.

– Où ça ?

– Comme elle habitait dans un appartement à Tarzana, je suis monté au Lamplighter[1]. C'est sur le chemin.

– Pourquoi ?

– Eh bien, vous savez... je voulais savoir ce qu'il me restait comme possibilités. Histoire de voir s'il y aurait pas eu mieux, s'il y aurait pas eu quelque chose qui ne m'aurait pas obligé à attendre ou à...

– Ou à quoi ?

Il n'acheva pas sa phrase.

– Vous contenter des restes ?

Il acquiesça d'un hochement de tête.

– Bon, à qui avez-vous parlé au Lamplighter ? À propos... où est-ce ?

C'était le seul endroit que je ne connaissais pas.

– Dans Ventura Boulevard, près de White Oak. En fait, je n'ai pas vraiment parlé à qui que ce soit. Il y avait du monde, mais personne qui m'intéresse vraiment.

---

1. Soit « L'Allumeur de réverbères » *(NdT)*.

– Les barmans vous connaissent ?

– Non, pas vraiment. Je n'y vais pas très souvent.

– D'habitude, vous avez de la chance avant le troisième bar ?

– Non, d'habitude, je renonce au bout de deux.

Je hochai la tête pour gagner un peu de temps et réfléchir à ce que je pourrais lui demander avant d'en venir à ce qui s'était passé chez la victime.

– Combien de temps êtes-vous resté au Lamplighter ?

– Je dirais une heure. Peut-être un peu moins.

– Au bar ? Combien de consommes ?

– Deux, oui, au bar.

– Combien de verres en tout aviez-vous bus avant d'aller chez Reggie Campo ?

– Euh… quatre, au maximum. Sur deux heures-deux heures et demie. Chez Morgan, j'ai laissé un verre auquel je n'ai pas touché.

– Que buviez-vous ?

– Des martinis. De la vodka Gray Goose.

– Avez-vous réglé l'un quelconque de ces verres avec une carte de crédit ? demanda Levin en posant sa première question de l'entrevue.

– Non, répondit Roulet. Quand je sors, je paie en liquide.

Je regardai Levin et attendis de voir s'il avait une autre question. À ce moment-là, il en savait plus long que moi sur l'affaire. Je voulais lui laisser la possibilité de poser toutes les questions qu'il voulait. Il me renvoya mon regard et hocha la tête. Il était prêt pour la suite.

– Bien, repris-je. Quelle heure était-il lorsque vous êtes arrivé à l'appartement de Reggie ?

– Dix heures moins douze. J'ai regardé ma montre. Je ne voulais pas frapper trop tôt à sa porte.

– Et qu'est-ce que vous avez fait pour ça ?

– J'ai attendu dans le parking. Elle avait dit dix heures, j'ai attendu jusqu'à dix heures.

– Avez-vous vu partir le type avec lequel elle était Chez Morgan ?

– Oui, je l'ai vu. Il est sorti, il a filé et je suis monté.

– Quel genre de voiture avait-il ? demanda Levin.

– Une Corvette jaune. Un modèle qui remonte aux années 90. Lequel exactement, je ne sais pas.

Levin acquiesça d'un hochement de tête. Il en avait fini. Je savais qu'il cherchait seulement à se faire une idée du type qui était passé chez Campo avant Roulet. Je repris les questions.

– Et donc, il s'en va et vous y allez. Et après, il se passe quoi?

– J'entre dans le bâtiment et je découvre que son appartement se trouve au second. Je monte, je frappe à sa porte, elle m'ouvre, j'entre.

– Une seconde. Ce n'est pas de la version style télégraphique que j'ai besoin. Vous êtes monté… comment? Par l'escalier? L'ascenseur? Quoi? Donnez-nous les détails.

– Ascenseur.

– Quelqu'un dedans? Quelqu'un vous a-t-il vu?

Roulet fit non de la tête. Je lui fis signe de continuer.

– Elle a entrouvert la porte, vu que c'était moi et m'a dit d'entrer. Comme il y avait un couloir derrière la porte, c'était plutôt étroit. Je suis passé devant elle pour qu'elle puisse refermer. C'est pour ça qu'elle s'est retrouvée derrière moi. Et que je n'ai rien vu venir. Elle tenait quelque chose à la main. Elle m'a frappé avec et je suis tombé. Et ç'a été vite le noir complet.

Je gardai le silence en réfléchissant à tout ça et tentant de me représenter la scène.

– Et donc, elle vous a expédié au tapis avant qu'il se passe quoi que ce soit? Elle n'a rien dit ou crié, elle s'est mise derrière vous et boum?

– C'est ça.

– Bon, et après? Vous vous rappelez quoi juste après?

– C'est encore un peu brumeux. Je me rappelle m'être réveillé et j'avais deux types sur moi. Deux types qui me maintenaient par terre. Et après, la police est arrivée. Avec les ambulanciers. J'étais adossé au mur, menotté et les ambulanciers m'ont mis de l'ammoniaque ou un autre truc sous le nez et c'est là que j'ai vraiment retrouvé mes esprits.

– Vous étiez toujours dans l'appartement?

– Oui.

– Où était Reggie Campo?

– Elle était assise sur le canapé et il y avait un autre ambulancier qui lui arrangeait la figure. Elle pleurait et disait à l'autre flic que je l'avais attaquée. Rien que des mensonges. Que je l'avais surprise à la porte, que je lui avais envoyé un coup de poing, que j'avais dit que j'allais la violer et qu'après je la tuerais, tous ces trucs que j'ai pas faits. J'ai bougé les bras pour pouvoir regarder mes mains dans mon dos. J'ai vu que j'avais la main dans une espèce de sac en plastique et qu'il y avait du sang sur ma main et c'est là que j'ai compris que tout ça, c'était un coup monté.

– Qu'entendez-vous par là?

– Qu'elle m'avait mis du sang sur la main pour faire croire que c'est moi qui avais fait le coup. Sauf que c'était ma main gauche. Et que je ne suis pas gaucher. Si j'avais voulu lui flanquer **un coup** de poing, je me serais servi de ma main droite.

Il fit le geste de frapper avec la main droite pour illustrer son propos au cas où je n'aurais pas compris. Je me levai, gagnai la fenêtre et me mis à faire les cent pas. J'avais l'impression d'être plus haut que le soleil. Je le regardai se coucher d'en haut. L'histoire de Roulet me mettait mal à l'aise. Ça semblait tellement tiré par les cheveux que ça pouvait être vrai. Et ça ne me plaisait pas. J'ai toujours eu peur de ne pas reconnaître l'innocence d'un client. C'est tellement rare dans mon travail que j'avais peur de ne pas être prêt quand ça se produirait. J'avais peur de tout rater.

– Bon, revoyons un peu ça un instant, lui dis-je, toujours tourné vers le soleil. Vous dites qu'elle vous a mis du sang sur la main pour vous piéger. Et qu'elle vous l'a mis sur la gauche. Mais si elle avait voulu vous piéger, vous ne pensez pas qu'elle vous l'aurait mis sur la droite étant donné que la majorité des gens sont droitiers? Elle n'aurait pas joué les statistiques?

Je me retournai vers la table et n'eus droit qu'à des regards vides de tout le monde.

– Vous dites qu'elle a entrouvert la porte et qu'elle vous a laissé entrer, repris-je. Avez-vous vu son visage?

– Pas en entier.

– Qu'en avez-vous vu?

– Son œil. Gauche.

– Avez-vous vu ensuite le côté droit de sa figure? Disons… en entrant.

— Non, elle était derrière la porte.

— Ça y est! s'écria Levin, tout excité. Ces blessures, elle les avait déjà quand il est arrivé. Elle se cache, il entre, elle le cogne. Toutes les blessures sont sur le côté droit de son visage et c'est pour ça qu'elle a mis le sang sur sa main gauche.

Je hochai la tête en réfléchissant à la logique de l'affaire. Tout cela semblait avoir un sens.

— D'accord, dis-je en me retournant vers la fenêtre et continuant à faire les cent pas. Je crois que ça va marcher. Bon et maintenant, Louis, vous nous avez dit avoir déjà vu cette femme dans des bars, mais n'être jamais sorti avec elle avant. Bref, que c'était une inconnue. Pourquoi aurait-elle fait ça, Louis? Pourquoi vous aurait-elle piégé de cette façon?

— Le fric.

Sauf que ce n'était pas Roulet qui avait répondu. C'était Dobbs. Je me détournai de la fenêtre et le regardai. Il savait qu'il avait parlé alors qu'il ne fallait pas, mais il avait l'air de s'en moquer.

— C'est évident, reprit-il. Elle veut son argent, l'argent de la famille. Elle est probablement en train de déposer plainte au civil au moment même où nous parlons. Ces accusations au criminel ne sont que le prélude à des poursuites au civil – à ses exigences d'argent. En fait, c'est ça qu'elle cherche.

Je me rassis et regardai Levin.

— J'ai vu une photo de cette femme au tribunal, dis-je. Elle avait la moitié de la figure en bouillie. Vous nous dites donc que votre ligne de défense, c'est ça? Qu'elle s'est fait ces blessures toute seule?

Levin ouvrit son dossier et en sortit une feuille de papier. Il s'agissait d'une photocopie en noir et blanc de la photo que Maggie McPherson m'avait montrée au tribunal. Le visage enflé de Reggie Campo. Levin avait de bonnes sources, mais pas assez bonnes pour avoir récupéré les clichés originaux. Il glissa la photocopie à Dobbs et à Roulet en travers de la table.

— On aura les vraies photos dans la phase communication des pièces avant l'audience, repris-je. C'est pire, vraiment vraiment pire, et si nous marchons avec votre histoire… je veux dire, si on va devant les jurés… il faudra les persuader qu'elle s'est fait tout ça toute seule.

Je regardai Roulet examiner la photocopie. Si c'était lui qui avait agressé Reggie Campo, il n'en montra rien en regardant le résultat de ses œuvres. De fait, il ne montra rien du tout.

– Vous savez quoi? conclus-je. J'aime assez me prendre pour un bon avocat et pour un type qui sait convaincre des jurés. Mais là, même moi, j'ai du mal à croire à votre histoire.

9

C'était maintenant à Raul Levin de prendre la parole. Nous avions déjà parlé alors que je me rendais à Century City en mangeant des morceaux de mon sandwich au roast-beef. J'avais relié mon portable au haut-parleur de la voiture et demandé au chauffeur de mettre ses écouteurs. Je lui avais acheté un iPod dès la première semaine qu'il avait travaillé pour moi. Levin m'avait alors donné les éléments essentiels du dossier, juste assez en tout cas pour que je puisse me débrouiller pendant la première séance d'interrogatoire de mon client. Levin allait maintenant prendre le commandement des opérations et se servir des rapports de police et des éléments de preuve déjà rassemblés pour démolir complètement la version de Roulet, cela afin que tout le monde comprenne bien ce que l'accusation avait dans son jeu. Au début, en tout cas, j'avais voulu que ce soit Levin qui se charge de l'opération, dans la mesure où, si la défense devait jouer au bon mec/méchant mec, je voulais être celui en qui Roulet aurait confiance. En un mot, je voulais être le bon mec.

Levin avait ses notes personnelles en plus des photocopies des rapports de police qu'il avait obtenues grâce à sa source. Tout cela faisait partie des pièces auxquelles la défense aurait certainement accès, ou qu'elle recevrait dans la phase communication des éléments de preuve avant l'audience, sauf qu'en général cela demandait quinze jours d'efforts pour les avoir par le canal judiciaire au lieu des quelques heures qu'il lui avait fallu pour se les procurer. Il se mit à parler en gardant les yeux rivés sur ses documents.

– À dix heures onze hier soir, le centre de communications du LAPD a reçu un appel urgent de Regina Campo, 1760, White Oak

Boulevard, appartement 211. Elle faisait état de la présence d'un intrus chez elle. Des officiers de patrouille ont réagi aussitôt et sont arrivés sur les lieux à dix heures dix-sept. Il ne devait pas se passer grand-chose ce soir-là parce que c'était plutôt rapide. Bien plus que la moyenne lorsqu'il y a urgence. Toujours est-il que c'est dans le parking de l'immeuble qu'ils ont retrouvé une certaine Mlle Campo, qui disait s'être enfuie de son appartement après l'agression. Elle les a alors informés que deux de ses voisins, Edward Turner et Ronald Atkins, se trouvaient chez elle, où ils avaient maîtrisé l'intrus. L'officier Santos est alors monté à l'appartement, où il a trouvé le suspect, plus tard identifié comme étant M. Roulet, allongé par terre et maîtrisé par Turner et Atkins.

– Les deux pédés qui s'étaient assis sur moi, dit Roulet.

Je le regardai et vis l'éclair de colère s'éteindre rapidement dans ses yeux.

– Les officiers se sont alors emparés du suspect, reprit Levin comme si personne ne l'avait interrompu. M. Atkins...

– Minute, lançai-je. Où était-il par terre ? Dans quelle pièce ?

– On ne le dit pas.

Je regardai Roulet.

– C'était dans la salle de séjour. Pas très loin de la porte d'entrée. Je ne suis pas entré plus loin.

Levin nota quelque chose avant de poursuivre.

– M. Atkins a montré un couteau pliant avec la lame ouverte, un couteau que, disait-il, il avait trouvé par terre à côté de l'intrus. Les officiers de police ont menotté le suspect, des ambulanciers étant appelés pour s'occuper de Campo et de Roulet qui, lui, avait une coupure à la tête et une légère commotion cérébrale. Campo a été transportée au Holy Cross Medical Center pour y être soignée à nouveau et être photographiée par un technicien du Service des preuves. Roulet, lui, a été incarcéré, puis écroué à la prison de Van Nuys. L'appartement de Mlle Campo a alors été scellé aux fins d'analyse de la scène de crime, l'enquête étant confiée à l'inspecteur Martin Booker du bureau des inspecteurs de la Valley.

Levin étala encore quelques photocopies des clichés pris par la police et montrant les blessures de Regina Campo. On y voyait son visage de face et de profil, plus deux gros plans sur les bleus qu'elle avait au cou et une petite perforation sous la mâchoire. Les photocopies étaient de mauvaise qualité et je savais que ça ne valait pas la peine de les examiner attentivement. Mais je remarquai que toutes ces blessures se trouvaient bien du côté droit. Sur ce point, Roulet ne s'était pas trompé. Elle s'était fait cogner de façon répétée par quelqu'un qui frappait de la main gauche – ou alors c'était elle qui s'était rossée de la main droite.

– Ces clichés ont été pris à l'hôpital, où Mlle Campo a fait sa déposition à l'inspecteur Booker. Pour résumer : elle dit être rentrée chez elle dimanche soir aux environs de vingt heures trente et qu'elle était seule quand elle a entendu quelqu'un frapper à la porte aux environs de vingt-deux heures. M. Roulet s'étant identifié comme quelqu'un qu'elle connaissait, elle lui a ouvert. Sur quoi elle a été aussitôt frappée à coups de poing par l'intrus et repoussée à l'intérieur de l'appartement. Une fois entré, l'intrus a refermé la porte à clé. Mlle Campo a tenté de se défendre, mais a été frappée au moins deux fois de plus, jusqu'à ce qu'elle tombe par terre.

– Quel ramassis de conneries ! s'écria Roulet.

Il abattit ses poings sur la table et se leva, son siège allant s'écraser bruyamment contre la fenêtre derrière lui.

– Hé là, doucement ! l'avertit Dobbs. Tu casses cette vitre et ce sera comme dans un avion. On sera tous aspirés dehors et plouf !

Personne ne rit de cette légèreté à laquelle il s'essayait.

– Louis, asseyez-vous, dis-je calmement. Ce sont des rapports de police, rien de plus, rien de moins. Ces photos ne sont pas censées dire la vérité. Elles ne font qu'en illustrer une version. Nous ne faisons que jeter un petit coup d'œil au dossier, histoire de voir à quoi on a affaire.

Il ramena sa chaise à la table et se rassit sans plus protester. J'adressai un signe de tête à Levin, qui reprit. Je remarquai que Roulet avait depuis longtemps cessé de se conduire comme la proie toute timide que j'avais vue plus tôt dans l'enclos.

– L'intrus a chevauché Mlle Campo qui était par terre et l'a attrapée par le cou d'une main. Il lui a dit qu'il allait la violer et qu'il se moquait bien qu'elle soit morte ou vivante quand il le ferait. Elle ne pouvait pas réagir parce qu'il l'étranglait avec sa main. Quand il a relâché la pression, elle lui a dit qu'elle coopérerait.

Levin glissa une autre photocopie sur la table. On y voyait un couteau pliant à manche noir et lame dont la pointe était affûtée à mort. Cela expliquait la blessure que la victime avait au cou.

Roulet fit glisser la photocopie vers lui pour l'examiner de plus près. Et hocha lentement la tête.

— Ce n'est pas mon couteau, dit-il.

Je ne réagis pas et Levin continua.

— Le suspect et la victime se sont relevés, le suspect ordonnant alors à la victime de le conduire à la chambre à coucher. Il se tenait derrière elle et lui appuyait la pointe de son couteau sur le côté gauche de la gorge. En entrant dans le petit couloir qui conduit aux deux chambres de l'appartement, Mlle Campo s'est retournée dans cet espace confiné et a repoussé son assaillant dans un grand vase. L'intrus trébuchant dessus, elle s'est ruée sur la porte, est entrée dans la cuisine et s'est emparée d'une bouteille de vodka sur le comptoir. Lorsque le suspect est passé devant la cuisine pour la rattraper, Mlle Campo est sortie du recoin, l'a frappé à la nuque, expédié à terre, enjambé et a rouvert la porte d'entrée. Elle s'est ensuite enfuie en courant et a appelé la police de l'appartement du premier que partagent Turner et Atkins. Turner et Atkins sont alors montés à l'appartement, où ils ont trouvé l'intrus par terre, toujours inconscient. Ils l'ont maîtrisé au moment où il reprenait ses esprits et sont restés dans l'appartement jusqu'à l'arrivée de la police.

— C'est incroyable! dit Roulet. Devoir rester assis à entendre des trucs pareils! Je n'arrive pas à croire ce qui m'arrive! Je n'ai rien fait de tout ça, rien! On croit rêver! Elle ment! Elle...

— Si ce ne sont que des mensonges, ce sera le dossier le plus facile que j'aurai jamais eu à défendre! lui renvoyai-je. Je la mettrai en pièces et jetterai ses entrailles à la mer. Cela dit, nous devons savoir ce qu'elle a déclaré aux flics avant de pouvoir lui préparer des pièges et l'y pousser. Et si vous croyez que c'est pénible de rester assis à entendre tout ça, attendez qu'on aille au procès et que ça dure des jours et des jours au lieu de quelques minutes! Il va falloir vous dominer, Louis. N'oubliez pas que vous aurez droit à votre tour. La défense a toujours le sien.

Dobbs tendit la main et tapota Roulet sur l'avant-bras en un joli geste paternel. Roulet se dégagea.

– Et comment, que vous allez me la démolir! s'écria-t-il en pointant son doigt vers ma poitrine. Je veux que vous y mettiez tout ce que vous avez.

– C'est pour ça que je suis ici et je vous promets que je le ferai. Et maintenant, permettez que je pose quelques questions à mon associé avant qu'on finisse.

J'attendis de voir s'il avait autre chose à me dire. Mais non, rien. Il se renversa dans sa chaise et croisa les mains.

– Vous avez fini, Raul? demandai-je.

– Pour l'instant, oui, répondit-il. Je travaille encore sur tous les rapports. Je devrais avoir la transcription de l'appel à Police secours demain matin et nous devrions recevoir d'autres trucs.

– Bien. Et l'examen pour viol?

– Il n'y en a pas eu. D'après le rapport de Booker, elle a refusé de se faire examiner dans la mesure où les choses ne sont pas allées jusque-là.

– C'est quoi, cet examen pour viol? demanda Roulet.

– C'est une procédure hospitalière où les fluides corporels, les poils et les fibres sont recueillis sur le corps de la victime, lui répondit Levin.

– Il n'y a pas eu viol! s'exclama Roulet. Je n'ai jamais touché…

– Nous le savons, lui dis-je. Ce n'est pas pour ça que j'ai posé cette question. J'essaie seulement de trouver des failles dans le dossier de l'accusation. La victime dit ne pas avoir été violée, mais insiste sur le fait qu'il s'agissait bien d'un crime sexuel. D'habitude, les flics exigent un examen gynécologique même quand la victime déclare qu'il n'y a pas eu agression sexuelle. Ils procèdent de cette façon juste au cas où la victime aurait été effectivement violée et se sentirait trop humiliée pour le dire ou essaierait de cacher l'étendue du crime à son mari ou à un autre membre de sa famille. C'est une procédure standard, et qu'elle ait pu l'éviter pourrait avoir son importance pour nous.

– Elle ne voulait pas qu'on découvre l'ADN du premier mec qui l'a sautée, lança Dobbs.

– Peut-être, lui répondis-je. Ça pourrait vouloir dire pas mal de choses. Et constituer une faille. Continuons. Raul… est-il fait mention du type avec lequel Louis dit l'avoir vue quitter le Morgan?

– Non, aucune. Il n'apparaît pas au dossier.

– Et côté scène de crime ?

– Je n'ai pas encore les résultats, mais on m'a dit n'avoir rien relevé de bien significatif à l'examen.

– Ça, c'est bon. Pas de surprises, donc. Et le couteau ?

– Du sang et des empreintes dessus. Mais aucun résultat d'analyse pour l'instant. Retrouver le propriétaire des empreintes est peu probable. On peut acheter ces couteaux pliants dans n'importe quel magasin d'articles de camping ou de pêche.

– Je vous le répète, ce couteau n'est pas à moi ! lança Roulet.

– Il faut s'attendre à ce que les empreintes appartiennent au type qui l'a donné aux flics, dis-je.

– Atkins, précisa Levin.

– C'est ça, Atkins, répétai-je en me tournant vers Louis. Mais je ne serais pas surpris qu'on y trouve aussi les vôtres. Il n'y a aucun moyen de savoir ce qui s'est passé pendant que vous étiez dans le cirage. Si elle vous a mis du sang sur la main, il est probable qu'elle a aussi mis vos empreintes sur le couteau.

Roulet acquiesça d'un signe de tête et s'apprêtait à dire quelque chose, mais je ne lui en laissai pas le temps.

– A-t-elle dit quoi que ce soit sur sa présence Chez Morgan plus tôt dans la soirée ? demandai-je à Levin.

Il hocha la tête.

– Non, l'interrogatoire de la victime s'est déroulé en salle d'urgence et n'a rien d'officiel. C'était juste histoire d'avoir les éléments de base et les flics ne sont pas remontés au début de la soirée. Mlle Campo ne parle ni du type ni du Morgan. Elle déclare seulement être rentrée chez elle à vingt heures trente. Les flics lui ont demandé ce qui s'est passé à vingt-deux heures et ne se sont pas vraiment intéressés à ce qui était arrivé avant. Je suis sûr que tout ça sera couvert dans la suite de l'enquête.

– Bien. S'ils reviennent vers elle pour avoir une déposition officielle, nous en exigerons la transcription.

– Je m'en occupe. Tout ça sera sur vidéo quand ils le feront.

– Et si les techniciens de la scène de crime font une vidéo, elle aussi, je la veux. Je veux voir son appartement.

Levin acquiesça d'un signe de tête. Il savait que je faisais mon cinéma pour Dobbs et pour Roulet, afin qu'ils sentent bien que je dominais l'affaire et connaissais tous les fers qui seraient mis au feu plus tard. En réalité, je n'avais absolument pas besoin de dire quoi que ce soit de tout cela à Raul Levin. Il savait déjà ce qu'il avait à faire et ce dont j'avais besoin.

– Bien, autre chose ? demandai-je encore. Cecil… vous avez des questions ?

Dobbs parut surpris de se retrouver brusquement au centre de l'attention générale et hocha vite la tête.

– Non, non, dit-il, tout ça me va. C'est très bien. Nous avançons comme il faut.

Je ne savais pas du tout ce qu'il entendait par là, mais je laissai passer et ne lui posai pas d'autre question.

– Alors, me lança Roulet, votre impression ?

Je le regardai et attendis longtemps avant de répondre.

– Pour moi, l'accusation a un dossier très solide, dis-je enfin. Elle a la preuve que vous êtes allé chez la victime, elle a un couteau et les blessures de Mlle Campo. Elle a aussi ce que je me dois de prendre pour le sang de la victime sur vos mains. Ne pas oublier que ces photos sont pénibles à regarder. Et que, bien sûr, Mlle Campo viendra témoigner. Étant donné que je n'ai pas vu cette femme et que je ne lui ai jamais parlé, je ne sais pas l'impression qu'elle peut faire.

Je marquai un nouvel arrêt et fis durer encore plus longtemps la pause avant de reprendre.

– Cela dit, il y a des tas de choses qu'ils n'ont pas… Ils n'ont pas la preuve de l'effraction, ni l'ADN du suspect, ni un mobile ou un suspect avec ce genre de crime dans son passé. Il y a des tas de raisons, et toutes légitimes, pour que vous vous soyez trouvé dans cet appartement. Et en plus…

Je regardai derrière Dobbs et Roulet, vers la fenêtre. Le soleil était en train de descendre derrière Anacapa et d'embraser le ciel de pourpre et de rose. Je n'avais jamais rien vu d'aussi spectaculaire des fenêtres de mon bureau.

– Et en plus quoi ? demanda Roulet, trop impatient pour attendre.

– Et en plus, vous m'avez, moi. Moi qui ai déjà viré Maggie McFierce de l'affaire. Le nouveau procureur est bon, mais c'est un bleu et ce sera la première fois qu'il s'attaquera à un bonhomme de mon envergure.

— Et donc, on fait quoi maintenant ? demanda Roulet.

— On demande à Raul de continuer à faire ce qu'il fait, à trouver tout ce qu'il peut sur cette prétendue victime et sur les raisons qui l'ont poussée à dire qu'elle était seule. Il faut qu'on sache qui est cette femme, qui est son bonhomme et qu'on voie comment ça peut jouer pour nous.

— Et vous ?

— Moi ? Moi, je vais m'occuper de l'accusation. Je vais organiser une rencontre avec le district attorney pour voir dans quelle direction il part et ce que nous, nous déciderons de faire. Dès que nous aurons l'ADN, car nous l'aurons, cela ne fait aucun doute, nous pourrons démolir tout ça et plaider une solution qui vous convienne et puisse mettre tout ça derrière vous. Mais pour ça, il nous faudra une concession. Vous...

— Je vous l'ai déjà dit, je ne...

— Je sais ce que vous avez dit, mais il va falloir que vous m'écoutiez. Je peux vous obtenir un *nolo contendere*[1] qui vous évitera de prononcer le mot « coupable », mais je ne vois pas l'accusation en rester là. Vous devrez reconnaître avoir mal agi dans une certaine mesure. Cela vous permettra peut-être d'éviter la prison, mais vous devrez sans doute effectuer des travaux d'intérêt général. Voilà, je l'ai dit. Fin de la première récitation. Il y en aura d'autres. En tant qu'avocat qui vous représente, je suis tenu de vous dire les choix qui s'offrent à vous et de m'assurer que vous les avez bien compris. Je sais que ce n'est pas ce que vous désirez ou êtes prêt à faire, mais il est de mon devoir de vous instruire de vos possibilités. D'accord ?

— Oui, parfait, d'accord.

— Évidemment, comme vous le savez, toute concession de votre part facilitera beaucoup la tâche à Mlle Campo si elle veut attaquer au civil. Ce qui fait que, comme vous pouvez le deviner, expédier rapidement le procès au criminel finira sans doute par vous coûter beaucoup plus que mes honoraires.

---

1. Soit « Je refuse de prétendre... ». Procédure de la justice américaine qui permet à l'accusé de ne pas être reconnu coupable, mais le soumet à un châtiment comme s'il avait plaidé coupable, sa culpabilité pouvant être décidée dans d'autres procédures judiciaires *(NdT)*.

Roulet hocha la tête. Le *solo contendere* n'était déjà plus une option.

– Je comprends mes choix possibles, dit-il. Vous avez rempli vos obligations. Cela dit, je refuse de payer quoi que ce soit pour quelque chose que je n'ai pas fait. Je ne plaiderai ni coupable ni *nolo contendere* pour un crime que je n'ai pas commis. Pensez-vous gagner si nous allons jusqu'au procès ?

Je soutins son regard un instant avant de répondre.

– C'est-à-dire que… il faut bien comprendre que je ne sais pas ce qui peut se produire jusque-là et que je ne puis vous garantir que… mais oui, sur la base de ce que j'ai maintenant, je peux gagner. J'en suis sûr.

Je lui adressai un signe de tête et crus voir un rayon d'espoir illuminer son regard. Il avait vu la lueur du possible.

– Il y a une troisième solution, dit Dobbs.

Je me tournai vers lui en me demandant ce qu'il allait bien pouvoir nous balancer pour faire dérailler ma machine à fric.

– Et ce serait… ? lui demandai-je.

– On enquête à fond sur la fille et sur toute l'affaire. Jusqu'à disons… aider M. Levin avec quelques enquêteurs de chez nous. On enquête jusqu'à plus soif, on échafaude une théorie qui se tient et on la présente au district attorney, preuves à l'appui. On évite ainsi tout ce bazar avant même que ça arrive au procès. On montre à ce petit jeune où il perdra la partie et on obtient qu'il laisse tomber toutes les charges avant d'avoir à subir pareil affront professionnel. En plus de quoi, je suis sûr que ce monsieur travaille pour quelqu'un qui dirige le service et qui devrait donc être sensible à disons… certaines pressions politiques. Pressions que nous exerçons jusqu'à ce que l'affaire tourne à notre avantage.

J'eus terriblement envie de le bourrer de coups de pied sous la table. Non seulement son plan impliquait que j'y perde plus de la moitié de mes honoraires et que la part du lion revienne aux enquêteurs, les siens y compris, mais il y avait encore que cette idée ne pouvait venir que d'un avocat qui n'avait jamais défendu personne au criminel.

– C'est une idée, mais très très risquée, lui répondis-je calmement. Si vous pouvez leur bousiller leur dossier et que vous leur montrez comment avant d'aller au procès, vous leur donnez aussi tout ce qu'il faut faire et ne pas faire audit procès. Et ça, moi, j'aime pas trop.

Roulet acquiesça d'un signe de tête, tandis que Dobbs prenait l'air surpris. Je décidai de ne pas pousser et de lui en reparler plus tard, en l'absence du client.

– Et les médias ? lança Levin en changeant, Dieu merci, de sujet.

– C'est vrai, ça ! embraya Dobbs qui, lui aussi, avait très envie de passer à autre chose. Ma secrétaire me dit que j'ai déjà des messages de deux journaux et de deux stations de télévision.

– Moi aussi, c'est probable, lui renvoyai-je.

Ce que je ne lui dis pas, c'est que les messages qu'il avait reçus, c'était Lorna Taylor qui les lui avait laissés sur mon ordre. L'affaire n'avait toujours pas attiré l'attention des médias, en dehors du vidéaste free-lance qui s'était pointé à la comparution. Ce que je voulais, c'était que Dobbs, Roulet et sa mère craignent à tout moment d'être éclaboussés par la presse.

– Nous ne voulons aucune publicité sur cette affaire, reprit-il. Ce serait la pire qu'on puisse avoir.

Il donnait l'impression d'être un passionné du truisme.

– Tous les médias devront être renvoyés sur moi, enchaînai-je. Je m'en occuperai et la meilleure façon de s'en occuper, c'est de les ignorer.

– Sauf qu'il faut faire quelque chose pour défendre Louis, me rétorqua Dobbs.

– Non, nous n'avons absolument rien à leur dire. Parler de l'affaire ne fait que la rendre plus légitime. Entrez dans ce jeu avec les médias et cela donnera encore plus vie à l'affaire. Leur oxygène là-dedans, ce sont les infos. Sans infos, ils meurent. Et pour moi, mieux vaut les laisser crever. En tout cas, attendre jusqu'à ce qu'il n'y ait plus moyen de les éviter. Et si ça arrive, ne leur accorder qu'un porte-parole pour Louis. À savoir moi.

Dobbs acquiesça à regret. Je pointai Roulet du doigt.

– Ne parlez en aucun cas à un journaliste, lui lançai-je, même pour nier les charges. Ils vous contactent, vous les renvoyez sur moi ? Vous comprenez ?

— Je comprends.

— Bien.

Je décidai qu'on en avait assez dit pour une première rencontre et me levai.

— Louis, je vous ramène tout de suite chez vous.

Mais Dobbs n'était pas prêt à lâcher son client aussi rapidement.

— En fait, dit-il, la mère de Louis m'a invité à dîner. Je peux donc l'emmener, puisque j'y vais.

J'acquiesçai. L'avocat de la défense ne semblait pas avoir été invité au petit repas.

— Bien, dis-je. Mais on vous retrouve là-bas. Je veux que Raul voie la maison de Louis et j'ai besoin que celui-ci me fasse le chèque dont nous avons parlé tout à l'heure.

S'ils pensaient que j'avais oublié le fric, ils avaient encore pas mal de choses à apprendre sur mon compte. Dobbs regarda Roulet, qui hocha la tête pour lui signifier son assentiment. Alors seulement Dobbs se tourna vers moi et hocha la tête à son tour.

— Voilà un bon plan, dit-il. À tout à l'heure.

Un quart d'heure plus tard, je me retrouvai à l'arrière de la Lincoln avec Levin. Nous suivions la Mercedes argent qui emportait Dobbs et Roulet. Je fis le point sur la situation avec Lorna. Le seul message important que j'avais reçu provenait du procureur qui poursuivait Laura Larsen, Leslie Faire. Le message confirmait que nous avions conclu affaire.

— Alors ? me demanda Levin quand je refermai mon portable. Qu'est-ce que tu en penses vraiment ?

— Ce que j'en pense, c'est qu'on peut se faire un max de pognon sur cette affaire et que nous sommes sur le point d'en toucher le premier acompte. Désolé de te traîner là-bas. Je ne voulais pas que tout ait l'air de tourner autour du chèque.

Il acquiesça de la tête, mais ne fit pas de commentaire. Au bout d'un moment, je repris en ces termes :

— Pour l'instant, je ne sais pas trop ce que je pense. Ce qui s'est passé dans cet appartement est arrivé en un clin d'œil. Et ça, c'est bon pour nous. En plus, il n'y a ni viol ni ADN. Et ça aussi, ça nous donne un soupçon d'espoir.

– Ça me rappelle un peu l'histoire de Jesus Menendez, dit-il. Sans l'ADN, s'entend. Tu te souviens de ce type ?

– Oui, mais je n'en ai pas envie.

J'essayais de ne pas penser aux clients qui étaient en prison et, n'ayant aucun espoir de procès en appel ou autre, n'avaient plus donc devant eux que des années et des années de taule à se taper. Je fais de mon mieux dans toutes mes affaires, mais il y en a certaines où on ne peut rien faire du tout. Et celle de Jesus Menendez en faisait partie.

– Tu as combien de temps pour travailler sur ce coup-là ? lui renvoyai-je pour revenir à ce qui nous occupait.

– J'ai quelques trucs à faire, mais je peux les changer.

– Il va falloir que tu bosses le soir. Je veux que tu ailles voir ces bars. Je veux savoir tout ce qu'on peut savoir sur ce type et sur la nana. Pour l'instant, le dossier a l'air simple. On bousille la déposition de la fille et tout s'effondre.

Il acquiesça. Il avait sa mallette sur les genoux.

– T'as un appareil photo là-dedans ? lui demandai-je.

– Toujours.

– Quand on sera chez lui, prends des photos de Roulet. J'ai pas envie que tu montres des clichés de police dans les bars. Ça changerait la donne. Tu peux m'avoir une photo de la nana sans ses blessures ?

– J'ai la photo de son permis de conduire. Et elle est récente.

– Bien. On la montre partout. Si on trouve un témoin qui l'a vue aborder Roulet Chez Morgan hier soir, on est bons.

– C'est par là que je pensais commencer. Donne-moi une semaine ou deux. Je te ferai mon rapport avant l'inculpation officielle.

J'acquiesçai. Nous roulâmes en silence pendant quelques minutes et réfléchîmes au dossier. Nous traversions le plateau de Beverly Hills et montions dans les quartiers où l'argent se planque.

– Et tu sais ce que je pense d'autre ? enchaînai-je. Fric et le reste mis à part, pour moi, il y a une chance qu'il ne mente pas. Son histoire est juste assez bizarre pour être vraie.

Il siffla doucement entre ses dents.

– Tu penses être tombé sur un innocent ?

– Ça serait bien le premier. Si je l'avais su ce matin, je lui aurai appliqué la surtaxe innocence. Quand on est innocent, il faut payer plus parce que l'innocent est toujours vachement plus difficile à défendre.

– Ça, c'est bien vrai.

Nous retombâmes dans le silence pendant quelques instants. Je réfléchis à l'idée d'avoir un client innocent et à tous les dangers que ça impliquait.

– Tu sais ce que disait mon père sur les innocents?

– Ton père n'est pas mort quand tu avais dans les six ans?

– Cinq, en fait. On ne m'a même pas emmené à l'enterrement.

– Et il te parlait des clients innocents quand tu avais cinq ans?

– Non, ça, je l'ai lu dans un livre bien après sa mort. Il disait qu'il n'y a rien de plus effrayant que d'avoir un innocent à défendre. Parce que si on merde, il va en taule et que ça, ça te marque à vie.

– Il a dit ça comme ça?

– Enfin... à peu près. Il disait qu'il n'y a pas de milieu avec un innocent. Pas de négociations possibles, pas de plaider coupable, pas de terrain d'entente avec la partie adverse. Et il n'y a qu'un verdict. Et toi, t'es obligé de jouer la carte non coupable et c'est la seule sentence qu'il faut décrocher.

Levin hocha la tête d'un air pensif.

– En résumé, mon père était un sacré bon avocat et détestait défendre les innocents, repris-je enfin. Et moi non plus, je suis pas trop sûr que ça me plaise.

10

La première pub que je fis passer dans les Pages jaunes déclarait : « *Quelle que soit votre affaire, Quelle que soit l'heure, Quel que soit le lieu* », mais j'en changeai au bout de quelques années. Non que le barreau y aurait trouvé à redire. Plutôt parce que c'était à moi que ça ne plaisait pas. J'étais devenu plus tatillon. Le comté de Los Angeles est une manière de couverture chiffonnée qui couvre plus de 6 500 kilomètres carrés du désert jusqu'au Pacifique. On y trouve plus de dix millions d'individus qui se battent pour y avoir leur espace, un nombre considérable d'entre eux s'y engageant dans des activités criminelles par choix de vie. Les dernières statistiques donnent un total de 100 000 crimes violents par an. L'année dernière il y a eu plus de 140 000 arrestations pour crimes, plus 50 000 autres pour des délits sérieux en matière de drogue et de sexe. En y ajoutant les arrestations pour conduite en état d'ivresse, on pourrait remplir deux fois le stade du Rose Bowl avec tous ces clients, la seule chose à ne pas oublier étant qu'on n'a aucune envie d'avoir des clients qui se paient les places bon marché au match. Ce qu'on veut, ce sont ceux qui se réservent des places à la ligne des cinquante mètres. Ceux qui ont de l'argent plein les poches.

Dès son arrestation, le criminel est expédié dans les tuyaux d'un système judiciaire qui comporte plus de quarante tribunaux répartis dans tout le comté et prêts à le servir comme un Burger King – à vous le servir sur un plateau, s'entend. Ces forteresses en pierre sont de véritables trous d'eau où les lions du droit viennent chasser et se nourrir. Et le bon chasseur a vite fait de repérer les coins les plus giboyeux, ceux où paît le client qui paie. Pareilles parties de chasse peuvent tromper. Côté base client, le tribunal de tel ou tel autre lieu ne reflète pas forcément la structure socio-économique des environs. C'est ainsi que les tribunaux de Compton, de Downey et d'East Los Angeles me fournissent une suite régulière de clients payants. Ils sont en général accusés de trafic de drogue, mais leurs dollars sont tout aussi légalement verts que ceux des escrocs de la finance de Beverly Hills.

Le matin du 17, je me trouvais donc au tribunal de Compton, où je représentais un certain Darius McGinley qui devait entendre prononcer sa sentence. Pour moi, le récidiviste est quelqu'un qui revient me voir et McGinley était de ceux-là, comme beaucoup d'autres de mes clients d'ailleurs. C'était la sixième fois qu'il se faisait arrêter et accuser de trafic de cocaïne depuis que je le connaissais. Cette fois il s'était fait prendre dans les Nickerson Gardens, une série de HLM plus connues de leurs habitants sous le sobriquet de « Nixon Gardens ». Personne de mes connaissances n'a jamais pu me dire s'il s'agit là d'une abréviation du nom de ces « jardins » ou d'un titre qu'on leur a donné en l'honneur du président en exercice à l'époque où cet énorme ensemble d'appartements et de marchés de la drogue fut construit. McGinley s'était fait pincer en train de vendre en main propre un ballon rempli d'une douzaine de cailloux de crack à un flic des Stups. À l'époque, McGinley bénéficiait d'une liberté sous caution, suite à une autre arrestation pour très exactement le même motif deux mois plus tôt. Sans oublier quatre autres condamnations pour trafic de drogue portées à son casier judiciaire.

Bref, pour lui qui n'avait que vingt-trois ans, l'affaire ne se présentait pas sous son meilleur jour. L'adjoint au district attorney avait décidé de le poursuivre au terme de la loi d'État dite « le troisième coup, c'est le bon », loi passée dans le but d'empêcher le récidiviste de goûter à la liberté en lui collant, et sans possibilité d'appel, une condamnation à vie à son troisième délit. Que McGinley se soit déjà accroché six fois avec le système judiciaire et ne soit confronté à la réalité du « troisième coup, c'est le bon » qu'à sa sixième arrestation n'avait rien d'inhabituel. La loi des trois coups était le plus souvent utilisée comme un coup de semonce par les procureurs du comté. De fait, il s'agissait d'un outil propice à la négociation. Nombreux étaient les plaider coupable qu'on demandait en échange d'une promesse du ministère public de ne pas condamner selon ce système.

Et c'était bien ce qui était arrivé à mon client cette fois-là. Le coup de semonce était là. L'accusation le tenait pour la vente de la main à la main d'une belle quantité de drogue à un flic, en plus de l'affaire précédente qui n'était toujours pas jugée au fond. McGinley risquait le procès avec une peine de perpète pour avoir vendu pour 300 dollars de cocaïne à un flic, ou je pouvais, moi, lui négocier un arrangement qui l'enverrait certes quand même en prison, mais vraisemblablement pour trois ans maximum.

Comme pour beaucoup de mes jeunes clients du South Side, la prison était une expérience à laquelle il s'attendait. Il avait grandi en le sachant. Les seules questions qu'il se posait étaient celles-ci : quand, pour combien de temps et vivrait-il assez longtemps pour seulement arriver en taule ? Au cours des innombrables visites que je lui avais rendues en prison au fil des ans, j'avais appris que sa philosophie lui avait été inspirée par la vie, la mort et la musique du rappeur Tupac Shakur, le poète-nervi dont les paroles disent les espoirs et désespoirs des rues désespérantes que McGinley appelait son chez-lui. Tupac ne s'était pas trompé en prophétisant sa mort violente. Le South Side regorgeait de jeunes hommes qui avaient la même vision de l'existence.

McGinley était du nombre. Il me récitait de longs riffs extraits des CD de Tupac et me traduisait le sens de ses paroles écrites dans le langage du ghetto. C'était là un apprentissage que j'appréciais dans la mesure où McGinley était le seul de mes innombrables clients à croire au « Thug Mansion[1] », l'endroit entre ciel et terre où finissent tous les gangsters. Pour lui la prison n'était qu'un rite de passage sur le chemin qui y conduisait et il était prêt à faire le voyage.

– Je me repose, j'apprends à être plus fort et plus malin et je reviens.

Il me dit d'y aller et de conclure le marché. Il m'avait réglé 5 000 dollars par mandat postal – et je ne lui avais pas demandé d'où ils sortaient –, je retournai voir le procureur, réussis à lui faire

---

1. Soit « le palais des nervis » (NdT).

fusionner les deux affaires et obtins que McGinley puisse plaider coupable et ainsi éviter la menace d'une condamnation au titre du «troisième coup c'est le bon». La seule chose qu'il m'avait demandé d'essayer de lui obtenir avait été une prison proche, de façon à ce que sa mère et ses trois enfants en bas âge n'aient pas à faire trop de voiture pour venir le voir.

La cour étant appelée à siéger, le juge Daniel Flynn sortit de son cabinet vêtu d'une robe vert émeraude, qui lui valut pas mal de sourires hypocrites de nombre d'avocats et employés du tribunal. Il ne portait sa robe verte qu'à deux occasions – la Saint-Patrick et le vendredi précédant le jour où les Notre Dame Fighting Irish s'attaquaient aux Southern Cal Trojans sur un terrain de football américain. Il était aussi connu des avocats qui travaillaient au tribunal de Compton sous le sobriquet de «Danny Boy» comme dans l'expression «Danny Boy est vraiment un connard d'Irlandais sans cœur».

L'huissier ayant appelé notre affaire, je m'avançai et annonçai que je défendrais mon client. McGinley fut amené dans la salle par une porte latérale et vint se tenir debout à côté de moi dans sa combinaison orange, les poignets attachés à sa chaîne ventrale. Dans les galeries, personne n'était venu le voir tomber. Moi excepté, il n'avait personne avec lui.

– Et bonjourrr, monsieur McGinley, lui lança Flynn avec un fort accent irlandais. Vous savez quel jourr on est?

Je baissai les yeux et regardai par terre. McGinley marmonna sa réponse:

– Celui où je suis condamné.

– Oui, ça aussi. Mais c'est de la Saint-Patrick que je vous parrle, monsieur McGinley. D'un jour donc où se repaître de son héritage irlandais.

McGinley se tourna légèrement et me regarda. S'il savait se débrouiller dans la rue, il ignorait tout de la vie. Il ne comprenait pas ce qui était en train de se passer – il ne savait pas si cela faisait partie de sa condamnation ou n'était qu'une énième insulte de l'homme blanc. J'eus envie de lui dire que le juge n'était qu'une brute et très probablement un raciste. Au lieu de ça, je me penchai en avant et lui murmurai à l'oreille:

– Reste cool, mec. C'est un con.

– Connaissez-vous l'origine de votre nom, monsieur McGinley? reprit Flynn.

– Non, monsieur.

– Cela vous intéresse-t-il de la connaître?

– Pas vraiment, monsieur. Ça doit être l'nom d'un propriétaire d'esclav', j'imagine. Comme si j'me foutais pas d'savoir son nom, à c't'enculé!

– Veuillez excuser mon client, monsieur le juge, dis-je aussitôt. Puis je me penchai de nouveau vers McGinley.

– Faut s'calmer, Darius, lui dis-je. Et surveiller son langage.

– Y's'fout de ma gueule! me répondit-il en parlant plus qu'on ne murmure.

– Et y t'a pas encore condamné. Tu veux que le marché capote? McGinley s'écarta de moi et regarda le juge.

– Je m'excuse pour mon langage, m'sieur l'juge. J'sors de la rue, moi.

– Ça, je m'en aperçois, lui renvoya Flynn. Eh bien, c'est dommage que votre passé ne vous inspire pas d'autres sentiments. Sauf que si votre nom ne vous intéresse pas, ben moi non plus. Et donc, passons au verdict qui vous jettera en prison, d'accord?

Il avait dit ces derniers mots avec plaisir, comme s'il était ravi d'envoyer McGinley à Disneyland, l'endroit le plus joyeux de la terre.

Après ça, la sentence fut vite prononcée. Il n'y avait rien dans le rapport d'enquête présentence, en dehors de ce que tout le monde savait déjà. Darius McGinley n'avait exercé qu'un métier depuis l'âge de onze ans: trafiquant de drogue. Et il n'avait qu'une seule vraie famille: son gang. Il n'avait jamais passé le permis de conduire alors même qu'il conduisait une BMW. Il ne s'était jamais marié, mais avait eu trois enfants. C'était toujours la même histoire, toujours le même cycle d'avanies qu'on se passait et repassait des dizaines de fois par jour dans tous les tribunaux du comté. McGinley vivait dans une société qui n'entrait en contact avec l'Amérique ordinaire que dans les prétoires. Il n'était que chair à dévorer par la machine. La machine avait besoin de manger et on lui servait McGinley sur un plateau. Flynn le condamna à la peine de trois à cinq ans de prison sur laquelle nous étions tombés d'accord et lut tous les articles de la loi qui s'y rapportaient. Et pour faire rire – et seuls les employés du tribunal lui obéirent –, il lut tout ça avec un épais accent irlandais. Et tout fut dit.

Je sais que McGinley vendait de la mort et de la destruction sous la forme de crack et qu'il était probablement l'auteur de violences cachées et d'autres crimes dont on ne l'avait jamais accusé, mais il n'empêche : il me faisait de la peine. Pour moi, c'était un énième individu qui n'avait jamais eu la moindre chance de connaître autre chose que la vie de gangster. Il n'avait jamais vu son père et avait laissé tomber l'école en septième pour apprendre à vendre de la coke. Il savait compter l'argent avec précision dans un labo clandestin, mais n'avait jamais eu un compte en banque. Il n'était jamais allé sur une plage du comté, ne parlons même pas de sortir de Los Angeles. Et là, pour son premier voyage, on allait le mettre dans un bus avec des barreaux aux fenêtres.

Avant qu'on le ramène à l'enclos pour lui faire ses papiers d'écrou et le transférer à la prison, je lui serrai la main. Il eut du mal à serrer la mienne à cause de sa chaîne ventrale. Chose que je fais rarement avec mes clients, je lui souhaitai bonne chance.

– Pas d'problème, me répliqua-t-il. Je reviendrai.

Je n'en doutai pas. D'une certaine manière, Darius McGinley était un tout aussi bon filon que Louis Roulet. Roulet ne serait avec moi qu'une fois, alors que McGinley, je le sentais, me ferait une espèce de rente. Il ne cesserait pas de me donner du boulot... aussi longtemps qu'il réussirait à vivre et à tromper l'adversité.

Je remis son dossier dans ma mallette et repassai par le portillon tandis qu'on appelait l'affaire suivante. Raul Levin m'attendait devant la salle d'audience, dans le couloir plein de monde. Nous avions prévu de nous retrouver pour qu'il me dise ce qu'il avait trouvé sur Roulet. Il avait dû venir à Compton parce que j'étais très occupé.

– Et bonjourrr à vous ! me lança-t-il avec un accent irlandais exagéré.

– Ouais, t'as vu ça ?

– J'ai passé la tête dans la salle. Ce mec est un rien raciste, non ?

– Et il peut l'emporter en paradis à chaque coup parce que

depuis qu'ils ont unifié les tribunaux dans un seul district à la taille du comté, son nom figure sur tous les bulletins de vote. Même si les citoyens de Compton se levaient comme un seul homme pour le virer, les gens du West Side pourraient annuler leurs efforts. Tout ça est pourri.

— Comment a-t-il réussi à se faire élire ?

— Eh mais… tu te fais un doctorat en droit et tu donnes ce qu'il faut aux personnes qu'il faut et toi aussi, tu pourrais être juge. Il a été nommé par le gouverneur. Le plus difficile est de remporter la première élection. Il l'a fait. Tu n'as jamais entendu l'« histoire de Flynn » ?

— Non.

— Tu vas adorer. Il y a environ six ans de ça, il obtient l'investiture du gouverneur. Ça, c'est avant l'unification. À cette époque-là, les juges étaient élus par les électeurs du district qu'ils présidaient. Le superviseur du comté de Los Angeles vérifie ses références et s'aperçoit en moins de deux que le bonhomme a des tas de relations politiques, mais absolument aucun talent ou expérience du droit. De fait, Flynn n'est qu'un juriste de bureau. Il n'aurait sans doute jamais été capable de trouver un tribunal, et encore moins d'y juger une affaire, même si on l'avait payé. Bref, le superviseur le balance au tribunal pénal de Compton, la règle exigeant qu'on se représente pour être retenu l'année qui suit sa nomination au poste de juge. Il se dit que Flynn va merder, mettre tout le monde en colère et se faire éjecter aux élections. Bref, on reste un an et basta.

— Fini les migraines.

— Exactement. Sauf que ça ne s'est pas passé comme ça. Dès la première heure du premier jour où se mettre en lice pour l'élection de cette année-là, Frederica Brown entre au greffe et dépose sa candidature contre Flynn. Tu connais Freddie Brown, non ?

— Pas personnellement, non. Mais j'en ai entendu parler.

— Comme tout le monde dans le coin. En plus d'être une bonne avocate de la défense, c'est une Noire et une Noire très populaire dans la communauté. Elle n'aurait donc fait qu'une bouchée de Flynn, genre du cinq voix contre une.

— Bon, mais comment diable Flynn a-t-il réussi à garder sa place ?

— J'y viens. Avec Freddie sur la liste des candidats, plus personne ne veut se présenter. Pourquoi se casser la tête, le poste lui va comme un gant... sauf que c'était un rien bizarre : pourquoi vouloir être juge quand ça paye beaucoup moins ? À cette époquelà, elle devait se faire bien au-dessus des cinq cent mille dollars par an avec son cabinet.

— Qu'est-ce qui s'est passé ?

— Il s'est passé que deux ou trois mois plus tard, tout à la fin de la période du dépôt des candidatures, Freddie revient au greffe et se retire de l'élection.

Levin acquiesça d'un signe de tête.

— Bref, Flynn se présente seul aux élections et garde son poste ?

— Et voilà. C'est là que le processus d'unification entre dans la danse et qu'il n'y aura plus jamais moyen de le virer.

Levin eut l'air scandalisé.

— C'est des conneries, ça. Ils ont dû concocter un accord et ça, ça viole sûrement le code électoral.

— À condition de pouvoir prouver qu'il y a eu entente. Freddie maintient depuis ça qu'elle n'a pas été payée et n'est entrée dans aucune combine pour que Flynn puisse conserver son boulot. Elle affirme avoir tout simplement changé d'idée et s'être retirée en comprenant qu'elle n'arriverait jamais à maintenir son style de vie avec une paie de juge. Mais que je te dise un truc : Freddie semble toujours très bien s'en sortir quand elle plaide devant Flynn.

— Et on appelle ça la justice ?

— Oui, on appelle ça la justice.

— Et Blake, hein, qu'est-ce que t'en penses ?

Il fallait bien qu'on y vienne. On ne parlait que de ça partout. La veille, l'acteur de cinéma et de télévision Robert Blake avait été acquitté du meurtre de sa femme par la Cour supérieure de Van Nuys[1]. Le district attorney et le LAPD venant de perdre un gros procès médiatique de plus, où qu'on aille c'était le sujet de conversation numéro un. Les médias et les trois quarts des gens qui n'évoluaient pas dans le milieu judiciaire n'y comprenaient rien. La question n'était pas de savoir si Blake avait tué sa femme ou

---

1. Acquittement prononcé le 16 mars 2005 (NdT).

pas, mais bien plutôt s'il y avait assez de preuves pour le condamner au procès. C'étaient là deux choses bien différentes, mais les gens qui attendaient le verdict les avaient confondues.

– Ce que j'en pense? répétai-je. Je pense que j'admire le juge d'être resté concentré sur les preuves. Quand elles n'y sont pas, elles n'y sont pas. Je déteste quand le district attorney croit pouvoir arriver à un verdict de bon sens du genre: «Si c'est pas lui, qui ça peut-il donc être?» Ça me gonfle, moi. Tu veux condamner un mec et le foutre en cage pour le restant de ses jours, tu amasses les preuves qu'il faut, bordel! Et t'espères pas que les jurés vont te sauver si t'as rien à leur montrer.

– Voilà qui est parlé en véritable avocat de la défense!

– Eh dis! Comme si tu vivais pas sur leur dos, mec! Tu devrais jamais l'oublier. Et donc, on laisse tomber Blake. Ça me rend jaloux et j'en ai marre de n'entendre parler que de ça. En plus qu'au téléphone tu m'as dit que t'avais de bonnes nouvelles.

– J'en ai, oui. Où veux-tu qu'on aille pour en causer et que je te montre ce que j'ai?

Je consultai ma montre. J'avais une affaire au tribunal pénal du centre-ville. Je devais y être à onze heures et cette fois sans faute vu que j'avais raté le rendez-vous la veille. Après, j'étais censé remonter à Van Nuys pour y rencontrer Ted Minton, l'adjoint au district attorney qui avait repris le dossier Roulet après que Maggie McPherson en avait été dessaisie.

– J'ai le temps d'aller nulle part, lui répondis-je. On peut aller s'asseoir dans ma voiture et se prendre un café. T'as les trucs sur toi?

Pour toute réponse, il souleva sa mallette et en tapota le côté avec ses doigts.

– Et le chauffeur?

– T'inquiète pas pour lui.

– Bon, alors, allons-y.

11

Une fois dans la Lincoln, je demandai à Earl de tourner dans le quartier et de voir s'il ne pourrait pas nous trouver un Starbucks. J'avais besoin d'un café.

– Y a pas d'Starbucks par ici, me fit-il remarquer.

Je savais qu'il était du coin, mais je n'arrivais pas à croire qu'on puisse être à plus de quinze cents mètres d'un Starbucks en quelque endroit du comté – voire du monde entier – qu'on se trouve. Mais je ne discutai pas. Je voulais juste un café.

– Bon, d'accord, alors, tournez dans le coin et trouvez-nous un truc où boire un café. Mais ne vous éloignez pas trop du tribunal. Il faut qu'on revienne pour déposer Raul.

– Entendu.

– Et… Earl? Mettez votre casque pendant qu'on parle de notre affaire à l'arrière, d'accord?

Earl alluma son iPod, s'enfonça ses écouteurs dans les oreilles et prit Acacia Street pour y trouver un jus. Bientôt nous entendîmes des grincements de hip-hop monter de l'avant et Levin ouvrit sa mallette sur la tablette repliable derrière le siège du chauffeur.

– Bon alors, qu'est-ce que t'as pour moi? lui demandai-je. Je dois voir l'adjoint au district attorney aujourd'hui et je veux avoir plus d'as dans ma manche que lui. N'oublions pas que nous avons la mise en accusation officielle lundi prochain.

– Des as, j'en ai quelques-uns, répondit-il.

Il fouilla dans sa mallette et entama son exposé.

– Bon, dit-il, commençons par ton client; après, nous passerons à Reggie Campo. Ton mec est super-cool. En dehors de quelques PV pour excès de vitesse et autres amendes pour stationnement interdit, tous délits qu'il semble avoir du mal à ne pas commettre et encore plus de mal à payer, je n'ai absolument rien trouvé sur lui. Bref, c'est monsieur Tout-le-Monde ou à peu près.

– C'est quoi, ces PV?

– Deux fois en quatre ans il n'a pas réglé ses amendes pour stationnement interdit, et il y en a un sacré paquet, plus quelques PV pour excès de vitesse. Les deux fois, c'est monté jusqu'à la mise en demeure et les deux fois ton collègue C. C. Dobbs est intervenu pour les payer et arrondir les angles.

– Je suis content d'apprendre que C. C. Dobbs est bon à quelque chose. C'est bien les amendes qu'il a payées, hein, pas les juges?

– Espérons-le. En dehors de ça, juste un impact sur le radar.

– Oui, quoi?

– La semaine dernière, quand tu lui expliquais la manœuvre et ce à quoi il fallait s'attendre, on a appris qu'il avait fait un an de droit à UCLA et qu'il connaissait le système. Eh ben, j'ai vérifié. Ce qu'il faut comprendre, c'est que j'essaye de voir qui ment, ou plutôt qui ment le plus dans le lot. Ce qui fait que je vérifie à peu près tout. Et les trois quarts du temps c'est facile, parce que tout est en ligne.

– Je vois. Et donc, l'histoire de l'année de droit, c'est du bidon?

– On dirait bien. J'ai vérifié la liste des admissions et il n'a jamais été admis à la fac de droit d'UCLA.

Je réfléchis. C'était Dobbs qui avait amené ça sur le tapis, Roulet se contentant d'acquiescer de la tête. C'était là un mensonge bien étrange à proférer par l'un comme par l'autre; étant donné que ça ne leur rapportait vraiment rien. Du coup, je réfléchis à l'aspect psychologique de la chose. Cela avait-il à voir avec moi? Voulaient-ils que j'en arrive à croire que Roulet était au même niveau que moi?

– Ce qui fait que s'il a menti sur un truc comme ça… dis-je en réfléchissant tout haut.

– Exactement, et je voulais que tu le saches. Mais faut que je te dise encore: pour l'instant, c'est tout ce que j'ai sur lui côté négatif. Il se peut qu'il ait menti sur cette année de droit, mais il n'a pas l'air d'avoir menti dans sa version des faits, enfin… pour ce que j'ai pu en vérifier.

– Dis-moi.

– Eh bien, et d'un, son parcours est juste. J'ai des témoins qui disent l'avoir vu au Nat's North, Chez Morgan et au Lamplighter. Et il y a fait exactement ce qu'il nous a dit y avoir fait. Jusqu'au nombre de martinis qu'il a descendus. Quatre au total et il en a laissé un pas fini sur le comptoir.

– Ils se souviennent de lui aussi bien que ça? Ils se rappellent qu'il n'a même pas fini son verre?

Les souvenirs sans faille me laissent toujours perplexe étant donné que les souvenirs sans faille, ça n'existe pas. Et mon travail et mon talent consistent justement à trouver les failles dans les souvenirs des témoins. Dès qu'on se rappelle trop de choses, je m'inquiète – surtout si c'est un témoin de la défense.

– Non, dit Levin, je ne me fie pas uniquement au témoignage du barman. J'ai quelqu'un que tu vas adorer, Mick. Et toi, tu ferais mieux de m'adorer aussi parce que ça m'a coûté mille dollars.

Du fond de sa mallette il sortit un étui rembourré dans lequel se trouvait un petit lecteur de DVD. J'avais déjà vu des gens s'en servir dans des avions et songeais à m'en acheter un pour la voiture. Le chauffeur aurait pu s'amuser avec en m'attendant devant le tribunal. Et j'aurais pu, moi aussi, m'en servir de temps en temps dans des affaires comme celle-là.

Levin y glissa un DVD. Mais, avant qu'il puisse l'enclencher, la voiture s'arrêta et je levai les yeux. Nous étions arrivés devant un établissement baptisé le Central Bean[1].

– Allons boire un café et voyons ce que t'as là-dedans, lançai-je à Levin.

Je demandai à Earl s'il voulait quelque chose, mais il déclina mon offre. Levin et moi descendîmes de voiture et entrâmes dans l'établissement. Il y avait la queue pour arriver au comptoir, mais elle n'était pas énorme. Levin en profita pour installer le DVD que nous allions regarder dans la voiture.

– Et donc, je suis Chez Morgan et je veux parler à une certaine Janice qui sert au bar, mais elle me dit qu'il faut d'abord que j'aie la permission du gérant. Je retourne donc le voir à son bureau et il me demande sur quoi je veux interroger Janice. Le mec a quelque

---

1. Soit «Le Grain de café du centre» *(NdT)*.

chose de bizarre et moi, je me demande pourquoi il veut savoir tout ça, d'accord ? Puis tout s'éclaircit lorsqu'il me fait son offre. Il me dit que, l'année d'avant, il y a eu un problème au bar. Quelqu'un qui piquait dans la caisse. Il n'y a pas moins d'une douzaine de barmans qui bossent toutes les semaines et il n'arrivait pas à savoir qui avait les doigts collants.

– Il avait installé une caméra de surveillance.

– T'as pigé. Une caméra cachée. Il avait attrapé le voleur et l'avait viré. Mais ç'avait si bien marché qu'il avait décidé de garder la caméra. L'engin enregistre sur une bande haute densité de huit heures du soir à deux heures du matin. L'appareil est branché sur un minuteur. Et on peut enregistrer quatre soirées par bande. Si jamais il y a un problème, il peut aller y voir et vérifier. Comme il fait un bilan profits et pertes toutes les semaines, il met deux bandes en rotation de façon à toujours avoir quatre soirs d'enregistrements à regarder.

– Et il avait la soirée en question ?

– Oui.

– Et il t'a demandé mille dollars pour ça ?

– Oui encore.

– Les flics ne sont pas au courant ?

– Ils ne sont même pas passés au bar. Pour l'instant, ils fonctionnent sur ce que leur a raconté Reggie.

Je hochai la tête. Cela n'avait rien d'inhabituel. Il y avait bien trop d'affaires pour que les flics puissent enquêter à fond. Et ils en avaient déjà plus qu'il ne leur en fallait de toute façon. Ils avaient une victime prête à témoigner, un suspect appréhendé dans son appartement, le sang de la victime sur le suspect, jusqu'à l'arme du crime. Pour eux, il n'y avait aucune raison d'aller plus loin.

– Mais nous, c'est le bar, pas la caisse qui nous intéresse, dis-je.

– Je sais. Mais justement : la caisse est contre le mur derrière le bar. Et la caméra se trouve au-dessus, dans un détecteur de fumée accroché au plafond. Et le mur de derrière est un miroir. J'ai regardé ce qu'on avait et j'ai vite compris qu'on pouvait voir tout le bar dans le miroir. C'est juste à l'envers. J'ai fait transférer la bande sur un disque parce qu'on peut mieux manipuler l'image. On peut la gonfler, zoomer dessus, tout ça, quoi.

Notre tour était arrivé. Je commandai un grand café crème sucré, Levin demandant une bouteille d'eau. Nous rapportâmes nos boissons à la voiture et je dis à Earl de ne pas démarrer avant que nous ayons visionné le DVD. Je peux lire en roulant, mais je me dis que regarder le petit écran du lecteur de Levin en sautant sur les bosses des rues du South Side risquait de me flanquer la nausée.

Levin enclencha le DVD et commença à commenter les images.

Sur le petit écran je découvris une vue plongeante du comptoir en L de Chez Morgan. J'y vis officier deux femmes, l'une et l'autre en jean noir et chemisier blanc remonté au-dessus de la taille pour qu'on voie bien leur ventre plat, leur nombril percé et les tatouages qui dépassaient de leur ceinture. Comme Levin me l'avait expliqué, la caméra était pointée sur l'arrière du bar et la caisse, mais le miroir qui se trouvait derrière cette dernière permettait de voir les clients assis au comptoir. J'y vis Roulet assis tout seul au beau milieu du plan. Il y avait un compteur d'images dans le coin inférieur gauche, la date et l'heure s'affichant dans le coin opposé. Il était vingt heures onze et la scène se passait le 6 mars.

– Là! Voilà Louis qui se pointe, dit Levin. Et ici, c'est Reggie Campo.

Il tourna des boutons sur le lecteur et figea l'image. Puis il la fit glisser et en amena le bord droit au centre. À droite, derrière le petit côté du bar, un homme et une femme étaient assis côte à côte. Levin zooma sur eux.

– T'es sûr? lui demandai-je.

Les seules images que j'avais vues de Reggie Campo étaient celles où elle avait le visage gonflé et couvert de bleus.

– Oui, c'est elle. Et lui, c'est notre monsieur X.

– Bien.

– Et maintenant regarde.

Il remit le DVD en route, revint aux images plein pot et passa en avance rapide.

– Louis boit son martini, parle avec les nanas du comptoir et il ne se passe pas grand-chose pendant presque une heure, dit-il.

Il jeta un coup d'œil à un carnet de notes où se trouvaient des renvois spécifiques à certains numéros d'images, revint à la vitesse normale pile au bon moment et recadra encore une fois de façon à ce que Reggie Campo et M. X se trouvent au centre de l'écran. Je remarquai que nous étions passés à la cote 8 h 43.

À l'écran, M. X prenait un paquet de cigarettes et un briquet sur le comptoir et descendait de son tabouret. Puis il sortait du cadre par la droite.

– Il se dirige vers la sortie, dit Levin. Ils ont un endroit couvert où fumer devant l'établissement.

Reggie Campo qui semble regarder M. X s'en aller, puis qui descend de son tabouret à son tour et commence à longer le bar, juste derrière les clients assis sur leurs tabourets. En passant à côté de Roulet, elle donne l'impression de lui passer les doigts de la main gauche sur les épaules, presque comme si elle voulait le chatouiller. Roulet se retourne et la regarde continuer d'avancer.

– Elle lui a fait un petit coup de rentre-dedans en allant aux toilettes.

– C'est exactement comme Roulet dit que ça s'était passé, lançai-je. Il prétend qu'elle lui a fait des avances, qu'elle lui a donné…

– Retiens un peu tes chevaux, tu veux? Il faut encore qu'elle revienne des chiottes, tu sais.

J'attendis et observai Roulet assis au bar. Puis je consultai ma montre. Pour l'instant j'étais toujours dans les temps, mais il n'était pas question que je loupe la convocation au tribunal. J'avais déjà poussé la patience du juge à l'extrême en ne me pointant pas la veille.

– La revoilà, dit Levin.

Je m'approchai de l'écran et regardai Reggie Campo revenir le long du bar. Cette fois, en arrivant à la hauteur de Roulet, elle se glissa au bar entre lui et un type assis sur le tabouret de droite. Elle était obligée d'avancer en se mettant de côté, ses seins frôlant visiblement le bras droit de Roulet. C'était du beau rentre-dedans ou je ne m'y connaissais pas. Puis elle disait quelque chose, Roulet se penchant plus près de ses lèvres pour entendre. Au bout d'un moment il hochait la tête et je la vis lui fourrer dans la main quelque chose qui ressemblait beaucoup à une serviette en papier froissée. Ils échangeaient encore quelques mots, puis elle l'embrassait sur la joue et s'éloignait du bar à reculons. Et regagnait son tabouret.

– T'es génial, Mish! lui lançai-je en me servant du surnom que je lui avais donné après qu'il m'avait parlé de son «mishmash» d'ascendance juive et mexicaine.

— Et tu me dis que les flics n'ont pas ce truc ?

— Ils n'étaient au courant de rien la semaine dernière, quand j'ai eu cette bande, que j'ai toujours. Et donc, non, ils ne l'ont pas et en ignorent probablement encore jusqu'à l'existence.

Les règles de la communication des preuves avant le procès exigeaient que je transmette cet enregistrement à l'accusation dès que Roulet aurait été formellement inculpé. Mais cela me donnait encore un peu de latitude. Techniquement, je n'étais pas obligé de donner quoi que ce soit à l'accusation avant d'être sûr et certain que je m'en servirais au procès. Ce qui me laissait des tonnes de temps et de manœuvres possibles.

Je savais que ce que je venais de voir était important et il n'y avait aucun doute qu'on s'en servirait au procès. À elle seule, cette bande pouvait être à l'origine d'un acquittement par doute raisonnable. L'enregistrement semblait en effet montrer une familiarité entre la victime et son assaillant présumé dont le dossier de l'accusation ne laissait rien entendre. Plus important, il montrait la victime dans une posture où l'on pouvait voir, au moins en partie, une cause des actes qui avaient suivi. Cela ne signifiait pas que ces faits fussent acceptables et pas criminels, mais les jurés s'intéressent toujours aux causes susceptibles de relier le crime et les individus concernés. De fait, l'enregistrement faisait passer dans une zone plus que grise un crime aussi évident qu'une image en noir et blanc. Et c'était dans ces zones de gris que l'avocat de la défense que j'étais passait son temps.

Le revers de la médaille était que l'enregistrement était tellement bon qu'il l'était peut-être un peu trop. Il contredisait de manière flagrante les déclarations d'une victime qui prétendait ne pas connaître l'individu qui l'avait attaquée. Il invalidait sa déposition et faisait passer Campo pour une menteuse. Et il suffisait d'un mensonge pour démolir l'accusation. Voilà ce que j'appelais une preuve qui libère. Cela mettrait un terme à l'affaire avant même qu'on arrive au procès. Mon client serait disculpé sur-le-champ.

Et avec lui ce serait mon pactole qui s'envolerait.

Levin avait remis l'appareil en avance rapide.

— Et maintenant, regarde ça, reprit-il. M. X et Campo qui se barrent à neuf heures. Mais regarde bien quand il se lève.

Il avait centré le plan sur Campo et l'inconnu. Lorsque l'affichage indiqua 8 h 59, Levin revint en arrière au ralenti.

— Bien, dit-il, ils s'apprêtent à partir. Mais regarde les mains du type. Je regardai. L'homme qui boit le fond de son verre en renversant la tête en arrière pour le vider. Qui glisse au bas de son tabouret, aide Campo à descendre du sien et quitte le champ de la caméra par la droite avec elle.

— Quoi ? demandai-je. Qu'est-ce que j'ai raté ?

Il remonta en arrière jusqu'au moment où le type finissait son verre. Puis il figea l'image et me montra l'écran. Le type appuyait sa main gauche à plat sur le comptoir pour ne pas perdre l'équilibre alors qu'il revenait boire.

— Il boit avec la main droite, dit Levin. Et il a une montre au poignet gauche. Bref, on dirait quand même bien que ce mec est droitier, non ?

— Si, et alors ? Ça nous mène où ? Les blessures de la victime résultent de coups portés de la main gauche.

— Réfléchis à ce que je viens de te dire.

Je réfléchis. Et compris au bout d'un moment.

— Le miroir. Tout est à l'envers. Il est gaucher.

Il acquiesça d'un signe de tête et fit le geste de me décocher un gauche.

— Ça pourrait tout arrêter dès le début, dis-je sans être trop sûr que ce soit une bonne chose.

— Joyeuse Saint-Patrick, bonhomme ! me lança Levin en repiquant à l'accent irlandais et ne saisissant pas que moi, j'y voyais peut-être la fin des largesses.

J'avalai une bonne gorgée de café chaud et réfléchis à une stratégie possible avec ce DVD. Et ne vis rien qui puisse s'opposer à ce qu'on s'en serve au tribunal. Les flics finiraient par se lancer dans un suivi d'enquête et tomber dessus. Que j'essaie de garder ça pour moi risquait de me péter au nez.

— Je ne vois pas trop comment m'en servir, fis-je remarquer. Mais on peut dire avec certitude que M. Roulet, sa mère et Cecil Dobbs vont être très contents de toi.

– Dis-leur qu'ils peuvent m'exprimer leur gratitude en termes financiers.

– D'accord. Autre chose sur cette bande?

Il repassa en avance rapide.

– Pas vraiment. Roulet lit ce qu'il y a sur la serviette et apprend l'adresse par cœur. Après quoi, il reste encore une vingtaine de minutes et se barre en laissant son verre sur le comptoir.

Il ralentit l'image au moment où Roulet allait partir. Celui-ci buvait une gorgée de son martini et reposait le verre sur le bar. Puis il ramassait la serviette que Reggie Campo lui avait donnée, la froissait dans sa main et la laissait tomber par terre en se levant. Et quittait effectivement le bar en laissant sa boisson derrière lui.

Levin éjecta le DVD et le remit dans son étui en plastique. Puis il éteignit le lecteur et se mit en devoir de le ranger.

– Côté visuel, c'est tout ce que je peux te montrer ici, dit-il.

Je me penchai en avant et tapotai sur l'épaule d'Earl. Il avait toujours ses écouteurs dans les oreilles. Il les enleva et se tourna vers moi.

– On repart pour le tribunal, lui lançai-je. Remettez vos écouteurs.

Il fit ce que je lui demandais.

– Quoi d'autre? demandai-je à Levin.

– Il y a aussi Reggie Campo. Et c'est pas vraiment Blanche-Neige.

– Qu'est-ce que t'as trouvé?

– C'est pas nécessairement ce que j'ai trouvé. C'est plutôt ce que je pense. Tu as vu comment elle se comporte sur la bande. Y a un mec qui s'en va, elle fait les yeux doux à un autre tout seul au bar. Plus les petites vérifications auxquelles je me suis livré. C'est certes une actrice, mais pour l'instant c'est surtout une actrice qui ne travaille pas comme actrice. Sauf pour des auditions privées, dirons-nous.

Il me tendit un photo montage professionnel où l'on voyait Reggie Campo dans différents rôles et poses – le genre de photos qu'on envoie à tous les metteurs en scène de la ville. Le plus grand cliché montrait son visage de face. C'était les premières photos où je la voyais sans les vilains bleus et les enflures qu'elle avait sur la figure. En plus d'être une femme très séduisante, elle avait un air qui me rappelait quelque chose, mais quoi? je n'aurais su le dire tout de suite. Je me demandai si je ne l'avais pas vue à la télé ou dans une pub. Je retournai le tirage et lus son CV. Reggie Campo avait joué dans des émissions que je ne regardais jamais et pour des pubs dont je ne me souvenais pas.

— Dans ses déclarations à la police, elle dit être employée par la Topsail Telemarketing. C'est une boîte qui se trouve à la Marina. Ils reçoivent les appels pour un gros paquet de merdes qu'ils vendent aux émissions télé de fin de soirée, genre machines d'entraînement sportif et autres conneries. Et c'est un boulot de jour. Tu travailles quand tu veux. Le seul problème là-dedans, c'est que Reggie n'y a pas travaillé un seul jour pendant ces cinq derniers mois.

— Qu'est-ce que tu me dis? Qu'elle fait des passes?

— Ça fait trois soirs que je l'observe et...

— Que tu quoi?! m'écriai-je.

Je me tournai vers lui et le dévisageai. Qu'un détective privé qui travaille pour un avocat de la défense soit surpris en train de suivre la victime d'une agression et les conséquences pouvaient être terribles, conséquences que je serais le seul à devoir subir. L'accusation n'aurait qu'à aller voir le juge et crier au harcèlement et à l'intimidation et je me retrouverais avec un outrage à la justice en moins de temps que n'en mettent les vents de Santa Anna pour franchir le col de Sepulveda. En sa qualité de victime d'une agression, Reggie Campo était sacro-sainte jusqu'au moment où elle monterait à la barre. Alors seulement elle serait à moi.

— T'inquiète pas, t'inquiète pas! me renvoya Levin. Je ne l'ai suivie que de très loin. Très très loin. Et je suis content de l'avoir fait. Les bleus, les enflures et le reste ont ou bien disparu tout seuls ou bien elle se met des tonnes de maquillage parce qu'elle a reçu beaucoup beaucoup de visites, cette dame. Rien que des hommes, et des hommes seuls, en plus. Et à toutes les heures de la nuit. À croire qu'elle essaie d'en avoir toujours au moins deux dans son carnet de bal chaque soir.

— Elle les ramasse dans des bars?

— Non, elle ne bouge pas de chez elle. Ces mecs doivent être des clients réguliers parce qu'ils savent très bien comment se rendre chez elle. J'ai relevé quelques immatriculations. Si c'est nécessaire, je peux aller leur rendre visite et tenter de leur soutirer quelques réponses. J'ai aussi pris quelques jolis clichés en infrarouge, mais je ne les ai pas encore transférés sur disque.

— Non, non, laissons tomber les visites à ces mecs pour l'instant. Ça pourrait revenir aux oreilles de la dame. Il faut faire très attention avec elle. Qu'elle tapine ou pas, je m'en fous.

Je bus encore du café en essayant de voir comment me servir de tout ça.

— Tu es allé voir dans son passé ? Pas de casier ?

— Non, elle n'a rien. Pour moi, c'est une novice. Tu sais… ces femmes qui veulent devenir actrices, c'est pas facile. Ça t'épuise. Elle a dû commencer en acceptant un petit coup de pouce de ces mecs de temps en temps et c'est devenu un business. Elle est passée d'amateur à professionnelle.

— Et il n'y a rien de tout ça dans les rapports que t'as eus avant ?

— Non. C'est comme je te dis : les flics n'ont pas vraiment fait beaucoup de suivi sur elle. Au moins pour l'instant.

— Si elle a décroché son diplôme de pro, elle aurait pu aussi essayer de piéger Roulet. Il a une belle voiture, de beaux costumes… tu as vu sa montre ?

— Ouais, une Rolex. Si c'est pas du toc, c'est du dix mille dollars qu'il porte au poignet. Elle aurait très bien pu le remarquer à l'autre bout du bar. C'est peut-être pour ça qu'elle l'a préféré à tous les autres.

Nous étions à nouveau devant le tribunal. Il allait falloir que je file au centre-ville. Je demandai à Levin où il s'était garé, il dit à Earl comment gagner le parking.

— Tout ça est bel et bon, repris-je, mais ça veut dire que Louis n'a pas fait que mentir sur son année de droit à UCLA.

— Exact, dit Levin. Il savait très bien qu'il allait devoir payer pour s'amuser avec elle. Il aurait dû t'en parler.

— Oui. Et maintenant, c'est moi qui vais devoir lui en parler, à lui.

Nous nous arrêtâmes le long du trottoir, près d'un parking payant d'Acacia Street. Levin sortit un dossier de sa mallette. L'élastique qui l'entourait maintenait en place un morceau de papier sur la couverture. Il me le tendit – il s'agissait d'une facture de 6 000 dollars pour ses enquêtes et les frais afférents. Par rapport à ce que j'avais entendu pendant cette dernière demi-heure, c'était une affaire.

– Le dossier contient tout ce dont nous avons parlé, plus une copie de la vidéo de Chez Morgan sur disque, me dit-il.

Je lui pris le dossier après une hésitation. En l'acceptant, je lui donnais le statut d'éléments de preuve à communiquer à la partie adverse. En le lui refusant et le laissant entre ses mains, je me ménageais un tampon, un peu de place où gigoter si jamais j'avais des problèmes de réciprocité avec l'accusation.

Je tapotai la facture du bout du doigt.

– J'appelle Lorna pour qu'elle t'envoie le chèque, dis-je enfin.

– Comment va-t-elle ? Ça me manque de ne plus la voir.

Du temps où nous étions mariés, Lorna faisait beaucoup de voiture avec moi et allait souvent au tribunal pour regarder. Parfois, quand j'avais besoin d'un chauffeur, c'était elle qui prenait le volant. Levin la voyait plus souvent à cette époque-là.

– Elle va super bien. Et elle n'a pas changé.

Il entrouvrit la portière, mais ne descendit pas.

– Tu veux que je continue pour Reggie ?

Bonne question. À dire oui, je me condamnais à ne rien pouvoir nier si jamais quelque chose tournait mal. Parce qu'à partir de ce moment-là, je ne pouvais plus dire que je ne savais pas ce qu'il faisait. J'hésitai, puis lui donnai mon accord d'un signe de tête.

– De très loin. Et tu ne la fais pas suivre par quelqu'un d'autre. Il n'y a que toi en qui je peux avoir confiance.

– T'inquiète pas. C'est moi seul qui m'en occuperai. Autre chose ?

– Le gaucher ? Il faut qu'on arrive à savoir qui est ce M. X et s'il fait partie de la combine ou si ce n'était qu'un autre client.

Levin acquiesça et redonna un coup de poing du gauche dans l'air.

– Je m'en occupe, dit-il.

Il mit ses lunettes de soleil, ouvrit la portière et se glissa dehors. Puis il tendit le bras pour reprendre sa mallette et sa bouteille d'eau qu'il n'avait toujours pas ouverte. Et me dit au revoir et referma la portière. Je le regardai partir chercher sa voiture dans le parking. J'aurais dû être fou de joie d'avoir appris tout ça. Tout penchait soudain fortement en faveur de mon client. Mais il y avait toujours quelque chose qui me mettait mal à l'aise et je n'arrivais pas à mettre le doigt dessus.

Earl avait éteint sa musique et attendait mes instructions.

– Emmenez-moi en centre-ville, lui lançai-je.

– C'est comme si c'était fait. Le tribunal pénal ?

– Oui et dites… qui vous écoutiez sur l'iPod ? Je l'entendais vaguement.

– Snoop. Lui, faut le jouer fort.

Je lui fis signe que oui. Un vrai de vrai de Los Angeles. Et un ancien client qui avait affronté la machine qui l'accusait de meurtre et s'en était sorti libre. Dans le genre inspiration, il n'y avait pas beaucoup mieux dans les rues de L.A.

– Earl ? Prenez la 70. On est en retard.

12

Sam Scales était un escroc d'Hollywood. Spécialiste du Net, il montait des arnaques destinées à trouver des numéros de cartes de crédit avec infos de vérification qu'il refilait ensuite aux requins de la finance clandestine. La première fois que nous avions travaillé ensemble, il venait de se faire arrêter pour avoir vendu 600 numéros de cartes avec infos – dates d'expiration, adresses, numéros de Sécu et mots de passe du propriétaire légitime – à un adjoint au shérif en plongée.

Il avait obtenu ces numéros et renseignements en envoyant un e-mail à 500 personnes recensées sur la liste de clients d'une société du Delaware qui vendait sur le Net un produit pour maigrir appelé TrimSlim6. Cette liste avait été volée à l'ordinateur de la société par un pirate qui travaillait pour lui en free-lance. En se servant d'un ordinateur loué à l'heure dans un magasin de la chaîne Kinko et d'une adresse e-mail temporaire, il avait fait un envoi de masse à tous les gens de la liste. Il s'y était présenté sous les espèces d'un avocat de la Food and Drug Administration[1] et avait déclaré aux destinataires du courrier qu'ils seraient intégralement remboursés de leurs achats par cartes de crédit suite au retrait du TrimSlim6 du marché par ladite autorité fédérale. Il expliquait en effet que des tests de l'administration montraient que ce produit était inefficace dans le traitement de l'obésité. Il précisait aussi que les fabricants du produit étaient tombés d'accord pour rembourser tous ces achats afin d'éviter un procès pour fraude. En guise de conclusion, il disait

---

1. Organisme fédéral chargé de la surveillance des médicaments et produits alimentaires *(NdT)*.

comment procéder pour se faire rembourser. Il fallait donner son numéro de carte de crédit avec la date d'expiration et tous les autres renseignements pertinents.

Sur les 5 000 destinataires du courrier, 600 avaient mordu à l'appât. Scales était alors entré en contact par Internet avec la pègre et avait organisé la vente en mains propres de ces 600 numéros de cartes de crédit avec tous les renseignements nécessaires moyennant 10 000 dollars cash. Cela voulait dire que, quelques jours plus tard, ces numéros seraient imprimés en relief sur des cartes vierges qui seraient alors mises en circulation. Pareille fraude pouvait se chiffrer en millions de dollars de pertes.

Mais l'affaire avait tourné court dans un café de West Hollywood, où Scales avait tendu une sortie d'imprimante à son acheteur et s'était vu remettre en échange une grosse enveloppe pleine de liquide. Il était alors sorti de l'établissement avec son enveloppe et un déca crème glacé – et s'était retrouvé nez à nez avec des adjoints du shérif. Il avait vendu ses numéros à un agent en plongée.

Scales m'avait engagé pour lui trouver un arrangement avec la justice. Âgé de trente-trois ans à l'époque, il n'avait toujours pas de casier judiciaire, alors même que tout indiquait, preuves à l'appui, qu'il n'avait jamais eu un emploi légal. En amenant le procureur assigné à l'affaire à se concentrer plus sur le vol des numéros de cartes que sur les pertes potentielles dues à la fraude, j'avais réussi à lui concocter un deal qui lui plaisait. Il avait plaidé coupable pour un délit de vol d'identité et récolté un an de prison avec sursis, plus soixante jours de travaux d'intérêt public pour la société de transport TransCal et quatre ans de liberté conditionnelle.

Ça, c'était la première fois. Cela remontait à trois ans, mais Sam Scales n'avait pas saisi la chance qu'on lui offrait de ne pas faire de prison. Il était maintenant à nouveau en détention et je devais le défendre pour une affaire de fraude tellement répréhensible que j'avais compris, dès le début, que je n'arriverais jamais à lui éviter l'incarcération. Le 28 décembre de l'année précédente, il s'était servi d'une société-écran pour ouvrir un site sur le Web – Sunami-Help.com. Sur la page d'accueil, il avait posté des photos des destructions et des morts laissés deux jours plus tôt par un tsunami qui s'était produit dans l'océan Indien et avait dévasté les côtes de l'Indonésie, du Sri Lanka, de l'Inde et de la Thaïlande. Il demandait à ceux qui visitaient son site de venir en aide aux victimes en envoyant leurs dons à SunamiHelp.com, qui se chargerait de redistribuer ces sommes aux nombreuses agences de secours s'occupant du désastre. Sur le site on trouvait aussi la photo d'un certain révérend Charles qui, très joli monsieur de race blanche, s'efforçait de faire connaître le christianisme à l'Indonésie. Et, dans un petit mot personnel, ledit révérend Charles demandait lui aussi de donner «du fond du cœur».

Scales était malin, mais pas tant que ça. Il ne voulait certes pas voler les dons envoyés au site. Il entendait seulement récupérer les renseignements confidentiels afférents aux cartes de crédit dont on se servait pour faire ces dons. L'enquête qui avait suivi son arrestation montrait que toutes les contributions envoyées au site avaient été transférées à la Croix-Rouge américaine et effectivement servi à aider des victimes du tsunami.

Sauf que les numéros des cartes de crédit et les renseignements nécessaires qui avaient permis d'effectuer ces dons avaient, eux, été transmis à la pègre. Scales avait été arrêté le jour où un flic du Service des fraudes du LAPD, un certain Roy Wunderlich, avait découvert le site. Sachant que les désastres attirent toujours les escrocs par dizaines, il avait commencé à entrer des noms de sites possibles, mais en orthographiant mal le mot tsunami. Il y avait plusieurs sites parfaitement légaux où l'on demandait de l'aide, il en avait repris les intitulés en faisant systématiquement une faute d'orthographe ici ou là. Son raisonnement était le suivant : les escrocs feraient eux aussi des fautes en ouvrant leurs sites, l'idée étant d'attirer des victimes parmi les gens les moins bien éduqués. SunamiHelp.com faisait partie des sites douteux sur lesquels il était tombé. Il avait signalé l'essentiel de ces sites à un service spécialisé du FBI qui s'occupait de ce problème dans tout le pays. Mais, en vérifiant le registre du domaine SunamiHelp.com, il avait aussi découvert une boîte postale de Los Angeles. C'était de son ressort, il s'était mis au boulot et s'était gardé l'affaire pour lui.

Il s'était évidemment trouvé que la boîte postale était bidon, mais cela ne l'avait pas arrêté. Il avait «envoyé un ballon-sonde» en faisant un achat contrôlé, à savoir dans ce cas un don.

Le numéro de carte de crédit qu'il avait donné en se fendant de vingt dollars de contribution à la SunamiHelp.com allait être surveillé vingt-quatre heures sur vingt-quatre par le service des fraudes de Visa qui l'avertirait dans l'instant de tout achat fait avec la carte. Moins de trois jours plus tard, celle-ci servait à payer un déjeuner à onze dollars au restaurant DuPar du Farmer's Market, au croisement de Fairfax Avenue et de la 3e Rue. Wunderlich savait qu'il ne s'agissait là que d'un test. L'achat était minime et facilement réglable si l'individu qui s'était servi de la fausse carte rencontrait un problème au point d'achat.

L'achat ayant été autorisé, Wunderlich et quatre autres inspecteurs du Service des fraudes avaient été dépêchés au Farmer's Market, ensemble de restaurants, de vieilles boutiques et de nouveaux magasins toujours pleins de monde, bref, l'endroit idéal où opérer pour un escroc à la carte de crédit. Les enquêteurs avaient reçu pour mission de se disperser dans le marché et d'attendre pendant que Wunderlich suivait les achats éventuels par téléphone.

Deux heures après le premier achat, la carte était à nouveau utilisée, cette fois pour régler l'acquisition d'une veste en cuir d'une valeur de 600 dollars au magasin Nordstrom. Le processus d'approbation de l'achat avait alors été retardé, mais pas stoppé, les inspecteurs en profitant pour entrer dans le magasin et arrêter une jeune femme au moment même où elle concluait sa transaction. L'affaire était alors passée au stade de «la chaîne de mouchardage», les flics passant d'un suspect à l'autre au fur et à mesure que celui-ci dénonçait celui-là, et remontant ainsi jusqu'en haut de la pyramide.

Où ils avaient fini par trouver l'individu qui avait tout manigancé, Sam Scales. Lorsque l'affaire avait été reprise par la presse, Wunderlich l'avait traité de «Svengali du Tsunami», les trois quarts des victimes de son arnaque étant des femmes qui avaient voulu aider le beau révérend du site web. Ce surnom ayant beaucoup mis en colère mon client, celui-ci avait décidé de donner du «Wonder Boy» à l'inspecteur qui l'avait fait tomber.

J'arrivai à la 124e chambre du tribunal pénal sise au treizième étage de l'immeuble à dix heures quarante-cinq, mais la salle était vide à l'exception de Marianne, la greffière. Je franchis la porte et m'approchai de son bureau.

– On suit toujours la liste ? demandai-je.

– Justement, on vous attendait. J'appelle tout le monde et j'avertis le juge.

– Elle m'en veut ?

Elle haussa les épaules. Elle n'avait pas envie de répondre à la place de sa patronne. Surtout à un avocat de la défense. Mais à sa façon, elle me disait, et assez clairement, que Mme le juge n'était pas ravie.

– Scales est toujours là-bas derrière ?

– Il devrait. Je ne sais pas où est passé Joe.

Je me tournai, gagnai la table de la défense, m'y assis et attendis. La porte de l'enclos finissant par s'ouvrir, Joe Frey, l'huissier de la 124e chambre, arriva dans la salle.

– Vous avez toujours mon bonhomme ?

– Vous avez de la chance. On croyait que vous alliez nous rejouer la fille de l'air. Vous voulez le voir ?

Il me tint ouverte la porte en acier, j'entrai dans la petite pièce avec l'escalier qui permettait d'accéder à la prison du quatorzième étage et les deux portes qui donnaient sur les cellules de détention de la 124e chambre. Une de ces deux portes était munie d'un panneau en verre et réservée aux rencontres client/avocat. J'y jetai un coup d'œil et découvris Sam Scales assis à une table derrière la vitre. Il portait une combinaison orange et avait des menottes en acier aux poignets. Il n'avait pas eu droit à une libération sous caution, son dernier délit constituant une violation de la conditionnelle qu'il avait réussi à obtenir pour l'affaire du TrimSlim6. Le joli petit arrangement que je lui avais dégoté était au bord de filer au caniveau.

– Enfin ! s'écria-t-il dès que j'entrai.

– Comme si tu devais aller quelque part ! T'es prêt ?

– Comme si j'avais le choix !

Je m'assis en face de lui.

– Sam, le choix, y en a toujours un. Mais que je te réexplique la situation. Sur ce coup-là, ils te tiennent, d'accord ? Tu as été pris en train d'escroquer des gens qui voulaient aider les victimes d'un des pires désastres naturels de l'histoire du monde. Ils ont trois de tes comparses qui sont prêts à baver contre toi moyennant réduction de peine. Ils ont la liste des numéros de cartes trouvés en ta possession. Ce que je te dis là, c'est que si jamais on va au procès, tu auras droit à autant de sympathie du juge et des jurés que si t'étais un violeur d'enfant. Peut-être même moins.

— Tout ça, je le sais, mais je suis utile à la société, moi. Je pourrais instruire des gens. Ils ont qu'à me faire travailler dans une école. Dans un country-club. Qu'ils me filent la conditionnelle et j'apprendrai aux gens à quoi il faut faire gaffe.

— Mais c'est à toi qu'il faut faire gaffe, mec! T'as laissé échapper ta chance la dernière fois et, pour le ministère public, c'est leur dernière offre sur ce coup-là. Tu refuses, ils demanderont le maximum. S'il y a une chose que je peux te garantir, c'est qu'ils seront sans pitié.

Trop de mes clients sont comme lui. Ils croient qu'il y a de l'espoir derrière la porte. Et c'est à moi qu'il revient de leur dire que la porte est fermée à clé et qu'il y a longtemps que l'ampoule de l'espoir a grillé de toute façon.

— Bon, ben, va sans doute falloir que je le fasse, dit-il en me regardant avec des yeux qui me reprochaient de ne pas lui avoir trouvé une issue de secours.

— C'est toi qui vois, Sam. Tu veux aller au procès, on va au procès. Tu risques dix ans en plus de la dernière année que t'as pas faite pour ta conditionnelle. Tu les mets vraiment en colère et ils te refilent au FBI pour que les fédéraux puissent te coller une condamnation pour fraude inter-États s'ils en ont envie.

— Tu permets que je te demande quelque chose? Est-ce qu'on peut gagner si on va au procès?

Je faillis éclater de rire, mais j'avais encore de la sympathie pour lui.

— Non, Sam, on ne peut pas gagner. T'écoutes un peu ce que je te dis depuis deux mois, dis? Ils te tiennent. Tu ne peux pas gagner. Mais moi, je suis ici pour faire ce que tu veux. C'est comme je t'ai dit: si tu veux aller au procès, on va au procès. Mais il est de mon devoir de te prévenir que si on y va, il faudra que tu demandes à ta mère de me refaire un chèque. Mes services s'arrêtent aujourd'hui même.

— Elle t'a payé combien déjà?

— Huit mille dollars.

– Huit mille dollars! Mais c'est tout ce qu'elle a sur son plan d'épargne retraite!

– Je suis même surpris qu'il lui reste quoi que ce soit avec un fils comme toi.

Il me décocha un regard assassin.

– Je m'excuse, Sam. Je n'aurais pas dû dire ça. À l'entendre, tu es un bon fils.

– Putain de merde, j'aurais dû faire du droit! T'es aussi escroc que moi, tu sais, Haller? Sauf que le diplôme qu'ils t'ont filé fait de toi un escroc légal, c'est tout.

Toujours à accuser l'avocat de gagner sa vie. Ils le font tous. Comme si c'était un crime de se faire payer sa journée de travail! Ce qu'il venait de me dire m'aurait fait réagir presque violemment à l'époque où je n'avais fini mon droit que depuis un an ou deux. Là, j'avais trop entendu cette insulte pour faire autre chose que laisser filer.

– Que veux-tu que je te dise, Sam? C'est pas la première fois qu'on a cette conversation.

Il hocha la tête et garda le silence. J'en déduisis qu'il acceptait l'offre du district attorney. Quatre ans de centrale, 10 000 dollars d'amende et cinq ans de mise à l'épreuve. Il serait dehors au bout de deux ans et demi, mais cette mise à l'épreuve serait un vrai calvaire pour l'arnaqueur-né qu'il était. Quelques minutes s'étant écoulées, je me levai et quittai la salle. Je frappai à la porte et Frey me fit repasser dans le prétoire.

– On est bons, lui dis-je.

Je m'installai à ma place à la table de la défense, Frey amena Scales et le fit asseoir à côté de moi. Scales avait toujours ses menottes. Il ne me dit rien. Quelques instants plus tard, Glenn Bernasconi, le procureur de la 124ᵉ chambre, descendant de son bureau du quinzième étage, je l'informai que nous acceptions son offre.

À onze heures, le juge Judith Champagne sortit de son cabinet et gagna sa place, Frey rappelant alors tout le monde à l'ordre. Blonde aussi minuscule que séduisante, Mme le juge avait été avocate de l'accusation au moins aussi longtemps que moi je servais la défense. Vieille école jusqu'au bout des ongles, elle dirigeait sa cour comme un seigneur son fief. Parfois même elle y amenait son chien, un berger allemand qui répondait au nom de Justice. Si elle avait eu toute latitude pour faire ce qu'elle voulait de Scales, il aurait eu droit au pire. Qu'il le sache ou pas, c'était le service que je lui avais rendu : avec mon arrangement, je lui avais épargné ce supplice.

— Bonjour, lança le juge. Je suis heureuse de constater que vous avez réussi à venir… aujourd'hui, maître Haller.

— Je vous prie de m'excuser, madame le juge. J'ai été retenu par le juge Flynn au tribunal de Compton.

Je n'eus pas besoin d'en dire plus. Mme le juge savait tout ce qu'il fallait savoir sur Flynn. Comme tout le monde.

— Et le jour de la Saint-Patrick, en plus ! dit-elle.

— Oui, madame le juge.

— Je me suis laissé dire que nous avions trouvé un accord dans l'affaire du Svengali du Tsunami.

Et de regarder aussitôt la greffière.

— Marianne, dit-elle, biffez cette dernière phrase des minutes.

Puis elle reporta son regard sur les avocats.

— Je me suis laissé dire que nous avions trouvé un accord dans l'affaire Scales. Est-ce bien le cas ?

— C'est bien le cas, répondis-je. Et nous sommes prêts à accepter.

— Bien.

Bernasconi lut ou récita à moitié de mémoire toutes les dispositions légales requises pour que l'accusé puisse faire sa requête de plaider coupable. Scales renonça à ses droits et plaida coupable des charges retenues contre lui. Et ne dit rien de plus que ce qu'il fallait. Le juge accepta l'accord et le condamna en conséquence.

— Vous avez de la chance, monsieur Scales, dit-elle quand ce fut fait. Maître Bernasconi s'est montré très généreux avec vous. Je ne l'aurais pas été.

— Je vois pas trop où j'ai eu de la chance, madame le juge, lui répliqua Scales.

Frey lui tapota sur l'épaule par-derrière. Scales se leva et me regarda.

— Bon, ben, c'est tout, non ? dit-il.

— Bonne chance, Sam, lui répondis-je.

Il fut conduit à la porte en acier, la franchit et disparut derrière elle. Je ne lui avais pas serré la main.

13

Le Civic Center de Van Nuys est une longue place en béton entourée par des locaux administratifs de l'État. Ancrés à une extrémité se trouvent les services du LAPD. Sur un côté on y découvre deux tribunaux sis en face d'une bibliothèque et d'une administration municipale. Au bout de ce chenal de verre et béton se dressent une poste et un bâtiment de l'administration fédérale. C'est là, sur cette place, que je m'étais assis sur un banc près de la bibliothèque pour attendre Roulet. Il n'y avait pratiquement personne bien qu'il fît un temps splendide. Pas comme la veille où caméras, médias et autres mouches du coche se pressaient en masse autour de Robert Blake et de ses avocats, ceux-ci tentant de faire du verdict de non-culpabilité qu'ils lui avaient obtenu la preuve de son innocence.

L'après-midi était beau et calme et, d'habitude, j'aime bien être dehors. La plus grande partie de mon travail s'effectuant dans des prétoires sans fenêtres ou sur le siège arrière de ma Lincoln Town Car, j'essaie de mettre le nez dehors chaque fois que je peux. Sauf que cette fois-là je ne me réjouissais pas de la petite brise qui soufflait ni non plus ne remarquais combien l'air était frais. J'étais énervé : Roulet était en retard et ce que m'avait dit Sam Scales grandissait dans ma tête comme un cancer. Dès que je vis Roulet traverser la place, je me levai pour me porter à sa rencontre.

– Où étiez-vous passé ? lui demandai-je brutalement.

– Je vous ai dit que je viendrais dès que je pourrais. Je faisais visiter une propriété quand vous avez appelé.

– Allons faire un tour.

Je me dirigeai vers le bâtiment fédéral parce que c'était ce qu'il y avait de plus loin avant qu'on soit obligé de faire demi-tour. Je devais voir Minton, le nouveau procureur en charge du dossier, vingt-cinq minutes plus tard dans le plus ancien des deux tribunaux. Je compris que nous n'avions pas l'air d'un client et de son avocat en train de discuter leur affaire, mais bien plutôt d'un avocat et d'un agent immobilier analysant la meilleure manière de s'emparer d'un terrain. J'avais enfilé mon Hugo Boss, Roulet portant, lui, un costume marron par-dessus un pull-over à col roulé vert. Il était chaussé de souliers à petites boucles en argent.

– Y aura rien à faire visiter à Pelican Bay, repris-je.

– Ce qui signifie quoi ? Où est-ce ?

– C'est un assez joli nom pour une prison de haute sécurité où sont expédiés les gens reconnus coupables de crimes sexuels violents. Vous y serez comme chez vous avec vos souliers fins et votre pull à col roulé.

– C'est quoi, ça ? De quoi s'agit-il ?

– D'un avocat qui ne saurait représenter un client qui lui ment. Dans vingt minutes je dois voir le type qui a envie de vous expédier à Pelican Bay. J'ai besoin d'avoir tous les renseignements possibles si je veux pouvoir vous éviter d'y aller et, croyez-moi, ça n'aide pas des masses de découvrir que vous m'avez raconté des salades.

Il s'arrêta, se tourna vers moi, ouvrit les mains et les leva en l'air.

– Je ne vous ai pas menti ! s'écria-t-il. Je n'ai rien fait de tout ça. Je ne sais pas ce que veut cette femme, mais…

– Permettez que je vous pose une question, Louis. Dobbs et vous nous avez bien déclaré que vous aviez fait une année de droit à UCLA, non ? Vous y a-t-on enseigné quoi que ce soit sur le lien de confiance qui unit l'avocat à son client ?

– Je ne sais pas. Je ne me rappelle plus. Je n'y suis pas resté assez longtemps.

Je m'avançai d'un pas pour envahir son espace.

– Vous voyez ? Vous n'êtes qu'un sale menteur ! Vous n'avez jamais fait la moindre année de droit à UCLA. Vous n'y avez même pas passé un jour.

Il baissa les bras et se frappa les flancs.

– C'est donc ça, Mickey ?!

– Oui, «c'est donc ça» et on ne m'appelle pas Mickey ! Mickey, ce sont mes amis qui m'appellent comme ça. Pas les clients qui me mentent.

— Je ne vois pas très bien le rapport entre mon affaire et le fait que j'aie ou n'aie pas fait du droit il y a dix ans de ça. Je ne…

— Le rapport, c'est que si vous m'avez menti là-dessus vous pouvez très bien m'avoir menti sur autre chose et que ça, c'est pas possible si je veux pouvoir vous défendre.

J'avais parlé trop fort. Je vis deux femmes assises sur un banc nous dévisager. Elles portaient des badges de jurés sur leurs chemisiers.

— Écoutez, dit Roulet d'une petite voix, j'ai menti à cause de ma mère, d'accord ?

— Non, non, pas d'accord. Expliquez-moi.

— Écoutez… Cecil et ma mère croient que j'ai passé un an en fac et j'ai très envie qu'ils continuent de le croire. C'est lui qui a mis ça sur le tapis, j'ai donc plus ou moins acquiescé. Mais ça remonte à dix ans, tout ça ! Où est le mal ?

— Le mal est de me mentir, à moi, lui renvoyai-je. Vous pouvez mentir à votre mère, à Dobbs, à votre prêtre et à la police si vous voulez. Mais quand je vous demande quelque chose, vous ne me mentez pas. Il faut que je puisse fonctionner à partir des faits que vous me donnez. Des faits qu'on ne saurait remettre en cause. Bref, je vous pose une question, vous me répondez la vérité. Le reste du temps, vous pouvez dire tout ce que vous voulez pour vous faire plaisir.

— Bon, bon.

— Et donc, si vous n'étiez pas en fac de droit, où étiez-vous ?

Il hocha la tête.

— Nulle part. Je n'ai tout simplement rien fait pendant un an. Les trois quarts du temps, je restais dans mon appartement à lire et réfléchir à ce que je voulais vraiment faire de ma vie. La seule chose dont j'étais sûr était que je ne voulais pas devenir avocat. Cela dit sans vouloir vous vexer.

— Ça ne me vexe pas. Et donc, vous êtes resté un an à ne rien faire et vous avez fini par décider de devenir agent immobilier pour les riches.

— Non, ça, c'est venu plus tard, dit-il en partant d'un petit rire pour se rabaisser. En fait, j'avais décidé de devenir écrivain... J'avais passé une licence de littérature anglaise... et j'ai essayé d'écrire un roman. Il ne m'a pas fallu longtemps pour m'apercevoir que j'en étais incapable. Et j'ai fini par travailler pour ma mère. C'est ce qu'elle voulait.

Je me calmai. Ma colère n'avait été que de façade ou presque, de toute façon. J'essayais seulement de le préparer pour un interrogatoire plus poussé. Et pensai que là, il était prêt à le subir.

– Bon, et maintenant que vous avez rétabli la vérité et avez confessé toutes vos fautes, parlez-moi de Reggie Campo.

– Pour vous en dire quoi?

– Vous alliez bien lui filer du fric pour la baiser, non?

– Qu'est-ce qui vous fait dire que...

Je le fis taire en m'arrêtant et le prenant par un des revers de son costume de prix. Il était plus grand et plus costaud que moi, mais dans cet entretien c'était moi qui avais le pouvoir. Je le poussai.

– Répondez à ma question, bordel!

– Oui, bon, bien sûr que j'allais payer. Mais comment vous le savez?

– Parce que l'avocat que je suis n'est pas un manche. Pourquoi ne me l'avez-vous pas dit le premier jour? Vous ne voyez donc pas comment ça change tout?

– Ma mère. Je ne voulais pas qu'elle sache que je... enfin quoi, vous savez bien.

– Asseyons-nous, vous voulez?

Je le cornaquai jusqu'à un des grands bancs qui longent le commissariat de police. Il y avait beaucoup de place et personne ne pouvait nous entendre. Je m'installai au milieu du banc, il s'assit à ma droite.

– Votre mère n'était pas dans la pièce quand vous me parliez de votre affaire. Je ne pense même pas qu'elle était là quand nous avons parlé de votre année de droit!

– Peut-être, mais Cecil, lui, y était et il lui raconte tout.

Je hochai la tête et pris note de tenir Cecil complètement à l'écart du dossier.

– Bien, repris-je. Je crois comprendre. Cela dit, combien de

temps alliez-vous me laisser dans le noir avant de m'en informer ?
Vous ne voyez toujours pas comment ça change tout ?

– Je ne suis pas avocat, moi.

– Louis, lui répliquai-je. Permettez que je vous dise un peu comment ça marche. Vous savez ce que je suis ? Je suis un neutraliseur. Mon boulot, c'est de neutraliser le dossier du ministère public. De prendre chaque preuve ou élément de preuve et de trouver un moyen d'empêcher que ça vous retombe sur le nez. Pensez aux amuseurs de rue qu'on voit à la promenade des planches de Venice. Vous y êtes déjà allé ? Vous n'avez jamais vu un de ces types qui font tourner des assiettes au bout de petites baguettes ?

– Si, je crois. Ça fait longtemps que je ne suis pas allé de ce côté-là.

– Aucune importance. Le mec a donc des petites baguettes, sur chacune desquelles il dépose une assiette qu'il se met aussitôt à faire tourner pour qu'elle reste bien droite et en équilibre. Il en fait tourner des tas ensemble et passe d'assiette en assiette et de baguette en baguette pour s'assurer que tout tourne et reste en équilibre et en l'air. Vous me suivez ?

– Oui. Je comprends.

– Eh bien, ça, c'est le dossier du ministère public. Un tas de petites assiettes qui tournent en l'air. Et chacune de ces assiettes est un élément de preuve contre vous et mon boulot à moi, c'est d'empêcher qu'elles tournent et de les faire tomber si violemment par terre qu'elles se cassent et ne puissent plus resservir. Si l'assiette bleue contient le sang de la victime retrouvé sur vos mains, moi, je dois absolument trouver le moyen de la foutre par terre. Et si dans l'assiette jaune il y a un couteau avec vos empreintes, encore une fois c'est à moi de la faire dégringoler par terre. De la neutraliser. Vous me suivez ?

– Oui, je vous suis. Je…

– Et là, au milieu de toutes ces assiettes, il y en a une grosse. En fait, c'est une espèce de plat, Louis, et si ce plat dégringole, c'est tout qui dégringole avec. Toutes les petites assiettes. Tout le dossier. Et vous savez ce qu'est ce plat, Louis ?

Il fit non de la tête.

– Ce plat, c'est la victime, Louis, le témoin le plus important contre vous. Arrivons à le renverser et c'est tout le truc qui s'effondre et les badauds passent au spectacle suivant.

J'attendis un instant, pour voir s'il allait réagir. Il garda le silence.

— Louis, ça fait presque quinze jours que vous me cachez la méthode par laquelle je pourrais foutre en l'air ce plat et je me demande bien pourquoi. Pourquoi un type plein de pognon, un type qui se balade avec une Rolex au poignet, un type qui a une Porsche au parking et une maison à Holmby Hills aurait-il besoin de brandir un couteau pour pouvoir baiser une nana qui, en plus, se prostitue ? Quand tout se réduit à cette question, le dossier commence à gîter sérieusement, Louis, et c'est parce que la réponse est toute simple : il n'aurait pas besoin de ce couteau et ça, c'est le sens commun qui le dit. Et quand c'est à cette conclusion-là qu'on arrive, toutes les assiettes s'arrêtent de tourner. On voit comment ça s'est joué, on voit le piège et c'est l'accusé qui commence à prendre des airs de victime.

Je le regardai. Il acquiesça d'un signe de tête.

— On a perdu quinze jours, Louis. Le dossier de l'accusation aurait commencé à s'effondrer tout de suite et nous n'en serions pas à discuter de tout ça si vous aviez été franc avec moi.

C'est alors que je compris d'où me venait vraiment ma colère. Ce n'était pas parce que Roulet s'était pointé en retard et m'avait menti, ni parce que Sam Scales m'avait traité d'escroc légal. Non : c'était tout bêtement parce que je voyais mon pactole s'évaporer. Nous ne pourrions pas aller au procès et mes honoraires à sept chiffres me fileraient sous le nez. J'aurais de la chance si je pouvais garder mon dépôt de garantie. L'affaire prendrait fin tout de suite, dès que j'entrerais dans le bureau du district attorney et dirais tout ce que je savais à Ted Minton.

— Je vous demande de m'excuser, dit encore une fois Roulet d'un ton geignard. Je ne voulais pas tout foutre en l'air.

Je m'étais mis à regarder par terre, entre mes pieds. Sans lever la tête, je tendis la main en avant et la posai sur son épaule.

— Je suis désolé de vous avoir crié dessus, Louis.

— Qu'est-ce qu'on fait maintenant ?

— J'ai encore deux ou trois questions à vous poser sur cette soi-

rée et après, j'entre dans le bâtiment là-bas pour aller voir le procureur et lui foutre toutes ses assiettes par terre. Je ne serais pas
étonné que toute l'affaire soit finie quand je ressortirai de son
bureau et que vous soyez à nouveau libre et puissiez recommencer
à faire visiter des propriétés aux riches.

– Juste comme ça ?

– Enfin… il se peut que pour la bonne forme le district attorney ait envie d'aller voir le juge et de lui demander de prononcer
un non-lieu.

Il ouvrit grand la bouche de surprise.

– Monsieur Haller, je ne saurais vous dire combien je vous…

– Vous pouvez m'appeler Mickey. Excusez-moi pour ça aussi.

– Pas de problème. Et merci. Qu'est-ce que vous vouliez me
demander ?

Je réfléchis un instant. Je n'avais vraiment besoin de rien de plus
pour aller voir Minton. J'avais tous les atouts en main. Jusqu'à la
preuve qui libère.

– Qu'y avait-il sur le petit mot ?

– Quel petit mot ?

– Celui qu'elle vous a donné au bar de Chez Morgan.

– Ah… Il y avait son adresse et juste en dessous elle avait écrit
« 400 dollars » et « Passez après dix heures ».

– C'est même pour ça que, ce petit mot, vous ne l'avez pas
gardé, n'est-ce pas ? À cause de ce « 400 dollars »…

– C'est ça.

– Dommage qu'on ne l'ait pas. Mais je crois qu'on a quand
même ce qu'il faut.

Je hochai la tête et regardai ma montre. J'avais encore un quart
d'heure de libre avant la réunion, mais j'en avais fini avec Roulet.

– Bien, Louis, dis-je, vous pouvez y aller. Je vous appelle dès
que c'est fini.

– Vous êtes sûr ? Je peux attendre ici si vous voulez.

– Je ne sais pas combien de temps ça va prendre. Il va falloir
que je lui explique tout en détail. Et lui devra sans doute apporter
tout ça à son patron. Ça pourrait prendre du temps.

– Bon, d'accord. Je vais y aller, moi aussi. Mais vous m'appelez,
hein ?

– Bien sûr. On ira probablement voir le juge lundi ou mardi et tout sera terminé.

Il me tendit la main et je la lui serrai.

– Merci, Mick, dit-il. Vous êtes vraiment le meilleur. Je le savais bien quand je vous ai choisi.

Je le regardai retraverser la place et passer entre les deux tribunaux pour regagner le parking public.

Ouais, me dis-je à moi-même, *c'est vraiment moi le meilleur.*

C'est alors que, sentant une présence, je me retournai et vis un type s'asseoir à côté de moi. Il se retourna à son tour, me regarda et l'un et l'autre, nous nous reconnûmes en même temps. C'était Howard Kurlen, un inspecteur des Homicides de la division de Van Nuys. Nous nous étions rentrés dedans sur plusieurs affaires au fil des ans.

– Tiens, tiens, tiens! s'exclama-t-il. La fierté du barreau de Californie en personne! Vous n'étiez pas en train de parler tout seul, si?

– C'est pas impossible.

– Ça pourrait faire mal si ça s'ébruitait.

– Ça ne m'inquiète pas. Comment allez-vous, inspecteur?

Il avait commencé à déballer un sandwich qu'il avait sorti d'un sac en papier brun.

– Très occupé. Déjeuner tardif.

Il me montra un truc au beurre de cacahuète avec une couche de quelque chose en plus mais qui n'était pas de la confiture en gelée. Pas moyen d'identifier la chose. Je consultai ma montre. Il me restait encore quelques minutes avant de faire la queue pour franchir les portiques de détection des métaux à l'entrée du tribunal, mais je n'étais pas trop sûr d'avoir envie de les passer avec Kurlen et son horrible sandwich. Je songeai à balancer le verdict Blake sur le tapis histoire de faire suer le flic du LAPD qu'il était, mais ce fut lui qui m'en décocha une le premier.

– Comment va le petit Jesus? me lança-t-il.

Jesus Menendez. C'était lui qui avait enquêté sur l'affaire. Et il l'avait si bien fait que Menendez n'avait eu d'autre choix que de plaider coupable en espérant que tout se passe pour le mieux. Il avait quand même eu perpète.

– Je ne sais pas, lui répondis-je. Je ne lui parle plus.

– Ah… C'est vrai qu'une fois qu'ils plaident coupable et terminent en centrale, ils vous servent plus à grand-chose, tous ces mecs, pas? Plus moyen de faire appel, plus moyen de rien.

J'acquiesçai d'un signe de tête. Les flics sont cyniques avec les avocats de la défense. Tout se passe comme s'ils croyaient fermement que leurs actes et leurs enquêtes sont au-delà de tout soupçon et reproche. Ils ne croient pas aux vertus d'un système judiciaire fondé sur l'équilibre des pouvoirs.

– Bah, c'est comme vous, lui dis-je. On passe au suivant. Tenez, j'espère même que vous êtes très occupé à me trouver un nouveau client.

– C'est pas comme ça que je vois les choses, mais je me demandais… vous dormez bien la nuit?

– Et vous, vous savez ce que je me demandais? Je me demandais ce que c'était, cette merde que vous avez dans votre sandwich.

Il me montra bien haut ce qu'il restait de la chose.

– Beurre de cacahuète et sardines, dit-il. Des tas de bonnes protéines pour m'aider à traquer des salopards un jour de plus. Et à leur parler, en plus. Parce que vous n'avez toujours pas répondu à ma question, vous savez?

– Je dors bien, inspecteur, je dors bien. Et vous savez pourquoi? Parce que je joue un rôle important dans le système. Un rôle dont on a besoin… comme vous, d'ailleurs. C'est quand on est accusé d'un crime qu'on a l'occasion de le tester, ce système. Et quand on veut essayer, c'est vers moi qu'on se tourne. C'est la seule chose dont il s'agit. Et quand on le comprend, on n'a aucun mal à dormir.

– Joli conte de fées. J'espère que vous y croyez quand vous fermez les yeux.

– Et vous, inspecteur? lui rétorquai-je. Vous est-il jamais arrivé de poser la tête sur l'oreiller et de vous demander si vous n'auriez pas arrêté un innocent?

– Oh, no no no, me renvoya-t-il tout de suite, la bouche pleine. Ça ne m'est jamais arrivé et ça ne m'arrivera jamais.

– Ça doit être chouette d'en être aussi sûr.

– Un jour, y a un mec qui m'a dit que quand on arrive au bout du chemin faut regarder le tas de bois de la communauté et se demander si on y a ajouté quelque chose ou si on s'est contenté d'y piocher. Ben moi, Haller, j'y ajoute des bûches, à ce tas de bois. Et je dors bien la nuit. Mais vous et les gens de votre espèce, je me demande... Parce que vous, les avocats, vous ne faites qu'y piocher.

— Merci pour le sermon. J'y repenserai la prochaine fois que je fendrai du bois.

— Ça vous plaît pas? Ben, tenez: j'ai une blague pour vous. Quelle est la différence entre un avocat et un poisson-chat?

— Hummm, je ne sais pas, inspecteur.

— Y en a un qui récure la merde au fond du bassin et l'autre, c'est juste un poisson.

Sur quoi, il hurla de rire. Je me levai. C'était l'heure d'y aller.

— J'espère que vous vous brossez bien les dents quand vous avez fini de bouffer ce genre de trucs, lui lançai-je. J'aimerais pas trop être votre partenaire si vous le faites pas.

Je m'éloignai en songeant à ce qu'il venait de me dire sur le tas de bois et à ce que Sam Scales m'avait balancé sur les escrocs légaux dans mon genre. Ça tombait vraiment de tous les côtés ce jour-là.

— Merci du tuyau! cria Kurlen dans mon dos.

14

Ted Minton s'était débrouillé pour que nous discutions seuls de l'affaire Roulet en organisant notre réunion à une heure où il savait que l'adjoint au district attorney avec lequel il travaillait serait en audience au tribunal. Il me retrouva dans la zone d'attente et me conduisit à son bureau. Il n'avait pas l'air d'avoir plus de trente ans, mais sa présence disait le bonhomme qui a confiance en lui. Je devais avoir une dizaine d'années et une bonne centaine de procès de plus que lui, mais il ne montrait aucun signe de déférence, voire de simple respect. Monsieur se conduisait comme si cette réunion était un inconvénient qu'on ne pouvait éviter. Pas de problème. Ça ne sortait pas de l'ordinaire. Et me donnait du carburant supplémentaire.

Dès que nous fûmes arrivés dans son petit bureau sans fenêtres, il m'offrit le fauteuil de son associé et referma la porte. Nous nous assîmes et nous regardâmes. Je le laissai attaquer.

– Bien, dit-il. Et d'abord, j'avais très envie de vous rencontrer. Je suis comme qui dirait tout jeune dans la Valley et je n'ai pas fait la connaissance de beaucoup d'avocats de la défense. Je sais que vous faites partie de ceux qui couvrent l'ensemble du comté, mais c'est la première fois que nous nous voyons.

– Peut-être est-ce parce que vous n'avez pas encore travaillé sur des délits mineurs.

Il sourit et hocha la tête comme si je venais de marquer on ne sait trop quel point.

– Ça se pourrait bien, me répliqua-t-il. Mais bon, il faut que je vous dise : quand je faisais mon droit à Southern Cal, j'ai lu un livre sur votre père et les affaires qu'il a défendues. Je crois que ça s'intitulait: *Haller la défense!* Quelque chose comme ça. Intéressant, le bonhomme, et l'époque aussi.

Je lui renvoyai son hochement de tête.

— Il est mort avant que je le connaisse vraiment, mais il y a eu plusieurs livres sur lui et je les ai tous lus, et plus d'une fois. C'est sans doute pour ça que j'ai fini par faire ce que je fais.

— Ça n'a pas dû être simple de découvrir votre père dans des livres.

Je haussai les épaules. Je ne pensais pas que Minton et moi étions obligés de faire plus ample connaissance, surtout à la lumière de ce que j'allais lui asséner.

— Bah, ce sont des choses qui arrivent, dis-je.

— Ouais.

Il claqua une fois dans ses mains en un geste du genre «bon-allez-au-boulot».

— Et donc, reprit-il, nous sommes ici pour parler de Louis Roulet, n'est-ce pas?

— Ça se prononce «rou-lay».

— Rou-lay, pigé. Bien, voyons un peu. J'ai quelque chose pour vous.

Il fit pivoter son fauteuil pour se tourner vers son bureau. Il y prit un dossier mince, se retourna et me le tendit.

— Je veux être fair-play, dit-il. C'est tout ce que j'ai pour vous pour l'instant. Je sais que je ne suis pas obligé de vous donner ça avant la mise en accusation officielle, mais que diable, soyons cordiaux!

Mon expérience m'enseigne que dès qu'un procureur vous dit qu'il va jouer fair-play, voire mieux, il y a tout intérêt à surveiller ses arrières. Je feuilletai le dossier, mais n'y lus rien de bien précis. Celui que Levin m'avait concocté faisait au moins quatre fois son épaisseur. Que Minton ait aussi peu de choses à me communiquer ne me réjouit pas. Je le soupçonnai de me cacher des trucs. Les trois quarts des procureurs vous obligent à leur demander leurs informations des dizaines de fois, souvent jusqu'à ce qu'on doive s'en plaindre au juge. Cela dit, Minton, lui, m'avait au moins donné un dossier sans avoir l'air d'y attacher d'importance. Ou bien il lui restait encore plus de choses à apprendre sur ce genre d'affaires que je pensais ou bien il jouait à quelque chose.

– C'est tout? lui demandai-je.

– C'est tout ce que j'ai.

C'était toujours comme ça. En n'ayant pas ceci ou cela, l'adjoint au district attorney pouvait faire patienter la défense. Et je savais de source sûre, disons… pour en avoir épousé une, qu'il n'y avait rien d'extraordinaire à ce que ces messieurs et dames disent aux inspecteurs de police chargés de l'enquête de prendre tout leur temps pour constituer leur dossier. Cela leur permet de dire à la défense que bien sûr ils veulent jouer fair-play, mais que comme ils n'ont rien… C'est ainsi que les règles qui président à la remise des preuves et éléments de preuve à la partie adverse avant le procès sont souvent appelées «règles de malhonnêteté». Mais bien sûr, cela marche dans les deux sens. C'est comme ça que c'est censé fonctionner.

– Et vous voulez aller au procès avec ça?

J'agitai le dossier en l'air comme pour lui signifier que son contenu était aussi maigre que l'affaire elle-même.

– Oh, ça ne m'inquiète pas, répondit-il. Mais si vous êtes prêt à me parler arrangement à l'amiable, je vous écoute.

– Non, pas d'arrangement à l'amiable dans cette affaire. On y va à fond la caisse. Nous renonçons à l'audience préliminaire et nous allons au procès. Sans délai.

– Il refuse le droit à un procès rapide?

– Non. Vous avez soixante jours pour montrer votre jeu ou la fermer et ce, dès lundi prochain.

Il fit la moue comme si ce que je venais de lui dire ne constituait jamais qu'une petite surprise et un problème de détail. On cachait bien son jeu, mais je savais que je venais de lui en coller un bon.

– Bien, dit-il, dans ce cas il va sans doute falloir parler de la communication des preuves. Qu'est-ce que vous avez pour moi?

On avait laissé tomber les gentillesses.

– Je n'ai pas tout à fait fini, lui répondis-je, mais j'aurai tout ça pour vous dès lundi à la lecture de l'acte d'accusation. Sauf que les trois quarts de ce que j'ai doivent être dans ce que vous venez de me donner, vous ne croyez pas?

– C'est probable.

— Entre autres que la soi-disant victime est une prostituée qui a racolé mon client, n'est-ce pas ? Et qu'elle n'a pas cessé ce genre d'activité depuis notre prétendu incident, non ?

Il se peut qu'il n'ait ouvert la bouche que d'un centimètre avant de la refermer, mais l'indice était convaincant. Je venais de lui en coller un deuxième qui faisait mal. Mais il retrouva vite ses esprits.

— Il se trouve que moi aussi, je suis conscient de ses activités, me renvoya-t-il. Ce qui me surprend, c'est que vous, vous soyez au courant. J'espère que vous n'êtes pas en train de renifler les basques de ma victime, maître Haller.

— Appelez-moi Mickey. Et sachez que ce que je fais n'est que le moindre de vos soucis. Vous feriez mieux d'y regarder à deux fois, Ted. Je sais que vous êtes tout nouveau dans ce genre d'affaires et que vous n'avez aucune envie d'en sortir en grand perdant. Surtout après le fiasco de l'affaire Blake. Ce truc-là est une vraie chiennerie et risque de vous mordre sérieusement les fesses.

— Vraiment ? Et comment ça ?

Je regardai l'ordinateur posé sur son bureau derrière lui.

— Ce truc peut-il passer des DVD ?

Il se retourna vers son ordinateur, qui avait l'air passablement ancien.

— Ça devrait, dit-il. Vous avez quelque chose ?

Je me rendis alors compte que lui montrer la bande de vidéo-surveillance de Chez Morgan lui permettrait de deviner le plus gros atout que j'avais dans mon jeu, mais j'étais sûr qu'il lui suffirait de la voir pour qu'il n'y ait plus ni mise en accusation ni affaire le lundi suivant. Mon travail consistait à neutraliser son dossier et à soustraire mon client aux exigences du ministère public. Et c'était la meilleure façon d'y arriver.

— Je n'ai pas tout, mais j'ai déjà ça, lui répondis-je.

Je lui tendis le DVD que Levin m'avait confié un peu plus tôt, il le glissa dans son ordinateur.

— Ç'a été pris au bar de Chez Morgan, lui dis-je tandis qu'il essayait de faire démarrer sa machine. Vos bonshommes n'y sont pas allés... au contraire du mien. C'est la bande du dimanche soir, où l'agression est censée avoir eu lieu.

— Et, bien sûr, cet enregistrement pourrait avoir été trafiqué.

– Il pourrait, mais ce n'est pas le cas. Vous pouvez faire vérifier. Mon enquêteur a l'original et je lui dirai de le mettre à votre disposition après la mise en accusation.

Après s'être battu un peu avec son ordinateur, Minton réussit à enclencher le DVD. Il regarda sans rien dire tandis que je lui montrais la bande chrono et tous les détails que Levin m'avait signalés, jusques et y compris M. X et le fait qu'il était gaucher. C'est ainsi qu'il passa en avance rapide quand je le lui demandais et ralentit au moment où Reggie Campo abordait mon client au bar. Il avait le visage crispé tant il se concentrait. Quand ce fut fini, il éjecta le disque et le tint en l'air.

– Je peux le garder jusqu'à ce que vous me passiez l'original ?

– Je vous en prie.

Il remit le disque dans son emballage et le posa sur une pile de dossiers sur son bureau.

– Bien, dit-il. Vous avez autre chose ?

Ce fut à ma bouche de laisser entrer un rien de lumière.

– Comment ça : « Vous avez autre chose ? » Ça ne vous suffit pas ?

– Ça ne me suffit pas pour quoi faire ?

– Oh allons, Ted ! Et si on arrêtait les conneries, hein ?

– Mais faites, faites !

– De quoi s'agit-il, hein ? Ce disque vous démolit tout le dossier ! Laissons donc tomber la mise en accusation et le procès et parlons plutôt de la meilleure façon de nous retrouver au tribunal la semaine prochaine pour y présenter conjointement une demande de non-lieu au juge. Je tiens absolument à ce que ce truc ne puisse pas être rouvert sans dommages et intérêts. Pas question de réattaquer mon client si jamais quelqu'un décidait de changer d'idée.

Il sourit et hocha la tête.

– Ça ne sera pas possible, Mickey, dit-il. Cette femme a été gravement blessée. Elle a été torturée par un monstre et je n'ai aucune intention de demander un non…

– Gravement blessée, dites-vous ? Elle a fait des passes toute la semaine dernière. Vous…

– Comment le savez-vous ?

Je hochai la tête.

– Allons, mec, j'essaie de vous donner un coup de main, moi.

Je veux vous éviter la honte, et tout ce qui vous inquiète, c'est de savoir si j'ai franchi la ligne jaune avec la victime? Eh bien, que je vous dise un truc: la victime, c'est pas elle. Vous ne voyez donc pas ce qu'il y a là-dedans? Si jamais notre affaire va devant des jurés et qu'ils voient ce disque, y a toutes les assiettes qui dégringolent, Ted. Votre affaire est cuite et vous, vous devrez revenir ici et expliquer à votre boss Smithson pourquoi vous n'avez rien vu venir. Je ne le connais pas si bien que ça, mais je sais au moins une chose sur lui: il n'aime pas perdre. Et après ce qui est arrivé hier, je dirais qu'il doit être encore plus pointilleux.

– Les prostituées peuvent, elles aussi, être des victimes. Oui, même les prostituées amateurs.

Je hochai la tête. Et décidai de lui montrer ma main.

– Elle l'a piégé, lui dis-je. Elle savait qu'il avait du fric et lui a monté un traquenard. Elle veut le poursuivre en justice pour le pognon. Elle s'est cognée dessus toute seule ou alors c'est à son copain du bar, le gaucher, qu'elle a demandé de le faire. Il n'y a pas un jury au monde qui voudra croire votre histoire. Le sang sur la main et les empreintes sur le couteau… tout ça, c'est de la mise en scène après que mon client est tombé dans les pommes.

Il hocha la tête comme s'il comprenait la logique de ce que je lui disais, puis il me sortit quelque chose de totalement inattendu.

– Moi, ce qui m'inquiète, dit-il, c'est que vous tentiez d'intimider la victime en la suivant et la harcelant.

– Quoi?

– Vous connaissez la règle du jeu. Vous laissez la victime tranquille ou bien on en parle au juge.

Je hochai la tête et ouvris grand les mains.

– Dites, vous écoutez un peu ce que je vous dis?

– Oui, j'ai bien tout écouté et ça ne change rien à ma stratégie. Cela étant, je peux vous proposer quelque chose, mais cette offre ne vaudra que jusqu'à la lecture de l'acte d'accusation lundi. Après, fini les paris. Votre client risque le tout pour le tout avec le juge et le jury. Et ni vous ni votre histoire de soixante jours ne me font peur. Je serai prêt et vous attendrai de pied ferme.

J'eus l'impression d'être sous l'eau et que tout ce que je disais était enfermé dans des bulles qui dérivaient au loin. Personne ne m'entendait correctement. Jusqu'au moment où je me rendis compte que j'étais en train de rater quelque chose. Quelque chose d'important. Que Minton soit un bleu ne changeait rien à l'affaire : il n'était pas idiot et j'avais commis l'erreur de croire qu'il jouait au con. Les services du district attorney de Los Angeles recrutaient les meilleurs avocats du pays. Minton avait parlé de la fac de droit de Southern Cal et je savais qu'il en sortait des juristes de premier plan. Seule leur manquait l'expérience. Minton n'en avait peut-être pas beaucoup, mais cela ne signifiait pas qu'il ne comprît rien au droit. C'était moi, et pas Minton, que je devais revoir de ce côté-là.

– J'ai raté quelque chose ? lui demandai-je.

– Je ne sais pas. Le gros costaud de la défense, c'est vous. Qu'auriez-vous donc pu rater ?

Je le dévisageai un instant – et compris. Il y avait un hic dans la communication des éléments de preuves. Il y avait quelque chose dans la maigre chemise qu'il m'avait remise, quelque chose qui ne figurait pas dans le gros dossier que Levin m'avait préparé. Quelque chose qui permettrait à l'accusation de passer outre au fait que Reggie Campo se prostituait. Et Minton me l'avait soufflé : *Les prostituées peuvent, elles aussi, être des victimes.*

J'eus envie de tout arrêter pour aller voir dans son dossier et comparer avec ce que je savais. Mais je ne pouvais pas le faire devant lui.

– Bien, dis-je. Qu'est-ce que vous proposez ? Il refusera, mais je lui transmettrai votre offre.

– Évidemment, il faudra qu'il fasse de la prison. Ça va sans dire. Mais nous sommes prêts à tout ramener à un coups et blessures corporelles aggravés avec tentative de violences sexuelles. Nous demanderons une peine dans la moyenne, soit environ sept ans.

Je haussai les épaules.

– Je vais le lui dire.

– N'oubliez pas : ça n'est valable que jusqu'à la mise en accusation formelle. Ce qui fait que si ça lui va, il vaudrait mieux qu'il m'appelle dès lundi à la première heure.

– D'accord.

Je refermai ma mallette et me levai pour partir. Je songeai que Roulet devait attendre le coup de fil par lequel je lui dirais que le cauchemar était terminé. Au lieu de ça, j'allais devoir lui parler d'une offre de sept ans de taule.

Minton et moi nous serrâmes la main, puis je promis de le rappeler et sortis. Et dans le couloir qui conduisait à la zone d'attente, je tombai sur Maggie McPherson.

— Hayley s'est vraiment bien amusée samedi ! me lança-t-elle en parlant de notre fille. Elle n'arrête pas d'en parler. Elle dit même que tu dois la voir ce week-end.

— Oui, si c'est possible, lui renvoyai-je.

— Ça va ? T'as l'air dans le cirage.

— La semaine commence à être longue. Je suis bien content de ne rien avoir demain. Qu'est-ce qui ira le mieux pour Hayley ? Samedi ou dimanche ?

— L'un ou l'autre. C'est Ted que tu viens de rencontrer pour l'affaire Roulet ?

— Oui. J'ai eu son offre.

Je soulevai ma mallette pour lui montrer que j'emportai la proposition du district attorney avec moi.

— Mais maintenant, va falloir que je la fasse accepter à Roulet. Ça va pas être facile. Il prétend n'avoir rien fait.

— Je croyais qu'ils disaient tous ça ?

— Oui, mais pas comme lui.

— Ben… bonne chance.

— Merci.

Nous repartions chacun de notre côté dans le couloir lorsque, quelque chose me revenant, je la rappelai.

— Hé ! Joyeuse Saint-Patrick !

— Oh.

Elle se retourna et revint vers moi.

— Stacey doit rester quelques heures de plus avec Hayley et un petit groupe d'entre nous a décidé d'aller faire un tour au Four Green Fields[1] après le boulot. Tu as envie de boire une pinte de bière verte ?

Le Four Green Fields était un pub irlandais situé pas très loin du centre administratif et fréquenté par des avocats des deux côtés

---

1. Soit « Les Quatre Champs verts » (NdT).

de la barrière. Les rancœurs avaient tendance à s'émousser devant une chope de Guinness à température ambiante.

– Je ne sais pas, lui répondis-je. Il y a des chances que je sois obligé de repasser de l'autre côté de la colline pour voir mon client, mais on ne sait jamais. Il se pourrait que je revienne.

– Je n'ai que jusqu'à huit heures. Après, il faudra que je rentre prendre la relève de Stacey.

– D'accord.

Nous nous séparâmes à nouveau et je quittai le tribunal. Le banc sur lequel je m'étais assis avec Roulet, puis avec Kurlen, était vide. Je m'y rassis, ouvris ma mallette, en sortis le dossier que Minton m'avait confié et feuilletai des rapports dont j'avais déjà pris connaissance grâce aux photocopies de Levin. Je n'avais pas l'impression d'y trouver quoi que ce soit de nouveau lorsque je tombai sur les résultats d'une analyse d'empreintes qui me confirma ce que je soupçonnais depuis le début : les empreintes sanglantes retrouvées sur le couteau étaient bien celles de mon client, Louis Roulet.

Ce qui ne suffisait quand même pas à expliquer la conduite de Minton. Je continuai de chercher et trouvai dans le rapport d'analyse de l'arme. Celui que Levin m'avait donné était entièrement différent – à croire qu'il s'agissait d'une autre arme et d'une autre affaire. Je le lus rapidement et sentis la sueur me monter dans les cheveux. Je m'étais fait piéger. Non seulement je m'étais couvert de honte devant Minton, mais je lui avais aussi donné une idée de mon atout maître. Il avait la vidéo de Chez Morgan et tout le temps qu'il fallait pour se préparer à me contrer devant la cour.

Je finis par refermer violemment ma mallette et sortis mon portable. Levin me répondit au bout de deux sonneries.

– Comment ça s'est passé ? me demanda-t-il. On a tous droit à un petit bonus ?

– Pas vraiment, non. Tu sais où est le bureau de Roulet ?

– Oui. Crescent Drive, à Beverly Hills.

– On s'y retrouve.

– Tout de suite ?

– J'y serai dans une demi-heure.

J'appuyai sur la touche « fin d'appel » pour couper court à toute discussion et appelai Earl sur la touche d'appel rapide. Il devait avoir les écouteurs de son iPod dans les oreilles car il ne décrocha qu'à la septième sonnerie.

— Venez me chercher, lui dis-je. On repasse de l'autre côté de la colline.

Je refermai le téléphone et me levai du banc. Puis je me dirigeai vers le passage entre les deux tribunaux et l'endroit où Earl viendrait me prendre et sentis monter ma colère. J'en voulais à Roulet, à Levin et, plus que tout, à moi-même. Cela dit, il y avait un côté positif et j'en étais conscient. S'il y avait quelque chose d'absolument certain maintenant, c'était que le pactole et le grand jour de paie qui l'accompagnait étaient de retour. On irait jusqu'au procès, à moins que Roulet décide d'accepter l'offre du ministère public. Et là, les chances que ça arrive étaient à peu près les mêmes que de voir la neige à Los Angeles. Ça n'était pas impossible, mais je n'y croirais que lorsque je le verrais.

15

Lorsqu'ils veulent mettre de petites fortunes dans leurs vêtements et leurs bijoux, les riches de Beverly Hills vont à Rodeo Drive. Lorsqu'ils veulent mettre encore plus d'argent dans des maisons et des appartements en copropriété, ils font quelques rues de plus et arrivent dans Crescent Drive, où se nichent des agences immobilières de haut vol qui n'hésitent pas à présenter leurs offres à plusieurs millions de dollars à l'aide de photos exposées dans de véritables galeries d'art ou sur des chevalets dorés comme s'il s'agissait de tableaux de Picasso ou de Van Gogh. C'est là que je trouvai la Windsor Residential Estate et M. Louis Roulet en cet après-midi de jeudi.

Lorsque j'y arrivai, Raul Levin m'attendait déjà… et pas qu'un peu. On l'avait laissé dans la galerie avec une bouteille d'eau pendant que Louis passait des coups de fil dans son bureau privé. La réceptionniste (une blonde un peu trop bronzée avec une coupe de cheveux qui lui retombait sur un côté de la figure comme la lame d'une faux) m'informa qu'il n'en avait plus que pour quelques minutes avant que nous puissions entrer. J'acquiesçai d'un signe de tête et m'écartai de son bureau.

– Tu veux bien me dire ce qui se passe ? me lança Levin.

– Oui. Dès que nous serons là-dedans avec lui.

La galerie s'ornait des deux côtés de filins en acier qui allaient du plafond jusque par terre et sur lesquels étaient montés des tirages 18 × 24 montrant les biens disponibles et donnant leurs caractéristiques. En faisant semblant d'étudier ces rangées de maisons que je n'aurais même jamais pu seulement rêver d'acquérir en cent ans, je me dirigeai vers le couloir du fond, qui conduisait aux bureaux.

J'y remarquai une porte ouverte et entendis la voix de Roulet. J'eus l'impression qu'il se préparait à faire visiter un manoir de Mulholland Drive à un client qui tenait à ce que son identité ne soit pas révélée. Je me retournai et jetai un coup d'œil à Levin qui se trouvait encore à l'entrée de la galerie.

— Des conneries, tout ça! lui lançai-je et je lui fis signe de venir.

Je continuai jusqu'au bout du couloir et entrai dans le luxueux bureau de Roulet. J'y découvris, comme de bien entendu, un bureau couvert de documents et d'épais catalogues de propriétés à vendre. Mais pas de Roulet. En fait, celui-ci se trouvait à droite du bureau et, vautré sur un canapé, jacassait au téléphone, une cigarette à la main. Il eut l'air si choqué de me voir que je me demandai si la réceptionniste avait oublié de l'avertir qu'il avait de la visite.

Levin entra dans le bureau sur mes talons, suivi par une réceptionniste dont la faux de cheveux se balançait d'avant en arrière tandis qu'elle se dépêchait de nous rattraper. J'eus même peur qu'elle ne lui tranche le nez d'un seul coup d'un seul.

— Monsieur Roulet! s'écria-t-elle. Je suis vraiment désolée. Ces messieurs sont allés au fond et...

— Lisa, dit Roulet dans l'appareil, il faut que j'y aille. Je te rappelle.

Il remit le téléphone sur sa fourche, sur la table basse en verre.

— Ne vous inquiétez pas, Robin, reprit-il. Vous pouvez nous laisser.

Sur quoi il lui fit signe de filer du revers de la main. Robin me regarda comme si j'étais un champ de blé qu'elle avait très envie de faucher avec sa lame blonde, puis elle quitta la pièce. Je refermai la porte derrière elle et me retournai vers Roulet.

— Qu'est-ce qui s'est passé? me demanda-t-il. C'est fini?

— On en est loin, lui répondis-je.

J'avais emporté le dossier de l'accusation avec moi, le rapport d'analyse de l'arme se trouvant en plein milieu. J'avançai d'un pas et le laissai tomber sur la table basse.

— Je n'ai réussi qu'à me ridiculiser dans le bureau du district attorney, enchaînai-je. Le dossier contre vous tient toujours aussi bien et il est fort probable que nous allions jusqu'au procès.

– Je ne comprends pas. Vous ne m'aviez pas dit que vous alliez lui faire un deuxième trou du cul ?

– Il se trouve que le seul trou du cul de l'affaire, c'était moi. Parce que, une fois de plus, vous ne m'avez pas mis au courant.

Puis je me tournai vers Levin et ajoutai :

– Et parce que toi, tu as réussi à nous faire piéger.

Roulet ouvrit le dossier. Sur la première page se trouvait la photo en couleurs d'un couteau dont le manche noir et la pointe de la lame étaient tachés de sang. Ce n'était pas celui qu'on voyait sur la photocopie du document que Levin avait obtenu de sa source policière et qu'il nous avait montré lors de la réunion dans le bureau de Dobbs le premier jour.

– Qu'est-ce que c'est que ce truc de merde ? s'écria Levin en baissant les yeux sur la photo.

– Ça ? C'est un couteau. Le vrai, lui renvoyai-je, celui que Roulet avait sur lui quand il est monté à l'appartement de Reggie Campo. Celui avec le sang de la victime, celui avec les initiales de M. Roulet.

Levin s'assit sur le canapé, le plus loin possible de Roulet. Je restai debout, ils levèrent tous les deux la tête pour me regarder. Je commençai par Levin.

– Je suis allé voir le district attorney pour lui botter les fesses et c'est lui qui a fini par me botter le cul avec ce truc. Qui était ta source, Raul ? Parce qu'il t'a filé une mauvaise carte.

– Minute, attends une minute. Ce n'est pas…

– Non, Raul, c'est toi qui vas attendre une minute. Le rapport où l'on racontait qu'il était impossible de retrouver le propriétaire du couteau était bidon. Il a été mis dans ton dossier pour nous baiser la gueule. Et ça a marché à la perfection parce que moi, je déboule dans son bureau en me disant que je ne peux pas perdre, même que je lui file la vidéo de surveillance de Chez Morgan ! Et que je m'amuse à la lui balader sous le nez comme si c'était mon atout maître. Sauf que ça l'était pas, bordel !

– C'est le coursier, dit Levin.

– Quoi ?

– Le coursier. Celui qui apporte les rapports des bureaux de la police à ceux du district attorney. Je lui dis les dossiers qui m'intéressent et il m'en fait faire des copies.

– Ben, faut croire qu'ils l'avaient à l'œil et ça a parfaitement fonctionné. Tu ferais mieux de l'appeler et de lui dire que s'il a besoin d'un bon avocat de la défense au criminel, je suis pas disponible.

Je m'aperçus que je faisais les cent pas devant le canapé où ils étaient assis, mais ne m'arrêtai pas.

– Et vous aussi, Roulet! Maintenant que j'ai le vrai rapport d'expertise sur l'arme du crime, je me rends compte que non seulement ce couteau est d'un modèle fait sur mesure, mais que c'est bien le vôtre puisqu'on y voit vos initiales, bordel de merde! Vous m'avez menti encore un coup!

– Non, je ne vous ai pas menti! me hurla-t-il en retour. Je vous ai dit que ce n'était pas mon couteau. Je l'ai dit deux fois, mais personne ne veut m'écouter.

– Si c'est ça, vous auriez dû être plus clair. Vous contenter de dire que ce n'était pas votre couteau était aussi peu crédible que de dire que ce n'est pas vous qui avez bousillé cette fille. Vous auriez dû dire: «Hé, Mick, il y a peut-être un problème avec le couteau parce qu'un couteau, j'en avais bien un, mais ce n'est pas celui qu'on voit sur la photo.» Qu'est-ce que vous vous imaginiez? Que ça allait disparaître tout seul?

– Un peu moins fort, je vous prie! protesta-t-il. Il y a peut-être des clients de l'autre côté de la porte.

– Je m'en fous! Ils peuvent aller se faire voir! Des clients, vous n'en aurez pas besoin là où vous allez finir. Vous ne comprenez donc pas que ce couteau fout en l'air tout ce que nous avions pour nous? Vous emportez une arme pour aller voir une pute? Parce que ce couteau, personne ne l'a mis là pour vous accuser. Ce couteau vous appartient, à vous! Et ça, ça veut dire qu'on ne peut plus parler de piège. Comment voulez-vous qu'on fasse croire à quiconque qu'elle vous a piégé avec un procureur qui, lui, pourra prouver que vous aviez ce couteau sur vous quand vous avez franchi la porte de son appartement?

Il ne répondit pas, mais c'est vrai que je ne lui en laissai pas le temps.

– Ce crime, vous l'avez bel et bien commis et ils vous tiennent! repris-je en le montrant du doigt. Y a pas à s'étonner qu'ils ne se soient même pas donné la peine d'aller enquêter au bar. Comme si c'était nécessaire alors qu'ils ont et votre couteau et vos empreintes sanglantes dessus!

– Je n'ai rien fait de tout ça! s'écria-t-il. C'est un piège! Je vous le dis! C'était...

– Et qui c'est qui crie maintenant, hein? Écoutez... je me fous de ce que vous pouvez me raconter. Moi, je ne peux pas fonctionner avec un client qui n'est pas réglo, un client qui ne voit pas l'intérêt de dire tout ce qui se passe à son avocat. Bref, le district attorney vous fait une offre et vous feriez peut-être bien de l'accepter.

Il se redressa d'un bond et s'empara du paquet de cigarettes sur la table. Puis il en prit une, mais ne l'alluma pas.

– Pas question de plaider coupable pour quelque chose que je n'ai pas fait, dit-il, brusquement très calme.

– Sept ans. De fait, vous sortirez dans quatre. Vous avez jusqu'à lundi pour vous décider, après, c'est fini. Réfléchissez-y et faites-moi savoir ce que vous voulez.

– C'est non. Je n'ai pas fait ce dont on m'accuse et si vous ne voulez pas aller au procès avec moi, je me trouverai un autre avocat qui, lui, le fera.

Levin tenait le dossier dans sa main. Je me penchai en avant et le lui arrachai grossièrement pour lui lire le rapport d'analyse sur l'arme du crime.

– Vous n'avez pas fait ça?! lançai-je à Roulet. Bon, alors... ça vous gênerait de me dire pourquoi vous êtes allé voir cette pute avec un couteau Black Ninja façonné sur commande, avec cran d'arrêt, lame de douze centimètres et vos initiales gravées dessus et pas que d'un côté, non... des deux?!

J'avais fini de lire les conclusions du rapport, je relançai ce dernier à Levin. Il lui passa entre les mains et alla s'écraser sur sa poitrine.

– Parce que je l'ai toujours sur moi!

Roulet avait répondu avec une telle violence que ce fut aussitôt le calme dans la pièce. J'y fis encore un aller-retour, puis le dévisageai.

– Parce que vous l'avez toujours sur vous, répétai-je et ce n'était pas une question.

– Voilà. Je suis agent immobilier. Je conduis des voitures de prix. Je porte des bijoux qui valent cher. Et je me retrouve souvent avec des inconnus dans des maisons vides.

Encore une fois il me donnait à réfléchir. Aussi exaspéré que je fusse, je savais quand même reconnaître un espoir quand j'en voyais la lueur. Levin se pencha en avant et regarda Roulet, puis moi. Cette lueur, lui aussi l'avait vue.

– Qu'est-ce que vous racontez! C'est à des gens riches que vous vendez vos maisons!

– Et comment savez-vous qu'ils le sont quand ils vous passent un coup de fil pour vous dire qu'ils veulent voir un bien, hein?

Soudain perplexe, je m'étirai les doigts un bon coup.

– Vous n'avez pas un système pour vérifier?

– Bien sûr que si. On peut vérifier s'ils ont de quoi à la banque et demander des références. Mais pour finir, ça se réduit toujours à ce qu'ils veulent bien nous donner et ces gens-là ne sont pas du genre à attendre. Quand ils veulent voir une propriété, ils veulent la voir. Ce ne sont pas les agents immobiliers qui manquent. On ne se bouge pas assez vite, c'est quelqu'un d'autre qui le fait.

Je hochai la tête. La lueur d'espoir grandissait. Il y avait peut-être quelque chose sur quoi travailler.

– Des meurtres d'agents immobiliers, il y en a eu au fil des ans, vous savez? reprit-il. Nous savons tous qu'il y a du danger à aller seul dans certains de ces endroits. Pendant un moment, y a même eu un type qu'on appelait le «Violeur de l'immobilier». Il attaquait des agents femmes et les violait dans des maisons vides. Ma mère…

Il n'acheva pas sa phrase. J'attendis. Rien.

– Quoi votre mère?

Il hésita avant de répondre.

– Un jour, elle faisait visiter une maison, elle était seule et croyait être en sûreté parce que c'était à Bel-Air. Et le type l'a violée. Et l'a laissée attachée. C'est en voyant qu'elle ne revenait pas au bureau que j'y suis allé. Et l'ai trouvée.

Il revoyait l'instant.

– Ça remonte à quand? demandai-je.

– Environ quatre ans. Elle a arrêté de vendre après ça. Elle s'est installée au bureau et n'a plus jamais rien fait visiter. C'est moi qui m'y suis mis. Et c'est pour ça et à ce moment-là que je me suis procuré mon couteau. Ça fait cinq ans que je l'ai. Et il était dans ma poche quand je suis monté à l'appartement. Je n'y pensais même pas.

Je me laissai tomber dans le fauteuil en face du canapé. Je m'étais mis à réfléchir et commençais à voir comment ça pouvait marcher. Encore une fois, c'était une ligne de défense qui se fondait sur une coïncidence. Campo l'avait piégé, le piège qu'elle lui avait tendu devenant encore meilleur lorsque, pure coïncidence, elle avait trouvé ce couteau sur lui après l'avoir assommé. Ça pouvait marcher.

– Votre mère a-t-elle déposé plainte auprès de la police? demanda Levin.

Roulet hocha la tête.

– Non, elle était bien trop gênée pour ça. Elle avait peur qu'on en parle dans les journaux.

– Quelqu'un d'autre qui serait au courant? demandai-je à mon tour.

– Euh, moi… et Cecil, j'en suis sûr. Personne d'autre, y a des chances. Et vous ne pourrez pas vous en servir. Elle…

– Je ne m'en servirai pas sans sa permission, lui répondis-je. Mais ça pourrait être important. Je vais lui en parler.

– Non, je ne veux pas que vous…

– C'est votre vie et votre façon de la gagner qui sont en jeu, Louis. Vous terminez en prison et vous ne vous en sortirez pas. Ne vous inquiétez pas pour votre mère. Une mère fait toujours ce qu'il faut pour protéger son enfant.

Il baissa les yeux et hocha la tête. Et alluma la cigarette qu'il tenait entre ses doigts.

– Je ne sais pas…

J'exhalai et tentai de me détendre complètement en le faisant. Il n'était pas impossible qu'un désastre ait été évité.

– Mais moi si, dis-je. Je retourne voir le district attorney pour lui annoncer qu'on laisse tomber son offre. On va au procès et on tente notre chance.

16

Les mauvais coups ne cessaient de pleuvoir. La deuxième catastrophe me tomba dessus après que j'eus déposé Earl au parking de la gare de banlieue où il garait sa voiture tous les matins et que j'eus ramené la Lincoln au Four Green Fields de Van Nuys. L'établissement, un bar en retrait de Victory Boulevard – c'était peut-être pour ça que les avocats l'aimaient bien –, était équipé d'un comptoir sur le côté gauche et d'une rangée de box en bois couturés d'entailles sur la droite. Il était plein comme seul peut l'être un pub un soir de Saint-Patrick. Pour moi, il devait y avoir encore plus de monde que les années précédentes parce que, la fête des buveurs tombant un jeudi, beaucoup se préparaient à un long week-end. Je m'étais pour ma part assuré que je n'avais rien le vendredi. Je me débrouille toujours pour ne rien avoir le lendemain de la Saint-Patrick.

Je commençais à me faufiler difficilement dans la masse des buveurs afin d'y trouver Maggie McPherson lorsque le *Danny Boy* de rigueur se mit à hurler dans un juke-box, quelque part au fond de la salle. Mais c'en était une version punk-rock du début des années 80 et d'une telle violence que j'avais peu de chances d'entendre quoi que ce soit lorsque, tombant sur des visages connus, je disais bonjour et demandais si on n'avait pas vu mon ex. Tous les petits bouts de conversation que je saisissais ici et là en avançant semblaient tourner autour de Robert Blake et du verdict ahurissant prononcé la veille.

C'est là, dans la foule, que je trouvai Robert Gillen. Le caméraman glissa la main dans sa poche, en sortit quatre billets de cent bien craquants et me les tendit. Ils devaient faire partie des dix que je lui avais donnés quinze jours plus tôt au tribunal de Van Nuys alors que j'essayais d'impressionner Cecil Dobbs avec mes talents de manipulateur des médias. Pur profit que ces quatre cents dollars.

– Je me disais bien que je risquais de te trouver ici! me hurlat-il à l'oreille.

– Merci, Sticks. Ça servira à régler une partie de ma note.

Il rit. Toujours à la recherche de mon ex, je regardai derrière lui.

– Quand tu veux, mec, dit-il.

Il me donna une grande tape sur l'épaule au moment où je me serrais contre lui pour passer. Enfin je trouvai Maggie, tout au fond de la salle, dans le dernier box. Elle s'y était installée avec six autres femmes, toutes procureurs ou secrétaires dans les bureaux de Van Nuys. J'en connaissais trois ou quatre, au moins de vue, mais tout cela restait bizarre dans la mesure où je devais rester debout et hurler par-dessus la musique et les consommateurs. Sans parler du fait que les procureurs du lot me prenaient pour un associé du diable. Elles avaient deux pichets de Guinness sur la table, dont un encore plein. Mais mes chances de fendre la foule pour arriver au bar et m'y faire servir étaient négligeables. Ce triste état de choses ne lui échappant pas, Maggie me proposa de partager son verre avec elle.

– Pas de problème! me cria-t-elle. On a déjà échangé de la bave avant!

Je souris et compris que les deux pichets qui se trouvaient sur la table n'étaient pas les premiers à y avoir atterri. J'avalai une bonne gorgée de liquide et oui, c'était bon. La Guinness a toujours le don de me recentrer comme il faut.

Maggie avait pris place au milieu, sur le côté gauche du box, entre deux jeunes procureurs que, je le savais, elle avait pris sous son aile. Au bureau de Van Nuys, bon nombre de jeunes procureurs femmes gravitaient autour de mon ex parce que le patron du service, Smithson, s'entourait, lui, d'avocats du genre Minton.

Toujours debout à côté du box, je levai le verre en son honneur, mais comme c'était le sien elle ne put pas répondre à mon toast. Elle se pencha en avant et souleva le pichet.

– Santé!

Elle n'alla quand même pas jusqu'à boire à même le pichet. Elle le reposa et murmura quelque chose à la femme qui se trouvait à l'extrémité du box. Celle-ci se leva pour la laisser passer. Maggie se leva, m'embrassa sur la joue et me cria :

– Les nanas ont toujours moins de mal à obtenir un verre dans ce genre de situation.

– Surtout quand elles sont belles, lui renvoyai-je.

Elle me décocha un regard dont elle a le secret et se tourna vers la masse de gens qui, sur cinq rangs, nous interdisaient l'accès au bar. Puis elle poussa un sifflement suraigu, qui attira l'attention d'un des Irlandais pur sang qui s'activaient aux manettes et pouvaient vous dessiner une harpe, un ange ou une femme à poil dans le faux col de votre verre.

– Il me faut un verre d'une pinte ! hurla-t-elle.

Le barman fut obligé de lire ce qu'elle disait sur ses lèvres. Puis, tel un ado qu'on se passe au-dessus de la foule à un concert de Pearl Jam, un verre tout propre nous arriva de main en main. Maggie le remplit avec le pichet posé au bord de la table, enfin nous pûmes trinquer.

– Alors, dit-elle, tu te sens un peu mieux que quand je t'ai vu tout à l'heure ?

J'acquiesçai d'un hochement de tête.

– Un peu, oui.

– Minton t'a coincé comme il faut ?

J'acquiesçai d'un deuxième hochement de tête.

– Oui, dis-je, lui et les flics.

– Avec Corliss, c'est ça ? Je leur ai pourtant dit que ce mec racontait que des conneries. Comme tous les autres.

Je ne répondis pas et fis tout ce que je pouvais pour ne pas lui donner l'impression que ce qu'elle venait de dire me prenait au dépourvu et lui faire croire que ce Corliss ne m'était pas inconnu. Je bus longuement et lentement dans mon verre.

– Ah, peut-être que j'aurais pas dû dire ça, reprit-elle. Mais ce que je pense n'a guère d'importance. Si Minton est assez con pour se servir de ce mec, tu pourras lui arracher la tête sans problème.

J'en déduisis qu'elle devait parler d'un témoin. Sauf que je n'avais rien vu dans le dossier de Minton sur un quelconque Corliss. Que ce soit un témoin en qui Maggie n'avait pas confiance me fit aussi penser qu'il devait s'agir d'un indic. Voire d'un mouton.

— Comment se fait-il que tu sois au courant pour ce type? finis-je par lui demander. C'est Minton qui t'a parlé de lui?

— Non, c'est moi qui le lui ai envoyé. Ce que je pense de ce qu'il a dit n'a pas d'importance, il était de mon devoir de l'envoyer au bon procureur et à Minton de voir ce qu'il valait.

— Mais... pourquoi est-il venu te voir, toi?

Elle me regarda en plissant le front: la réponse était évidente.

— Parce que c'est moi qui me suis occupée de la première comparution. Il était dans l'enclos. Il croyait que l'affaire était toujours à moi.

Enfin je comprenais. Corliss dans les C. Roulet n'était pas passé dans l'ordre alphabétique et avait été appelé le premier. Corliss devait donc se trouver dans le groupe de détenus qu'on avait amenés au tribunal avec lui. Il nous avait vus, Maggie et moi, nous battre sur la caution de Roulet et en avait déduit que Maggie était toujours chargée de l'affaire. Il avait dû l'appeler pour cafter.

— Quand t'a-t-il appelée?

— Je t'en ai déjà trop dit, Haller. Je ne...

— Dis-moi seulement quand il t'a appelée. L'audience ayant eu lieu lundi, ç'a dû être plus tard dans la journée, non?

L'affaire n'ayant été rapportée ni dans les journaux ni à la télé, j'étais curieux de savoir où Corliss avait bien pu trouver le renseignement qu'il voulait faire passer à l'accusation. Je devais tenir pour acquis que ce renseignement ne venait pas de Roulet. J'étais sûr de lui avoir foutu assez les jetons pour qu'il la ferme. Sans les médias, Corliss n'avait eu accès qu'aux renseignements qu'il avait glanés à l'audience quand, les charges étant lues, Maggie et moi avions débattu de la caution.

Mais cela suffisait, je le comprenais. Maggie avait donné pas mal de détails sur les blessures de Regina Campo afin d'impressionner le juge et de l'amener à interdire toute possibilité de caution. S'il s'était trouvé dans la salle, Corliss avait eu droit à tous les détails dont il pouvait avoir besoin pour concocter de prétendus aveux de mon client. Y ajouter sa proximité avec Roulet et cela nous donnait un beau mouton.

— Oui, il m'a appelée lundi, plus tard, finit-elle par me répondre.

— Bon mais pourquoi, toi, tu t'es dit qu'il racontait des conneries ? C'est pas la première fois qu'il cafte, c'est ça ? C'est un pro ?

J'allais à la pêche et elle le savait. Elle hocha la tête.

– Je suis sûre que tu trouveras tout ce dont tu as besoin à la remise des preuves. On pourrait pas juste avoir une petite pinte de Guinness amicale, hein ? Il faut que je m'en aille dans une heure.

J'acquiesçai de la tête, mais je voulais en savoir davantage.

– Que je te dise… Tu m'as l'air d'avoir assez bu de Guinness pour la Saint-Patrick. Qu'est-ce que tu dirais qu'on aille manger un morceau quelque part ?

– Pourquoi ? Pour que tu puisses continuer à me tirer les vers du nez sur ton affaire ?

– Non, pour qu'on puisse parler de notre fille.

Elle plissa les paupières.

– Y a quelque chose qui ne va pas ?

– Pas que je sache, non. Mais je veux te parler d'elle.

– Où m'emmènes-tu dîner ?

Je mentionnai un restaurant italien plutôt cher de Ventura Boulevard, du côté de Sherman Oaks, et ses yeux se firent plus doux. C'était un endroit où nous étions allés fêter des anniversaires de mariage et le jour où elle était tombée enceinte. Notre appartement, qu'elle avait encore, se trouvait à quelques rues de là, dans Dickens Street.

– Tu crois qu'on pourrait y manger en une heure ? me demanda-t-elle.

– Si on s'en va tout de suite et qu'on commande à l'aveugle…

– Ça marche. Donne-moi le temps de dire vite au revoir.

– C'est moi qui conduis.

Et c'était ce qu'il fallait, madame étant plutôt vacillante sur ses pattes. Nous fûmes obligés d'avancer hanche contre hanche et je l'aidai à monter dans la voiture.

Je pris l'autoroute de Van Nuys direction sud, jusqu'à Ventura. Au bout d'un moment, Maggie fouilla sous ses jambes et trouva un étui de CD sur lequel elle était assise de manière inconfortable. C'était un CD d'Earl. Un de ceux qu'il écoutait avec la platine de l'autoradio quand j'étais au tribunal. Ça lui économisait les piles de son iPod. C'était un CD d'un certain Ludacris, un chanteur sud crade.

— Maintenant je comprends pourquoi j'étais si mal, me lança-t-elle. C'est ces trucs-là que t'écoutes quand tu vas d'un tribunal à l'autre?

— En fait, non. C'est à Earl. Depuis un moment, c'est lui qui conduit. Ludacris n'est pas vraiment mon genre. Je suis plus vieille école. Tupac, Dre, enfin… tu vois.

Elle se marra parce qu'elle croyait que je plaisantais. Quelques instants plus tard nous roulions dans l'allée étroite qui conduit à la porte du restaurant. Un voiturier ayant pris la Lincoln, nous entrâmes. L'hôtesse nous reconnut et fit comme si à peine quinze jours-trois semaines s'étaient écoulés depuis la dernière fois que nous étions passés. La vérité était, bien sûr, que l'un comme l'autre, nous étions probablement venus, mais avec quelqu'un d'autre.

Je commandai une bouteille de Singe Shiraz et nous demandâmes tous les deux des pâtes, sans regarder le menu. Nous laissâmes tomber les salades et les entrées et dîmes au garçon d'apporter le plat tout de suite. Dès qu'il fut parti, je consultai ma montre : il nous restait trois quarts d'heure. Plus qu'il n'en fallait.

La Guinness commençait à rattraper Maggie. Elle avait un sourire tout cassé qui me disait qu'elle était saoule. Superbement saoule. Elle n'était jamais méchante quand elle avait bu un coup de trop. Au contraire. C'était même probablement pour ça que nous avions fini par avoir un enfant ensemble.

— Tu devrais peut-être oublier le vin, lui dis-je. Sinon, tu vas te taper un sacré mal de tête demain matin.

— T'inquiète pas pour moi. Je prendrai ce que je veux et je toucherai pas à ce que je veux pas.

Elle me sourit, je lui renvoyai son sourire.

— Bon alors, comment tu vas, Haller? me demanda-t-elle. Non, vraiment.

— Bien. Et toi? lui répondis-je. Non, vraiment.

— Jamais été aussi bien. T'as réussi à oublier Lorna?

— Oui. Même qu'on est amis.

— Et nous, on est quoi, hein?

— Je ne sais pas. Adversaires, des fois, faut croire.

Elle hocha la tête.

— On peut pas être des adversaires si on peut pas garder la

même affaire. En plus que je cherche toujours à te faire du bien. Comme avec ce sac de merde de Corliss.

— Merci d'avoir essayé, mais le mal est fait.

— Je n'ai tout simplement aucun respect pour des procureurs qui ont recours au témoignage d'un mouton. Même si le client est encore pire.

— Il n'a même pas voulu me rapporter exactement ce qu'aurait dit mon client, d'après Corliss.

— Qu'est-ce que tu racontes?

— Il m'a juste dit qu'il avait un mouton. Mais sans me préciser ce qu'il lui avait dit.

— Ce n'est pas juste.

— C'est ce que je lui ai dit. C'est un problème de transmission des informations à la partie adverse, mais on n'aura un juge sur l'affaire qu'après la mise en accusation lundi. Ce qui fait que je n'ai personne à qui me plaindre vraiment. Et Minton le sait. C'est comme tu m'avais dit. Il ne joue pas fair-play.

Ses joues s'empourprèrent. J'avais appuyé sur les bons boutons, tout d'un coup elle fut en colère. Pour elle, gagner à la loyale était la seule façon de gagner. C'est pour ça qu'elle était si bonne dans son boulot.

Nous étions assis au bout d'une banquette qui courait tout le long du mur du fond. Elle se pencha vers moi, mais un peu trop fort et nous nous cognâmes la tête. Elle éclata de rire et réessaya. Et parla tout bas.

— Il dit avoir demandé à ton client pourquoi il s'était fait arrêter et ton client lui aurait répondu : «Pour avoir donné à une salope très exactement ce qu'elle méritait.» Il a ajouté que ton client lui aurait aussi dit avoir étalé la nana d'un coup de poing dès qu'elle a ouvert la porte.

Sur quoi, elle se renversa en arrière et je m'aperçus tout de suite qu'elle l'avait fait un peu trop vite parce que le vertige la prit.

— Ça va?

— Oui, oui, mais on pourrait pas changer de sujet? Je veux plus parler boulot. Y a trop de connards partout et c'est frustrant.

— Bien sûr.

C'est alors que le garçon nous apporta le vin et nos plats en même temps. Le vin était bon et la nourriture nous réconforta comme si nous étions à la maison. Nous commençâmes à manger sans rien dire. Jusqu'au moment où Maggie m'en balança une à laquelle je ne m'attendais vraiment pas.

– Tu ne savais absolument pas pour Corliss, pas vrai ? Pas avant que j'ouvre ma grande gueule.

– Je savais que Minton me cachait quelque chose. Je me disais que ce devait être un mou…

– Arrête tes conneries. Tu m'as saoulée pour me faire dire ce que je savais.

– Euh… il me semble que t'étais déjà bien plâtrée quand je t'ai retrouvée au bar.

Elle s'était immobilisée, sa fourchette au-dessus de son assiette, un linguini dégoulinant de sauce al pesto accroché au bout. Elle pointa sa fourchette sur moi.

– Bien vu, dit-elle. Bon, alors, qu'est-ce que tu voulais me dire sur notre fille ?

Je ne m'attendais pas à ce qu'elle s'en souvienne. Je haussai les épaules.

– Je crois que tu avais raison pour ce que tu m'as dit la semaine dernière. Elle a besoin que son père soit plus présent dans sa vie.

– Et… ?

– Et je veux y jouer un plus grand rôle. J'aime la regarder. Comme quand je l'ai emmenée au ciné samedi. J'étais assis un peu de côté, ce qui me permettait de la voir regarder le film. D'observer ses yeux, tu vois ?

– Bienvenue au club.

– Alors je sais pas… Je me disais qu'on devrait se faire un emploi du temps, tu sais ? Disons… en faire un truc régulier. Elle pourrait même rester la nuit… des fois, enfin… si elle voulait.

– T'es sûr ? C'est un peu nouveau… venant de toi.

– C'est nouveau parce que je savais pas avant. Quand elle était plus petite et que je pouvais pas vraiment communiquer avec elle, je ne savais pas trop quoi faire. J'étais mal à l'aise. Maintenant, c'est fini. J'aime lui parler. Être avec elle. J'apprends plus d'elle qu'elle n'apprend de moi, ça, c'est sûr.

Brusquement je sentis sa main sur ma cuisse, là, sous la table.

– C'est génial, s'écria-t-elle. Ce que je suis contente de t'entendre dire ça! Mais vaudrait mieux y aller doucement. Tu n'as pas été beaucoup avec elle pendant quatre ans et je ne vais pas la laisser espérer des tas de trucs pour que tu disparaisses dans la nature.

– Je comprends. On fera comme tu voudras. Tout ce que je te dis, c'est que je serai là. Promis.

Elle sourit – elle voulait me croire. Et je me fis la même promesse que celle que je venais de lui faire.

– Bon, bien, reprit-elle. Je suis vraiment contente que t'aies envie de faire ça. Prenons-nous un agenda et essayons des dates, histoire de voir comment ça pourrait marcher.

Elle retira sa main et nous nous remîmes à manger en silence jusqu'au moment où nous eûmes presque fini. Et où une fois encore elle me prit par surprise.

– Je ne me sens pas en état de reprendre le volant, dit-elle.

J'acquiesçai d'un signe de tête.

– C'est ce que je me disais moi aussi.

– T'as l'air OK, toi. Tu n'as bu qu'une demi-pinte au…

– Non, je me disais la même chose… pour toi. Mais ne t'inquiète pas, je te ramènerai chez toi.

– Merci.

Et elle tendit le bras en travers de la table et posa la main sur mon poignet.

– Et tu me ramèneras à ma voiture demain matin?

Elle me souriait tendrement. Je la regardai en essayant de lire ce qui se passait dans la tête de cette femme qui m'avait prié de dégager quatre ans plus tôt. Cette femme dont je n'avais jamais pu me passer, celle-là même que je n'avais jamais pu oublier et qui, en me rejetant, m'avait lancé dans une relation sans avenir possible, je l'avais su tout de suite.

– Bien sûr, lui répondis-je. Je t'y ramènerai.

17

Le lendemain matin, je me réveillai et trouvai ma fille de huit ans endormie entre moi et mon ex. De la lumière filtrait par la fenêtre cathédrale tout en haut du mur. Quand je vivais encore dans cette maison, cette fenêtre m'agaçait toujours beaucoup : elle laissait entrer bien trop de lumière bien trop tôt le matin. Je contemplai le motif qu'elle dessinait sur le plafond en biais et songeai à tout ce qui s'était passé la veille au soir : de fait, au restaurant j'avais fini par boire pratiquement toute la bouteille de vin, à un verre près. Je me rappelai avoir ramené Maggie à l'appartement et y avoir découvert ma fille déjà endormie dans son lit.

Après le départ de la baby-sitter, Maggie m'avait pris par la main et conduit jusqu'à la chambre que nous avions partagée pendant quatre ans, mais plus jamais depuis quatre autres. Ce qui me troublait maintenant, c'était que, ma mémoire s'étant imbibée de tout ce vin, je n'arrivais plus à me rappeler si mon retour avait été du genre triomphant ou pitoyable. Pas plus que je n'arrivais à me rappeler quels mots nous avions échangés – ni quelles promesses nous nous étions peut-être faites.

– Ce n'est pas juste pour elle, dit-elle.

Je tournai la tête sur l'oreiller. Maggie s'était réveillée et regardait le visage angélique de notre fille qui dormait.

– Qu'est-ce qui n'est pas juste ?

– Qu'elle se réveille et te trouve ici. Elle pourrait se mettre à espérer des tas de choses, ou plus simplement se faire de mauvaises idées.

– Comment est-elle arrivée ici ?

– C'est moi qui l'ai portée. Elle faisait un cauchemar.

– Elle en fait souvent ?

– Quand elle dort seule. Dans sa chambre.

– Et donc, elle dort ici tout le temps ?

Quelque chose dans le ton que j'avais pris l'agaça.

– Ne commence pas, me lança-t-elle. Tu n'as aucune idée de ce que c'est que d'élever un enfant toute seule.

– Non, je sais. Je n'ai rien dit. Et donc… que veux-tu que je fasse ? Que je m'en aille avant qu'elle se réveille ? Je pourrais m'habiller et faire semblant de venir te chercher pour te ramener à ta voiture.

– Je ne sais pas. Pour l'instant, habille-toi. Et essaye de ne pas la réveiller.

Je me glissai hors du lit, attrapai mes habits et longeai le couloir pour gagner la salle de bains réservée aux amis. La façon dont Maggie avait changé de comportement avec moi en une nuit me laissait perplexe. L'alcool, me dis-je. Ou alors c'était quelque chose que j'avais fait ou dit après que nous étions revenus à l'appartement. Je m'habillai rapidement, repris le couloir jusqu'à la chambre et y jetai un œil.

Hayley était toujours endormie. Les bras étalés en travers des deux oreillers, elle ressemblait à un ange avec ses ailes. Maggie, elle, était en train de passer un T-shirt à manches longues par-dessus un vieux survêtement qu'elle avait depuis notre mariage. J'entrai et m'approchai d'elle.

– Je vais partir et revenir, lui murmurai-je.

– Quoi ? dit-elle, agacée. Je viens juste de m'habiller.

– Mais… elle est encore endormie. On peut pas la laisser toute seule. Laisse-moi partir. Je vais boire un café et je reviens dans une heure. On pourra aller chercher ta voiture tous les trois et après je l'emmènerai à l'école. Je peux même passer la prendre plus tard si tu veux. J'ai rien sur mon agenda aujourd'hui.

– Pouf, comme ça ? Tu vas te mettre à la conduire à l'école ?

– C'est ma fille. Tu te rappelles plus rien de ce que je t'ai dit hier soir ?

Elle remua la mâchoire et je reconnus d'expérience que c'était le moment où elle sortait l'artillerie lourde. J'avais raté quelque chose – Maggie changeait déjà de vitesse.

– Si, mais bon : je me disais que tu ne faisais que causer, me répliqua-t-elle.

– Comment ça?

– Je me disais que t'essayais d'entrer dans ma tête pour en savoir plus sur ton affaire ou plus simplement pour monter dans mon lit. Je ne sais pas.

Je ris et hochai la tête. Tous les fantasmes que j'avais pu avoir sur «nous» la veille au soir s'évanouissaient à toute vitesse.

– Je ne suis pas celui qui a amené l'autre à l'entrée de la chambre à coucher, lui répliquai-je.

– Et donc, c'était juste pour ton affaire, c'est ça?

Je la dévisageai longuement.

– Y a vraiment pas moyen de gagner avec toi, pas vrai?

– Pas quand tu joues tes coups en dessous et te conduis comme un avocat de la défense.

C'était toujours elle la meilleure dès qu'il s'agissait de s'assassiner avec des mots. Je dois à la vérité de dire que j'étais assez content d'avoir un conflit d'intérêts à demeure et de ne pas devoir l'affronter dans un prétoire. Les années passant, certains – pour l'essentiel des professionnels de la défense qu'elle faisait beaucoup souffrir – étaient même allés jusqu'à dire que c'était pour ça que je l'avais épousée. Pour l'éviter sur le plan professionnel.

– Que je te dise… Je reviens dans une heure. Si tu veux que je te ramène à la voiture que tu étais bien trop ronde pour conduire hier soir, t'as qu'à être prête et elle avec.

– Ce n'est pas grave. On prendra un taxi.

– Non, je vous emmène.

– Non, on prendra un taxi. Et parle moins fort.

Je jetai un coup d'œil à ma fille qui dormait toujours malgré les mots que ses parents se jetaient à la tête.

– Et elle? dis-je. Tu veux que je passe la prendre demain ou dimanche?

– Je ne sais pas. Appelle-moi demain.

– Parfait. Au revoir.

Et je la laissai debout dans la chambre. Une fois dehors, je descendis Dickens Street plus loin que le croisement suivant et découvris la Lincoln maladroitement rangée le long du trottoir. Il y avait une contravention sur le pare-brise: je m'étais garé à côté d'une bouche d'incendie. Je montai dans ma voiture et jetai le PV sur le siège arrière. Je m'en occuperais dès que je repasserais derrière. Je ne serais pas un Louis Roulet qui laissait ses PV impayés jusqu'à la mise en demeure. Le comté était plein de flics qui auraient adoré me coller en taule.

Me disputer me donnant toujours envie de manger, je m'aperçus que je mourais de faim. Je revins dans Ventura Boulevard et me dirigeai vers Studio City. Il était tôt, surtout pour un lendemain de Saint-Patrick, et j'arrivai chez DuPar, à côté de Laurel Canyon Boulevard, avant qu'il y ait foule. Je m'installai dans un box au fond, commandai du café avec des crêpes et tentai d'oublier Maggie McFierce en ouvrant ma mallette et en en sortant un bloc-notes et le dossier Roulet.

Mais, avant de plonger le nez dedans, j'appelai Raul Levin – et le réveillai chez lui, à Glendale.

– J'ai un boulot pour toi, lui dis-je.

– Ça peut pas attendre lundi ? Y a à peine deux heures que je suis rentré. J'allais commencer mon week-end.

– Non, ça peut pas attendre et en plus depuis hier tu me dois un service. N'oublions pas non plus que t'es même pas irlandais. J'ai besoin que tu fasses des recherches sur quelqu'un.

– Bon, d'accord, attends une minute.

Je l'entendis poser le téléphone pendant qu'il attrapait un stylo et du papier pour prendre des notes.

– Allez, vas-y.

– Y a un type du nom de Corliss qui s'est fait officiellement inculper juste après Roulet, le 7. Il était dans le premier groupe et se trouvait avec mon client dans l'enclos. Il essaie de cafter sur lui et je veux savoir tout ce qu'il faut savoir sur ce mec pour pouvoir lui faire avaler sa queue s'il cause.

– Il a un prénom ?

– Non.

– Tu sais pour quoi il s'est fait gauler ?

– Non, et je ne sais même pas s'il est en taule.

– Ça aide, ça. Et d'après lui, Roulet aurait dit quoi ?

– Qu'il aurait rossé une nana à qui ça pendait au nez. Enfin… en gros.

– Bien. Autre chose ?

– Non, c'est tout en dehors du fait que ce serait un cafteur professionnel. Tu me trouves sur qui il a déjà bavé et j'aurai peut-être un angle d'attaque. Tu remontes jusqu'à plus soif. Les enquêteurs du district attorney le font rarement. Ils ont la trouille de ce qu'ils pourraient découvrir et préfèrent rester dans le noir.

– Bon, je vais m'y mettre.

– Tu me dis quand c'est fait.

Je refermai mon téléphone au moment même où les crêpes arrivaient. Je les inondai de sirop d'érable et commençai à manger en feuilletant le dossier de Minton.

Le rapport d'analyse de l'arme était toujours le seul à me surprendre. Tout le reste, y compris les photos en couleurs, je l'avais déjà vu dans le dossier de Levin.

Je m'y attardai. Comme il faut s'y attendre avec un enquêteur sous contrat, Levin y avait collé tout ce qu'il avait pu trouver. Il y avait même mis des photocopies des contredanses pour stationnement interdit et autres excès de vitesse que Roulet avait accumulées – et pas payées depuis quelques années. Au début cela m'agaça tant il y avait de choses à éliminer avant d'arriver à des éléments qui aient un rapport avec sa défense.

J'avais presque fini lorsque la serveuse passa près de mon box avec une cafetière. Elle voulait me remplir mon mug, mais recula en découvrant le visage tuméfié de Reggie Campo sur une des photos que j'avais posées à côté du dossier.

– Je vous prie de m'excuser, lui dis-je.

Je couvris le cliché avec une des chemises et lui fis signe de revenir. Elle le fit en hésitant et me reversa du café.

– C'est du boulot, repris-je en guise d'explication, plutôt faiblarde. Je ne voulais pas vous infliger ça.

– Tout ce que je peux dire, c'est que j'espère que vous allez coincer le fumier qui lui a fait ça.

J'acquiesçai d'un signe de tête. Elle me prenait pour un flic. Sans doute parce que je ne m'étais pas rasé depuis vingt-quatre heures.

– J'y travaille, lui répondis-je.

Elle s'en alla et je repris le dossier. En en tirant la photo de Reggie Campo par en dessous, ce fut la partie intacte de son visage que je vis en premier. Le côté gauche. Quelque chose m'arrêtant, je maintins le dossier de façon à ne voir que ce côté-là du cliché. Et de nouveau j'eus l'impression que ce visage m'était familier, sans pouvoir dire d'où me venait cette idée. Je savais que cette femme ressemblait à une autre que je connaissais, même très vaguement. Mais qui?

Je compris aussi que cette impression allait beaucoup m'agacer jusqu'à ce que je trouve la solution. J'y réfléchis un bon moment en sirotant mon café et tambourinant sur la table du bout des doigts, puis je décidai d'essayer quelque chose. Je pris le cliché et le pliai en deux dans le sens de la longueur, juste au milieu, de façon à ce que la partie intacte de son visage soit à droite de la pliure et le côté endommagé à gauche. Après quoi je glissai la photo ainsi pliée dans la poche intérieure de ma veste et quittai mon box.

Il n'y avait personne aux toilettes. Je gagnai vite le lavabo et ressortis ma photo. Puis je me penchai au-dessus du lavabo et tins la pliure du cliché contre la glace, côté indemne du visage découvert. La glace me renvoyant cette image, j'obtins un visage complet et indemne. Je le contemplai longuement et compris enfin pourquoi cette femme me disait quelque chose.

– Martha Renteria, murmurai-je.

La porte des toilettes s'ouvrant brutalement, deux ados entrèrent en coup de vent, les mains déjà prêtes à tirer sur les fermetures Éclair de leurs braguettes. J'ôtai vite la photo de la glace et la fourrai dans ma veste. Puis je me retournai et regagnai la porte. Je les entendis éclater de rire et me demandai ce qu'ils s'étaient imaginé que je faisais.

De retour à mon box, je rassemblai mes dossiers et mes photos et remis tout ça dans ma mallette. Et laissai bien plus d'argent qu'il n'en fallait sur la table pour régler la note et le pourboire et quittai le restaurant en hâte. J'avais l'impression de réagir bizarrement à ce que je venais de manger. J'étais tout rouge et avais chaud au cou. Je croyais entendre battre mon cœur sous ma chemise.

Un quart d'heure plus tard, je me garai devant mon garde-meubles d'Oxnard Avenue, à North Hollywood. J'y disposais de quelque 500 m^3 derrière une porte de garage à deux battants. L'endroit était la propriété d'un type dont j'avais défendu le fils accusé de possession de drogue – j'avais réussi à le sortir de taule et à lui éviter le procès. Au lieu de me régler mes honoraires, son père m'avait accordé la jouissance gratuite de ce garde-meubles pendant un an. Mais, son drogué de fils n'arrêtant pas de se mettre dans de sales draps, je n'arrêtais plus de récolter des années de location gratuites.

Dans ce garde-meubles, je conservais des boîtes-classeurs pleines de vieux dossiers ainsi que deux autres Lincoln modèle Town Car. L'année précédente j'avais été plein aux as et m'étais acheté quatre Lincoln d'un coup pour pouvoir bénéficier du tarif flotte. J'avais dans l'idée de mettre cent mille kilomètres au compteur de chacune et de les revendre ensuite à un service de limousines assurant la liaison avec l'aéroport. Jusque-là, le plan marchait plutôt bien. J'en étais à ma deuxième Lincoln et il serait bientôt temps de passer à la troisième.

Dès que j'eus ouvert une des deux portes, je gagnai l'endroit où je rangeais mes boîtes par ordre chronologique sur des rayonnages industriels. Je trouvai celles qui remontaient à deux ans, laissai courir mon doigt sur la liste des clients que j'avais inscrite sur le côté de chacune et m'arrêtai sur celle marquée Jesus Menendez.

Je sortis la boîte du rayonnage, m'accroupis et l'ouvris par terre. L'affaire Menendez avait été vite réglée. Il avait plaidé coupable très tôt, avant même que le district attorney ne s'attaque à lui. Il n'y avait donc que quatre chemises au dossier, chacune d'elles ne comprenant pour l'essentiel que des photocopies de pièces ayant trait à l'enquête de police. Je feuilletai le dossier photos et trouvai enfin ce que je cherchais dans la troisième chemise.

C'était pour l'assassinat de cette Martha Renteria que Jesus Menendez avait plaidé coupable. Âgée de vingt-quatre ans, elle était danseuse et, beauté brune, avait un grand sourire plein de dents blanches. Retrouvée morte dans son appartement de Panorama City, elle avait été rossée avant d'être tuée à coups de couteau, les blessures qu'elle avait au visage se trouvant, au contraire de celles de Reggie Campo, toutes du côté gauche. J'en découvris un gros plan dans le rapport d'autopsie. Là encore, je pliai la photo en deux dans le sens de la longueur, et obtins la partie de son visage parfaitement indemne d'un côté et celle qui était endommagée de l'autre.

Toujours assis par terre, je pris les deux photos ainsi pliées – celle de Reggie et celle de Martha –, et les accolai le long des pliures. En mettant de côté le fait qu'une des deux victimes était morte et que l'autre était vivante, on obtenait deux moitiés de visage pratiquement identiques. Ces deux femmes se ressemblaient tellement qu'on aurait pu les prendre pour deux sœurs.

18

Enfermé au pénitencier de San Quentin, Jesus Menendez avait été condamné à perpète pour s'être essuyé le pénis sur une serviette de toilette. Quel que fût l'angle sous lequel on regardait l'affaire, c'était en gros à ça que ça se ramenait. Cette serviette avait été la seule erreur qu'il avait commise.

Assis les jambes écartées sur le sol en béton de mon garde-meubles, je regardai les chemises de l'affaire étalées autour de moi et me remis en mémoire tout ce sur quoi j'avais travaillé deux ans plus tôt. Menendez avait été jugé coupable du meurtre de Martha Renteria qu'il avait suivie jusque chez elle après avoir quitté un club de strip-tease d'East Hollywood, le Cobra Room. Il l'avait violée avant de la poignarder plus de cinquante fois, cette boucherie faisant couler tellement de sang que celui-ci avait fini par traverser le matelas et former une flaque sous le lit. Le lendemain, ce sang s'infiltrait dans les fissures du parquet et tachait le plafond de l'appartement du dessous. C'est alors que la police avait été appelée.

Le dossier de l'accusation était certes impressionnant, mais ne reposait que sur des présomptions. Menendez n'avait pas non plus arrangé son cas en avouant aux flics – cela avant même que je reprenne le dossier –, qu'il s'était effectivement trouvé dans l'appartement de la victime le soir du meurtre. Cela dit, c'était l'ADN retrouvé sur la serviette de toilette rose de la salle de bains qui avait fini par le faire condamner. Il n'y avait pas eu moyen de neutraliser cette information et de faire tomber cette assiette-là. Les professionnels de la défense appellent ce genre de pièce à conviction un «iceberg», parce que c'est ça qui coule le bateau.

J'avais pris l'affaire pour défendre ce que je pourrais appeler une grande cause perdue. Menendez n'avait pas assez d'argent pour me payer toutes mes heures de travail et tous les efforts que j'allais devoir déployer pour monter une défense solide, mais l'affaire m'avait attiré pas mal de publicité et j'étais prêt à échanger mes heures et mon travail contre cette publicité gratuite. Menendez s'était tourné vers moi parce que, quelques mois seulement avant son arrestation, j'avais défendu avec succès son frère aîné Fernando dans une histoire de drogue. Enfin... avec succès, à mon avis. J'avais obtenu qu'on fasse redescendre l'accusation de possession et revente à une simple possession. Fernando avait eu droit à de la conditionnelle avec mise à l'épreuve au lieu d'une peine de prison.

Tous ces beaux efforts avaient abouti à ce que Fernando m'appelle le soir où Jesus avait été arrêté pour le meurtre de Martha Renteria. Jesus s'était rendu de son plein gré au commissariat de la division de Van Nuys pour y parler aux inspecteurs. Un portrait-robot de son visage avait été montré sur toutes les chaînes de télévision de la ville, jusqu'à passer pratiquement en boucle sur celles en langue espagnole. Il avait alors dit à sa famille qu'il allait voir les inspecteurs pour mettre les choses au clair et qu'il serait bientôt de retour. Sauf qu'il n'était jamais revenu et que son frère avait fini par m'appeler. Je lui avais dit que la leçon à en tirer était de ne jamais aller voir la police pour rétablir quelque vérité que ce soit avant de s'être assuré les services d'un avocat.

J'avais déjà vu nombre de reportages sur l'assassinat de «la danseuse exotique» – c'est ainsi qu'on avait appelé Martha Renteria – lorsque le frère de Menendez m'avait passé son coup de fil. Dans ces reportages, on avait aussi passé le portrait-robot du Latino qui, croyait-on, l'avait suivie au moment où elle quittait le club. Je savais que l'intérêt que les médias portaient à l'affaire avant même l'inculpation formelle de Menendez avait toutes les chances de se répandre dans le grand public par l'intermédiaire de la télé et que je pourrais en tirer un beau profit. J'avais alors accepté de prendre l'affaire au vol. Gratis. *Pro bono*. Pour le bien du système. Sans parler du fait que les affaires de meurtre ne se trouvent pas sous les pas d'un cheval. Je les prends chaque fois que je peux. Menendez était le douzième homme accusé de meurtre que je défendais. Les onze premiers étaient encore en prison, mais aucun ne se trouvait dans le couloir des condamnés à mort. Pour moi, c'était un assez beau palmarès.

Lorsque j'arrivai dans la cellule de Van Nuys où il était détenu, Menendez avait déjà fait à la police une déclaration compromettante. Il avait dit aux inspecteurs Howard Kurlen et Don Crafton ne pas avoir suivi Renteria jusque chez elle comme le laissaient entendre les articles de presse, mais avoir été bel et bien invité à y passer. Il leur avait aussi expliqué qu'un peu plus tôt dans la journée, il avait gagné 1 100 dollars au loto de Californie et signifié à la jeune femme qu'il était prêt à en échanger une partie contre ses faveurs. Il leur avait enfin précisé qu'à son appartement ils s'étaient livrés à des activités sexuelles consensuelles – même si de fait il n'avait pas utilisé ces termes exacts – et qu'au moment où il l'avait quittée, Martha Renteria était vivante et plus riche de 500 dollars en liquide.

Les failles que Kurlen et Crafton avaient ouvertes dans l'histoire de Menendez étaient innombrables. Et d'un, il n'y avait pas eu de loto ni ce jour-là ni la veille du meurtre et le propriétaire de la supérette où Menendez disait s'être fait payer son ticket gagnant n'avait aucune trace d'un quelconque paiement de 1 100 dollars à Menendez ou une autre personne. En plus de quoi on n'avait trouvé que quatre-vingts dollars en liquide dans l'appartement de la victime. Et enfin, le rapport d'autopsie indiquait que les dommages infligés au vagin de Martha Renteria démentaient la thèse des rapports sexuels consensuels. Le médecin légiste en avait conclu que Martha Renteria avait été violée, et sauvagement.

Hormis celles de la victime, aucune empreinte digitale n'avait été relevée dans l'appartement. Les lieux avaient été parfaitement nettoyés. Aucune trace de sperme n'ayant été découverte dans le corps de la victime, tout disait que le violeur s'était servi d'une capote ou qu'il n'avait pas éjaculé pendant l'agression. Mais, en passant à la lumière noire la salle de bains de la chambre à coucher où l'agression, puis le meurtre, s'étaient déroulés, un technicien de scène de crime avait trouvé un peu de sperme sur une serviette de toilette rose accrochée à un porte-serviettes près du siège des W.-C. Selon la théorie qui s'était alors élaborée, le tueur était entré dans la salle de bains après avoir violé et tué la victime et avait jeté sa capote dans les toilettes et tiré la chasse. Il s'était ensuite essuyé le pénis à la serviette la plus proche et avait remis celle-ci sur le porte-serviettes. Après quoi, il avait nettoyé derrière lui, essuyé toutes les surfaces qu'il aurait pu toucher et tout oublié de la serviette.

Les enquêteurs avaient tenu secrètes la découverte du dépôt d'ADN et la théorie qu'ils en avaient tirée. Rien de tout cela n'avait été communiqué aux médias. C'était ce qui devait devenir l'atout maître dans le jeu de Kurlen et Crafton.

Sur la base de ses mensonges et du fait qu'il avait avoué s'être trouvé dans l'appartement de la victime, Menendez avait été arrêté pour meurtre et emprisonné sans caution. Ayant obtenu la commission rogatoire qu'ils voulaient, les inspecteurs avaient procédé à des prélèvements oraux sur sa personne, prélèvements qu'ils avaient envoyés au labo pour identification d'ADN et comparaison avec celui retrouvé sur la serviette de la salle de bains.

C'est à peu près à ce moment-là que j'étais entré en scène. Comme on dit dans la profession, le « *Titanic* avait déjà quitté le port ». L'iceberg s'était mis en place et attendait. Menendez s'était fait beaucoup de mal en parlant – et surtout en mentant – aux inspecteurs. Il n'empêche : sans savoir qu'on était en train de procéder à des comparaisons d'ADN, j'entrevoyais un espoir pour mon client. Il y avait moyen de neutraliser ses déclarations aux inspecteurs – déclarations qui, d'ailleurs, étaient devenues des aveux complets lorsque les médias s'étaient mis en tête de les rapporter. Né au Mexique, Menendez avait huit ans lorsqu'il était arrivé aux États-Unis. On ne parlait qu'espagnol à la maison et il n'avait suivi les cours d'une école pour hispanophones que jusqu'à l'âge de quatorze ans. Il ne parlait qu'un anglais rudimentaire, son niveau de connaissance de la langue me paraissant même inférieur à son niveau de parole. Kurlen et Crafton n'avaient fait aucun effort pour faire venir un interprète et, à s'en tenir aux enregistrements des interrogatoires, n'avaient jamais demandé à Menendez s'il en voulait un.

Telle était la faille dans laquelle je devais m'enfoncer. C'était sur cet interrogatoire que reposait l'accusation – l'assiette qui tourne. Si j'arrivais à la faire tomber, toutes les autres ou presque tomberaient avec elle. J'avais donc décidé de décrédibiliser l'interrogatoire en faisant valoir qu'il y avait eu violation des droits de mon client dans la mesure où celui-ci ne pouvait pas comprendre les droits Miranda[1] que lui avait lus Kurlen, ni le document qui en donnait la liste en anglais et qu'il avait signé à la demande de l'inspecteur.

Voilà où l'on en était de l'affaire lorsque, les résultats du labo revenant quinze jours après l'arrestation de Menendez, on s'était aperçu que son ADN correspondait bien avec celui retrouvé sur la serviette de toilette de la salle de bains. Le district attorney n'avait alors plus eu aucun besoin de l'interrogatoire et des aveux de mon client. Ces résultats impliquaient celui-ci directement dans le viol et le meurtre de Martha Renteria. J'aurais pu essayer une défense à la O. J. Simpson – à savoir en attaquant la crédibilité de la correspondance ADN. Sauf que les procureurs et les techniciens du labo avaient appris tellement de choses suite à cette débâcle judiciaire que, et je l'avais vite compris, je n'aurais eu guère de chances de l'emporter avec un jury. Cet ADN était l'iceberg de l'affaire et la vitesse qu'avait pris le bateau rendait toute manœuvre d'évitement impossible dans le laps de temps qui restait.

C'est le district attorney en personne qui avait révélé les résultats de l'analyse d'ADN au cours d'une conférence de presse où il avait aussi annoncé qu'il demanderait la peine de mort. Et d'ajouter que les inspecteurs avaient retrouvé trois témoins oculaires qui disaient avoir vu Menendez jeter un couteau dans la Los Angeles River. Et de préciser enfin qu'on l'avait cherché dans le fleuve, mais qu'il n'avait pas été retrouvé. Peu importait : pour lui les dépositions de ces trois témoins étaient d'autant plus solides que c'étaient les trois personnes avec qui Menendez partageait son appartement.

Le dossier de l'accusation prenant ainsi toute sa force et la menace de la peine de mort planant à l'horizon, j'avais décidé que jouer une défense à la O. J. Simpson était trop risqué. En utilisant Fernando Menendez comme interprète, je m'étais rendu à la prison de Van Nuys et avais informé Jesus qu'il n'avait plus d'autre espoir que d'accepter le marché que le district attorney me proposait. S'il plaidait coupable de meurtre, je pouvais lui obtenir une peine de prison à vie avec possibilité de libération conditionnelle.

---

1. Droits, dont celui de se taire, que tout policier doit lire à toute personne qu'il s'apprête à interroger après une interpellation (NdT).

Je lui avais fait remarquer qu'en réalité il serait dehors dans quinze ans. Il n'y avait pas d'autre solution.

La discussion qui s'était ensuivie avait suscité bien des larmes. Les deux frères avaient beaucoup pleuré et m'avaient supplié de trouver autre chose, Jesus répétant sans cesse qu'il n'avait pas tué Martha Renteria. Il disait n'avoir menti aux inspecteurs que pour protéger Fernando qui lui avait donné l'argent après avoir passé un bon mois à vendre de l'héroïne pure. Il craignait que révéler la générosité de son frère déclenche une autre enquête sur Fernando, voire son arrestation.

Les frères me pressaient d'enquêter. D'après Jesus, Renteria avait eu d'autres soupirants ce soir-là au Cobra Room. S'il lui avait donné autant d'argent, c'était parce qu'elle l'avait mis en concurrence avec d'autres clients.

Dernier point : oui, il avait jeté un couteau dans la Los Angeles River, mais seulement parce qu'il avait peur. Il ne s'agissait pas de l'arme du crime. C'était juste un couteau dont il se servait dans son boulot et qu'il s'était procuré à Pacoima. Il ressemblait effectivement à celui qu'on montrait sur les chaînes en espagnol et c'est pour cette raison qu'il s'en était débarrassé avant de se rendre au commissariat pour mettre les choses au clair.

Je les avais écoutés, puis leur avais dit qu'aucune de leurs explications n'avait d'importance. La seule chose qui comptait, c'était l'ADN. Mais Jesus avait le choix. Il pouvait prendre quinze ans ou aller au procès et risquer la peine de mort ou perpète sans possibilité de libération conditionnelle. J'avais alors tenu à lui rappeler qu'il était jeune. Qu'il pourrait être dehors à quarante ans. Et refaire sa vie.

Lorsque enfin j'avais quitté cette réunion à la prison, Menendez m'avait autorisé à accepter le marché. Je ne l'avais revu qu'une fois après cela – au moment où il avait plaidé coupable et reçu la sentence, au moment où, debout à côté de lui devant le juge, je l'avais aidé à suivre la procédure requise. Il avait alors été expédié à la prison de Pelican Bay et, plus tard, à celle de San Quentin. J'avais ensuite appris par des bruits de couloir au tribunal que son frère avait réussi à se faire pincer encore un coup – cette fois pour avoir pris de l'héro. Mais il ne m'avait pas appelé. Il avait voulu un autre avocat et je n'avais pas eu à me demander pourquoi.

J'ouvris le rapport d'autopsie de Martha Renteria sur le plancher de mon garde-meubles. Je voulais retrouver deux points précis sur lesquels personne n'avait dû beaucoup se pencher avant. L'affaire était close et le dossier remisé. Plus personne ne s'y intéressait.

Le premier se trouvait dans la partie du rapport qui concernait les cinquante-trois coups de couteau que Renteria avait reçus sur son lit. Sous le titre «Profil des blessures», l'arme inconnue était décrite comme ayant une lame qui faisait douze centimètres de long sur deux et demi de large, son épaisseur ne dépassant pas les trois millimètres. Il était aussi précisé qu'il y avait des déchirures en zigzag en haut des blessures, ce qui laissait entendre que le haut de la lame n'était pas droit – et voulait encore dire qu'elle devait infliger des dommages aussi bien en sortant du corps qu'en y entrant. Que la lame soit aussi courte laissait penser qu'il s'agissait peut-être d'un couteau pliant.

On trouvait encore dans ce rapport un croquis grossier de la lame sans son manche. Cela me rappela quelque chose. Je tirai ma mallette vers moi sur le sol et l'ouvris. Et sortis du dossier de Minton la photo du couteau pliant avec les initiales de Roulet sur la lame et comparai cette dernière au croquis du rapport d'autopsie. Ce n'était pas une correspondance point par point, mais on n'en était pas loin.

Ayant ensuite ressorti le rapport d'examen de l'arme qu'on avait retrouvée, je relus le paragraphe que j'avais déjà lu la veille, dans le bureau de Roulet. L'arme y était décrite comme un couteau pliant Black Ninja avec cran d'arrêt, lame de douze centimètres de long sur deux de large et trois millimètres d'épaisseur – bref, les mesures mêmes du couteau inconnu dont l'assassin s'était servi pour tuer Martha Renteria. Censément le couteau que Jesus Menendez avait jeté dans la Los Angeles River.

Je savais qu'un couteau avec une lame de douze centimètres n'avait rien d'unique. Il n'y avait là rien de concluant, mais mon instinct me disait que ça l'était. J'essayai de ne pas me laisser distraire par la brûlure qui commençait à gagner ma poitrine et ma gorge. Je voulais rester concentré, je passai à autre chose. Je devais trouver une blessure bien précise, mais n'avais guère envie de regarder les photos rangées dans le rabat du rapport, celles qui disaient très froidement comment Martha Renteria avait été horriblement violée. Au lieu de ça, j'allai à la page où l'on trouvait deux silhouettes du corps côte à côte, la première pour le devant, la seconde pour le dos. Sur ces croquis, le légiste avait indiqué l'emplacement des blessures et les avait numérotées. Seule la silhouette frontale avait été utilisée. On y voyait des points et des nombres qui montaient de 1 à 53. Tout cela ressemblait à un jeu macabre de «reliez les points ensemble» et je ne doutais pas que Kurlen ou un autre inspecteur attaché à trouver tout ce qu'il pouvait avant que Menendez déboule au commissariat les ait effectivement reliés en espérant que l'assassin ait ainsi laissé ses initiales ou un autre indice tout aussi bizarre sur le corps de sa victime.

J'examinai la silhouette frontale et y remarquai deux points de part et d'autre du cou. Ils portaient les numéros 1 et 2. Je tournai la page et consultai la liste des blessures avec leurs commentaires.

Le commentaire attaché à la blessure numéro 1 était ainsi libellé : *déchirure superficielle à la partie inférieure droite du cou avec hauts niveaux histaminiques* ante mortem, *indiquant qu'il y a eu coercition.*

Le commentaire attaché à la 2 disait ceci : *déchirure superficielle à la partie inférieure gauche du cou avec hauts niveaux histaminiques* ante mortem, *indiquant qu'il y a eu coercition. La déchirure mesure un centimètre de plus que la 1.*

Ces indications signifiaient que les blessures avaient été infligées alors que Martha Renteria respirait encore. Et c'était probablement pour ça qu'elles étaient les premières à figurer sur la liste avec leurs commentaires. Le légiste laissait entendre qu'elles avaient été infligées à l'aide d'un couteau appuyé sur le cou de la victime. C'était de cette manière que l'assassin avait procédé pour s'assurer le contrôle de Martha Renteria.

Je revins au dossier que Minton m'avait passé sur l'affaire Reggie Campo. J'en sortis les photos de la victime et le rapport rédigé par les médecins qui l'avaient examinée au Holy Cross Medical Center. Reggie avait une petite déchirure à la partie inférieure gauche du cou, mais rien sur la partie droite. Je parcourus ensuite la déposition qu'elle avait faite à la police jusqu'à ce que j'arrive au paragraphe où elle racontait comment elle avait reçu cette blessure.

À l'entendre, son assaillant l'avait relevée du plancher de la salle de séjour où elle était tombée et l'avait conduite à la chambre à coucher. Il contrôlait ses mouvements par-derrière, en tenant de la main droite la bretelle de son soutien-gorge dans son dos et en appuyant avec la main gauche la pointe de son couteau sur le côté gauche de son cou. C'était au moment où elle avait senti son poignet sur son épaule qu'elle avait agi. Elle avait pivoté brusquement sur elle-même et, en poussant vers l'avant, avait projeté son agresseur contre un grand vase en pied avant de s'enfuir.

Je comprenais enfin pourquoi Reggie Campo n'avait qu'une blessure au cou contre les deux qu'avait reçues Martha Renteria. En conduisant cette dernière jusqu'à sa chambre et en l'y allongeant sur le lit, l'assaillant avait dû se retrouver de face lorsqu'il était monté sur elle. Et s'il avait gardé son couteau dans sa main – la gauche –, la lame était passée de l'autre côté du cou. Lorsqu'on l'avait retrouvée morte sur le lit, Martha avait des déchirures à droite et à gauche du cou.

Je mis les dossiers de côté et restai longtemps assis en tailleur sur le plancher. Mes pensées n'étaient plus que murmures dans les ténèbres qui m'habitaient. Dans ma tête je revoyais le visage strié de larmes de Jesus Menendez me disant qu'il était innocent et me suppliant de le croire alors que je lui conseillais de plaider coupable. C'était plus qu'un conseil juridique que je lui donnais. Il n'avait ni argent, ni défense, ni la moindre chance de s'en sortir – oui, dans cet ordre, et je lui disais qu'il n'avait pas le choix. Bien que pour finir ç'ait été sa décision à lui et de sa bouche même que le mot « coupable » était sorti devant le juge, j'avais maintenant le sentiment que c'était moi, son propre avocat, qui lui avais appuyé le couteau du système judiciaire sur le cou et l'avais forcé à le dire.

19

Je sortis de l'énorme complexe de location de voitures de l'aéroport international de San Francisco à treize heures et pris vers le nord pour gagner la ville. La Lincoln qu'on m'avait donnée sentait le fumeur, que ç'ait été le dernier type à l'avoir louée ou celui qui me l'avait nettoyée.

Je suis incapable d'aller où que ce soit à San Francisco. De fait, je ne sais que traverser la ville. Je dois me rendre trois ou quatre fois par an à la prison de San Quentin pour m'entretenir avec des clients ou des témoins. Vous dire comme arriver au pénitencier ne me poserait donc aucun problème. Mais demandez-moi comment rejoindre la Coit Tower ou le Fisherman's Wharf et là, un problème, il y en aura un.

Lorsque j'eus enfin traversé la ville et franchi le pont de Golden Gate, il était presque quatorze heures. J'étais dans les temps. Je savais d'expérience que les visites d'avocats se terminaient à seize heures.

La prison de San Quentin a presque un siècle et donne l'impression que l'âme de tous les prisonniers qui y ont vécu ou y sont morts s'est gravée dans ses murs sombres. Je n'ai jamais vu geôle plus inquiétante que celle-là et j'ai visité toutes les prisons de Californie à un moment ou à un autre.

On fouilla ma mallette et m'obligea à passer sous un portique détecteur de métaux. Ensuite, on alla encore jusqu'à me passer un détecteur à main sur tout le corps pour être super sûr. Et même à ce moment-là je ne fus pas autorisé à avoir un contact direct avec Menendez parce que je n'avais pas déposé une demande de visite en bonne et due forme cinq jours à l'avance, ainsi qu'il est exigé.

Je fus donc installé dans une salle «absence de contact» – avec mur de Plexiglas entre le prisonnier et son avocat et trous gros comme des pièces de dix cents pour se parler. Je montrai au garde le paquet de six photos que je voulais donner à Menendez, il m'informa que je devrais les lui faire voir à travers la paroi. Je m'assis et n'eus pas longtemps à attendre avant qu'on m'amène Menendez de l'autre côté de la séparation.

Deux ans auparavant, lorsqu'il avait été envoyé en prison, Menendez était un jeune homme. Là, il donnait l'impression d'avoir déjà quarante ans, l'âge auquel je lui avais dit qu'il pourrait sortir s'il acceptait de plaider coupable. Il me regarda avec des yeux aussi morts que les graviers du parking. Il m'avait vu, il s'assit à contrecœur. Je ne pouvais plus lui servir à grand-chose.

Nous ne nous donnâmes pas la peine de nous dire bonjour et j'allai droit au but.

– Écoute, Jesus, lui dis-je, j'ai pas besoin de te demander comment ça va. Je le sais. Mais il vient de se passer un truc qui pourrait affecter ton affaire et j'ai besoin de te poser quelques questions. Tu me comprends?

– Pourquoi les questions maintenant, mec? T'avais pas de questions avant.

J'acquiesçai d'un signe de tête.

– T'as raison. J'aurais dû t'en poser plus et je ne l'ai pas fait. Mais à ce moment-là je ne savais pas ce que je sais maintenant. Enfin… ce que je crois savoir. J'essaie de remettre les choses d'aplomb.

– Qu'est-ce tu veux?

– Je veux que tu me reparles de la soirée au Cobra Room.

Il haussa les épaules.

– Y avait la fille et j'y ai causé. Elle m'a dit de la suivre chez elle.

Il haussa de nouveau les épaules et précisa:

– Je suis allé chez elle, mec, mais je l'ai pas tuée.

– Revenons au club. Tu m'as dit que t'avais dû l'impressionner. Que t'avais dû lui montrer le fric et que t'avais dépensé plus que tu voulais. Tu te rappelles?

– Vrai.

— Tu m'as dit qu'il y avait un autre type qui voulait aller avec elle. Tu te rappelles ?

— *Si*, il y causait. Elle est allée vers lui, mais elle m'est revenue.

— T'as dû la payer plus, c'est ça.

— Comme ça, oui.

— Bon, tu te souviens du mec ? Si tu voyais sa photo, tu le reconnaîtrais ?

— Le mec qui en jetait ? Je crois reconnaître.

— Bon.

J'ouvris ma mallette et en sortis mon jeu de trombines. Il y en avait six — celle de Louis Roulet à sa mise sous écrou et celles de cinq autres types dont j'avais ressorti les portraits de mes archives. Je me mis debout et, l'une après l'autre je les lui tins sur le Plexiglas. Je m'étais dit qu'en écartant bien les doigts je pourrais les tenir toutes ensemble, mais non. Menendez se leva pour les regarder de près.

Presque aussitôt une voix tonna dans un haut-parleur au-dessus de nos têtes.

— Reculez de la paroi, tous les deux. Et restez assis, sinon l'entrevue est terminée.

Je hochai la tête, jurai, repris mes photos et me rassis, Menendez en faisant autant.

— Garde ! lançai-je très fort.

Je regardai Menendez et attendis. Le garde n'entra pas dans la pièce.

— Garde ! criai-je à nouveau, et encore plus fort.

Pour finir, la porte s'ouvrit et le garde entra de mon côté de la paroi.

— Vous avez fini ?

— Non. J'ai besoin qu'il regarde ces clichés.

Je lui montrai le tas de photos.

— Montrez-les-lui à travers la paroi. Il n'est pas autorisé à recevoir quoi que ce soit venant de vous.

— Mais je vais les lui reprendre tout de suite !

— Aucune importance. Vous ne pouvez rien lui donner.

— OK. Mais si vous ne le laissez pas approcher du verre, comment voulez-vous qu'il les voie ?

— C'est pas mon problème.

J'agitai les bras en signe de reddition.

— Bon, d'accord. Alors… vous pouvez rester ici une minute?

— Pour quoi faire?

— Je veux que vous surveilliez. Je vais lui montrer les photos et, s'il reconnaît quelqu'un, je veux que vous en soyez témoin.

— Pas question que vous m'entraîniez dans vos salades!

Il gagna la porte et s'en alla.

Je regardai Menendez.

— Bon alors… je vais quand même te les montrer. Dis-moi si tu reconnais quelqu'un de l'endroit où tu es.

Une par une je lui tins les photos à une trentaine de centimètres de la paroi. Il se pencha en avant. Il regarda les cinq premières, réfléchit et fit signe que non de la tête. Mais à la sixième je vis son regard s'enflammer. À croire qu'il y avait quand même de la vie dans ses yeux.

— Celle-là! dit-il. C'est lui.

Je retournai la photo pour être sûr. C'était Roulet.

— Je m'rappelle, reprit-il. C'est celui-là.

— T'es sûr?

Il acquiesça d'un signe de tête.

— Qu'est-ce qui te rend si sûr?

— C'est parce que je sais. Ici, je pense à ça tout mon temps.

Je hochai la tête.

— Qui est l'homme? reprit-il.

— Je peux pas te le dire tout de suite. Rappelle-toi seulement que j'essaie de te sortir d'ici.

— Qu'est-ce que je fais?

— Tu fais comme avant. Tu te tiens tranquille, tu fais gaffe et tu restes en sécurité.

— En sécurité?

— Oui, bon, je sais. Mais dès que j'ai quelque chose, tu le sauras. J'essaie de te sortir d'ici, Jesus, mais ça pourrait prendre un peu de temps.

— C'est toi qui m'as dit venir ici.

— À l'époque, je ne pensais pas que t'avais le choix.

— Comment se fait que tu m'as jamais demandé: «T'as tué cette fille?» T'es mon avocat, mec. Tu t'en foutais. T'écoutais pas.

Je me levai et appelai très fort le garde. Puis je répondis à sa question :

— Légalement, pour te défendre, je n'avais pas besoin de connaître la réponse à cette question. Si je demandais à mes clients s'ils sont coupables des crimes dont on les accuse, très peu d'entre eux me diraient la vérité. Et s'ils le faisaient, il se pourrait que je ne puisse pas les défendre au mieux de mes capacités.

Le garde ouvrit la porte et me regarda.

— Je suis prêt à y aller, lui dis-je.

Je consultai ma montre et me dis qu'en ayant un peu de chance avec la circulation, je pourrais peut-être attraper la navette de cinq heures pour Burbank. Celle de six heures au plus tard. Je laissai tomber les photos dans ma mallette et la refermai. Puis je jetai un coup d'œil à Menendez qui était toujours assis sur sa chaise.

— Je pourrais pas poser ma main sur la paroi, juste ça ? demandai-je au garde.

— Faites vite.

Je me penchai au-dessus du comptoir et mis ma main sur la vitre, les doigts bien écartés. J'attendis que Menendez en fasse autant et me gratifie de la poignée de main du détenu.

Il se leva, se pencha en avant et cracha sur la vitre, à l'endroit où se trouvait ma main.

— Tu me serres jamais la main, dit-il, je serre pas la tienne.

J'acquiesçai d'un signe de tête. Je crus comprendre d'où ça sortait.

Le garde ricana et m'ordonna de franchir la porte. Dix minutes plus tard j'étais dehors, à faire crisser les graviers sous mes pas en regagnant ma voiture de location.

J'avais fait huit cents kilomètres pour cinq minutes d'entretien, mais ces cinq minutes étaient dévastatrices. Je crois que j'arrivai au point le plus bas de ma vie et de ma carrière professionnelle une heure plus tard, alors que je me retrouvais dans le train qui ramenait ma voiture au terminal United. Je n'avais plus à me concentrer sur la route et me presser d'arriver à l'heure – seul me restait mon dossier. Non : mes dossiers.

Je me penchai en avant, les coudes sur les genoux, la figure dans les mains. Ma plus grande crainte venait de se réaliser – de fait, elle s'était réalisée deux ans plus tôt, mais à ce moment-là je l'ignorais. Ce n'était que maintenant que je m'en rendais compte. J'avais eu l'innocence devant moi, mais ne l'avais ni vue ni saisie. Au lieu de ça, je l'avais jetée dans la gueule de la machine, comme tout le reste. Et maintenant cette innocence était froide et grise, aussi morte que du gravier et enfouie dans une forteresse de pierre et d'acier. Et c'était avec ça que j'allais devoir continuer à vivre.

Il n'y avait aucune consolation à trouver dans l'autre partie de l'alternative – savoir qu'à jeter les dés et aller au procès Jesus se serait très probablement retrouvé dans le couloir des condamnés à mort à l'heure qu'il était. Il ne pouvait y avoir de réconfort à savoir que le destin avait été évité parce que je savais maintenant que Jesus Menendez était innocent. C'était quelque chose d'aussi rare qu'un vrai miracle – à savoir un innocent –, qui m'avait été présenté et je ne l'avais pas reconnu. Je m'en étais détourné.

– Mauvaise journée?

Je levai la tête. Il y avait un homme en face de moi, un peu plus loin dans le convoi de voitures. Nous étions les seuls clients présents. Il semblait avoir dix ans de plus que moi, sa calvitie naissante lui donnant des airs de sagesse. Peut-être même était-ce un avocat, mais cela ne m'intéressait pas.

– Non, ça va, lui répondis-je. Juste un peu fatigué.

Et je levai une main en l'air, paume en avant, pour lui faire comprendre que je n'avais pas envie de parler. En général, j'ai toujours un casque comme Earl quand je voyage. J'en glisse les embouts dans mes oreilles et en fais passer le fil dans la poche de ma veste. Il n'est relié à rien, mais il empêche les gens de me parler. Mais ce matin-là j'avais été trop pressé pour y penser. Trop pressé d'arriver à ce véritable désastre.

Le type du train comprit le message et se tut. Je retournai à mes sombres réflexions sur Jesus Menendez. De fait, je pensais avoir un client qui était coupable du meurtre pour lequel on en avait condamné un autre à perpétuité. Je ne pouvais aider l'un sans blesser l'autre. J'avais besoin d'une réponse. D'un plan. D'une preuve. Mais là, dans ce train, je ne pouvais penser qu'aux yeux morts de Jesus Menendez parce que je savais que c'était moi qui y avais tué la lumière.

20

Dès que j'eus quitté la navette à Burbank, j'allumai mon portable. Je n'avais toujours pas trouvé de plan, mais j'avais l'étape suivante, et cette étape, c'était d'appeler Raul Levin. L'appareil se mettant à bourdonner dans ma main, je sus que j'avais des messages. Je décidai de les récupérer plus tard, après avoir mis Levin en branle.

Il décrocha, la première chose qu'il me demanda étant de savoir si j'avais reçu son message.

— Je descends à peine de l'avion, lui répondis-je. Non, j'ai dû le rater.

— De l'avion ? T'étais où ?

— Dans le nord de l'État. C'était quoi, ce message ?

— Juste pour te mettre au courant pour Corliss. Mais si tu ne m'appelais pas pour ça, pour quoi tu m'appelais ?

— Qu'est-ce que tu fais ce soir ?

— Je vais traîner. Je n'aime pas sortir le vendredi et le samedi. C'est pour les amateurs. Trop de types bourrés sur la route.

— Oui, mais moi, je veux te voir. J'ai besoin de parler à quelqu'un. Il se passe des trucs pas bien.

Il avait dû entendre quelque chose dans ma voix, car il renonça aussitôt à ses habitudes du vendredi soir où l'on reste chez soi. Nous tombâmes d'accord pour nous retrouver au Smoke House, près des studios Warner. Ce n'était ni très loin de chez lui ni très loin de chez moi.

Au guichet de voiturage de l'aéroport, je donnai mon ticket à un type en veste rouge et vérifiai mes messages en attendant la Lincoln.

J'en avais eu trois, tous pendant que je redescendais de San Francisco en avion. Le premier venait de Maggie McPherson.

« Michael, je voulais juste t'appeler pour te dire que je m'excuse pour ce matin. À dire vrai, je m'en voulais pour certaines choses que j'avais dites la veille et certains choix que j'avais faits. Je t'ai tout mis sur le dos et je n'aurais pas dû. Euh… si tu veux prendre Hayley demain ou dimanche, je suis sûre qu'elle adorerait et, qui sait ? peut-être que je pourrais venir, moi aussi. Quoi qu'il en soit, appelle-moi pour me dire. »

Elle ne m'appelait pas souvent Michael, même du temps où nous étions mariés. Elle était de ces femmes qui peuvent vous appeler par votre nom et en faire un terme d'affection. Enfin… quand elle voulait. Elle m'avait toujours appelé Haller. Dès l'instant où nous nous étions rencontrés dans la file d'attente du détecteur de métaux du Centre administratif. Elle allait à l'accueil des bureaux du district attorney, je me rendais à la salle des mises en accusation pour une histoire de conduite en état d'ivresse.

Je sauvegardai le message pour le réécouter plus tard et passai au suivant. Je m'attendais à ce qu'il vienne de Levin, mais la voix du répondeur m'annonça que l'appel avait été passé d'un numéro avec indicatif de région 310. La voix suivante fut celle de Roulet.

« C'est moi, Louis. Je voulais juste savoir. Je me demandais où on en était après ce qui s'est passé hier. Y a aussi quelque chose que j'aimerais vous dire. »

J'appuyai sur le bouton d'effacement et passai au troisième et dernier message. Celui de Levin.

« Hé, Bossman, appelle-moi. J'ai des trucs sur Corliss. Corliss qui s'appelle Dwayne Jeffery Corliss. Dwayne avec Dw. C'est un chevalier de la piquouse et il a déjà cafté plusieurs fois ici, à Los Angeles. Tu parles d'une nouvelle, pas vrai ? Bref, il s'est fait arrêter pour avoir piqué un vélo qu'il devait projeter d'échanger contre un peu de mexicaine. Il s'est démerdé pour cafter sur Roulet en échange de quatre-vingt-dix jours de prison avec désintoxication obligatoire à County-USC. On ne pourra donc pas lui parler à moins de trouver un juge qui veuille bien arranger l'entrevue. Assez bien joué de la part du procureur. Cela dit, je continue à chercher. Sur le Net je suis tombé sur un truc qui s'est passé à Phoenix et qui pourrait nous faire beaucoup de bien si c'est le même mec. Quelque chose qui lui aurait pété au nez. Je devrais pouvoir te confirmer ça avant lundi. Voilà, c'est tout pour l'instant. Passe-moi un coup de fil dans le week-end. Je ferai juste que traîner chez moi. »

J'effaçai le message et refermai mon portable.

N'en jetez plus, la cour est pleine, me dis-je à moi-même.

Il m'avait suffi d'entendre que Corliss se piquait pour ne plus avoir besoin de quoi que ce soit. Je savais maintenant pourquoi Maggie ne lui avait pas fait confiance. Les types qui se shootent comptent parmi les êtres les plus désespérés et les moins fiables qu'on rencontre dans le système. Qu'on leur en donne la possibilité et ils dénonceront leur mère pour s'assurer la piquouse suivante ou avoir droit à de la méthadone. Pas un qui ne soit un fieffé menteur et qu'on ne puisse dénoncer comme tel au prétoire.

Cela dit, ce que Minton avait dans l'idée me laissait perplexe. Le nom de Dwayne Corliss ne figurait pas au dossier qu'il m'avait donné. Mais cela ne l'empêchait pas de procéder comme s'il avait un témoin dans sa manche. Il avait collé Corliss dans un programme de désintoxication de quatre-vingt-dix jours pour le garder près de lui. Or le procès Roulet serait terminé dans ce laps de temps. Cherchait-il à le cacher ? Ou alors et plus simplement à se mettre le mouton au placard de façon à savoir exactement où il était au cas où son témoignage deviendrait nécessaire au procès ? En tout état de cause, il était clair qu'il agissait en croyant que je n'en savais rien. Et c'est vrai que si Maggie n'avait pas eu la langue qui fourche, je n'en aurais rien su. La tactique n'en demeurait pas moins dangereuse. Les juges n'aiment pas beaucoup les procureurs qui font aussi ouvertement fi des règles de la communication des preuves à la partie adverse.

Cela me fit même entrevoir une stratégie pour la défense. Si Minton se montrait assez sot pour essayer de me sortir Corliss d'un chapeau au tribunal, je pourrais même ne rien lui objecter. Je pourrais le laisser me coller son héroïnomane à la barre et m'offrir le plaisir de le mettre en pièces devant les jurés comme on détruit une facturette de carte de crédit. Tout dépendait de ce que Levin allait me trouver sur son accro. Je décidai de lui dire de continuer à creuser le dossier Dwayne Jeffery Corliss. Et d'y aller à fond.

Puis je songeai à Corliss enfermé à County-USC. Levin se trompait lourdement – et Minton avec lui – s'il me croyait incapable de l'y joindre. La coïncidence voulait en effet que Laura Larsen ait, elle aussi, été emprisonnée à County-USC avec obligation de désintoxication après avoir dénoncé son client trafiquant de drogue. S'il y avait bien plusieurs programmes de désintoxication à County, il était plus que probable que Laura partageait des séances de thérapie de groupe, voire des repas, avec Corliss. Je n'arriverais peut-être pas à le toucher directement, mais, en ma qualité d'avocat de Larsen, je pourrais la toucher elle, et faire passer un message à ce monsieur par son intermédiaire.

La Lincoln s'immobilisant devant moi, je donnai quelques dollars de pourboire à l'homme en rouge. Puis je sortis de l'aéroport et pris vers le sud, dans Hollywood Way, pour gagner le centre de Burbank, où se trouvent tous les studios. J'arrivai au Smoke House avant Levin et commandai un martini-vodka au bar. À la télé en hauteur on passait un récapitulatif des premières rencontres du tournoi de basket interfacs. La Floride avait battu l'Ohio d'entrée de jeu. Le titre qui défilait au bas de l'écran proclamait « Folies de mars », je levai mon verre pour célébrer ça. Les vraies « Folies de mars », je commençais à savoir à quoi ça ressemblait.

Levin arriva et commanda une bière avant que nous nous installions pour dîner. Elle était encore verte, reste de la veille au soir. La soirée n'avait pas dû être à la hauteur de tous les espoirs. Je me demandai si tout le monde n'avait pas filé au Four Green Fields.

– Y a rrien de mieux qu'un bout de la queue du chien qui t'a morrdu la veille… du moment que c'est un chien à poils verrts, me lança-t-il avec son accent irlandais qui commençait à me fatiguer.

Il avala juste assez de liquide pour pouvoir avancer avec son verre et nous quittâmes l'accueil pour rejoindre une table. La serveuse nous conduisit à un box en U capitonné de rouge. Nous nous assîmes l'un en face de l'autre et je posai ma mallette à côté de moi. Lorsque la serveuse revint pour les cocktails, nous commandâmes tout le bazar : salade, steak et pommes de terre. Et en plus, je demandai qu'on nous apporte le pain au fromage qui faisait la réputation du lieu.

– C'est une bonne chose que tu n'aimes pas sortir le week-end, dis-je à Levin après le départ de la serveuse. Tu bouffes de ce pain au fromage et tu peux tuer tous les gens que tu croises rien qu'avec ton haleine.

– Faudra que j'en prenne le risque, me renvoya-t-il.

Nous gardâmes longtemps le silence après ça. Puis je sentis la vodka se frayer un chemin dans ma culpabilité. Je me promis d'en commander une autre dès que les salades arriveraient.

– Alors? dit enfin Levin. C'est toi qui as voulu qu'on se voie.

J'acquiesçai d'un signe de tête.

– Je vais te raconter une histoire. Je n'en ai pas tous les détails, mais je vais te la raconter comme je crois qu'elle s'est passée et toi, tu me diras ce que t'en penses et ce que je devrais faire. D'accord?

– J'aime bien les histoires. Vas-y.

– Je ne crois pas que celle-là te plaise beaucoup. Elle commence il y a deux ans…

Je m'arrêtai et attendis que la serveuse nous ait posé nos salades et nos pains au fromage aillé sur la table. Je commandai un deuxième martini-vodka alors même que je n'avais encore bu que la moitié du premier. Je voulais être sûr qu'il n'y ait pas de trou entre les deux.

– Et donc, repris-je après le départ de la serveuse, tout ça commence il y a deux ans, avec Jesus Menendez. Tu te souviens de lui, non?

– Si, si, on en a parlé l'autre jour. Le coup de l'ADN. C'est le client dont tu dis toujours qu'il est allé en taule pour s'être essuyé la queue sur une serviette de toilette rose.

Il sourit parce que c'était vrai que j'avais souvent réduit l'affaire Menendez à ce détail d'une vulgarité absolue. Je m'en étais aussi souvent servi pour faire rire quand j'échangeais des histoires de guerre avec d'autres avocats au Four Green Fields. C'était avant que je sache ce que je savais maintenant.

Je ne lui rendis pas son sourire.

– Oui, ben, il s'avère que ce n'est pas Jesus qui a fait le coup.

– Qu'est-ce que tu veux dire? C'est quelqu'un d'autre qui s'est essuyé la queue sur la serviette?

Et cette fois il rit tout fort.

– Non, tu ne comprends pas, lui renvoyai-je. Ce que je te dis, c'est que Jesus Menendez était innocent.

Il prit l'air sérieux et hocha la tête – il réfléchissait.

– Il est à San Quentin. C'est là que t'es monté aujourd'hui.

J'acquiesçai.

– Laisse-moi remonter un peu en arrière et te raconter l'histoire, enchaînai-je. Tu n'as pas beaucoup travaillé pour moi sur cette affaire parce qu'il n'y avait rien à faire. Ils avaient l'ADN, ses déclarations compromettantes et trois témoins qui l'avaient vu jeter un couteau dans la Los Angeles River. Ils n'avaient certes pas retrouvé le couteau, mais ils avaient les témoins… ses propres colocataires. C'était désespéré. Et moi, c'est vrai que j'avais pris ça au vol, pour la pub. Et qu'en gros je n'ai fait que l'aider à plaider coupable. Ça ne lui plaisait pas, il n'arrêtait pas de dire qu'il n'avait pas tué la fille, mais on n'avait pas le choix. Le district attorney voulait la peine de mort et c'est ça qu'il aurait récolté, ça ou perpète. Je lui ai décroché perpète avec possibilité de conditionnelle et j'ai obligé ce petit con à accepter. Je l'ai o-bli-gé, moi.

Je baissai le nez sur ma salade à laquelle je n'avais pas encore touché et m'aperçus que je n'avais pas envie de manger. J'avais seulement envie de boire et de me triturer toutes les cellules de culpabilité du cerveau.

Levin attendit que je reprenne. Lui non plus ne mangeait pas.

– Au cas où tu ne te rappellerais pas, c'était une affaire de meurtre, celui d'une certaine Martha Renteria. Elle dansait au Cobra Room, dans East Sunset. T'as pas fini par aller y voir ?

Il fit non de la tête.

– Il n'y a pas de scène, repris-je. Il y a juste une espèce de corbeille au milieu et, à chaque numéro, des types habillés en Aladin débarquent avec un grand panier à cobra porté entre deux gros bambous. Ils le posent par terre et la musique commence. Et là, y a le haut du panier qui tombe et la fille en sort en dansant. Et après, y a le haut de la fille qui tombe à son tour et… Enfin quoi… c'est une espèce de nouvelle version de la danseuse qui sort du gâteau d'anniversaire.

– C'est Hollywood, ça, mon pote, dit-il. Faut qu'y ait du spectacle.

– Et justement : Jesus Menendez aimait bien ce spectacle. Il avait 1 100 dollars que son trafiquant de drogue de frère lui avait donnés et il avait le béguin pour Martha Renteria. Peut-être parce que c'était la seule danseuse à être plus petite que lui. Peut-être aussi parce qu'elle lui parlait en espagnol. Toujours est-il qu'après son numéro ils se sont assis et se sont mis à parler. Après, elle a fait le tour de la salle avant de revenir et il a compris qu'il était en concurrence avec un autre type. Un autre type qu'il a enfoncé en proposant cinq cents dollars à Renteria si elle acceptait de l'emmener chez elle.

— Mais il ne l'a pas tuée en arrivant?

— Non. Elle est montée dans sa voiture et il l'a suivie dans la sienne. Il est arrivé chez elle, il a tiré son coup, s'est débarrassé de sa capote, s'est essuyé la queue sur la serviette et il est rentré chez lui. L'histoire commence juste après son départ.

— Celle du véritable assassin.

— Du véritable assassin qui frappe à la porte, peut-être même qui fait semblant d'être Jesus qui a oublié quelque chose. Elle ouvre. Mais peut-être aussi qu'elle lui avait donné rendez-vous. Elle s'y attendait et ouvre la porte.

— Le type du club? Celui contre qui Menendez montait aux enchères?

J'acquiesçai d'un signe de tête.

— Exactement. Il entre, lui flanque quelques coups de poing pour l'adoucir un peu, sort son couteau pliant et lui en appuie la pointe sur le cou en la conduisant à sa chambre. Ça te rappelle des trucs? Sauf qu'elle, elle n'aura pas la chance de Reggie Campo deux ans plus tard. Il l'allonge sur le lit, enfile une capote et lui monte dessus. Elle a le couteau de l'autre côté du cou et il continue à le lui appuyer sur la peau pendant qu'il la viole. Et quand il a fini, il la tue. Un coup de couteau après l'autre, encore et encore. Dix fois plus qu'il n'en faut. Il essaie de se libérer de quelque chose de pourri qu'il a dans sa tête.

Mon deuxième martini arrivant, je l'arrachai aux mains de la serveuse et en avalai la moitié d'un coup. Elle nous demanda si nous avions fini nos salades, nous lui fîmes tous les deux signe de nous en débarrasser sans y avoir touché.

— Vos steaks arrivent, dit-elle. Ou alors… vous voulez que je les foute à la poubelle tout de suite pour que vous perdiez pas de temps?

Je la regardai. Elle souriait, mais j'étais tellement pris par mon histoire que j'avais raté ce qu'elle venait de dire.

— Pas grave, dit-elle. Ils arrivent.

Je revins aussitôt à mon récit. Levin garda le silence.

– Quand elle est morte, l'assassin nettoie derrière lui. Il prend son temps parce que pourquoi se presser, hein ? C'est pas comme si elle allait se balader ou appeler quelqu'un au téléphone. Donc, il essuie partout pour effacer toutes les empreintes qu'il aurait pu laisser. Et en faisant ça, il efface aussi celles de Menendez. Et ça, ça ne sera pas bon pour celui-ci quand il ira voir les flics pour leur expliquer qu'il est bien le mec des portraits-robots, mais qu'il n'a pas tué Renteria. Ils n'auront qu'à le regarder un bon coup pour lui dire : « Alors pourquoi vous portiez des gants quand vous étiez chez elle ? »

Levin hocha la tête.

– Oh putain, mec, si c'est vrai…

– T'inquiète pas pour ça, c'est tout ce qu'il y a de plus vrai. Menendez prend un avocat qui a fait du bon boulot pour son frère, sauf que l'avocat en question raterait un innocent même si cet innocent lui dérouillait les couilles à coups de pied. Pour lui, il n'y a qu'à traiter. Il ne demande même pas à son client s'il a fait le coup. Il se contente de le supposer parce que les flics ont son ADN sur la serviette et les témoins qui l'ont vu balancer son couteau. De fait même, l'avocat se sent plutôt bien parce qu'il va éviter à son client de terminer au couloir des condamnés à mort et que, si ça se trouve, il va l'aider à décrocher une conditionnelle un jour. Bref, l'avocat va voir Menendez et lui annonce la mauvaise nouvelle. Il lui fait accepter le marché et l'aide à se lever devant le juge et à dire qu'il est « coupable ». Après quoi Jesus va en prison et tout le monde est content. Le ministère public parce que ça lui fait faire des économies sur un procès, et les parents de Martha Renteria parce qu'ils n'auront pas à se taper des audiences avec toutes les photos d'autopsie et les histoires comme quoi leur fille dansait nue dans des boîtes et ramenait des mecs chez elle moyennant finance. Et l'avocat lui aussi est content parce qu'il est passé au moins six fois à la télé pour l'affaire et qu'il a évité la mort à un client de plus.

J'avalai le reste de mon martini-vodka et regardai autour de moi pour voir où était passée notre serveuse. J'en voulais un autre.

– Jesus Menendez va en prison alors qu'il n'est encore qu'un jeune homme. Je l'ai vu hier et il a vingt-six-quarante ans. Il est petit et tu sais ce qui arrive aux petits là-bas.

Je regardais fixement l'espace vide sur la table devant moi lorsqu'une assiette en forme d'œuf sur laquelle on avait posé un steak qui grésillait et des pommes de terre fumantes y atterrit. Je levai les yeux sur la serveuse et lui commandai un troisième martini-vodka. Sans lui dire s'il vous plaît.

— Tu ferais bien d'y aller doucement, me lança Levin quand elle fut partie. Il n'y a probablement pas un flic dans tout le comté qui n'adorerait pas t'arrêter pour homicide involontaire, te ramener au gnouf et te passer le cul à la torche électrique.

— Je sais, je sais. Ce sera le dernier. Et si ça fait trop, je ne prends pas le volant. Y a toujours des taxis devant ce restau.

Ayant décidé que manger pourrait m'aider, je coupai un morceau de mon steak et l'avalai. Puis je sortis un bout de pain au fromage de la serviette qui l'enveloppait dans un petit panier, mais il n'était plus chaud. Je le laissai tomber dans mon assiette et reposai ma fourchette.

— Écoute, je sais que tu te démolis la tête là-dessus, mais t'oublies quelque chose, reprit Levin.

— Oui, quoi?

— Ce qu'il risquait. Pour lui, c'était l'aiguille, mec: il avait un dossier pourri. Je ne l'ai pas travaillé pour toi pour la simple et bonne raison qu'il n'y avait rien à travailler. Ils le tenaient et tu l'as sauvé de la mort. C'est ça, ton boulot, et tu l'as bien fait. Maintenant tu crois savoir ce qui s'est vraiment passé, mais tu peux pas continuer à te démolir pour un truc que tu savais pas.

Je levai la main en l'air pour lui signifier «on arrête ça tout de suite».

— Ce type était innocent. J'aurais dû le voir. Et j'aurais dû faire quelque chose. Au lieu de ça, je me suis contenté de mon truc habituel et j'ai suivi la procédure les yeux fermés.

— Des conneries, tout ça.

— Non, c'est pas des conneries.

— D'accord, d'accord, revenons à l'histoire. Qui est le deuxième mec qui s'est pointé à la porte de la nana?

J'ouvris ma mallette et y plongeai la main.

— Aujourd'hui, je suis monté à San Quentin et j'ai montré un jeu de six trombines à Menendez. Rien que des portraits de mes clients. D'anciens clients, pour la plupart. Menendez a repéré cette photo en moins de deux.

Et je lui jetai la photo de Louis Roulet en travers de la table. Elle y atterrit, face sur le bois. Levin la ramassa, la regarda quelques instants et la reposa sur la table, face sur le bois.

– Que je te montre autre chose, ajoutai-je.

Je replongeai la main dans ma mallette et en ressortis les deux photos pliées de Martha Renteria et de Reggie Campo. Je regardai autour de moi pour m'assurer que la serveuse ne s'apprêtait pas à m'apporter mon martini-vodka et les tendis à Levin.

– C'est comme un puzzle, lui dis-je. Mets-les ensemble et regarde ce que ça donne.

Levin fit un visage des deux moitiés et acquiesça d'un signe de tête en comprenant ce que cela voulait dire. L'assassin – Roulet – s'en prenait aux femmes qui correspondaient à un modèle ou un profil qui l'attirait. Je lui montrai ensuite le croquis de l'arme qu'avait fait le légiste dans le rapport d'autopsie de Renteria et lui lus la description des deux blessures de coercition trouvées sur le cou de la victime.

– Tu sais... la vidéo du bar que t'as eue ? enchaînai-je. Ce qu'elle montre, c'est un assassin en plein travail. Exactement comme toi, il a vu que M. X était gaucher. Et quand il a agressé Reggie Campo, il l'a fait en lui décochant un gauche et l'a tenue en respect avec son couteau toujours tenu de la main gauche. Ce type sait ce qu'il fait. Il a repéré l'occasion et l'a saisie au bond. Être encore en vie fait de Reggie Campo une des femmes les plus chanceuses qui soient.

– Tu crois qu'il y en a d'autres ? D'autres meurtres, je veux dire.

– Peut-être. C'est sur ça que je veux que tu enquêtes. Recherche toutes les femmes qui sont mortes poignardées depuis quelques années. Et après, tu me trouves leurs photos et tu vois si elles correspondent à un profil physique particulier. Et ne te contente pas d'aller voir du côté des affaires non résolues. Martha Renteria faisait, elle aussi, partie des affaires prétendument closes.

Il se pencha en avant.

– Écoute, mec, je vais jamais pouvoir jeter un filet aussi grand que celui des flics sur ce truc. Il faut que tu les mettes dans le coup. Ou que t'ailles au FBI. Ils ont des spécialistes des serial killers.

Je fis non de la tête.

— Ce n'est pas possible. C'est mon client.

— Menendez, lui aussi, c'est ton client et faut que tu le sortes de taule.

— J'y travaille. Et c'est pour ça que j'ai besoin que tu fasses ça pour moi, Mish.

Nous savions tous les deux que je l'appelais Mish chaque fois que j'avais besoin de quelque chose qui mélangeait le boulot et l'amitié qu'il y avait en dessous.

— Un tueur à gages? reprit Levin. C'est ça qui résoudrait nos problèmes.

Je hochai la tête : on était facétieux et je le savais.

— C'est vrai que ça marcherait. Et ça rendrait le monde meilleur. Mais ça ne nous ferait sans doute pas sortir Menendez.

Levin se pencha de nouveau en avant. Il était redevenu sérieux.

— Je vais faire ce que je peux, Mick, mais je ne crois pas que ce soit la meilleure façon de procéder. Tu pourrais dire qu'il y a conflit d'intérêts et laisser tomber Roulet. Et après, tu bosses pour faire sortir Menendez de San Quentin.

— Le faire sortir avec quoi?

— Avec l'identification qu'il a faite sur les photos. C'était du solide. Il n'a jamais vu Roulet avant et pan, il le repère direct dans le lot.

— Comme si on allait croire un truc pareil! C'est moi qui suis son avocat! Personne du Conseil de clémence ne voudra croire que ce n'est pas moi qui ai monté tout ça. Pour l'instant, c'est rien qu'une théorie, Raul. Toi et moi, on sait que c'est vrai, mais on ne peut rien prouver, bordel!

— Et les blessures? Ils pourraient comparer le couteau de l'affaire Campo avec les blessures de Martha Renteria.

Je fis non de la tête.

— Renteria a été incinérée. Tout ce qu'ils ont, ce sont les commentaires et les photos de l'autopsie et ça ne serait pas concluant. Ça ne suffit pas. En plus, je ne peux pas être le type qui inflige ça à son client. Que je me retourne contre un client et c'est contre tous les autres que je le fais. Ça ne peut pas avoir cette gueule-là ou je les perds tous. Il faut que je trouve autre chose.

– Je crois que tu te trompes. Je crois…

– Pour l'instant, je vais continuer comme si je ne savais rien de tout ça, tu comprends? Mais toi, tu cherches. Tout. Tu sépares bien de l'affaire Roulet de façon à ce que j'aie pas un problème de transmission des preuves à la partie adverse. Tu mets tout ça sur le compte Jesus Menendez et tu me factures tes heures. Pigé?

Avant qu'il ait pu me répondre, la serveuse m'apporta mon troisième martini-vodka. Je l'écartai d'un geste.

– Je n'en veux pas, dis-je. Donnez-moi l'addition.

– Ben… c'est que j'peux pas le remettre dans la bouteille, me répliqua-t-elle.

– Vous inquiétez pas. Je paierai. C'est juste que je veux pas le boire. Donnez-le au mec qui fait le pain au fromage et apportez-moi la note.

Elle fit demi-tour et s'éloigna, probablement furibarde que ce ne soit pas à elle que j'aie offert mon verre. Je me retournai vers Levin. Il avait l'air peiné par tout ce qui venait de lui être révélé. Je ne savais que trop ce qu'il ressentait.

– Tu parles d'un pactole que je me suis ramassé!

– Ouais. Comment vas-tu pouvoir te conduire bien avec ce mec alors que tu cherches toutes ces merdes sur lui en même temps?

– Quoi, avec Roulet? J'ai décidé de le voir le moins possible. Seulement quand ce sera nécessaire. Il m'a laissé un message aujourd'hui… il aurait quelque chose à me dire. Mais je ne vais pas le rappeler.

– Pourquoi t'a-t-il choisi, toi? Enfin, je veux dire… pourquoi a-t-il choisi le seul avocat capable de faire la lumière sur tout ça?

Je hochai la tête.

– Je ne sais pas. Je n'ai pensé qu'à ça dans l'avion. Ce que je me dis, c'est qu'il avait peut-être peur que j'entende parler de l'affaire et que je fasse le lien de toute façon. En me prenant comme avocat, il savait que j'étais éthiquement obligé de le protéger. Au début en tout cas. Sans oublier le pognon.

– Quel pognon?

– Le pognon de maman. Le pactole. Il sait très bien le paquet de fric que je vais ramasser. Le plus gros de toute ma carrière. Il s'est peut-être dit que je regarderais ailleurs pour que le fric continue de rentrer.

Levin hocha la tête.

– Et peut-être que je devrais, hein?

C'était une tentative d'humour à la vodka, mais Levin ne sourit pas et moi, je me rappelai le visage de Jesus Menendez derrière la paroi en Plexiglas de la prison et ne pus me forcer à sourire.

– Écoute, y a un autre truc que je veux te faire faire, ajoutai-je. Je veux que t'enquêtes aussi sur lui. Oui, sur Roulet. Tu me trouves tout ce que tu peux sans approcher trop près. Et tu vérifies l'histoire de la mère, comme quoi elle se serait fait violer dans une maison de Bel-Air qu'elle essayait de vendre.

Il acquiesça d'un signe de tête.

– Je m'y mets.

– Et tu ne sous-traites pas.

C'était une scie entre nous. Comme moi, Levin travaillait en solo. Il n'avait personne à qui donner quoi que ce soit en sous-traitance.

– Promis. Je m'en occupe tout seul.

C'était sa réponse rituelle, mais cette fois elle n'avait ni l'humour ni la fausse sincérité qu'il y mettait d'ordinaire. Il n'avait fait que répondre par habitude.

La serveuse passa à côté de notre table et y posa la note sans dire merci. Je mis une carte de crédit dessus sans même regarder l'étendue des dégâts. Je n'avais plus qu'une envie: filer.

– Tu veux qu'elle t'emballe ton steak? demandai-je à Levin.

– Non, ça ira comme ça. J'ai l'impression d'avoir perdu l'appétit.

– Et le chien d'attaque que t'as chez toi, hein?

– C'est une idée. Bruno... j'allais l'oublier.

Il chercha la serveuse pour lui demander une boîte.

– Prends le mien avec, lui dis-je. J'ai pas de chien.

21

Malgré le brouillard de vodka, je me débrouillai du véritable sla-
lom qu'est Laurel Canyon sans égratigner la Lincoln ou me faire
arrêter par un flic. Ma maison se trouve dans Fareholm Drive, qui
monte en terrasses dès l'entrée sud du canyon. Toutes les maisons y
sont construites au ras de la chaussée et je n'eus qu'un problème en
y arrivant : un connard avait rangé son 4 × 4 devant mon garage et
je ne pouvais pas y entrer. Se garer dans cette rue étroite est toujours
difficile et l'espace libre devant mon garage est généralement trop
alléchant, surtout les soirs de week-end où, c'est couru d'avance,
quelqu'un donne une fête quelque part.

Je passai devant chez moi et trouvai une place tout juste assez
grande pour la Lincoln une rue plus loin. Plus je m'étais éloigné de
chez moi, plus ma colère contre ce 4 × 4 avait monté. Mes fantasmes étaient passés du crachat sur le pare-brise aux flancs qu'on
enfonce à coups de bottes en passant par le bris de rétroviseur et les
pneus qu'on crève. Au lieu de quoi j'écrivis un mot très calme sur
une feuille de bloc-notes – *Ceci n'est pas une place de parking ! La prochaine fois, c'est l'enlèvement !* On ne sait jamais trop qui est au volant
d'un 4 × 4 à Los Angeles et menacer quelqu'un parce qu'il s'est garé
devant votre garage, c'est lui dire très exactement où on habite.

Je revins à pied et allais mettre mon petit mot sous l'essuie-glace
du contrevenant lorsque je remarquai que le 4 × 4 était une Range
Rover. Je posai ma main sur le capot, il était froid au toucher. Je
regardai les fenêtres de chez moi que je pouvais voir au-dessus du
garage, elles étaient toutes plongées dans le noir. Je collai ma feuille
sous l'essuie-glace et commençai à monter les marches qui conduisent à la terrasse de devant et à la porte d'entrée. Je m'attendais à

moitié à trouver Louis Roulet assis dans un de mes grands fauteuils de metteur en scène pour contempler les lumières de la ville, mais non, il n'était pas là.

Je gagnai le coin de la véranda et regardai la vue. C'est elle qui m'avait fait acheter la maison. Dès qu'on en franchissait la porte, tout dans cette baraque était ordinaire et démodé. Mais la terrasse de devant et le panorama d'Hollywood Boulevard pouvaient vous lancer dans des millions de rêves. Je m'étais servi de ma dernière affaire pactole pour effectuer le premier versement. Mais, une fois entré en possession des lieux, je m'étais retrouvé sans autre affaire pactole et avais dû renégocier l'hypothèque. La vérité était simple : j'avais un mal de chien à payer tous les mois. Il allait falloir que je parte de là, mais la vue que j'avais de cette terrasse me paralysait. Il y avait toutes les chances pour que je sois en train de contempler la ville lorsqu'on viendrait me reprendre la clé et fermer la maison.

Et je sais la question que cela suscite. Même avec tous les efforts que je déploie pour rester à flot, est-il vraiment juste que, lorsque madame le procureur et son défenseur de mari divorcent, ce soit l'avocat de la défense qui garde la maison sur la colline alors que madame le procureur a droit au deux-pièces dans la Valley ? La réponse est que Maggie McPherson pourrait s'acheter une maison de son choix et que je ferais tout mon possible pour l'aider. Cela dit, elle refusait de déménager en attendant sa promotion au bureau du centre-ville. Acheter une maison à Sherman Oaks ou ailleurs aurait envoyé le mauvais message : celui de la satisfaction sédentaire. Et elle n'était pas satisfaite d'être Maggie McFierce de la division de Van Nuys. Elle n'appréciait pas de se faire passer devant par John Smithson ou l'un quelconque de ses jeunes loups. Maggie était ambitieuse et voulait être nommée en ville où, censément, c'était aux meilleurs procureurs que revenaient les crimes les plus importants. Elle refusait le truisme selon lequel meilleur on est, plus on menace la hiérarchie, surtout quand celle-ci est élue. Je savais qu'elle ne serait jamais invitée à descendre en ville. Elle était bien trop bonne pour ça.

De temps en temps cela lui affleurait à la conscience et elle se mettait en colère de façon inattendue. Elle lâchait une remarque coupante lors d'une conférence de presse ou refusait de coopérer à une enquête qui partait du centre-ville. Ou alors, un rien éméchée, elle révélait à un avocat de la défense, qui était aussi son ex-mari, quelque chose dont il ne devait pas avoir connaissance.

Le téléphone se mit à sonner dans la maison. Je m'approchai de la porte d'entrée et tentai maladroitement d'ouvrir avec mes clés pour arriver à temps. Mes numéros de téléphone et qui les connaît pourraient faire l'objet d'un graphique en forme de pyramide. Tout en bas ceux qu'on trouve dans les Pages jaunes et que tout le monde a ou peut avoir. Au-dessus, mon numéro de portable – donné à mes collaborateurs principaux, enquêteurs, prêteurs de caution, clients et divers rouages de la machine. Le numéro de chez moi – ligne fixe – serait tout en haut. Très rares étaient les personnes qui l'avaient. Et ce n'étaient ni des clients ni des avocats – un seul excepté.

J'entrai et décrochai le téléphone de la cuisine avant que l'appel passe sur le répondeur. L'individu qui m'appelait était le seul autre avocat à avoir mon numéro, Maggie McPherson.

– T'as eu mes messages ? me demanda-t-elle.

– J'ai eu celui que tu as laissé sur mon portable. Qu'est-ce qu'il y a ?

– Rien. J'en avais aussi laissé un à ce numéro nettement plus tôt.

– Euh… je n'ai pas été là de toute la journée. J'arrive juste.

– Où t'étais ?

– Oh, j'ai juste fait l'aller-retour San Francisco et je rentre d'un dîner avec Raul Levin. Tout cela te convient-il ?

– Simple curiosité. Y avait quoi à San Francisco ?

– Un client.

– Et donc, ce que tu me dis vraiment, c'est que tu es allé à San Quentin.

– Tu as toujours été trop maligne pour moi, Maggie. J'arriverai jamais à te feinter. Cet appel a-t-il une raison particulière ?

– Je voulais juste savoir si tu avais eu mes excuses et si tu allais faire quelque chose avec Hayley demain.

– Et la réponse est oui et oui. Mais, Maggie… aucune excuse n'était nécessaire et tu devrais le savoir. C'est moi qui m'excuse de la façon dont je me suis conduit avant de partir. Et si ma fille veut être avec moi demain, alors je veux être avec elle. Dis-lui qu'on pourrait descendre à la jetée ou aller au cinéma si elle veut. C'est elle qui décide.

– En fait, elle veut aller au centre commercial.

Elle avait dit ça comme on marche sur du verre.

– Au centre commercial ? Pas de problème. Je l'y emmènerai. C'est pas bien, le centre commercial ? Quelque chose de particulier qu'elle voudrait ?

C'est alors que je remarquai une odeur inconnue dans la maison. Une odeur de fumée. En restant debout au milieu de la cuisine, je vérifiai le four et la cuisinière. Éteints. Le téléphone n'étant pas un sans-fil, j'étais coincé dans la pièce. Je tirai sur le fil jusqu'à la porte et allumai le plafonnier de la salle à manger. Celle-ci était vide et, la lumière éclairant la pièce voisine, la salle de séjour que je venais de traverser, j'eus l'impression qu'elle aussi était vide.

– Y a un magasin où on te fait fabriquer ton nounours tout seul. Tu choisis le style et la boîte vocale et tu mets un petit cœur dans la bourre. C'est très mignon.

J'avais envie d'arrêter la conversation et d'aller plus loin dans mon exploration.

– Génial. Je l'y emmène. À quelle heure ?

– Je pensais à midi. Nous pourrions peut-être déjeuner avant.

– Nous ?

– Ça te gênerait ?

– Non, Maggie, pas du tout. Je viens donc à midi ?

– Parfait.

– À plus.

Je raccrochai avant qu'elle ait le temps de dire au revoir. J'avais une arme, mais c'était une pièce de collection qui n'avait jamais servi depuis que je la possédais et qui était rangée dans une boîte dans le placard de ma chambre, au fond de la maison. J'ouvris très doucement un tiroir de la cuisine et y pris un couteau à steak à lame courte mais très aiguisée. Puis je traversai la salle de séjour pour gagner le couloir qui conduisait à l'arrière de la maison. Trois portes y donnaient. Celle de ma chambre, celle de la salle de bains et celle d'une autre chambre que j'avais transformée en bureau, le seul vrai bureau que j'avais.

La lampe posée sur le bureau était allumée. Elle n'était pas visible de l'endroit du couloir où je me trouvais, mais la lumière l'était. Je n'étais pas rentré chez moi deux jours durant, mais je ne me rappelais pas l'avoir laissée allumée. Je m'approchai lentement de la porte en me rendant compte que c'était peut-être ce qu'on attendait de moi. On se focalise sur la lumière dans une pièce alors que l'intrus attend dans l'obscurité de la chambre ou de la salle de bains.

— Entrez donc, Mick. Ce n'est que moi.

Je reconnus la voix, mais cela ne me mit pas à l'aise. C'était Louis Roulet qui m'attendait dans la pièce. J'en franchis le seuil et m'arrêtai. Il s'était installé dans le fauteuil de bureau en cuir noir. Son pantalon lui remontant sur la jambe gauche, j'aperçus le bracelet émetteur que Fernando Valenzuela l'obligeait à porter. Je compris que s'il était venu me tuer, au moins laisserait-il une trace derrière lui. Ce qui n'était quand même pas très réconfortant. Je m'adossai à l'encadrement de la porte de façon à tenir mon couteau contre ma hanche sans que ce soit trop évident.

— C'est donc ici que vous faites votre superbe travail de juriste? me lança-t-il.

— En partie, oui. Qu'est-ce que vous fabriquez ici, Louis?

— Je suis venu vous voir. Vous ne m'avez pas rappelé, je voulais donc savoir si nous formions toujours une équipe... vous voyez?

— Je n'étais pas en ville. Je viens de rentrer.

— Et ce dîner avec Raul? Ce n'est pas ce que vous disiez à votre interlocuteur?

— C'est un ami. J'ai dîné en revenant de l'aéroport de Burbank. Comment avez-vous trouvé où j'habite, Louis?

Il s'éclaircit la gorge et sourit.

— Je travaille dans l'immobilier, Mick. Je suis capable de trouver n'importe quelle adresse. De fait, même, j'étais une source de renseignements pour le *National Enquirer*. Vous le saviez? Je pouvais leur dire où vivait n'importe quelle célébrité, quels que soient les écrans derrière lesquels elle cachait ses achats. Mais j'ai arrêté au bout d'un moment. Ça allait côté argent, mais c'était trop... sordide. Vous voyez ce que je veux dire, Mick? Mais je suis toujours capable de trouver l'adresse de n'importe qui. Et de voir si on a dépassé la valeur de son hypothèque et si on paie ses traites à l'heure.

Il me regarda avec un sourire entendu. Il me faisait comprendre qu'il savait fort bien que la maison n'était qu'un investissement financier, que je n'y avais rien dedans et que j'avais en général un mois de retard sur mes traites. Fernando Valenzuela ne l'aurait probablement même pas acceptée comme garantie sur un dépôt de caution de cinq mille dollars.

– Comment êtes-vous entré?

– Eh bien, c'est ça qu'il y a d'amusant. Il se trouve que j'avais une clé. À l'époque où cette maison était à vendre… il y a quoi? environ quatre ans de ça?… toujours est-il que je voulais la voir parce que je pensais avoir un client que ça pouvait intéresser à cause de la vue. Ce qui fait que je suis allé demander la clé à l'agent immobilier. Je suis entré, j'ai jeté un coup d'œil et j'ai tout de suite senti que ça ne conviendrait pas à mon client… Il voulait quelque chose de mieux… et je suis reparti. Et j'ai oublié de rendre la clé à l'agence. C'est une de mes très mauvaises habitudes. Vous ne trouvez pas bizarre qu'après tout ce temps ce soit mon propre avocat qui habite cette maison? À propos… je vois que vous n'en avez rien fait. Vous avez la vue, naturellement, mais vous auriez quand même besoin de la rafraîchir un peu.

Je compris alors qu'il me suivait depuis l'affaire Menendez. Et qu'il savait probablement que j'étais allé voir ce dernier à San Quentin. Je songeai au type dans le train de voitures. *Mauvaise journée?* Et je l'avais revu un peu plus tard dans la navette pour Burbank. Me suivait-il? Travaillait-il pour Roulet? Était-ce l'enquêteur que Cecil Dobbs avait essayé de me fourguer? Je n'avais pas toutes les réponses, mais je savais que la seule raison à la présence de Roulet dans ma maison était qu'il savait que je savais.

– Qu'est-ce que vous voulez vraiment, Louis? lui demandai-je. Vous essayez de me faire peur?

– Non, non, c'est plutôt moi qui devrais avoir peur. J'imagine que vous avez une arme derrière vous. Qu'est-ce que c'est? Un flingue?

Je serrai plus fort mon couteau, mais ne le montrai pas.

– Qu'est-ce que vous voulez? répétai-je.

– Vous faire une offre. Pas sur la maison. Sur vos services.

– Vous les avez déjà.

Il pivota plusieurs fois sur le fauteuil avant de répondre. Je parcourus le bureau des yeux pour voir s'il y manquait quelque chose et remarquai qu'il s'était servi du petit plat en poterie que m'avait confectionné ma fille comme d'un cendrier. C'était censé recueillir des trombones.

– Je songeais à vos honoraires et aux difficultés de l'affaire, dit-il enfin. Franchement, Mick, je crois que vous n'êtes pas assez payé. Je voudrais donc revoir les échéances de paiement. On vous réglera la somme prévue, et entièrement, avant le début du procès. Mais je vais y ajouter un bonus. Dès qu'un jury de mes pairs m'aura déclaré non coupable du crime répugnant dont on m'accuse, vos honoraires seront doublés, automatiquement. Je vous rédigerai ce chèque dans votre Lincoln, lorsque nous quitterons le tribunal.

– C'est très sympa à vous, mais le barreau de Californie interdit aux avocats d'accepter des bonus basés sur le résultat obtenu. Je ne pourrais pas l'accepter. C'est plus que généreux, mais c'est impossible.

– Sauf que ce barreau de Californie n'est pas ici, Mick. Et que nous ne sommes pas obligés de traiter ça comme un bonus pour bons résultats. Ça peut faire tout simplement partie des échéances. Parce que bien sûr vous me défendrez avec succès, n'est-ce pas ?

Il me jeta un regard intense, où je vis clairement la menace.

– Au prétoire, rien n'est garanti, lui renvoyai-je. Les choses peuvent tourner mal. Mais pour moi, le coup est toujours jouable.

Il se mit à sourire, très lentement.

– Qu'est-ce qui pourrait faire que ça soit encore plus jouable ?

Je pensai à Reggie Campo. Toujours en vie et prête à aller au procès. Elle n'avait aucune idée de l'individu contre qui elle allait témoigner.

– Rien, lui répondis-je. Vous ne bougez pas et vous attendez. Ne vous faites pas des idées. Ne faites rien. Le dossier se met en place et nous nous en sortirons comme il faut.

Il ne réagit pas. Je voulais qu'il cesse de penser à la menace que représentait Reggie Campo.

– Mais il y a du nouveau, repris-je.

— Vraiment ? Et ce serait… ?

— Je n'ai pas encore tous les détails. Ce que je sais, je le tiens d'une source qui ne peut pas m'en dire plus, mais il semblerait que le district attorney ait un mouton. Vous n'avez rien dit de l'affaire à personne quand vous étiez en prison, n'est-ce pas ? Vous vous rappelez que je vous avais dit de ne parler à personne ?

— Et je n'ai rien dit. Je ne sais pas qui il a, mais ce mouton est un menteur.

— Les trois quarts d'entre eux le sont. Je voulais juste être sûr. Je m'en occuperai si jamais on nous en sortait un.

— Bien.

— Autre chose… Avez-vous parlé à votre mère de témoigner pour son agression dans la maison vide ? On en a besoin pour arrêter une ligne de défense sur le fait que vous aviez un couteau sur vous.

Il ourla les lèvres, mais ne répondit pas.

— Il faut que vous la travailliez, insistai-je. Il pourrait être très important de bien établir ce fait auprès du jury. Sans compter que ça pourrait vous attirer de la sympathie.

Il acquiesça de la tête. Il avait vu la lumière.

— Est-ce que vous pourriez le lui demander, s'il vous plaît ?

— Je le ferai. Mais ce sera dur. Elle ne l'a pas déclaré aux flics. Elle n'en a parlé à personne, sauf à Cecil.

— On a besoin qu'elle témoigne et après, on pourrait faire témoigner Cecil pour confirmer ses dires. Ça n'aura pas autant de poids qu'un rapport de police, mais ça fera l'affaire. On a besoin d'elle, Louis. Je crois que si elle témoigne, elle arrivera à convaincre les jurés. Les jurés aiment beaucoup les vieilles dames.

— D'accord.

— Vous a-t-elle jamais dit à quoi ressemblait le type ? Quel âge il avait ? Enfin tout, quoi.

Il hocha la tête.

— Elle n'aurait pas pu. Il portait un passe-montagne et des lunettes de ski. Il lui a sauté dessus dès qu'elle a franchi la porte. Il s'était caché derrière. Ç'a été très rapide et très violent.

Sa voix trembla. Je restai perplexe.

— Vous ne m'avez pas dit que son assaillant était un acheteur potentiel qu'elle était censée retrouver dans cet endroit? Il était déjà à l'intérieur?

Il porta son regard à la hauteur du mien.

– Oui. Dieu sait comment, il avait réussi à entrer et l'attendait. Ç'a été terrible.

J'acquiesçai d'un signe de tête. Je n'avais pas envie de pousser plus loin pour l'instant. Je voulais qu'il sorte de chez moi.

– Écoutez, merci pour votre offre, Louis. Mais maintenant, si vous voulez bien m'excuser, je veux aller me coucher. La journée a été longue.

Avec ma main libre, je lui montrai le couloir qui conduisait à la porte d'entrée. Il se leva du fauteuil de bureau et vint vers moi. Je reculai dans le couloir, puis à l'entrée de ma chambre. Je gardai le couteau dans mon dos – prêt à servir. Mais il passa devant moi sans incident.

– Et demain vous avez votre fille à sortir, dit-il.

Cela me glaça. Il avait écouté ma conversation avec Maggie. Je ne dis rien. Lui, si.

– Je ne savais pas que vous aviez une fille, Mick, reprit-il. Ça doit être bien.

Et il se retourna pour me sourire en continuant d'avancer dans le couloir.

– Elle est belle, ajouta-t-il.

Mon inertie se mua en élan. Je repassai dans le couloir et me mis à le suivre, ma colère augmentant à chaque pas que je faisais. Je serrai mon couteau de plus en plus fort.

– Comment savez-vous de quoi elle a l'air? lui lançai-je.

Il s'arrêta, je m'arrêtai à mon tour. Il regarda le couteau que je tenais dans ma main, puis mon visage. Et parla calmement.

– La photo sur votre bureau.

Je l'avais oubliée. Une petite photo encadrée de la demoiselle au manège des tasses à thé à Disneyland.

– Oh.

Il sourit – il savait ce que j'avais cru.

– Bonsoir, Mick. Amusez-vous bien avec votre fille demain. Vous ne la voyez sans doute pas assez. (Il se retourna, traversa la salle de séjour, ouvrit la porte d'entrée et me regarda avant de sortir.) Vous, c'est d'un bon avocat que vous auriez besoin. Quelqu'un qui vous obtienne la garde.

— Non. Elle est mieux avec sa mère.

— Bonsoir, Mick. Merci pour cette petite conversation.

— Bonsoir, Louis.

Je m'avançai pour refermer la porte.

— Belle vue, lança-t-il une fois sur la terrasse.

— Oui, dis-je et je refermai la porte à clé.

Je restai la main sur le bouton de porte, à attendre l'instant où je ne l'entendrais plus descendre les marches qui conduisent à la rue. Mais, une seconde plus tard, il frappa à la porte. Je fermai les yeux, gardai mon couteau prêt et lui rouvris. Il tendit la main en avant. Je reculai d'un pas.

— Votre clé. Je me disais que ça serait mieux que vous l'ayez.

Je la pris dans la paume de sa main.

— Merci.

— De rien.

Je refermai la porte à clé, une fois encore.

22

Ma journée commença mieux que tout ce qu'un avocat de la défense pouvait demander. Ni prétoire où traîner, ni client à rencontrer. Je dormis tard, passai ma matinée à lire le journal de la première à la dernière page et, oui, j'avais une loge pour le match d'ouverture de la saison de base-ball des Los Angeles Dodgers. Match de jour et tradition respectée depuis toujours par ceux qui travaillent pour la défense. Mon billet m'avait été offert par un Raul Levin qui y emmenait régulièrement cinq des pros de la défense pour lesquels il travaillait afin de les remercier de l'employer. J'étais sûr que les quatre autres allaient grogner et se plaindre que je le monopolisais pour préparer le procès de Roulet. Ce n'était pas ça qui allait me déranger.

Nous avions abordé le moment où, vu de l'extérieur, tout ralentit avant le procès, celui où la machine tourne régulièrement et sans faire de bruit. Le procès devait commencer dans un mois. Au fur et à mesure que la date approchait, je prenais de moins en moins de clients. J'avais besoin de tout mon temps pour me préparer et élaborer mes stratégies. Bien que plusieurs semaines nous séparent encore du grand moment, il était plus que probable que ce serait avec les informations déjà collectées que tout serait gagné ou perdu. Telle était la raison pour laquelle je ne devais pas charger mon emploi du temps. Je ne prenais des affaires que de clients récidivistes – et seulement si les honoraires étaient convenables et versés d'avance.

Un procès se joue en un seul coup de fronde. Tout est dans la préparation. C'est dans la période qui le précède que la fronde est chargée avec la pierre qui convient et que, lentement mais sûrement, l'élastique est tiré jusqu'à sa tension maximale. C'est au procès qu'enfin on lâche l'élastique et que le projectile file sans dévier vers sa cible – l'acquittement. Le verdict de non-culpabilité. Et, cette cible, on ne l'atteint que si l'on a bien choisi sa pierre et tiré soigneusement l'élastique, aussi loin en arrière que possible.

C'était Levin qui s'en chargeait. Il continuait de gratter dans le passé des acteurs des deux affaires, Menendez et Roulet. Nous avions élaboré une stratégie que nous avions dite « à coup double » dans la mesure où c'étaient deux cibles que nous visions. Je ne doutais pas que lorsque le procès commencerait – en mai –, nous aurions tiré l'élastique au maximum et serions prêts à le lâcher.

Il faut dire que l'accusation faisait elle aussi tout ce qu'il fallait pour nous donner la bonne pierre. Les semaines qui avaient suivi la mise en accusation formelle de Louis Roulet avaient vu son dossier fortement grossir au fur et à mesure que les rapports du labo venaient le gonfler, que nous arrivaient d'autres rapports d'enquête de police et que survenaient de nouveaux événements.

Au nombre de ces événements dignes d'intérêt figurait en particulier l'identification de M. X, le gaucher qui s'était trouvé avec Reggie Campo Chez Morgan, le soir de l'agression. En se servant de la vidéo que j'avais transmise à l'accusation, les inspecteurs du LAPD avaient réussi à l'identifier en montrant un plan de l'enregistrement à des prostituées et autres escortes lors de leurs arrestations par les Mœurs. M. X était un certain Charles Talbot. Nombre de ces dames le connaissaient bien. D'après certaines, il était le propriétaire ou l'employé d'un magasin de proximité dans Reseda Boulevard.

Les rapports d'enquête que j'avais reçus au titre de la loi sur la transmission des éléments de preuves montraient qu'en l'interrogeant ces inspecteurs avaient appris que, le soir du 6 mars, il avait quitté l'appartement de Campo un peu avant vingt-deux heures et s'était ensuite rendu au magasin de proximité ouvert vingt-quatre heures sur vingt-quatre mentionné ci-dessus. Il en était bien le propriétaire. Il y était allé vérifier certaines choses et ouvrir une réserve de cigarettes dont il était le seul à posséder la clé. Les bandes des caméras de surveillance du magasin confirmaient qu'il s'y était bien trouvé entre vingt-deux heures neuf et vingt-deux heures cinquante et une et qu'il y avait passé son temps à remplir les bacs à cigarettes sous le comptoir de devant. Dans leurs conclusions, les flics déclaraient donc que Talbot n'avait rien à voir, même en partie, avec les événements qui s'étaient produits après qu'il avait quitté l'appartement de Campo. Il n'avait jamais été qu'un des clients de la victime.

Nulle part dans le dossier de l'accusation il n'était fait état des déclarations de Dwayne Jeffery Corliss, le mouton qui avait contacté le procureur pour cafter sur Louis Roulet. Ou bien Minton avait décidé de ne pas se servir de son témoignage ou bien il gardait le bonhomme au chaud pour ne faire appel à lui qu'en cas d'urgence – ce que, moi, j'avais plutôt tendance à croire. Il l'avait enfermé dans une prison avec obligation de soins. Il ne se serait pas donné cette peine s'il n'avait pas voulu le tenir à l'écart – mais prêt à passer à l'action. Et ça ne me gênait pas. Ce que Minton ignorait, c'était que ce même Corliss était la pierre que j'allais mettre dans ma fronde.

Si le dossier de l'accusation ne contenait guère de renseignements sur la victime de l'agression, Raul Levin, lui, enquêtait très sérieusement sur elle. Il avait repéré un site web, le PinkMink.com, sur lequel Reggie Campo faisait de la publicité pour ses services. Ce qu'il y avait d'important là-dedans n'était pas forcément que cela renforçait la thèse selon laquelle elle pratiquait la prostitution, mais bien plutôt, en tout cas selon le texte de ses pubs, qu'elle était « très ouverte et aimait bien les trucs fous », jusqu'à être « prête à jouer son rôle dans des scénarios sado-masos, du genre : tu me fesses ou c'est moi ». C'étaient là de bonnes munitions à avoir. Le type même de renseignements susceptibles de décrédibiliser une victime ou un témoin aux yeux d'un jury.

Levin creusait encore plus profondément dans le passé de Louis Roulet et avait ainsi appris que, mauvais élève, celui-ci avait fréquenté cinq lycées privés différents de Beverly Hills et des environs. Il était effectivement allé en fac et avait décroché une licence d'anglais à UCLA, avec spécialisation en littérature, mais Levin avait retrouvé quelques-uns de ses camarades de fac, ceux-ci lui déclarant que Roulet se serait littéralement « payé ses études » en achetant à certains dissertations, réponses aux tests, et même un mémoire de quatre-vingt-dix pages sur la vie et l'œuvre de John Fante.

Le Louis Roulet adulte qui se profilait ensuite à l'horizon était nettement plus sinistre. Levin avait retrouvé bon nombre de ses amies femmes qui l'accusaient de les avoir maltraitées physiquement ou moralement, quand ce n'était pas les deux. Deux d'entre elles qui l'avaient connu du temps où elles étudiaient à UCLA le soupçonnaient d'avoir glissé une drogue dans leurs boissons à une soirée donnée par une association et d'avoir profité d'elles ensuite. Ni l'une ni l'autre n'avait fait part de ces soupçons aux autorités, mais l'une d'elles s'était fait faire une analyse de sang le lendemain de la soirée. Des traces de chlorhydrate de kétamine, un sédatif utilisé par les vétérinaires, y avaient été découvertes. Heureusement pour la défense, aucune de ces deux femmes n'avait été retrouvée par les enquêteurs de l'accusation.

Levin avait encore étudié les affaires dites du «Violeur de l'immobilier», qui remontaient à quatre ans. Cinq femmes – travaillant dans des agences – déclaraient avoir été maîtrisées puis violées par un homme qui les attendait à l'intérieur lorsqu'elles étaient entrées dans des maisons qui, croyaient-elles, avaient été libérées par leurs propriétaires pour qu'elles puissent les faire visiter. Ces affaires n'avaient pas été résolues, mais les agressions avaient cessé onze mois après que la première avait été rapportée à la police. Levin s'était entretenu avec un enquêteur des services du shérif qui travaillait sur ces dossiers. D'après lui, et c'était la tripe qui parlait, le violeur n'avait rien d'un étranger à la profession. Il avait l'air de savoir comment entrer dans les maisons et y attirer les vendeuses. Pour cet enquêteur, il travaillait dans l'immobilier, mais, aucune arrestation n'ayant été effectuée, il n'avait jamais pu prouver sa théorie.

Toujours de ce côté-là, Levin n'avait pas trouvé grand-chose pour confirmer que Mary Alice Windsor comptait au nombre des victimes. Celle-ci nous avait accordé une entrevue et accepté de témoigner sur sa tragédie secrète, mais seulement si cela s'avérait d'une importance vitale. La date qu'elle avait donnée pour son agression tombait bien à l'époque des crimes imputés au Violeur de l'immobilier. Et elle nous avait aussi confié un carnet de rendez-vous et d'autres documents montrant qu'elle était bien chargée de vendre la maison de Bel-Air où elle disait avoir été attaquée. Cela étant, nous n'avions quand même que sa parole pour prouver quoi que ce soit : il n'y avait ni dossier médical ni analyses faites en hôpital pour confirmer qu'il y avait eu agression sexuelle. Et aucun rapport de police non plus.

Il n'empêche : lorsqu'elle nous avait raconté l'affaire, tout ce qu'elle avait dit correspondait à ce que nous en avait rapporté Roulet, au détail près ou presque. Plus tard, Levin et moi avions même trouvé bizarre qu'il en sache autant sur cette agression. Si sa mère avait effectivement décidé de tenir tout cela secret et de ne le dire à personne, pourquoi avait-elle confié tant de détails sur son calvaire à son fils ? Cette question avait amené Levin à formuler une théorie aussi répugnante que fascinante.

– Pour moi, s'il connaît tous ces détails, c'est qu'il y était, m'avait-il lancé lorsque nous nous étions retrouvés seuls après l'entrevue.

– Tu crois qu'il y a assisté sans rien faire pour y mettre fin ?

– Non. Ce que je crois, c'est que le type en passe-montagne et lunettes de ski, c'était lui.

J'étais resté silencieux. Je crois qu'au niveau subliminal au moins je pensais la même chose, mais l'idée était trop ignoble pour m'arriver complètement à la conscience.

– Ah, putain… avais-je dit.

Croyant que je n'étais pas d'accord avec lui, Levin avait poussé son analyse.

– Cette femme est une dure à cuire, avait-il repris. Elle a monté cette boîte en partant de zéro et, dans cette ville, l'immobilier est un véritable coupe-gorge. C'est une dure et je n'imagine pas qu'elle ne soit pas allée porter plainte et n'ait pas cherché à faire arrêter le type qui lui avait fait ça. Pour moi, il y a deux genres de personnes. Celles qui y vont œil pour œil et celles qui tendent l'autre joue. Et elle, c'est une œil pour œil et je ne la vois pas tenir ce truc secret à moins qu'elle veuille protéger le type. À moins donc que ce type, ce soit le nôtre. Je te le dis, mec, Roulet, c'est le mal incarné. Je ne sais pas d'où ça lui vient ni comment il a attrapé ça, mais plus je l'observe et plus je vois le diable en lui.

Toutes ces recherches étaient complètement sous le manteau. Ce n'était évidemment pas le genre de passé qu'on allait, de quelque façon que ce soit, porter au grand jour pour la défense. Il fallait celer tout ça à la remise des éléments de preuves et très peu de ce que Levin ou moi découvrions faisait l'objet de notes écrites. Cela dit, c'était quand même des informations que je devais connaître avant de prendre ma décision, de préparer le procès et d'arrêter ma stratégie.

À onze heures cinq, mon téléphone sonna alors que, debout devant une glace, je me mettais une casquette des Dodgers sur le crâne. Je vérifiai l'identité du correspondant avant de répondre et m'aperçus que c'était Lorna Taylor.

– Pourquoi as-tu éteint ton portable ? me lança-t-elle.

– Parce qu'aujourd'hui je ne bosse pas. Je te l'ai dit : pas d'appels aujourd'hui. Je vais au match avec Mish et je suis même censé y aller tout de suite pour le rencontrer un peu en avance.

– Mish ? Qui c'est ?

– Je voulais dire Raul. Pourquoi est-ce que tu m'embêtes comme ça ?

J'avais dit ça en plaisantant.

– Parce que j'ai l'impression que ça, tu vas vouloir que ça t'embête. Le courrier est passé un peu tôt aujourd'hui et j'y ai trouvé un arrêt de la Second.

La « Second » ou « Second District Court of Appeal » passait en revue toutes les affaires du ressort du comté de Los Angeles. C'était la première haie à franchir lorsqu'on voulait aller jusqu'à la Cour suprême. Cela étant, je ne pensais pas que Lorna me téléphonait pour me dire que j'avais perdu un procès en appel.

– Quelle affaire ? lui demandai-je.

À tout moment j'en ai en général quatre ou cinq en appel à la Second.

– Un de tes Road Saints. Harold Casey. Tu as gagné !

J'en restai bouche bée. Pas d'avoir gagné, non, mais d'avoir gagné aussi rapidement. J'avais essayé d'aller vite. J'avais soumis mes remarques avant l'énoncé du verdict et payé pour avoir les minutes du procès rédigées tous les jours. J'avais interjeté appel dès le lendemain de la sentence et demandé un examen rapide de ma requête. Il n'empêche : je ne m'attendais pas à recevoir quoi que ce soit sur l'affaire avant deux mois.

Je demandai à Lorna de me lire les attendus de l'arrêt, un sourire s'élargissant sur ma figure au fur et à mesure qu'elle le faisait. Les conclusions reprenaient mes observations quasiment mot pour mot. Les trois juges requis étaient tombés d'accord avec moi, y compris lorsque je faisais remarquer que le survol à basse altitude du ranch de Casey par l'hélicoptère de surveillance du shérif constituait une violation de son intimité. La cour annulait donc la condamnation de Casey en déclarant que la fouille qui avait conduit à la découverte des plants de marijuana hydroponiques était illégale.

Le ministère public allait donc devoir décider de rejuger Casey ou pas et, réalistement parlant, c'était hors de question. Il n'aurait rien de nouveau à présenter vu que la cour d'appel avait déclaré qu'aucun des éléments de preuves rassemblés lors de ces fouilles et recherches n'était admissible devant un tribunal. Cette décision de la Second était bel et bien une victoire pour la défense et ce n'est pas tous les jours que ça arrive.

— Ah dis donc, tu parles d'une journée pour les petits et les perdants !

— Bon, mais… où est-il ? me demanda-t-elle.

— Il est possible qu'il soit encore au dépôt, mais ils allaient l'enfermer à Corcoran. Voilà ce que tu vas faire : tu fais environ dix copies de l'arrêt et tu les mets dans une enveloppe que tu envoies à Casey à Corcoran. Tu devrais avoir l'adresse.

— Ben… ils vont pas le laisser partir ?

— Pas tout de suite. Il a enfreint sa conditionnelle après son arrestation et ça, l'appel ne le couvre pas. Il ne sortira pas avant d'être passé devant la Commission des conditionnelles et d'avoir fait jouer la clause dite du «fruit de l'arbre empoisonné», à savoir que s'il y a eu violation de la conditionnelle, c'était à cause d'une perquisition illégale. Ça devrait prendre dans les six semaines avant que ça marche.

— Six semaines ? C'est incroyable !

— Tu veux pas la prison, tu fais pas le couillon.

J'avais chanté ça à la manière de Sammy Davis dans son émission de télévision.

– Mick, je t'en prie, ne me chante pas des trucs.

– Je m'excuse.

– Pourquoi faut-il lui en envoyer dix exemplaires ? Un seul ne suffit pas ?

– Parce qu'il va en garder un pour lui et distribuer les neuf autres autour de lui pour que ton téléphone se mette à sonner. Un avocat capable de gagner en appel, c'est de l'or en barre en prison. Les détenus vont tellement t'appeler comme des dingues que t'auras à les trier pour retenir ceux qui ont de la famille et qui peuvent payer.

– T'as toujours une combine, pas vrai ?

– J'essaie, oui. Autre chose aux nouvelles ?

– Juste l'ordinaire. Les appels dont tu m'as dit que tu ne voulais pas entendre parler. As-tu vu Laura Larceny hier à la prison du comté ?

– C'est Larsen qu'elle s'appelle et oui, je l'ai vue. On dirait qu'elle a passé le pire. Mais il lui reste plus d'un mois à tirer.

De fait, Laura Larsen avait l'air d'avoir passé plus que le pire. Je ne l'avais pas vue aussi vive et l'œil aussi clair depuis des années. J'avais certes un but caché pour descendre la voir au County-USC Medical Center, mais découvrir qu'elle allait vers la guérison avait constitué un bonus appréciable.

Comme prévu, Lorna fit dans la prophétie de malheur.

– Et combien de temps faudra-t-il avant qu'elle rappelle pour me dire : «Je suis en taule et j'aurais besoin de Mickey» ?

Elle m'avait lâché ça en imitant les nasillements geignards de Laura Larsen. C'était bien vu, mais cela m'agaça. Elle couronna même le tout en chantonnant sur un classique de Disney.

– M-I-C... c'est bientôt qu'on se voit, K-E-Y[1]... pourquoi ? parce que tu me fais jamais payer ! M-O-U-T-H. Mickey Mouth... Mickey Mouth... l'avocat que tout le monde...

– S'il te plaît, Laura, ne me chante pas des trucs.

Elle rit dans le téléphone.

---

1. La dernière lettre de MIC, C, se prononce «si» en anglais et a pour homonyme *see*, voir. La dernière lettre de KEY, Y, se prononce «waï» en anglais, avec pour homonyme *why*, pourquoi *(NdT)*.

– Je te faisais juste remarquer quelque chose.

Je souris, mais tentai de n'en rien laisser entendre dans ma voix.

– Bien. J'ai compris. Et maintenant, va falloir que j'y aille.

– Amuse-toi bien... Mickey Mouth.

– Tu pourrais chanter ce truc toute la journée et les Dodgers perdre quinze à zéro contre les Giants que je serais toujours aussi heureux. Après les nouvelles que tu m'as données, qu'est-ce qui pourrait aller mal ?

Je mis fin à la conversation, gagnai mon bureau et pris le numéro de portable de Teddy Vogel, le patron des Saints. Je lui communiquai la bonne nouvelle et lui laissai entendre qu'il pourrait sans doute la transmettre à Hard Case plus vite que moi. Des Road Saints, il y en a dans toutes les prisons. Ils ont un système de communication dont la CIA et le FBI pourraient s'inspirer. Vogel me dit qu'il s'en occuperait et ajouta que les dix mille dollars qu'il m'avait donnés le mois précédent au bord de la route, près de Vasquez Rocks, étaient donc un bon placement.

– Ça me fait plaisir de vous l'entendre dire, Ted, lui renvoyai-je. Pensez à moi la prochaine fois que vous aurez besoin d'un avocat.

– 'N'y manquera pas, grand chef.

Il referma son portable et moi aussi. Je sortis mon gant de base-ball première base de la penderie du couloir et me dirigeai vers la porte.

J'avais donné sa journée – payée – à Earl, je pris le volant et descendis au Dodger Stadium. La circulation resta fluide jusqu'à ce que j'en approche. Même s'il a lieu de jour et en semaine, le match d'ouverture se joue toujours à guichets fermés. Le début de la saison de base-ball est un rite de printemps qui attire des milliers de travailleurs au centre-ville. C'est le seul événement sportif de Los Angeles où les hommes sont en cravate et chemise blanche amidonnée. Tout le monde fait l'école buissonnière. Il n'y a rien de mieux. Après, ce sont les matchs perdus de justesse, les lanceurs qui s'effondrent, les occasions ratées – après, la réalité reprend ses droits.

J'arrivai le premier. Nous étions à trois rangées du terrain, sur des sièges ajoutés pendant l'intersaison. Levin avait dû sacrément se démener pour acheter ses billets à un revendeur du coin. Mais bon : au moins était-ce déductible des impôts au titre des frais généraux.

L'idée était que Levin m'y retrouve tôt. Il m'avait appelé pour me demander de lui accorder quelques instants. En plus de regarder s'entraîner les batteurs et d'admirer toutes les améliorations que le nouveau propriétaire avait apportées au stade, nous parlerions de la visite que j'avais rendue à Laura Larsen, Raul me mettant, lui, au courant des dernières découvertes qu'il avait faites sur Louis Roulet.

Sauf qu'il n'arriva pas à l'heure pour l'entraînement des batteurs. Les quatre autres avocats se pointèrent – trois en costume-cravate, ils venaient du tribunal –, et Raul et moi manquâmes l'occasion de nous entretenir en privé.

Ces quatre autres avocats, je les connaissais depuis certaines affaires de bateaux que nous avions plaidées ensemble. De fait, c'était de là qu'était partie la tradition des pros de la défense d'aller tous ensemble aux matchs des Dodgers. Profitant du mandat plutôt large qu'ils avaient reçu du gouvernement pour empêcher l'entrée de la drogue aux États-Unis, les gardes-côtes américains s'étaient mis à arraisonner des vaisseaux suspects un peu partout sur les océans. Lorsqu'ils trouvaient le filon – à savoir de la cocaïne –, ils les saisissaient et faisaient prisonniers les équipages. Nombre de ces poursuites arrivaient alors à l'US District Court de Los Angeles et donnaient lieu à des procès, où étaient parfois impliqués plus de douze accusés à la fois. Chaque inculpé avait droit à un avocat, les trois quarts de ces derniers nommés d'office par le tribunal et payés par Uncle Sugar. En plus de tomber régulièrement, ces affaires étaient lucratives et nous nous amusions bien. Une fois, nous nous étions même tous cotisés pour nous payer une suite pour voir jouer les Cubs. Nous avions effectivement parlé de l'affaire quelques minutes, pendant la septième manche.

Les cérémonies qui précèdent le match commencèrent et il n'y avait toujours pas de Levin. Des centaines de colombes furent lâchées à partir de paniers posés sur le terrain. Elles se mirent en formation, firent le tour du stade sous les bravos de tous, filèrent dans les airs et disparurent. Peu après, un bombardier furtif B-2 rasa le stade sous des bravos encore plus véhéments. Typique de Los Angeles. Quelque chose pour tout le monde, avec un peu d'ironie en plus.

Le match démarra et il n'y avait toujours pas de Levin. J'allumai mon portable et tentai de l'appeler même s'il n'était pas facile d'entendre. Bruyante et tapageuse, la foule espérait encore que la saison ne se transformerait pas en une énième déception. Mon appel fut archivé en message.

« Mish, où t'es, mec ? On est au match et les places sont géniales, mais y en a une de vide. On t'attend. »

Je refermai mon portable, regardai mes collègues et haussai les épaules.

– Je ne sais pas, dis-je. Il ne répond pas.

Je laissai mon téléphone allumé et le raccrochai à ma ceinture.

Avant la fin de la première manche, je regrettai ce que j'avais dit à Lorna sur le fait que je me foutais pas mal que les Giants nous écrasent vingt à zéro. Ils menaient déjà cinq à zéro avant que les Dodgers passent à la batte et la foule s'était vite sentie frustrée. J'entendis des gens se plaindre du prix des places, de la rénovation du stade et de sa surcommercialisation. Un des avocats, Roger Mills, parcourut le stade des yeux et fit remarquer qu'on y voyait plus de logos d'entreprises qu'à une course de stock-cars.

Les Dodgers arrivèrent à reprendre la tête, mais à la quatrième manche tout s'effondra et les Giants obligèrent Jeff Weaver à cavaler jusqu'au mur du centre sur une passe à trois. Je profitai du temps mort nécessaire au changement de lanceurs pour me vanter de la rapidité avec laquelle la Second avait statué sur l'affaire Casey. Mes collègues furent impressionnés, mais l'un d'entre eux, Dan Daly, laissa entendre que si cela s'était passé aussi vite, c'était sans doute parce que les trois juges se trouvaient sur ma liste de cadeaux de Noël. Je lui répliquai qu'il avait dû rater la note du barreau rappelant que les jurés n'aiment pas les avocats à queue-de-cheval. La sienne lui tombait jusqu'à la moitié du dos.

Ce fut aussi pendant cette accalmie dans le jeu que j'entendis sonner mon portable. Je le décrochai de ma ceinture et l'ouvris sans regarder l'écran.

– Raul ?

– Non, monsieur. Ici l'inspecteur Lankford de la police de Glendale. Vous êtes bien Michael Haller ?

– Oui.

– Vous avez un instant?

– J'en ai un, mais je ne suis pas très sûr de bien pouvoir vous entendre. Je suis au match des Dodgers. Est-ce que ça peut attendre que je vous rappelle plus tard?

– J'ai peur que non. Connaissez-vous un certain Raul Aaron Levaïne? C'est un...

– Oui, je le connais. Qu'est-ce qu'il y a?

– Je crains que M. Levaïne ne soit mort, monsieur. Il a été victime d'un homicide, chez lui.

Je baissai si fort et loin la tête en avant que je me cognai dans le dos du spectateur assis devant moi. Je me redressai, me couvris une oreille d'une main et pressai fort l'appareil contre l'autre. Tout bruit disparut autour de moi.

– Qu'est-ce qui s'est passé?

– Nous ne savons pas, me répondit Lankford. C'est pour ça que nous sommes ici. Nous avons l'impression qu'il travaillait pour vous. Pourriez-vous par hasard venir répondre à quelques questions et nous donner un coup de main?

Je soufflai fort et tentai de garder un ton calme.

– J'arrive tout de suite, lui répondis-je.

23

Le cadavre de Raul Levin se trouvait dans la pièce du fond de la maison où il habitait, quelques rues en retrait de Brand Boulevard. De cette pièce, probablement conçue à l'origine pour servir de solarium ou de salon télé, Raul avait fait son bureau. Comme moi, il n'avait pas besoin d'un espace commercial. Son affaire n'était pas de celles qui nécessitent un local. Raul ne figurait même pas dans les Pages jaunes. Il travaillait pour des avocats et décrochait ses boulots grâce au bouche à oreille. Les cinq qui devaient le retrouver au match témoignaient de son talent et de son succès.

Les flics en tenue qu'on avait prévenus de mon arrivée me firent attendre dans la salle de séjour jusqu'à ce que les inspecteurs puissent revenir de l'arrière de la maison pour me parler. Un officier se tenait dans le couloir au cas où j'aurais voulu foncer comme un malade jusqu'à la pièce du fond ou la porte d'entrée. Il se trouvait pile au bon endroit pour gérer le problème dans l'un ou l'autre cas. Je restai assis à attendre et pensai à mon ami.

C'était en revenant du stade que j'avais trouvé l'identité de l'assassin. Je n'avais pas besoin qu'on m'emmène dans la pièce du fond pour voir ou entendre la preuve de ce que j'avançais. Au plus profond de mon cœur, je savais que Raul Levin s'était approché un peu trop près de Louis Roulet. Et c'était moi qui le lui avais demandé. La seule question qui se posait encore à moi était celle de savoir ce que j'allais faire.

Au bout de vingt minutes, deux inspecteurs arrivèrent de la pièce du fond. Dès qu'ils entrèrent dans la salle de séjour, je me levai et nous restâmes debout pour nous parler. Le premier était Lankford, celui qui m'avait appelé. C'était lui le plus vieux, l'ancien. Son collègue était une certaine Sobel. Elle ne donnait pas l'impression d'enquêter sur des homicides depuis bien longtemps. Nous ne nous serrâmes pas la main. Tous deux portaient des gants en caoutchouc. Et des bottines en papier par-dessus leurs chaussures. Lankford mâchait du chewing-gum.

– Bien, dit-il d'un ton bourru, voilà ce qu'on a. Levaïne était dans son bureau, assis dans son fauteuil. Il avait son bureau dans le dos et faisait face à son agresseur. Il a reçu une balle en pleine poitrine. Du petit calibre, du 22, on dirait, mais là, faudra attendre l'avis du coroner.

Il se frappa le milieu de la poitrine. J'entendis le bruit sec du gilet pare-balles sous sa chemise.

Je le repris. Au téléphone et maintenant il avait appelé mon ami « Levaïne ». Je l'informai que son nom rimait avec « *heaven*[1] ».

– Bon d'accord, Levin, dit-il en prononçant comme il faut. Toujours est-il qu'après avoir été touché il a essayé de se lever ou alors il a tout simplement piqué du nez. Il est mort face contre le plancher. L'assassin a saccagé le bureau et nous sommes pour l'instant dans l'impossibilité de vous dire ce qu'il pouvait bien chercher ou pourrait avoir pris.

– Qui l'a trouvé? demandai-je.

– Une voisine qui a vu son chien errer. L'agresseur avait dû le laisser filer avant ou après le meurtre. La voisine l'a vu traîner dans le coin, l'a reconnu et l'a ramené. Elle a trouvé la porte ouverte, est entrée et a découvert le corps. Ce clebs n'a pas grand-chose d'un chien de garde, si vous voulez mon avis. C'est un de ces petits trucs pleins de poils.

– Un shih tzu, dis-je.

Je l'avais déjà vu et avais entendu Levin en parler, mais je ne me rappelais plus son nom. C'était quelque chose du genre Rex ou Bronco... un nom qui faisait mentir sa petite taille.

Sobel jeta un coup d'œil à son carnet de notes avant de poursuivre l'interrogatoire.

– Nous n'avons rien trouvé qui nous aiguille sur quelque parent que ce soit, dit-elle. Savez-vous s'il avait de la famille?

---

1. Soit « paradis » en anglais *(NdT)*.

– Je crois que sa mère vit sur la côte Est. Il est né à Detroit. Peut-être y habite-t-elle. Pour moi, ils n'avaient guère de relations.

Elle acquiesça d'un signe de tête.

– Nous avons trouvé son agenda avec ses rendez-vous. Il a porté votre nom sur presque toutes les pages du mois dernier. Travaillait-il sur un dossier particulier pour vous?

J'acquiesçai.

– Sur plusieurs, répondis-je. Mais surtout un.

– Vous voulez nous en parler?

– J'ai une affaire qui doit aller au procès. Le mois prochain. Une histoire de tentative de viol et de meurtre. Il cherchait des éléments de preuves et m'aidait à me préparer.

– Vous voulez dire qu'il vous aidait à essayer de trouver des trucs par-derrière, c'est ça?

Je compris alors que la politesse dont Lankford avait fait preuve au téléphone n'était que de surface: on voulait seulement me faire venir. Il avait changé. Il donnait même l'impression de mastiquer son chewing-gum de manière plus agressive que lorsqu'il était entré dans la pièce.

– Vous appelez ça comme vous voulez, inspecteur, lui renvoyai-je. Tout le monde a le droit d'être défendu devant un tribunal.

– Ben tiens, et ils sont tous innocents et c'est la faute à leurs parents parce qu'ils les ont privés du téton maternel un peu trop tôt, enchaîna-t-il. Bon, bref. Ce Levaïne avait bien été flic avant, non?

Il s'était remis à écorcher son nom.

– Oui, il a travaillé au LAPD. Inspecteur aux Crimes contre les personnes, mais il avait pris sa retraite après douze ans de service. Douze ans, enfin... je crois. Il faudra que vous vérifiiez. Et c'est Levin qu'il s'appelait.

– C'est ça, comme dans «*heaven*». Faut croire qu'il était pas taillé pour travailler du côté des bons, c'est ça?

– Tout dépend de la façon dont on voit les choses.

– On pourrait revenir à cette affaire? demanda Sobel. Comment s'appelle l'inculpé?

– Louis Ross Roulet. Ça dépend de la division de la West Valley. Le procès se déroulera à la Cour supérieure de Van Nuys, devant le juge Fullbright.

– Cet homme est-il incarcéré?

– Non. Il est en liberté sous caution.

– De l'animosité entre Roulet et M. Levin?

– Pas que je sache.

J'avais pris ma décision. J'allais m'occuper de Roulet à ma façon. Je m'en tiendrais au plan que j'avais concocté… avec l'aide de Raul Levin. On balance une grenade sous-marine dans le dossier et on veille à dégager à temps. Je le devais à mon ami Mish. C'est comme ça qu'il aurait voulu procéder. Et je ne filerais l'enquête à personne. Je m'en occuperais moi-même.

– Ça pourrait être un truc gay? voulut savoir Lankford.

– Quoi? Pourquoi dites-vous ça?

– Petit chien pour gonzesse et partout dans la maison il n'y a que des photos de mecs et du chien. Sur les murs, près du lit, sur le piano.

– Regardez de plus près, inspecteur. Ces photos ne sont sans doute que d'un seul type. Son coéquipier est mort il y a quelques années. Je ne pense pas qu'il ait fréquenté qui que ce soit d'autre depuis.

– Mort du sida, j'parie.

Je ne le lui confirmai pas. Je me contentai d'attendre. D'un côté, ses manières m'agaçaient, mais de l'autre je me disais que sa façon «terre brûlée» d'enquêter l'empêcherait de mettre ce meurtre sur le dos de Roulet. Ce qui m'allait on ne peut mieux. Je n'avais besoin de le neutraliser que cinq ou six semaines. Après je me foutais pas mal que les flics arrivent à faire le lien. À ce moment-là, j'aurais joué ma partie.

– Ce type allait-il patrouiller dans les boîtes gay? insista-t-il.

Je haussai les épaules.

– Aucune idée. Mais si c'est un meurtre gay, pourquoi son bureau a-t-il été saccagé et pas le reste de la maison?

Il hocha la tête. La logique de ma question semblait l'avoir pris de court. Mais c'est là qu'il m'en balança une qui me surprit:

– Et donc, où étiez-vous ce matin, maître?

– Quoi?

– Juste la routine. La scène de crime indique que la victime connaissait son assassin. Elle l'a laissé entrer directement dans la pièce du fond. Comme je l'ai dit, Levaïne était probablement assis dans son fauteuil de bureau quand il a reçu la balle. Pour moi, ce mec était tout à fait à son aise avec son assassin. Nous allons devoir disculper toutes ses connaissances, professionnelles et autres.

— Êtes-vous en train de me dire que vous me considérez comme un suspect?

— Non, j'essaie seulement d'éclaircir la situation et de réduire le champ des recherches.

— Je suis resté chez moi toute la matinée. Je m'apprêtais à retrouver M. Levin au Dodger Stadium. J'y suis parti aux environs de midi et c'est là que j'étais quand vous m'avez appelé.

— Et avant?

— Comme je vous l'ai dit, j'étais chez moi. Mais j'ai reçu un appel vers onze heures, ce qui confirme que j'étais bien chez moi, et je suis à au moins une demi-heure d'ici. S'il a été tué après onze heures, je ne suis pas dans le coup.

Il ne mordit pas à l'appât. Il ne me donna pas l'heure de la mort. Peut-être ne la connaissait-il pas encore.

— Quand lui avez-vous parlé pour la dernière fois? me demanda-t-il à la place.

— Hier soir, au téléphone.

— Qui a appelé qui et pourquoi?

— C'est lui qui m'a appelé pour me demander si je pouvais arriver au stade en avance. Je lui ai répondu que oui.

— Comment ça se fait?

— Il aime… il aimait bien regarder s'entraîner les batteurs. Et il voulait parler un peu de l'affaire Roulet. Rien de précis, mais il ne m'avait pas fait le point depuis environ une semaine.

— Merci de votre aide, me lança Lankford d'un ton lourd de sarcasmes.

— Vous vous rendez compte que je viens de faire ce que j'interdis à tous mes clients ou individus qui veulent bien m'écouter? Je vous ai parlé sans la présence d'un avocat et je vous ai donné mon alibi. Je dois être complètement fou.

— Je vous ai dit merci.

Sobel y mit son grain de sel.

— Y a-t-il autre chose que vous pourriez nous dire, monsieur Haller? Quelque chose sur M. Levin ou son travail.

— Oui, il y a une autre chose. Une autre chose que vous feriez peut-être bien de vérifier. Mais là, je veux que ça reste confidentiel.

Je regardai derrière eux le policier en tenue debout dans le couloir. Sobel suivit mon regard et comprit.

— Pouvez-vous attendre dehors, s'il vous plaît? lança-t-elle à l'officier.

Celui-ci s'en alla, l'air agacé de s'être fait congédier par une femme.

— Bien, dit Lankford. De quoi s'agit-il?

— Il va falloir que je vérifie les dates exactes, mais il y a quelques semaines de ça, en mars, Raul a travaillé pour moi sur une affaire où un de mes clients cafardait sur un trafiquant de drogue. Mon client a passé quelques coups de fil et aidé à identifier le type. J'ai appris plus tard que le bonhomme était un Colombien et qu'il avait pas mal de relations. Il aurait pu avoir des amis qui...

Je les laissai remplir les blancs.

— Je ne sais pas, dit Lankford. Ce qu'on a ici est plutôt clair. Je n'ai pas l'impression qu'il s'agisse d'une vengeance. On ne lui a pas tranché la gorge ou arraché la langue. Un seul coup de feu et on saccage le bureau. Qu'est-ce qu'auraient pu chercher les copains de votre trafiquant?

Je hochai la tête.

— Disons... le nom de mon client? L'arrangement que je lui ai trouvé le mettait hors circuit.

Lankford hocha la tête d'un air pensif.

— Comment s'appelle le client?

— Je ne peux pas vous le dire. Clause de confidentialité avocat-client.

— Ça y est, on recommence avec les conneries. Comment voulez-vous qu'on enquête sur ce truc si on ne sait même pas le nom du client? Ça vous indiffère ce qui est arrivé à votre ami là, étendu par terre avec un morceau de plomb dans le cœur?

— Non, ça ne m'indiffère pas. Et même, il est évident que je suis le seul ici à qui son sort n'indiffère pas. Mais je suis aussi tenu par certains règlements et l'éthique du droit.

— Votre client pourrait être en danger.

— Mon client est à l'abri. Mon client est en taule.

– C'est une femme, non? dit Sobel. Vous n'arrêtez pas de dire mon client au lieu de «il» ou «elle».

– Il n'est pas question que je vous parle de mon client. Si vous voulez le nom du trafiquant, c'est Hector Arrande Moya. Il est en prison fédérale. Je crois qu'à l'origine son inculpation vient d'une affaire de la DEA[1] de San Diego. C'est tout ce que je peux vous dire.

Sobel en prit bonne note. Je pensai leur avoir donné assez de raisons pour oublier Roulet et l'angle gay.

– Monsieur Haller, vous êtes-vous déjà trouvé dans le bureau de M. Levin? me demanda Sobel.

– Quelquefois, oui. Mais pas depuis deux ou trois mois, au moins.

– Cela vous gênerait-il de nous accompagner au fond? Peut-être pourriez-vous voir quelque chose d'anormal ou remarquer quelque chose qui manque.

– Il y est encore?

– Qui ça? La victime? Oui, dans l'état où on l'a trouvée.

Je hochai la tête. Je n'étais pas sûr de vouloir voir le cadavre de Raul Levin au milieu d'une scène de crime. Puis je décidai brusquement que si, je devais absolument le voir et ne plus jamais oublier ce spectacle. J'en aurais besoin pour attiser ma résolution.

– Bon, oui, je vais y aller, dis-je.

– Mettez ces trucs et ne touchez à rien pendant que vous serez là-bas. Nous n'avons pas terminé les premières constatations.

Lankford sortit de sa poche une paire de bottines en papier plié. Je m'assis sur le canapé de Raul et les enfilai. Puis je suivis les deux inspecteurs dans le couloir, jusqu'à la pièce mortuaire.

Le cadavre était *in situ* – à savoir dans l'état où on l'avait trouvé. Poitrine sur le plancher, visage tourné vers la droite, bouche et yeux ouverts. Le corps était dans une position étrange : il avait une hanche plus haute que l'autre et les bras et les mains sous le ventre. Il était assez clair que Raul était tombé du fauteuil derrière lui.

---

1. Drug Enforcement Administration. Organisme fédéral chargé de la répression du trafic de stupéfiants (*NdT*).

Je regrettai tout de suite la décision que j'avais prise de venir dans cette pièce. Je compris soudain que la dernière expression qu'il avait sur le visage empiéterait sur tous les souvenirs visuels que j'avais de lui. J'allais être obligé d'essayer de l'oublier, de façon à ne plus voir ses yeux dans mon esprit.

C'était la même chose qu'avec mon père. La seule image que j'avais gardée de lui était celle d'un homme allongé dans un lit. Il faisait cinquante kilos maximum et son corps était complètement ravagé par le cancer. Toutes les autres images que j'avais de lui étaient fausses. Elles sortaient de photos que j'avais vues dans des livres.

Plusieurs personnes travaillaient dans la pièce. Des techniciens de scène de crime et des spécialistes de médecine légale. L'horreur de ce que j'éprouvais devait se voir sur mon visage.

— Vous savez pourquoi nous ne pouvons pas le couvrir ? me demanda Lankford. À cause d'individus comme vous. À cause d'O. J. Simpson. C'est ce qu'on appelle le transfert des éléments de preuves. Un truc sur quoi vous autres avocats aimez bien sauter à pieds joints. Et donc, plus de drap sur le cadavre. Pas avant qu'on ne le sorte d'ici.

Je gardai le silence et me contentai de hocher la tête. Il avait raison.

— Pourriez-vous vous approcher du bureau et nous dire si vous voyez quelque chose d'inhabituel ? me demanda Sobel qui semblait avoir un peu de sympathie pour moi.

Je lui sus gré de pouvoir tourner le dos au corps. Je gagnai le bureau fait de trois tables jointes dans un coin de la pièce. C'était du mobilier sorti d'un magasin Ikea près de Burbank. Rien de bien extravagant. Simple et utile. La table du milieu supportait un ordinateur et était munie d'une tablette amovible pour le clavier. Les deux autres ressemblaient à deux plans de travail jumeaux, sans doute utilisés par Levin pour que des enquêtes distinctes ne viennent pas à se chevaucher.

Je laissai traîner mon regard sur l'ordinateur en me demandant ce qu'il avait bien pu y mettre sur Roulet. Sobel le remarqua.

— Nous n'avons pas d'expert en informatique, dit-elle. Notre commissariat est trop petit pour ça. Y a un type qui va venir du bureau du shérif, mais j'ai l'impression que l'unité centrale a été arrachée.

Elle me montra avec un stylo l'unité qui était posée sous la table, debout mais avec un côté de son caisson en plastique enlevé et posé derrière.

– Y aura probablement rien pour nous là-dedans, reprit-elle. Et sur les bureaux?

Je commençai par poser les yeux sur la table à gauche de l'ordinateur. Des papiers et des dossiers s'y étalaient au hasard. Je regardai certains des cavaliers et reconnus les noms.

– Plusieurs de ces dossiers concernent mes clients, mais pour des affaires anciennes. Aucune en cours.

– Ils sortent probablement du meuble-classeur de la penderie, dit-elle. L'assassin pourrait les avoir jetés sur la table pour nous tromper. Pour nous cacher ce qu'il cherchait ou prenait vraiment. Et ici?

Nous nous approchâmes de la table à droite de l'ordinateur. Elle était moins encombrée. Il s'y trouvait un agenda dans lequel il était clair que Levin notait ses heures de travail et le nom de l'avocat pour lequel il travaillait. Je jetai un œil aux cases et y vis mon nom de multiples fois, jusqu'à cinq semaines en arrière. C'était bien comme on me disait: il travaillait pour moi pratiquement à plein temps.

– Je ne sais pas, dis-je. Je ne sais pas ce qu'il faut chercher. Je ne vois rien qui pourrait nous aider.

– C'est pas que les trois quarts des avocats nous aideraient beaucoup! lança Lankford dans mon dos.

Je ne me donnai pas la peine de me retourner pour me défendre. Il se tenait à côté du corps et je n'avais aucune envie de voir ce qu'il faisait. Je tendis la main pour faire tourner le Rolodex sur la table, juste pour voir les noms portés sur les fiches.

– N'y touchez pas! cria Sobel aussitôt.

Je retirai ma main d'un coup.

– Je vous demande pardon. J'allais juste regarder les noms. Je ne...

Je n'achevai pas ma phrase. J'étais perdu. J'avais envie de partir et de boire un coup. J'avais l'impression que le hot dog des Dodgers qui m'avait paru si bon au stade allait me remonter dans la gorge.

– Eh! s'écria Lankford.

Je me retournai avec Sobel et m'aperçus que les spécialistes de médecine légale étaient en train de retourner très lentement le corps de Raul. Du sang tachait la chemise des Dodgers qu'il avait enfilée. Mais c'étaient ses mains, qui avaient été cachées sous son corps, que me montrait Lankford. Raul avait recroquevillé les deux doigts du milieu de sa main gauche sur sa paume, les autres doigts étant complètement étendus.

– Ce mec était un fan des Texas Longhorns ou quoi? lâcha Lankford.

Personne ne rit.

– Qu'est-ce que vous en pensez? me demanda Sobel.

Je regardai fixement le dernier geste qu'avait fait mon ami et hochai la tête.

– Ah oui, je comprends! reprit Lankford. C'est comme un signal. Un code. Il nous dit que c'est le diable qui a fait le coup.

Je repensai à la façon dont Raul parlait de Roulet comme du diable et comment il disait en avoir la preuve. Je compris alors ce que signifiait le dernier message qu'il m'avait adressé. Alors même qu'il était en train de mourir sur le plancher de son bureau, Raul Levin essayait de me dire quelque chose. De m'avertir.

24

J'allai au Four Green Fields et y commandai une Guinness, mais montai très vite à la vodka *on the rocks*. Pour moi, il n'y avait plus aucun intérêt à faire traîner les choses. À la télé au-dessus du bar, le match des Dodgers était en train de se terminer. Les garçons en bleu remontaient la pente – ils n'avaient plus que deux points de retard et les bases étaient chargées dans la neuvième. Le barman avait les yeux rivés sur l'écran, mais le début de la nouvelle saison avait cessé de m'intéresser. Je me moquais bien des remontées spectaculaires à la neuvième manche.

Après le deuxième assaut à la vodka, je posai mon portable sur le comptoir et me mis à passer des coups de fil. Je commençai par appeler les quatre autres avocats qui étaient allés au match. Nous étions tous partis en apprenant la nouvelle, mais eux ne savaient alors qu'une chose : Raul Levin était mort, point à la ligne. Puis je téléphonai à Lorna, qui pleura dans l'appareil. Je l'aidai à se remettre, puis elle me posa la question que j'espérais éviter :

– C'est à cause de ton affaire, non ? À cause de Roulet..

– Je ne sais pas, lui répondis-je. J'en ai parlé aux flics, mais ils semblaient surtout s'intéresser à l'angle gay.

– Raul était gay ?

Je savais que ça la ferait penser à autre chose.

– Il ne le criait pas sur les toits.

– Tu le savais et tu ne m'en as rien dit ?

– Il n'y avait rien à en dire. C'était sa vie à lui. S'il avait voulu en parler, je suis sûr qu'il l'aurait fait.

– Les flics disent que c'est ça ?

– Que c'est ça quoi ?

– Tu sais bien… que c'est parce qu'il était gay qu'il s'est fait assassiner ?

– Je ne sais pas. Ils n'arrêtaient pas de poser des questions là-dessus. Je ne sais pas ce qu'ils croient. Ils vont tout analyser et ça les amènera bien quelque part.

Ce fut le silence. Je regardai la télé au moment même où, la course gagnante traversant le diamant pour les Dodgers, tout le stade fut pris d'une joie folle. Le barman poussa des youpis et monta le son avec la télécommande. Je me détournai et mis ma main sur mon oreille.

– Ça donne à penser, non ? reprit Lorna.

– À penser à quoi ?

– À ce qu'on fait. Mickey… quand ils coinceront le fumier qui a fait ça, il se pourrait qu'il m'appelle pour t'engager.

J'attirai l'attention du barman en agitant les glaçons dans mon verre vide. J'avais besoin qu'il me refasse le plein. S'il y avait une chose que je ne voulais pas, c'était de devoir dire à Lorna que, d'après moi, je travaillais déjà pour le fumier qui avait assassiné Raul.

– Calme-toi, Lorna, lui dis-je. Tu…

– Ça pourrait arriver !

– Écoute, Raul était mon collègue, mais c'était aussi mon ami. Cela dit, je ne vais rien changer à ce que je fais ou crois parce que…

– Peut-être que tu devrais. Peut-être qu'on devrait tous. Je dis pas autre chose…

Elle se remit à pleurer. Le barman m'apporta ma troisième vodka, j'en descendis un tiers d'un coup.

– Lorna… tu veux que je passe ?

– Non, je ne veux rien. Je sais pas ce que je veux. C'est trop horrible…

– Je peux te dire un truc ?

– Quoi ? Oui, bien sûr que tu peux.

– Tu te rappelles Jesus Menendez ? Mon client ?

– Oui, mais qu'est-ce que ç'a à voir…

– Il était innocent. Et c'est là-dessus que travaillait Raul. On y travaillait tous les deux. On va le faire sortir de taule.

– Pourquoi tu me dis ça?

– Je te le dis parce qu'on ne peut pas prendre ce qui est arrivé à Raul pour une raison de ne plus bouger. Ce qu'on fait est important. Nécessaire.

À les dire, ces mots me parurent bien creux. Lorna ne réagit pas. J'avais dû l'embrouiller parce que je m'étais embrouillé moi-même.

– D'accord? ajoutai-je.

– D'accord.

– Bon. J'ai des coups de fil à passer, Lorna.

– Tu me diras pour l'enterrement?

– Je te dirai.

Je refermai mon portable et décidai de marquer une pause avant de me remettre à téléphoner. Je repensai à la dernière question de Lorna et me rendis compte que cet enterrement, c'était peut-être à moi de l'organiser. À moins qu'une vieille femme de Detroit qui avait déshérité Raul vingt-cinq ans plus tôt décide de s'y atteler.

Je poussai mon verre au bord du comptoir et lançai au barman:

– Donnez-moi une Guinness et prenez-en une aussi.

J'avais décidé qu'il était temps de ralentir et une des façons d'y arriver était de boire de la Guinness: en remplir une pinte à la pression prenait un temps fou. Lorsque le barman me l'apporta enfin, je m'aperçus qu'il avait dessiné une harpe dans la mousse avec l'embout du robinet. Une harpe d'ange. Je soulevai bien haut mon verre avant de boire.

– Que Dieu bénisse les morts! m'écriai-je.

– Que Dieu bénisse les morts! répéta le barman.

Je bus un grand coup, l'ale était épaisse comme du mortier que j'expédiais au fond de moi-même pour maintenir les briques ensemble. Et là, brusquement, j'eus envie de pleurer. Mais mon téléphone sonna. Je m'en emparai sans regarder l'écran et saluai l'inconnu. L'alcool avait complètement déformé ma voix.

– C'est Mick?

– Ouais, qui c'est?

– C'est moi, Louis. Je viens juste d'apprendre pour Raul. Je suis vraiment désolé, mec.

J'écartai le téléphone de mon oreille comme si c'était un serpent qui voulait me mordre. Puis je ramenai mon bras vers moi, prêt à lancer le portable dans la glace où je voyais mon reflet. Je m'arrêtai et remis l'appareil à mon oreille.

— Ouais, s'pèce d'enfoiré, comment que t'as…

Je n'allai pas plus loin et me mis à rire en me rendant compte de quoi je venais de le traiter et me rappelant ce que Raul pensait de lui.

— Je vous demande pardon, dit-il, mais… vous ne seriez pas en train de boire ?

— Ben et comment que je bois ! Comment se fait-il que vous sachiez déjà ce qui est arrivé à Mish ?

— Si par Mish vous entendez M. Levin, sachez que je viens de recevoir un coup de fil de la police de Glendale. Une inspectrice dit vouloir me parler de lui.

Cette réponse m'évacua du foie au moins deux des vodkas que j'avais descendues. Je me redressai sur mon tabouret.

— Sobel ? C'est elle qui vous a appelé ?

— Je crois, oui. Elle m'a dit que c'était vous qui lui aviez donné mon nom. D'après elle, il ne s'agirait que d'un interrogatoire de routine. Elle va venir me voir.

— Où ça ?

— Au bureau.

Je réfléchis un instant, mais ne pensai pas qu'elle courait un quelconque danger, même si elle y allait sans Lankford. Roulet n'était pas assez bête pour tenter quoi que ce soit contre un flic, surtout dans son bureau. Ce qui m'inquiétait davantage, c'était que, Sobel et Lankford étant déjà sur la piste Roulet, je risquais de me voir privé de l'occasion de venger Raul Levin et Jesus Menendez. Roulet avait-il laissé une empreinte ? Un voisin l'avait-il vu entrer chez Raul ?

— C'est tout ce qu'elle a dit ?

— Oui. Elle a dit qu'ils parlaient à ses derniers clients et que j'étais le plus récent.

— Ne leur dites rien.

— Vous êtes sûr ?

— Pas en l'absence de votre avocat.

– Ils ne vont pas avoir des doutes si je ne leur parle pas, si, disons… je ne leur donne pas un alibi ou autre?

– Aucune importance. Ils ne vous parlent pas à moins que je ne les y autorise. Et je ne les y autorise pas.

Je serrai ma main libre en un poing. Je ne supportais pas l'idée de donner des conseils juridiques au type dont j'étais sûr qu'il avait tué mon ami le matin même.

– Bien, dit Roulet. Je l'enverrai balader.

– Où étiez-vous ce matin?

– Moi? Ici, au bureau. Pourquoi?

– Quelqu'un vous y a-t-il vu?

– Eh bien… Robin est venue à dix heures. Personne avant elle.

Je me représentai la femme aux cheveux en faux. Je ne savais que dire à Roulet parce que j'ignorais à quelle heure Raul était mort. Je ne voulais pas lui parler du bracelet émetteur que censément il avait autour de la cheville.

– Rappelez-moi après le départ de Sobel. Et n'oubliez pas: quoi qu'elle ou son coéquipier vous dise, vous ne parlez pas. Ils peuvent vous mentir autant qu'ils veulent. Et ils le font tous. Prenez tout ce qu'ils vous disent pour des mensonges. Ils essaient seulement de vous coincer pour que vous leur parliez. S'ils vous disent que je ne vois pas de mal à ce que vous leur parliez, ce sera un mensonge. Prenez le téléphone et appelez-moi. Je leur dirai d'aller se faire foutre.

– Très bien, Mick. C'est comme ça que je vais jouer le coup. Merci.

Il mit fin à la conversation. Je refermai mon portable et le laissai tomber sur le comptoir comme si c'était un truc sale qu'on avait jeté.

– Ben tiens, y a pas de quoi, marmonnai-je.

Je vidai un bon quart de ma pinte, puis je repris le téléphone. À l'aide de la touche rapide, j'appelai le portable de Fernando Valenzuela. Il venait de rentrer chez lui après le match des Dodgers. Cela voulait dire qu'il était parti tôt pour ne pas être pris dans les embouteillages. Un vrai fan de Los Angeles.

– T'as toujours un bracelet émetteur sur Roulet, non? lui demandai-je.

– Si. Il l'a toujours sur lui.

– Comment ça marche ? Tu peux savoir où il est allé ou seulement l'endroit où il est ?

– C'est en GPS. Ça envoie un signal. On peut remonter en arrière et savoir où est allé celui qui le porte.

– T'as ce GPS chez toi ou au bureau ?

– Je l'ai sur mon ordinateur portable, mec. Qu'est-ce qui se passe ?

– Je veux savoir où il est allé aujourd'hui.

– Ben, laisse-moi allumer l'ordi. Attends une seconde.

J'attendis, terminai ma Guinness et demandai au barman de m'en remettre une avant que Valenzuela ait eu le temps d'allumer son ordinateur portable.

– Où t'es, Mick ?

– Au Four Green Fields.

– Y a quelque chose qui va pas ?

– Oui, y a quelque chose qui va pas. Alors, tu l'as allumé ?

– Oui, je regarde. Jusqu'à quand veux-tu que je remonte ?

– Commence par ce matin.

– D'accord. Il euh… il n'a pas fait grand-chose. Je vois qu'il est allé de chez lui à son bureau à huit heures. On dirait qu'il a fait une petite balade dans le coin… à deux ou trois rues de là… sans doute pour déjeuner… et retour au bureau. D'après le bracelet, il y est toujours.

Je réfléchis un instant. Le barman m'apporta ma pinte.

– Val, comment est-ce qu'on enlève ce truc de sa cheville ?

– Tu veux dire… si t'étais à sa place ? On ne l'enlève pas. Y a pas moyen. C'est boulonné et la petite pince pour défaire le boulon est d'un modèle unique. C'est comme une clé. Et je suis le seul à l'avoir.

– T'es sûr ?

– Sûr, oui. Je l'ai sur moi, accrochée à mon porte-clés.

– Pas de copies disons… du fabricant ?

– Il n'est pas censé y en avoir. En plus de quoi, ça n'aurait pas d'importance. Si l'anneau se casse… disons même qu'il l'ait ouvert… j'ai tout de suite une alarme sur le système. L'engin est aussi équipé de ce qu'on appelle un « détecteur de masse ». À partir du moment où il a le bracelet autour de la cheville, j'obtiens une alarme sur l'ordinateur dès que le détecteur s'aperçoit qu'il n'y a plus rien. Et ça ne s'est pas produit, Mick. Ce qui fait qu'il reste plus que la scie. On se coupe la patte et on laisse le bracelet sur la cheville. Y a pas moyen autrement.

J'avalai la mousse de ma bière. Cette fois-ci, le barman ne s'était pas donné la peine d'y dessiner quoi que ce soit.

– Et la pile? On perd le signal quand elle est morte?

– Non, Mick. Ça aussi, c'est prévu. Il y a un chargeur et un réceptacle sur le bracelet. Tous les deux ou trois jours, il est obligé de brancher le chargeur pendant quelques heures. Tu vois... quand il est à son bureau, quand il fait la sieste ou autre. Si la pile se décharge de quatre-vingts pour cent, j'ai un signal sur mon portable et je l'appelle pour lui dire de recharger. S'il ne le fait pas, j'obtiens un deuxième signal à moins quatre-vingt-cinq pour cent et, à moins quatre-vingt-dix, c'est lui qui se met à sonner et il n'a aucun moyen d'arrêter le signal ou de se débarrasser du bracelet. Toutes choses qui n'aident pas quand on veut se tailler. Ne pas oublier que ces derniers dix pour cent de charge me donnent encore cinq heures de repérage. Et le retrouver en cinq heures ne pose aucun problème.

– D'accord, d'accord.

Ses explications scientifiques m'avaient convaincu.

– Pourquoi ça? reprit-il. Qu'est-ce qui se passe?

Je lui dis pour Levin et l'informai que la police allait très probablement enquêter sur Roulet, son bracelet émetteur constituant à peu près sûrement son alibi. Valenzuela fut frappé de stupeur en apprenant la nouvelle. Il n'était peut-être pas aussi proche de Raul que moi, mais il le connaissait depuis aussi longtemps.

– Mick, qu'est-ce qui s'est passé, à ton avis? me demanda-t-il.

Je savais qu'il voulait savoir si pour moi Roulet était l'assassin ou s'il avait manigancé quelque chose. Il n'était pas au courant de tout ce que je savais ni de ce que Levin avait trouvé.

– Je ne sais pas trop quoi penser, lui répondis-je. Mais vaudrait mieux que tu fasses gaffe avec ce mec.

– Et toi aussi.

– Je le ferai.

Je refermai mon portable et me demandai s'il y avait quelque chose qu'il ignorait. Si Dieu sait comment Roulet avait trouvé le moyen d'enlever son bracelet ou de trafiquer le système de poursuite. Si les arguments scientifiques me convainquaient, l'aspect humain de l'affaire m'inquiétait. Des failles, il y en a toujours de ce côté-là.

Le barman me rejoignit en sautillant.

— Hé, mec, me lança-t-il, vous auriez pas perdu vos clés de bagnole?

Je regardai autour de moi pour être sûr que c'était à moi qu'il s'adressait.

— Non, non, répondis-je en hochant la tête.

— Vous êtes sûr? Y a quelqu'un qu'a trouvé des clés dans le parking. Vous feriez mieux de vérifier.

Je fouillai dans la poche de ma veste de costume, ressortis ma main et l'ouvris. Mon porte-clés y était.

— Vous voyez! Je le...

D'un geste vif et inattendu, il s'empara de mes clés et sourit.

— Vous faire avoir sur un coup pareil devrait vous suffire comme test, reprit-il. Toujours est-il qu'il n'est pas question que vous preniez le volant... pendant un moment au moins. Quand vous serez prêt à y aller, je vous appellerai un taxi.

Il s'éloigna du comptoir au cas où j'aurais voulu lui reprocher violemment sa ruse. Je me contentai d'acquiescer d'un signe de tête.

— Vous m'avez bien eu, dis-je.

Il jeta mes clés sur le comptoir derrière lui, celui où s'alignaient les bouteilles. Je consultai ma montre. Il n'était même pas encore cinq heures. La honte eut raison de ma fuite dans l'alcool. J'avais choisi la solution de facilité. Comme un peureux, je m'étais saoulé devant l'événement insupportable.

— Vous pouvez la reprendre, dis-je au barman en lui montrant ma Guinness.

Je ramassai mon portable et enfonçai la touche d'appel rapide. Maggie McPherson décrocha tout de suite. Les tribunaux fermant en général à quatre heures et demie, les procureurs se trouvaient souvent à leurs bureaux une ou deux heures avant la fin de la journée.

— Hé, lui lançai-je, c'est pas l'heure d'y aller?

— Haller?

— Ouais.

— Qu'est-ce qu'il y a? T'as bu? T'as la voix toute bizarre.

— Je crois que ce coup-là, ça sera peut-être toi qui devras me ramener chez moi.

— Où es-tu?

— Au Four Greedy Fucks[1].

— Quoi?

— Au Four Green Fields. J'y suis depuis un p'tit moment.

— Michael, qu'est-ce qui…

— Raul Levin est mort.

— Ah, mon Dieu! Qu'est-ce…

— Assassiné. Alors, dis, tu peux me ramener chez moi c'coup-là? J'ai trop bu.

— J'appelle Stacey pour lui demander de rester tard avec Hayley et j'arrive. N'essaie pas de partir, d'accord? Ne bouge pas.

— T'inquiète pas. Le barman me laissera pas.

---

1. Soit au «Quatre Putains de grippe-sous». Jeu de mots sur «Four Green Fields», «Les Quatre Champs verts», nom de l'établissement *(NdT)*.

25

Après avoir refermé mon portable, j'informai le barman que j'avais changé d'avis et que je prendrais bien une autre pinte en attendant qu'on vienne me chercher. Je sortis mon portefeuille et posai une carte de crédit sur le comptoir. Il commença par me faire mon compte et me servit ma Guinness ensuite. Il mit si longtemps à me remplir mon verre et à en ôter le faux col pour que je n'aie que de la bière que j'eus à peine le temps d'y goûter avant que Maggie arrive.

– T'es allée trop vite, lui dis-je. T'en veux une?

– Non, il est trop tôt. Je te ramène.

– D'accord.

Je descendis du tabouret, me rappelai de reprendre ma carte de crédit et mon portable, passai le bras autour des épaules de mon ex et quittai le bar en ayant l'impression d'avoir jeté plus de Guinness et de vodka par la fenêtre que dans mon gosier.

– Je suis garée juste devant, dit Maggie. *Four Greedy Fucks*, hein? Comment t'es arrivé à ça? L'établissement a quatre propriétaires?

– Non, c'est pas *four* le chiffre quatre, mais *for* pour. Comme dans «Haller *pour* la défense». Donc «putains de grippe-sous» comme dans «avocats».

– Merci quand même.

– Pas toi. Toi, t'es pas avocate. T'es procureur.

– Combien t'as bu, Haller?

– Disons entre pas mal et beaucoup trop.

– Dégueule pas dans ma bagnole.

– Promis.

Nous gagnâmes sa voiture, un modèle de Jaguar bon marché. C'était la première voiture qu'elle avait achetée sans que je lui tienne la main ou me mêle de ses choix. Elle l'avait achetée parce que ça lui donnait l'impression d'être classe, mais quiconque s'y connaît en voitures sait que ce n'est jamais qu'une Ford déguisée. Je ne lui avais pas gâché son plaisir. Tout ce qui la rendait heureuse me réjouissait moi aussi – sauf le jour où elle avait décidé que divorcer la rendrait encore plus heureuse. Ça n'avait pas trop marché pour moi.

Elle m'aida à monter, puis nous partîmes.

– Et va pas tomber dans les pommes non plus, reprit-elle tandis que nous quittions le parking. Je connais pas le chemin.

Nous étions certes censés rouler à contresens de la circulation, mais il nous fallut quand même trois quarts d'heure pour arriver à Fareholm Drive. J'en profitai pour lui parler de Raul Levin et lui raconter ce qui s'était passé. Elle ne réagit pas comme Lorna parce qu'elle n'avait jamais rencontré Raul. Je l'avais connu et utilisé comme enquêteur pendant des années, mais il n'était devenu mon ami qu'après mon divorce. De fait même, c'était lui qui m'avait ramené plus d'une fois du Four Green Fields les derniers jours de notre mariage.

J'avais laissé ma télécommande d'ouverture du garage au bar, je lui dis de se contenter de se garer devant chez moi. Je m'aperçus alors que la clé de la porte d'entrée se trouvait elle aussi sur le porte-clés de la Lincoln que le barman m'avait confisqué. Nous fûmes obligés de longer le côté de la maison pour gagner la terrasse de derrière et de sortir la clé de secours – celle que Roulet m'avait donnée – de dessous un cendrier posé sur la table de pique-nique. Nous entrâmes par la porte de derrière, celle qui donnait directement dans mon bureau. Ce qui était bel et bon dans la mesure où, saoul comme je l'étais, je ne me voyais pas trop monter les marches de devant. Non seulement cela m'aurait épuisé, mais cela aurait aussi permis à Maggie de découvrir la vue et d'avoir de nouveau présent à l'esprit tout ce qu'il y a d'inégal entre la vie d'un procureur et celle d'un putain de grippe-sous.

– Ah, c'est chouette ! dit-elle. Notre petite tasse à thé.

Je suivis son regard et vis qu'elle regardait la photo de notre fille que je gardais sur mon bureau. Je fus heureux de sentir que j'avais de manière tout à fait fortuite marqué un point avec elle.

— Ouai-ais, dis-je en bousillant toute chance de capitaliser là-dessus.

— De quel côté est ta chambre?

— Eh ben dis donc, t'y vas pas par quatre chemins, toi! À droite.

— Désolée, Haller, je ne vais pas rester. Je n'ai plus que deux ou trois heures avec Stacey et avec la circulation qu'il y a, va falloir que je fasse demi-tour et que je repasse de l'autre côté de la colline dans pas longtemps.

Elle me fit entrer dans la chambre et nous nous assîmes côte à côte sur le lit.

— Merci d'avoir fait ça pour moi, lui dis-je.

— Un prêté pour un rendu.

— Je croyais avoir décroché le gros lot le soir où je t'ai ramenée chez toi, mais...

Elle posa la main sur ma joue et tourna mon visage vers elle. Et m'embrassa. J'y vis la confirmation que nous avions bien fait l'amour cette nuit-là. Je me sentis terriblement abandonné de ne pas m'en souvenir.

— Guinness, dit-elle en se léchant les lèvres.

— Avec un peu de vodka.

— Beau mélange. Tu vas déguster demain matin.

— Il est si tôt que ça va commencer ce soir. Que je te dise... pourquoi on n'irait pas dîner chez Dan Tana?

— Non, Mick. Il faut que je rentre pour Hayley, et toi, il faut que tu dormes.

Je lui fis signe que je me rendais.

— D'accord, d'accord, dis-je.

— Appelle-moi demain matin. Je veux te parler quand tu auras dessaoulé.

— D'accord.

— Tu veux te déshabiller et te glisser sous les couvertures?

— Non, ça ira. Je vais juste...

Je me renversai en arrière sur le lit et me débarrassai de mes chaussures. Puis je roulai sur le bord et ouvris un tiroir de la table de nuit. J'en sortis un flacon de Tylenol et un CD que m'avait donné un client du nom de Demetrius Folks. Un voyou connu sous le pseudonyme de «P'tit Démon». Une fois, il m'avait raconté qu'un soir il avait eu une vision et savait depuis lors que son destin était de mourir jeune et violemment. Il m'avait donné ce CD et demandé de me le passer quand il serait mort. Et je l'avis fait. Sa prophétie s'était réalisée. Il avait trouvé la mort dans un mitraillage de voiture environ six mois après qu'il m'avait donné son CD. Au Magic Marker, il avait écrit *« Wreckrium[1] for Lil'Demon »* dessus. Il s'agissait d'un recueil de ballades piquées sur des CD de Tupac.

Je mis le CD dans le lecteur Bose sur la table de nuit et les rythmes syncopés de *God Bless the Dead*[2] se firent bientôt entendre. La chanson était un hommage aux camarades tombés au combat.

— T'écoutes ces machins-là? me demanda Maggie en plissant les paupières d'étonnement.

Je fis de mon mieux pour hausser les épaules alors que je m'appuyais d'un coude sur le lit.

— Des fois, oui. Ça m'aide à mieux comprendre un tas de mes clients.

— Ce sont ces gens-là qui devraient être en taule.

— Certains, peut-être. Mais y en a pas mal qui ont des choses à dire. Certains sont même de vrais poètes et celui-là était le meilleur.

— «Était»? Qui est-ce? Celui qui s'est fait abattre devant le musée de Wilshire Avenue?

— Non, celui-là, c'est Biggie Smalls. Cette chanson parle du moment où il se fait tuer. Lui et d'autres. C'est du grand feu Tupac Shakur que nous causons.

— J'arrive pas à croire que tu puisses écouter des trucs pareils.

— Je te l'ai dit: ça m'aide.

— Fais-moi plaisir, Haller. N'écoute pas ces trucs devant Hayley.

— T'inquiète pas pour ça. Je le ferai pas.

— Faut que j'y aille.

— Reste un peu.

---

1. Jeu de mots sur *requiem* et *wreck*, désastre, épave *(NdT)*.
2. Soit «Dieu bénisse les morts» *(NdT)*.

Elle le fit, mais resta assise toute raide au bord du lit. Je m'aperçus qu'elle essayait de comprendre les paroles. Il faut avoir l'oreille
pour et il lui fallut un peu de temps. La chanson suivante étant
Life Goes On[1], je vis son cou et ses épaules se tendre au fur et à
mesure qu'elle saisissait certaines paroles.

— Je peux y aller... s'il te plaît ? me demanda-t-elle.

— Maggie, je t'en prie. Reste encore quelques minutes.

Je tendis la main et baissai un peu le son.

— Hé, je l'éteins si tu me chantes quelque chose comme avant,
lui dis-je.

— Pas ce soir, Haller.

— Personne ne connaît la Maggie McFierce que je connais.

Elle sourit un peu, je gardai le silence un instant en me rappelant cette époque.

— Maggie, pourquoi tu restes avec moi ?

— Je te l'ai déjà dit : je peux pas rester.

— Non, je ne parlais pas de ce soir. Je parlais de la manière dont
tu ne me quittes pas vraiment, dont tu ne me casses pas les pieds
avec Hayley, dont t'es toujours là quand j'ai besoin de toi. Comme
ce soir. Je ne sais pas combien de mecs ont des ex qui les aiment
bien encore.

Elle réfléchit un moment avant de répondre.

— Je ne sais pas. Ça doit être parce que je vois en toi un homme
bon et un père qui ne demande qu'à éclore.

J'acquiesçai d'un signe de tête en espérant qu'elle dise vrai.

— Dis-moi un peu... Qu'est-ce que tu ferais si tu ne pouvais pas
être procureur ?

— Tu plaisantes ?

— Non. Qu'est-ce que tu ferais ?

— Je n'y ai jamais vraiment pensé. Pour l'instant, je fais ce que
j'ai toujours rêvé de faire. J'ai de la chance. Pourquoi voudrais-tu
que je change ?

J'ouvris le flacon de Tylenol et en avalai deux sans petit coup de
gnôle pour faire descendre. La chanson suivante était *So Many Tears*[2],

1. Soit « La vie continue » *(NdT)*.
2. Soit « Tant de larmes » *(NdT)*.

une autre ballade pour tous les êtres perdus. Cela semblait approprié. *J'ai perdu tant d'années. J'ai pleuré tant de larmes...*

— Je crois que je ferais prof, répondit-elle enfin. Instit. Pour des
petites filles comme Hayley.

Je souris.

— M'dame McFierce! M'dame McFierce! Y a mon chien qui
m'a mangé mes devoirs!

Elle me donna un coup de poing dans le bras.

— En fait, c'est bien, dis-je. Tu ferais une bonne instit... sauf
quand tu flanquerais tes gamins en colle sans caution!

— Ah, c'est drôle, ça! Et toi?

Je hochai la tête.

— Je ne serais pas un bon prof.

— Non, je voulais dire... qu'est-ce que tu ferais si tu n'étais pas
avocat?

— Je ne sais pas. Mais j'ai trois Town Car. Peut-être que je lan-
cerais un service de limousines pour emmener les gens à l'aéroport.

Enfin elle me sourit.

— Je t'engagerais, dit-elle.

— Bien, bien. Ça me fait déjà un client. Donne-moi un dollar
que je le colle au mur.

Mais plaisanter ainsi ne marchait pas. Je posai la paume de mes
mains sur mes yeux et tentai de repousser le jour, l'image de Raul
Levin sur le plancher de sa maison, les yeux grands ouverts sur un
ciel noir à jamais.

— Tu sais de quoi j'avais peur? repris-je.

— Non, quoi?

— De pas repérer un client innocent. D'avoir un innocent sous
le nez et de pas le voir. Et je ne parle pas seulement de coupable ou
pas coupable, non. Je parle d'innocence pure et simple.

Elle garda le silence.

— Mais tu sais de quoi j'aurais dû avoir peur?

— Non, quoi, Haller?

— Du mal. Du mal pur.

— Qu'est-ce que tu me dis?

— Je te dis que la plupart des gens que je défends ne sont pas mauvais, Mags. Ils sont coupables, oui, mais ils ne sont pas mauvais. Tu vois ce que je veux dire? Il y a une différence. Tu les écoutes et t'écoutes ces chansons et tu comprends pourquoi ils font les choix qu'ils font. Ils essaient juste de se débrouiller, de vivre avec ce qui leur est donné et à certains il n'a jamais été donné quoi que ce soit. Le mal, c'est autre chose. C'est vraiment différent. C'est comme... Il y en a et quand ça montre son nez... Je ne sais pas. J'arrive pas à expliquer.

– T'es saoul, c'est pour ça.

– Tout ce que je sais, c'est que j'aurais dû avoir peur d'un truc, mais qu'en fait j'avais peur de tout le contraire.

Elle tendit la main et me massa l'épaule. La dernière chanson était *To Live and Die in L.A.*[1], ma préférée sur cet album maison. Je commençai à la fredonner doucement, puis j'accompagnai le chanteur lorsque le refrain arriva.

> *Vivre et mourir à L.A.*
> *C'est là qu'il faut être*
> *Faut y être pour savoir*
> *Tout l'monde y veut voir*

Très vite je cessai de chanter et fis glisser mes mains sur mon visage. Et m'endormis tout habillé. Je n'entendis pas la femme que j'avais aimée plus qu'aucune autre dans ma vie quitter ma maison. Plus tard, elle devait me dire que la dernière chose que j'avais marmonnée en tombant dans les vaps était: «Je peux pas continuer à faire ça.»

Et ce n'était pas de chanter que je parlais.

---

1. Soit «Vivre et mourir à Los Angeles *(NdT)*.

2 6

Je dormis près de dix heures, mais me réveillai quand même dans le noir. Il était cinq heures dix-huit à mon Bose. J'essayai de retrouver mon rêve, mais la porte était close. À cinq heures trente, je roulai hors du lit, me battis pour retrouver l'équilibre et pris une douche. Je restai sous le jet jusqu'à ce que l'eau chaude refroidisse, puis je sortis et m'habillai pour aller me battre un jour de plus contre la machine.

Il était encore trop tôt pour demander à Lorna de vérifier mon emploi du temps, mais j'avais dans ma mallette un agenda que je tenais habituellement assez à jour. Je gagnai mon bureau pour vérifier et la première chose que je remarquai fut un billet d'un dollar collé au mur au-dessus de ma table de travail.

Mon adrénaline monta d'un cran ou deux tandis que, l'esprit en feu, je me demandai si un intrus ne l'avait pas laissé en guise d'avertissement ou de menace. Puis je me rappelai.

– Maggie, dis-je tout haut.

Je souris et décidai de laisser le billet sur le mur.

Je sortis l'agenda de ma mallette et vérifiai mon emploi du temps. J'avais, semblait-il, ma matinée libre jusqu'à l'audience de onze heures à la Cour supérieure de San Fernando. L'affaire était celle d'une de mes récidivistes qu'on accusait d'avoir tout l'attirail du drogué. Des conneries qui valaient à peine qu'on y passe du temps et dépense de l'argent, sauf que Melissa Menkoff était déjà en conditionnelle avec mise à l'épreuve pour un ensemble de délits liés à la drogue. Qu'elle tombe pour un truc aussi mineur que ça et, sa conditionnelle étant révoquée, elle se retrouverait derrière les barreaux entre six et neuf mois.

C'est tout ce que contenait mon emploi du temps ce jour-là. Après l'audience à San Fernando, je n'avais plus rien de la journée et me félicitai de la prévoyance qui avait dû être la mienne pour que je laisse complètement dégagé le lendemain du début de saison. Évidemment, je ne savais pas au moment où je m'étais concocté cet emploi du temps que la mort de Raul Levin m'expédierait au Four Green Fields aussi tôt, mais l'ensemble n'en restait pas moins du planning plus que solide.

L'audience faisait suite à ma demande de ne pas tenir compte de la pipe de crack que les flics avaient trouvée en fouillant le véhicule de ma cliente après l'avoir arrêtée à Northridge pour conduite dangereuse. La pipe avait été découverte dans la console centrale fermée de sa voiture. Melissa m'avait dit ne pas avoir autorisé les flics à fouiller son véhicule, mais qu'ils étaient passés outre. J'arguerais donc du fait qu'il n'y avait eu ni autorisation de fouiller ni raison valable de le faire. Si c'était bien pour conduite dangereuse que Menkoff s'était fait arrêter, il n'y avait aucune raison d'aller fouiller dans un compartiment fermé de son véhicule.

C'était perdu d'avance et je le savais, mais le père de Menkoff me payait bien pour essayer d'aider au mieux sa fille agitée. Et c'était très exactement ça que j'allais faire à onze heures au tribunal de San Fernando.

En guise de petit déjeuner je pris deux Tylenol et les fis descendre avec des œufs frits, des toasts et du café. Je saupoudrai généreusement mes œufs de poivre et les couvris de sauce salsa. Cela nettoya tout ce qu'il fallait nettoyer et me donna assez d'énergie pour continuer le combat. En mangeant, je feuilletai le *Times* dans l'espoir d'y trouver quelque chose sur la mort de Raul Levin. De manière assez inexplicable, il n'y avait rien. Au début, je ne compris pas. Pourquoi les flics de Glendale auraient-ils voulu cacher ça ? Puis je me rappelai que le *Times* sortait plusieurs éditions régionales tous les matins. J'habitais dans le Westside et Glendale était considérée comme faisant partie de la San Fernando Valley. Il se pouvait que les rédacteurs n'aient pas trouvé important de parler d'un assassinat qui s'était déroulé dans la Valley à des lecteurs du Westside qui avaient déjà bien assez de leurs propres meurtres pour s'occuper. Je ne trouvai donc rien sur Levin.

Je pris la décision d'acheter un autre *Times* à un stand de journaux en allant au tribunal de San Fernando et de vérifier. Penser au kiosque sur lequel j'allais diriger Earl Briggs me rappela que je n'avais pas de voiture. La Lincoln était au parking du Four Green Fields – à moins qu'on me l'ait piquée pendant la nuit – et je ne pourrais pas récupérer mes clés avant l'ouverture du pub, soit à quatre heures de l'après-midi. J'avais un problème. J'avais vu la voiture d'Earl au parking des voyageurs où je passais le prendre tous les matins. C'était une Toyota façon mac, avec châssis surbaissé et enjoliveurs chromés qui tournent tout seuls. Et en plus, ça devait sentir l'herbe en permanence à l'intérieur. Je n'avais aucune envie de me balader dans un truc pareil jusqu'à quatre heures. Dans le nord du comté, c'était demander à se faire arrêter par les flics. Dans le sud, à se faire tirer dessus. Et je n'avais pas davantage envie qu'Earl passe me prendre chez moi. Je ne laisse jamais mes chauffeurs savoir où j'habite.

Je décidai donc de prendre un taxi jusqu'à mon garde-meubles de North Hollywood et de me servir d'une de mes Town Car neuves. Et d'ailleurs, la Lincoln du Four Green Fields avait plus de 75 000 kilomètres au compteur. En roder une autre m'aiderait peut-être à surmonter la déprime qui ne manquerait pas de me reprendre après la mort de Raul.

Je nettoyai la poêle à frire et mon assiette dans l'évier et arrêtai qu'il était maintenant assez tard pour prendre le risque de réveiller Lorna et lui demander de me confirmer mon emploi du temps. Je regagnai mon bureau, décrochai le téléphone et allais passer mon appel lorsque j'entendis la tonalité brisée qui indique qu'on a reçu un message.

J'appelai ma messagerie, une voix électronique m'informant aussitôt que j'avais raté un appel à onze heures sept la veille. Puis elle me récita le numéro d'où était parti le coup de fil et je me figeai sur place. Le portable de Raul. J'avais raté son dernier appel.

«Hé! C'est moi. Y a des chances que tu sois déjà parti au match et t'as dû éteindre ton portable. Si tu reçois pas ce message à temps, je te retrouverai là-bas. Mais j'ai un autre atout pour toi. Tu pourrais même dirre... (il s'était arrêté un instant en entendant un chien aboyer quelque part) ... que Jesus, j'ai son PV de sorrtie de San

Quentin. Bon, faut que j'y aille, mec.» Point final. Il avait raccroché sans un au revoir et y était encore allé de son accent irlandais à la noix sur la fin. Cet accent m'agaçait depuis toujours. Maintenant, il me semblait charmant. Raul me manquait déjà.

J'appuyai sur la touche messages, le réécoutai et réécoutai encore trois fois avant de finir par le sauvegarder et raccrocher. Puis je m'assis dans mon fauteuil de bureau et tentai d'appliquer ce message à ce que je savais. La première question épineuse concernait l'heure à laquelle le coup de fil avait été passé. Je n'étais pas parti pour le match avant onze heures trente, mais Dieu sait pourquoi j'avais raté cet appel qui m'était arrivé vingt minutes plus tôt.

Ça n'avait aucun sens jusqu'au moment où je me rappelai l'appel de Lorna. À onze heures sept, c'était avec elle que j'étais au téléphone. Je me servais si peu de mon fixe et si peu de gens en avaient le numéro que je ne m'étais pas donné la peine d'y faire installer l'option signal d'appel. Cela voulait dire que le dernier appel de Levin avait dû être renvoyé sur ma boîte vocale et que je n'en avais rien su en parlant avec Lorna.

Voilà qui expliquait les circonstances de l'appel, mais cela ne disait rien sur son contenu.

Il était évident que Levin avait trouvé quelque chose. Il n'avait rien d'un avocat, mais il savait ce qu'est une preuve et comment en évaluer l'importance. Il avait donc trouvé quelque chose qui pouvait m'aider à faire sortir Menendez de prison. Il avait trouvé le moyen de le libérer.

La dernière chose à analyser était l'interruption provoquée par les aboiements du chien et ça, c'était facile. J'étais déjà allé chez Levin et je savais que son chien était un aboyeur super nerveux. Chaque fois que j'arrivais, je l'entendais aboyer avant même que j'aie le temps de frapper à la porte. Les aboiements du chien à l'arrière-plan et le fait que Levin ait mis brusquement fin à la communication me disaient que quelqu'un s'était présenté à sa porte. Il avait eu de la visite et il n'était pas du tout impossible que ç'ait été celle de son assassin.

Je réfléchis à tout cela quelques instants et décidai que l'heure de l'appel était quelque chose qu'en toute conscience je ne pouvais pas cacher à la police. Le contenu de l'appel susciterait de nouvelles questions, auxquelles j'aurais peut-être du mal à répondre, mais cela ne tenait pas devant la valeur qu'il fallait accorder à l'heure de l'appel. Je gagnai ma chambre et fouillai dans les poches du blue-jean que j'avais porté la veille pour aller au match. Dans une de mes poches revolver je trouvai le talon du ticket du match et les cartes de visite que Lankford et Sobel m'avaient données à la fin de mon passage chez Levin.

Je choisis celle de Sobel et remarquai qu'on n'y voyait que la mention : « Inspecteur Sobel ». Pas de prénom. Je composai son numéro en me demandant pourquoi. Peut-être était-elle comme moi. Peut-être avait-elle deux jeux de cartes de visite qu'elle rangeait dans des poches différentes. Un jeu avec son nom entier et un autre avec son titre officiel.

Elle répondit tout de suite, je décidai de voir ce que je pourrais lui soutirer avant de lui donner ce que j'avais.

– Du neuf dans l'enquête ? lui demandai-je.

– Pas des masses. Pas des masses que je pourrais partager avec vous, s'entend. On est en train d'organiser les preuves dont on dispose pour l'instant. On a un rapport de la balistique et…

– Ils ont déjà fait l'autopsie ? m'écriai-je. Ils ont fait vite !

– Non, l'autopsie est pour demain.

– Alors comment se fait-il que vous ayez déjà les résultats de l'analyse balistique ?

Elle ne répondit pas, mais je compris pourquoi.

– Vous avez retrouvé une douille. Il a été abattu avec un automatique qui a éjecté la douille.

– Vous êtes bon, monsieur Haller. Oui, nous avons retrouvé une cartouche.

– J'ai fait pas mal de procès, vous savez ? Et appelez-moi Mickey, je vous en prie. C'est drôle… le tueur saccage la baraque, mais ne ramasse pas la douille.

– C'est peut-être parce qu'elle avait roulé sur le plancher pour aller tomber dans une ouverture de ventilation. Il aurait dû avoir un tournevis et passer pas mal de temps pour la récupérer.

Je hochai la tête. C'était un coup de chance. Je ne pouvais même plus compter le nombre de fois où mes clients étaient tombés parce que les flics en avaient eu un. Mais bon, il y avait aussi beaucoup de clients qui s'en étaient sortis parce que c'était eux qui en avaient eu un autre. Pour finir, ça s'équilibrait.

– Et donc, votre coéquipier avait raison quand il pensait à un 22, c'est ça ?

Elle marqua un temps d'arrêt avant de répondre et de décider si oui ou non elle pouvait franchir la ligne jaune et me révéler une information à moi qui étais certes impliqué dans l'affaire, mais n'en restais pas moins l'ennemi... en ma qualité d'avocat de la défense.

– Oui, il avait raison, dit-elle. Et grâce aux marques laissées sur la cartouche nous savons même exactement l'arme que nous recherchons.

Pour avoir interrogé des experts en balistique et des spécialistes des armes au fil de mes procès, je savais que les marques laissées sur une douille pendant le coup de feu permettent d'identifier l'arme même si celle-ci manque à l'appel. Avec un automatique, le percuteur, la culasse mobile, l'éjecteur et l'extracteur laissent tous des marques sur la douille à la seconde même où l'arme fait feu. Analyser ces quatre marques ensemble peut conduire à l'identification d'une arme et d'un modèle précis.

– Il s'avère que M. Levin possédait lui aussi un 22, reprit Sobel. Mais nous l'avons retrouvé dans un coffre mural de la maison et ce n'est pas un Woodsman. La seule chose que nous n'ayons pas retrouvée est son portable. Nous savons qu'il en avait un et...

– Il s'en est servi pour m'appeler juste avant d'être assassiné.

Il y eut un moment de silence.

– Vous nous avez dit hier que vous lui aviez parlé pour la dernière fois vendredi soir.

– C'est exact. Mais c'est justement pour ça que je vous appelle. Raul m'a téléphoné hier matin à onze heures sept et m'a laissé un message. Je ne l'ai eu qu'aujourd'hui parce qu'après vous avoir quitté je suis allé me saouler. Et après, je me suis endormi et ne me suis aperçu que j'avais un message qu'il y a quelques instants. Il m'a appelé pour une affaire sur laquelle il travaillait pour moi, disons... en plus. C'est une histoire de cour d'appel et le client est en prison. Un truc qui n'exige pas qu'on se précipite. Toujours est-il que le contenu de l'appel n'a pas d'importance en lui-même, mais que l'heure à laquelle Levin a passé son coup de fil aide beaucoup pour la chronologie. Et tenez-vous bien, pendant qu'il me laisse son message, on entend le chien se mettre à aboyer. Et ce chien faisait toujours ça dès que quelqu'un approchait de la porte. Je le sais parce que je suis déjà passé chez M. Levin et qu'à chaque fois le chien se mettait à aboyer.

Encore une fois elle me fit le coup du silence avant de réagir.

– Il y a quelque chose que je ne comprends pas, monsieur Haller, dit-elle enfin.

– Oui, quoi ?

– Vous nous avez dit hier que vous étiez resté chez vous jusqu'à au moins onze heures et demie avant d'aller au match. Et maintenant vous nous dites que M. Levin vous a laissé un message à onze heures sept. Pourquoi n'avez-vous pas répondu à l'appel ?

– Parce que j'étais moi-même en train de téléphoner et que je n'ai pas de signal d'appel. Vous pouvez vérifier mes factures, vous verrez que j'ai reçu un appel de la personne qui gère mon bureau, Lorna Taylor. J'étais en train de lui parler quand Raul a appelé. Sans signal d'appel, je n'ai pas pu m'en rendre compte. Et bien sûr, lui a cru que j'étais déjà parti au match et m'a donc laissé un message.

– D'accord, je comprends. Nous allons probablement vous demander la permission écrite de consulter ces factures.

– Pas de problème.

– Où êtes-vous en ce moment ?

– Chez moi.

Je lui donnai l'adresse, elle m'informa qu'elle arrivait avec son coéquipier.

– Faites vite. Je dois partir pour le tribunal dans environ une heure.

– Nous arrivons tout de suite.

Je refermai le téléphone en me sentant mal à l'aise. J'avais défendu des dizaines d'assassins au fil des ans, ce qui m'avait mis en contact avec un certain nombre d'enquêteurs des Homicides. Cela dit, je ne m'étais moi-même jamais posé de questions sur un meurtre. Lankford et maintenant Sobel semblaient mettre en doute toutes les réponses que je pouvais leur faire. Je commençai à me demander ce qu'ils savaient que moi j'ignorais.

Je remis de l'ordre sur le bureau et refermai ma mallette. Je ne voulais pas qu'ils voient ce que je ne voulais pas qu'ils voient. Puis je fis le tour de la maison et vérifiai chaque pièce. Enfin je m'arrêtai dans ma chambre. Je fis le lit et remis la jaquette de *Wreckrium for Lil'Demon* dans le tiroir de la table de nuit. Et c'est là que ça me revint. Je m'assis sur le lit et me rappelai quelque chose qu'avait dit Sobel. Sa langue avait fourché et au début ça ne m'avait pas frappé. Elle avait dit qu'ils avaient retrouvé le calibre 22 de Raul Levin, mais que ce n'était pas l'arme du crime. Elle avait même précisé qu'il ne s'agissait pas d'un Woodsman.

Elle m'avait, sans le vouloir, révélé la marque et le modèle de l'arme du crime. Je savais que le Woodsman était un pistolet automatique fabriqué par Colt. Je le savais parce que j'en possédais un. Il m'avait été légué bien des années avant par mon père. À sa mort. Un jour enfin j'avais été en âge de m'en servir, mais je ne l'avais jamais sorti de son coffret en bois.

Je me relevai et gagnai la penderie. J'avançais comme dans un brouillard épais. Mes pas étaient hésitants et je posai ma main sur le mur, puis sur le pourtour de la porte, comme si j'avais perdu tout sens de l'orientation. L'étui en bois poli se trouvait sur l'étagère où il était censé se trouver. Je levai les deux mains en l'air pour l'en descendre et le rapportai dans ma chambre.

Je le posai sur le lit et ouvris le loquet en cuivre d'un coup sec. Puis je soulevai le couvercle et retirai le chiffon huilé.

Le pistolet avait disparu.

Deuxième partie

UN MONDE SANS VÉRITÉ

27

Le chèque n'était pas en bois. Le premier jour du procès je me retrouvai avec plus d'argent à la banque que je n'en avais eu de toute ma vie. Si je l'avais voulu, j'aurais pu laisser tomber la pub dans les abribus et passer aux grands panneaux d'affichage. J'aurais aussi pu prendre la quatrième de couverture des Pages jaunes au lieu de la demi-page que j'y avais. J'avais de quoi. Enfin je tenais le bon filon et ça payait. En termes d'argent, s'entend. Avoir perdu Raul Levin annulait à jamais ledit bon filon.

Au bout de trois jours de sélection des jurés, nous étions maintenant prêts à lancer le spectacle, le procès devant durer au maximum trois jours de plus – deux pour l'accusation et un pour la défense. J'avais informé le juge que j'aurais besoin d'une journée pour présenter mes arguments aux jurés, mais en vérité l'essentiel de mon travail s'effectuerait pendant l'exposé de l'accusation.

Il y a toujours quelque chose d'électrique au début d'un procès. Une nervosité qui tenaille l'estomac. Les enjeux sont énormes. Réputation, liberté, intégrité du système. Ces douze inconnus qui jugent votre vie et votre travail, il y a toujours là-dedans quelque chose qui vous remue profondément. Et c'est de moi que je parle, moi l'avocat de la défense – le jugement de l'accusé est tout autre chose. Je ne m'y suis jamais fait et, à dire vrai, je ne le veux pas, jamais. Je ne saurais comparer ça qu'à la tension, à l'anxiété même qu'on éprouve debout sur les marches de l'église le jour de son mariage. J'en avais fait deux fois l'expérience et c'était bien cela qui me revenait à l'esprit chaque fois qu'un juge ouvrait un procès.

On ne pouvait se tromper sur la place que j'occupais. Je n'étais qu'un homme face à l'énorme mâchoire du système. Et sans l'ombre d'un doute celui qu'on donnait perdant. Oui, c'est vrai, j'avais en face de moi un procureur qui n'en était qu'à son premier procès de cette importance. Mais cet avantage ne tenait pas, vraiment pas, devant la force et la puissance du ministère public. C'était toutes les forces du système judiciaire qu'il tenait en main. Contre ça, je n'avais que moi-même. Et un client coupable.

Je m'assis à côté de Louis Roulet à la table de la défense. Nous étions seuls. Je n'avais ni assistant ni enquêteur à mes côtés – une étrange fidélité à Raul Levin m'avait empêché de lui chercher un remplaçant. Et d'ailleurs, je n'en avais pas vraiment besoin. Raul m'avait donné tout ce qu'il me fallait. Le procès et sa conclusion seraient un ultime hommage à ses qualités d'enquêteur.

Au premier rang des spectateurs se tenaient C. C. Dobbs et Mary Alice Windsor. En accord avec le règlement de la procédure précédant le procès, le juge avait autorisé la mère de Roulet à assister aux seules déclarations préliminaires. En sa qualité de témoin de la défense, elle n'aurait pas le droit d'écouter les témoignages qui suivraient. Elle devrait rester dans le couloir, avec son fidèle chien portable Dobbs à côté d'elle, jusqu'à ce que je l'appelle à la barre.

Au premier rang aussi, mais pas assis à côté d'eux, se trouvaient mes propres renforts en la personne de mon ex-femme Lorna Taylor. Tailleur bleu marine et chemisier blanc, elle s'était mise sur son trente et un. Elle était belle et n'aurait eu aucun mal à se mélanger à la phalange d'avocates qui fondait sur le tribunal jour après jour. Mais elle était là pour moi et je ne l'en aimais que plus.

Le reste des rangées n'était que modestement occupé. Il y avait quelques chroniqueurs de presse venus pêcher une ou deux citations dans les déclarations liminaires, plus quelques avocats et citoyens curieux. Aucune caméra de télé nulle part. Le procès ne générait encore qu'une attention superficielle et ce n'était pas plus mal. Cela signifiait que notre stratégie d'endiguement des médias avait bien marché.

Roulet et moi gardâmes le silence en attendant que le juge gagne son siège et ordonne aux jurés d'aller s'asseoir dans leur box pour qu'on puisse commencer. J'essayais de me calmer en répétant ce que j'allais dire à ces derniers. Roulet, lui, regardait fixement le sceau de l'État de Californie apposé sur le bureau du juge.

L'huissier reçut un coup de téléphone, dit quelques mots et raccrocha.

– Deux minutes, mesdames et messieurs! lança-t-il. Deux minutes!

Lorsque le juge appelait la salle d'audience, cela signifiait que tout le monde devait être à sa place et prêt à démarrer. Nous l'étions. Je jetai un coup d'œil à Ted Minton assis à la table de l'accusation et m'aperçus qu'il faisait exactement comme moi. Il se calmait en répétant sa déclaration préliminaire. Je me penchai en avant et jetai un coup d'œil aux notes que j'avais portées sur le bloc posé devant moi. C'est alors que, sans prévenir, Roulet se pencha lui aussi en avant et faillit me rentrer dedans.

– On y est, Mick, me chuchota-t-il alors que parler tout bas n'était pas encore nécessaire.

– Je sais.

Depuis la mort de Raul Levin, nos relations étaient plus que froides. Je le supportais parce qu'il le fallait bien. Mais je l'avais vu le moins possible pendant les jours et les semaines qui avaient précédé le procès et lui parlais aussi peu que je pouvais depuis qu'il avait commencé. Je savais que la grande faiblesse de mon plan était ma propre faiblesse. Je craignais que le moindre rapport avec Roulet me force à agir sous l'emprise de la colère et par désir de venger personnellement et physiquement mon ami. Les trois jours qu'avait duré la sélection du jury m'avaient mis à la torture. Jour après jour j'avais dû rester assis à côté de lui et écouter ses remarques condescendantes sur les jurés sélectionnables. La seule façon que j'avais trouvée de m'en sortir avait été de faire comme s'il n'était pas là.

– Vous êtes prêt? me demanda-t-il.

– J'essaie, lui répondis-je. Et vous?

– Je le suis. Mais je voulais vous dire quelque chose avant qu'on démarre.

Je le regardai. Il était trop près de moi. Ç'aurait été me violer mon espace même si je l'avais aimé au lieu de le haïr. Je me penchai en arrière.

– Quoi?

Il m'imita et se pencha lui aussi en arrière à côté de moi.

– Vous êtes bien mon avocat, non ?

Je me penchai en avant pour essayer de me dégager.

– Louis, lui lançai-je, qu'est-ce que ça veut dire ? Ça fait plus de deux mois qu'on travaille ensemble et maintenant nous sommes devant un jury prêts à passer à l'action. Vous m'avez payé plus de cent cinquante mille dollars et vous me demandez si je suis votre avocat ? Bien sûr que je le suis. Qu'est-ce qu'il y a ? Qu'est-ce qui se passe ?

– Rien, rien. (Il se pencha en avant et poursuivit :) Non, parce que si vous êtes mon avocat, je peux vous dire des trucs et vous, faut que vous gardiez ça secret, même si c'est d'un crime que je vous parle, non ? Même s'il y en a plus d'un. C'est bien couvert par la confidentialité client-avocat, non ?

J'entendis mon estomac se mettre à grogner.

– Oui, Louis, c'est bien ça... à moins que vous ne me parliez d'un crime que l'on s'apprête à commettre. Dans ce cas-là, je puis être relevé de mes obligations éthiques et aller avertir la police afin qu'elle l'empêche. De fait même, il est de mon devoir de l'en informer. Un avocat est un officier de justice, Louis. Et donc... qu'est-ce que vous voulez me dire ? Vous avez entendu qu'il ne nous reste plus que deux minutes. On est sur le point de commencer.

– J'ai tué des gens, Mick.

Je le regardai un instant.

– Quoi ?

– Vous m'avez bien entendu.

Il avait raison : je l'avais bien entendu. Et j'aurais dû avoir l'air surpris. Qu'il avait tué des gens, je le savais déjà. Raul Levin comptait au nombre de ses victimes et c'était même de mon pistolet qu'il s'était servi pour le faire – comment, je n'en savais rien. La seule chose qui me surprenait était qu'il ait choisi de me le dire d'un ton aussi neutre et deux minutes avant que commence son propre procès.

– Pourquoi me dites-vous ça ? lui demandai-je. Je suis sur le point de vous défendre et...

– Parce que je sais que vous le savez déjà. Et parce que je sais ce que vous mijotez.

– Ce que je mijote ? Qu'est-ce que je mijote ?

Il me sourit d'un air rusé.

– Allons, Mick. C'est tout simple. Vous me défendez pour cette affaire, vous faites de votre mieux, vous engrangez le méga fric, vous gagnez et je suis libre. Mais dès que c'est fini et que vous avez mis le fric à la banque, vous vous retournez contre moi parce que je ne suis plus votre client. Vous me jetez aux flics pour pouvoir faire sortir Jesus Menendez et vous racheter.

Je ne réagis pas.

– Sauf que ça, je peux pas laisser passer, reprit-il tranquillement. Parce que maintenant, je suis à vous pour toujours, Mick. Je vous dis que j'ai tué des gens et devinez quoi ? Martha Renteria était bien du nombre. Je lui ai donné exactement ce qu'elle méritait et si vous allez voir les flics ou vous servez de ce que je viens de vous dire pour me coincer, je puis vous assurer que vous ne pratiquerez plus le droit pendant longtemps. Vous réussirez peut-être à ressusciter Jesus d'entre les morts, mais moi, jamais je ne serai poursuivi à cause de cette faute professionnelle. Je crois qu'on appelle ça «les fruits de l'arbre empoisonné» et l'arbre là-dedans, c'est vous, Mick.

Je n'arrivais toujours pas à réagir. Je me contentai de hocher encore une fois la tête. Roulet avait vraiment pensé la question de bout en bout. Je me demandai jusqu'où Cecil Dobbs l'avait aidé. Il était clair que quelqu'un lui avait donné un coup de main juridique.

Je me penchai en avant et lui soufflai ceci :

– Suivez-moi.

Je me levai, franchis rapidement le portillon et me dirigeai vers la porte du fond.

– Maître Haller ? lança l'huissier dans mon dos. Nous sommes sur le point de commencer. Le juge…

– Une minute ! lui renvoyai-je sans me retourner.

Et je levai un doigt en l'air. Puis je poussai la porte à double battant et pénétrai dans le vestibule mal éclairé qui sert à empêcher les bruits du couloir d'entrer dans le prétoire. Une autre porte à double battant s'ouvrait sur le couloir. Je me rangeai de côté et attendis que Roulet entre dans ce petit espace.

Dès qu'il eut franchi la porte, je l'attrapai par le col, le retournai, le plaquai contre le mur et l'y maintins en appuyant à deux mains sur sa poitrine.

– Qu'est-ce que c'est que ça, petit con? m'écriai-je.

– Doucement, Mick. Je me disais seulement que nous devions savoir où nous en étions tous les deux et...

– Espèce de fils de pute! Tu as tué Raul et tout ce qu'il faisait, c'était de travailler pour toi! Il essayait de t'aider!

J'avais envie de remonter mes mains jusqu'à son cou et de l'étrangler sur place.

– Vous avez raison sur un point. Je suis bien un fils de pute. Mais pour le reste, vous avez tout faux, Mick. Levin n'essayait pas du tout de m'aider. Il essayait de m'enterrer et il commençait à me serrer d'un peu trop près. Et c'est pour ça qu'il n'a eu que ce qu'il méritait.

Je songeai au dernier message que Raul m'avait laissé sur le répondeur de mon fixe. *Jesus, j'ai son PV de sortie de San Quentin.* C'était ce qu'il avait trouvé qui l'avait envoyé à la mort. Avant même qu'il puisse me dire de quoi il s'agissait.

– Comment as-tu fait? Puisque t'es en train de tout avouer, je veux savoir comment t'as fait. Comment as-tu trompé le GPS? Ton bracelet émetteur montre que tu n'étais même pas près de Glendale.

Il me sourit comme un gamin avec un jouet qu'il ne veut partager avec personne.

– Disons que l'information est privée et restons-en là. On ne sait jamais: il se pourrait que je doive rejouer les Houdini.

J'entendis la menace dans ses paroles et dans son sourire j'aperçus le mal que Raul y avait vu.

– N'allez pas vous faire des idées, Mick, reprit-il. Comme vous le savez sans doute, j'ai une police d'assurance.

J'appuyai encore plus fort sur lui et me penchai plus près.

– Écoute-moi, petite ordure. Je veux que tu me rendes cette arme. Tu crois que c'est dans la poche? T'as que de la merde, connard. C'est moi qui te tiens. Et tu passeras pas la semaine si tu ne me rends pas mon flingue. T'as compris?

Il leva lentement les mains en l'air, m'attrapa les poignets, m'ôta les mains de sa poitrine et commença à rajuster sa chemise et sa cravate.

— Je vous suggère un accord, dit-il calmement. À la fin de ce procès, je sors libre de ce prétoire. Et continue à être libre et, en échange, je vous promets que l'arme ne tombera jamais disons... dans de mauvaises mains.

Soit dans celles de Lankford et de Sobel.

— Parce que ça me ferait vraiment mal que ça arrive, Mick. Beaucoup de gens comptent sur vous. Beaucoup de clients. Et vous, bien sûr, ça ne vous plairait pas d'aller où ils vont.

Je m'écartai de lui et mis tout ce que j'avais pour ne pas lever les poings et passer à l'attaque. Je me contentai de lui parler d'une voix où sifflaient la colère et la haine.

— Et moi, je te promets quelque chose, lui répliquai-je. Essaie de me faire chier et tu ne pourras plus jamais te débarrasser de moi. On est bien clairs ?

Il se mit à sourire. Mais avant qu'il puisse répondre la porte du prétoire s'ouvrit et Meehan, l'huissier, nous regarda.

— Le juge est à sa place, nous lança-t-il d'un ton sévère. Elle exige que vous entriez. Tout de suite.

Je me retournai vers Roulet.

— J'ai dit : « Nous sommes bien clairs ? »

— Oui, Mick, me répondit-il de bonne humeur. Clairs comme de l'eau de roche.

Je m'écartai de lui, entrai dans la salle et gagnai le portillon à grands pas. Le juge Constance Fullbright ne me lâcha pas du regard.

— C'est gentil à vous de penser à vous joindre à nous ce matin, maître Haller, dit-elle.

Où avais-je déjà entendu ça ?

— Je suis désolé, madame le juge, dis-je en franchissant le portillon. J'ai eu un problème urgent à régler avec mon client. Nous avons dû conférer.

— Conférer avec le client peut se faire à la table de la défense, me renvoya-t-elle.

— Oui, madame le juge.

— Je n'ai pas l'impression que nous commencions comme il

faut, maître Haller. Quand l'huissier annonce que nous allons commencer dans deux minutes, j'entends que tout le monde, y compris l'avocat de la défense et son client, soit à sa place et prêt à commencer.

— Je m'excuse, madame le juge.

— Cela ne suffira pas, maître. Avant la fin de l'audience, j'exige que vous alliez voir le greffier avec votre carnet de chèques. Je vous inflige une amende de cinq cents dollars pour outrage à la cour. Ce n'est pas vous qui dirigez ce prétoire, maître. C'est moi.

— Madame le juge…

— Et maintenant, est-ce que nous pourrions faire entrer le jury? ordonna-t-elle en coupant court à ma protestation.

L'huissier ouvrit la porte aux douze jurés et à leurs deux remplaçants qui commencèrent aussitôt à remplir leur box. Je me penchai vers Roulet et lui soufflai:

— Vous me devez cinq cents dollars.

2 8

Les déclarations préliminaires de Ted Minton furent un modèle du trop-parler côté accusation. Au lieu de dire aux jurés quelles pièces à conviction il allait leur présenter et ce qu'elles prouveraient, il essaya de leur faire voir ce que tout cela signifiait. Il chercha à peindre le tableau dans son ensemble et c'est presque toujours une erreur. Cela implique en effet que l'on infère et suggère des choses. Qu'on extrapole pour que tout fait devienne suspect. N'importe quel avocat de l'accusation ayant une douzaine de procès de ce genre à son acquis vous dira de jouer petit. On cherche à faire condamner, pas forcément à faire comprendre.

– Ce qui est en jeu ici, dit-il, c'est un prédateur. Louis Ross Roulet est un homme qui, le soir du 6 mars, traquait sa proie. Et n'eût été la détermination d'une femme à survivre, c'est une affaire de meurtre que nous jugerions maintenant.

Je remarquai tout de suite qu'il avait choisi un «marqueur». C'est ainsi que j'appelle un juré qui prend sans arrêt des notes pendant un procès. La déclaration préliminaire ne donne pas de preuves et le juge Fullbright en avait averti le jury, mais la femme assise sur la première chaise du premier rang n'arrêtait pas d'écrire depuis que Minton s'était mis à parler. Cela m'allait parfaitement. J'aime bien les marqueurs : ils consignent exactement ce que l'avocat dit qu'il présentera et prouvera et à la fin ils reprennent la liste pour vérifier. Ils comptent les points.

Je consultai le plan du jury que j'avais rempli la semaine précédente et m'aperçus que notre marqueuse était Linda Truluck, une femme au foyer de Reseda. C'était une des trois seules femmes du jury. Minton avait tout fait pour n'avoir qu'un minimum de femmes : pour moi, il craignait de perdre leur sympathie et pour finir leurs votes une fois établi que Regina Campo offrait ses services sexuels moyennant finances. À mon avis, il ne se trompait pas sur ce point et j'avais tout aussi fort que lui essayé d'avoir le plus possible de femmes dans le jury. Nous avions tous les deux fini par user de nos vingt droits d'opposition et c'était même sans doute pour cela qu'il nous avait fallu trois jours pour sélectionner le jury. J'avais fini par obtenir trois femmes et savais qu'il ne m'en fallait qu'une pour éviter la condamnation.

— Vous allez bien sûr entendre la victime témoigner elle-même de ce que son style de vie n'est pas de ceux que nous approuvons, reprit-il à l'adresse des jurés. De fait, oui, ma cliente se vendait aux hommes qu'elle invitait chez elle. Mais je veux que vous vous rappeliez que ce n'est pas ce qu'elle faisait pour gagner sa vie que nous allons juger. Tout le monde peut être victime de violences. Absolument tout le monde. Quoi qu'une personne fasse pour gagner sa vie, la loi ne permet pas qu'on la batte, qu'on la menace de la pointe d'un couteau et qu'on lui fasse craindre pour sa vie. Ce que cette personne fait pour gagner de l'argent n'a absolument rien à voir avec tout cela. À cette personne, c'est la même protection qui doit être assurée qu'à nous tous.

Il me parut assez clair que Minton ne voulait même pas prononcer les mots de *prostitution* et de *prostituée* de crainte que ça ne fragilise son approche. J'écrivis ces deux mots sur le bloc-notes que j'emporterais avec moi en montant au lutrin pour faire ma déclaration. J'avais tout à fait l'intention de réparer les omissions de l'accusation.

Minton procéda ensuite à une présentation générale de ses preuves. Il parla du couteau avec les initiales de l'accusé gravées dans la lame. Il parla du sang retrouvé sur sa main gauche. Et avertit les jurés de ne pas se laisser abuser par les efforts de la défense, qui ne manquerait pas de jeter le trouble sur ces preuves.

— L'affaire est on ne peut plus claire, dit-il en résumé. Vous avez ici un homme qui a agressé une femme chez elle. Il avait décidé de la violer et de la tuer. Ce n'est que par la grâce de Dieu qu'elle viendra ici vous dire son histoire.

Sur quoi il remercia les jurés de leur attention et reprit place à la table de l'accusation. Le juge Fullbright consulta sa montre, puis me regarda. Il était onze heures quarante, elle se demandait sans doute s'il fallait suspendre la séance ou me laisser procéder à ma déclaration préliminaire. Il est du devoir du juge de s'assurer que les jurés sont à leur aise et attentifs. Beaucoup de suspensions de séances, courtes ou longues, sont souvent la réponse à cette préoccupation.

Je connaissais Connie Fullbright depuis au moins douze ans, soit bien avant qu'elle ne soit juge. Elle avait été avocate pour l'accusation et pour la défense et connaissait les deux côtés de la barrière. En dehors du fait qu'elle était prompte à infliger des amendes pour outrage à la cour, elle était bonne et juste… jusqu'au moment où il fallait décider de la condamnation. On entrait dans son tribunal en sachant qu'on était à égalité avec l'accusation. Mais gare si le jury déclarait votre client coupable. Alors il fallait s'attendre au pire. Fullbright était un des juges les plus durs du pays en termes de condamnations. On aurait dit qu'elle punissait le client et son avocat de lui avoir fait perdre son temps avec un procès. S'il y avait la moindre possibilité de le faire dans les directives à donner aux jurés en cas de condamnation, elle allait toujours au maximum, et rajoutait de longues années de mise à l'épreuve à ses peines de prison. Cela lui avait valu un sobriquet révélateur parmi les pros de la défense qui travaillaient dans le secteur de Van Nuys – celui de juge Fullbite[1].

– Maître Haller, reprit-elle, avez-vous prévu de réserver vos déclarations pour plus tard?

– Non, madame le juge, mais je pense être bref.

– Très bien, dit-elle. Nous allons donc vous écouter avant d'aller déjeuner.

En vérité, je n'avais aucune idée du temps que j'allais mettre. Minton avait parlé une quarantaine de minutes et je savais qu'il me faudrait à peu près aussi longtemps. Mais j'avais dit au juge que je serais bref parce que je n'aimais pas voir les jurés aller déjeuner avec la seule version de l'accusation à ruminer en avalant leurs hamburgers et leurs salades de thon.

Je me levai et gagnai le lutrin situé entre les tables de la défense et de l'accusation. Le prétoire était une des salles de l'ancien tribu-

---

1. Soit juge «Mord-à-fond» (NdT).

nal qu'on venait de rénover. Tout y était en bois blond, y compris le revêtement mural derrière le siège du juge. La porte qui donnait sur son cabinet y disparaissait presque, ses lignes se fondant dans le grain du bois. Seul le bouton de porte en trahissait l'existence.

Fullbright dirigeait ses procès comme un juge fédéral. Les avocats n'avaient pas le droit de s'approcher des témoins sans sa permission. Il leur était en plus absolument interdit de s'approcher du box des jurés. Ils étaient tenus de parler derrière le lutrin et nulle part ailleurs.

Debout au lutrin comme je l'étais maintenant, j'avais les jurés à ma droite et me trouvais plus près de la table de l'accusation que de celle de la défense. Cela me convenait. Je ne voulais pas que les jurés puissent voir mon client de trop près. Je voulais qu'il leur reste un peu mystérieux.

— Mesdames et messieurs les jurés, leur lançai-je, je m'appelle Michael Haller et je vais représenter M. Roulet dans ce procès. Je suis heureux de vous informer que ce sera probablement assez court. Nous ne vous prendrons que quelques jours de plus de votre temps. Au final, vous verrez sans doute qu'il nous aura fallu plus de temps pour vous choisir que pour vous présenter les deux versions de l'affaire. L'avocat de l'accusation, maître Minton, me fait l'effet d'avoir passé son temps à vous dire ce qui, pour lui, est le sens de ses preuves et à vous dire qui est vraiment M. Roulet. Je vous conseille, moi, de vous détendre, d'écouter tout simplement les preuves qui vous seront présentées et de laisser votre bon sens vous dire ce que tout cela signifie et qui est M. Roulet.

Je passais constamment d'un juré à l'autre. Je ne baissais que rarement les yeux sur le bloc-notes que j'avais posé sur le lutrin. Je voulais qu'ils me voient comme quelqu'un qui discutait avec eux, quelqu'un qui disait ce qui lui venait à l'esprit.

— D'habitude, je préfère réserver mes déclarations préliminaires. Dans un procès au criminel la défense a toujours la possibilité de faire sa déclaration dès le début, comme vient de le faire maître Minton, ou juste avant de présenter ses preuves. Normalement, c'est cette dernière option que je choisis. J'attends et je fais ma déclaration juste avant de faire défiler tous mes témoins et toutes

mes preuves devant les jurés. Mais aujourd'hui, l'affaire est différente. Elle l'est parce que les thèses de l'accusation seront aussi celles
de la défense. Vous entendrez certainement parler des témoins de la
défense, mais au cœur même de cette affaire ce seront les témoins et
les preuves de l'accusation que vous devrez analyser et interpréter. Je
vous garantis que c'est une version des événements et une vision
des preuves totalement différentes de celles que maître Minton
vient de vous décrire qui vont vous apparaître dans ce prétoire. Tant
et si bien que, lorsque l'heure sera venue de présenter la défense, il
ne sera sans doute même plus nécessaire de le faire.

Je jetai un coup d'œil à la marqueuse et vis son crayon courir
sur la page de son bloc-notes.

– Pour moi, ce que vous allez découvrir cette semaine, c'est que
tout dans cette affaire va se résumer aux actes et aux motivations
d'une seule personne. D'une prostituée qui a repéré un homme
visiblement fortuné et a décidé d'en faire sa cible. C'est ce que les
preuves montreront clairement et, ces preuves, ce sont les témoins
de l'accusation qui vous les fourniront.

Minton se leva pour élever une objection : à l'entendre, j'étais
hors limites en essayant de neutraliser son témoin principal à l'aide
d'accusations lancées dans le vide. Il n'y avait aucune base légale à
son objection. Ce n'était jamais que tentative d'amateur d'envoyer
un message aux jurés. Le juge y répondit en nous invitant tous les
deux à la rejoindre.

Nous gagnâmes son bureau, elle alluma un neutraliseur pho-
nique qui expédia du «bruit blanc» en direction des jurés, les
empêchant ainsi d'entendre ce que nous allions nous chuchoter.
Et Connie Fullbright n'y alla pas par quatre chemins avec Minton : elle l'assassina.

– Maître Minton, je sais que vous êtes tout nouveau dans ce
genre de procès et que je vais devoir vous faire un peu l'école au
fur et à mesure, lui asséna-t-elle. Cela dit, chez moi on n'élève pas
d'objections pendant une déclaration préliminaire. Ce ne sont pas
des éléments de preuves qui sont présentés à la cour. Je me fiche
complètement que l'avocat de la défense déclare que votre propre
mère est le témoin alibi de la défense. Vous ne devez pas élever
d'objections devant mes jurés.

– Madame le…

– C'est tout. Regagnez vos places.

Elle revint à la sienne et éteignit la machine à bruit blanc. Minton et moi regagnâmes les nôtres sans un mot de plus.

– Objection rejetée, lança le juge. Poursuivez, maître Haller, et je vous rappelle que vous nous avez promis d'être bref.

– Merci, madame le juge. C'est toujours mon intention.

Je me référai à mes notes et regardai à nouveau les jurés. Sachant qu'intimidé comme il l'était par le juge Minton ne dirait rien, je décidai d'enflammer un brin la rhétorique, de laisser tomber mes notes et d'aller droit à la conclusion.

– Mesdames et messieurs, ce qu'il va vous falloir décider dans cette affaire, c'est qui y fut le vrai prédateur. M. Roulet, un homme d'affaires qui a réussi et n'a aucune tache à son dossier, ou une prostituée déclarée qui réussit fort bien à échanger ses faveurs contre de l'argent. Vous allez entendre des témoignages où l'on vous dira que la prétendue victime s'était vendue à un autre homme quelques instants seulement avant que notre prétendue agression ait lieu. Et vous entendrez encore que, quelques jours seulement après cette agression qui aurait prétendument pu menacer sa vie, notre victime reprenait ses activités, à savoir échanger ses faveurs contre de l'argent.

Je jetai un coup d'œil à Minton et vis qu'il bouillonnait. Il avait baissé les yeux sur la table devant lui et hochait lentement la tête. Je regardai le juge.

– Madame le juge, repris-je, pourriez-vous avoir l'amabilité d'ordonner à l'avocat de l'accusation de cesser de montrer ce qu'il pense aux jurés? Je n'ai, moi, élevé aucune objection ou en aucune façon essayé de distraire les jurés pendant sa déclaration préliminaire.

– Maître Minton, tonna le juge, je vous prierai de rester immobile et de montrer la même courtoisie à l'endroit de la défense que celle qui vient de vous être montrée par elle à l'instant.

– Oui, madame le juge, répondit humblement Minton.

Les jurés l'avaient déjà vu se faire taper deux fois sur les doigts et nous n'avions même pas franchi le cap des déclarations préliminaires. Je pris ça comme un signe favorable qui me donna encore plus d'élan. Je me retournai vers les jurés et vis que la marqueuse était encore en train d'écrire.

— Vous aurez enfin droit aux témoignages de nombreuses personnes du ministère public qui vous fourniront des explications parfaitement acceptables sur bon nombre d'éléments de preuves. C'est du sang et du couteau dont vous a entretenu maître Minton que je vous parle. Pris individuellement ou en un tout, les arguments de l'accusation vous donneront matière à plus qu'un simple doute raisonnable quant à la culpabilité de mon client. Vous pouvez déjà le noter sur vos tablettes. Je puis vous garantir qu'à la fin de ce procès vous n'aurez plus qu'une conclusion à tirer. Et ce sera de trouver M. Roulet non coupable des charges qui lui sont reprochées. Je vous remercie.

Je fis un clin d'œil à Lorna Taylor en regagnant mon siège. Elle me fit un signe de tête comme pour me dire que j'avais bien travaillé. Mon attention fut alors attirée par deux individus assis deux rangs derrière elle. Lankford et Sobel. Ils étaient entrés après que j'avais regardé l'assemblée pour la première fois.

Je me rassis et ignorai le signe de victoire que m'adressait mon client. Je me concentrai sur les deux inspecteurs de Glendale et me demandai ce qu'ils fabriquaient dans ce prétoire. M'observaient-ils ? M'attendaient-ils ?

Le juge ayant suspendu la séance pour le déjeuner, tout le monde se leva pendant que la marqueuse et ses collègues sortaient du box en file indienne. Après leur départ, Minton demanda au juge la permission de l'approcher à nouveau. Il voulait essayer de lui expliquer le pourquoi de son objection et réparer les dégâts, mais pas en séance publique. Connie Fullbright refusa tout net.

— J'ai faim, maître Minton, et de toute façon c'est de l'histoire ancienne. Allez déjeuner.

Elle quitta son siège et le prétoire où, hormis pour les voix des avocats, le silence avait régné fut envahi par les bavardages du public et des employés du tribunal. Je rangeai mon bloc-notes dans ma mallette.

— Vous avez été vraiment bon, me dit Roulet. Je crois qu'à ce petit jeu on a déjà quelques points d'avance.

Je le regardai d'un œil mort.

– Ce n'est pas un jeu, Louis.

– Je sais. C'est juste une expression. Écoutez, je vais déjeuner avec Cecil et ma mère. Nous aimerions que vous vous joigniez à nous.

Je hochai la tête.

– Je suis obligé de vous défendre, Louis, pas de manger avec vous.

Je sortis mon carnet de chèques et laissai Roulet en plan. Puis je fis le tour de la table pour rejoindre le greffier et lui signer un chèque de 500 dollars. La somme à payer était bien moins douloureuse que ce que le barreau, je le savais, aurait à dire en examinant les circonstances qui m'avaient valu cette condamnation pour outrage à la cour.

Une fois cette tâche effectuée, je me retournai et aperçus Lorna qui m'attendait au portillon avec un sourire. Nous décidâmes d'aller déjeuner, après quoi elle rentrerait chez elle pour continuer à gérer mes appels téléphoniques. Trois jours plus tard, je reviendrais aux affaires et aurais besoin de nouveaux clients. Je dépendais d'elle pour me remplir mon emploi du temps.

– Ce coup-ci il vaudrait peut-être mieux que ce soit moi qui te paie à manger, dit-elle.

Je jetai mon carnet de chèques dans ma mallette et refermai celle-ci.

– Ça serait gentil, oui, lui répondis-je.

Je poussai le portillon et jetai un coup d'œil à l'endroit où Lankford et Sobel avaient pris place quelques instants plus tôt.

Ils avaient disparu.

29

L'accusation commença à présenter ses arguments pendant la séance de l'après-midi, la stratégie de Minton me paraissant très vite assez claire. Ses quatre premiers témoins étaient un standardiste de Police secours, les policiers de patrouille qui avaient répondu à la demande d'aide de Regina Campo et l'auxiliaire médical qui l'avait soignée avant qu'elle soit transportée à l'hôpital. Afin de contrer par avance la stratégie de la défense, Minton voulait fermement établir que Campo avait été sauvagement agressée et que c'était bien elle la victime dans cette histoire. Ce n'était pas une mauvaise idée. Dans les trois quarts des cas, ç'aurait suffi à emporter le morceau.

Le standardiste de Police secours ne servit en gros qu'à donner de la chair à l'appel à l'aide de Regina Campo. Des transcriptions de cet appel furent distribuées aux jurés afin qu'ils puissent les lire en entendant l'enregistrement plein de crachouillis. J'élevai une objection en arguant qu'il était préjudiciable à mon client de faire passer cet enregistrement alors que sa transcription suffisait, mais le juge la rejeta si vite que Minton n'eut même pas le temps de s'y opposer. L'enregistrement passa, Minton marquant aussitôt des points importants lorsque, fascinés, les jurés entendirent Campo se mettre à hurler et crier au secours. Elle semblait authentiquement affolée et terrorisée. C'était exactement ce que Minton voulait faire vivre aux jurés et ils le vécurent comme il fallait. Je n'osai pas reprendre le standardiste en contre-interrogatoire de peur que Minton n'en profite pour faire réécouter l'enregistrement pour me contrer.

Les deux policiers de patrouille qui suivirent firent chacun une déposition différente parce qu'ils s'étaient acquittés de tâches différentes en arrivant à l'appartement de Tarzana. Le premier était en gros resté avec la victime tandis que le second montait à l'appartement et menottait le type sur lequel les voisins de Campo s'étaient assis – à savoir Louis Ross Roulet.

L'officier Vivian Maxwell brossa le portrait d'une Campo débraillée, blessée et apeurée. À l'entendre, elle ne cessait de lui demander si elle était en sécurité et si l'intrus avait été capturé. Même après qu'on l'eut rassurée, elle était restée inquiète et troublée, allant même à un moment donné jusqu'à demander à Maxwell de dégainer son arme et de se tenir prête si jamais son agresseur se libérait. Quand Minton en eut fini avec ce témoin, je me levai pour mener mon premier contre-interrogatoire.

– Officier Maxwell, lui dis-je, avez-vous demandé à Mlle Campo ce qui lui était arrivé?

– Oui.

– Que lui avez-vous demandé exactement?

– Je lui ai demandé ce qui s'était passé et qui lui avait fait ça. Vous voyez... qui l'avait blessée.

– Que vous a-t-elle répondu?

– Elle m'a répondu qu'un homme s'était présenté à sa porte, y avait frappé et lui avait flanqué un coup de poing dès qu'elle lui avait ouvert. Elle a ajouté qu'il l'avait frappée plusieurs fois et qu'après il avait sorti un couteau.

– Elle a dit qu'il avait sorti son couteau après l'avoir frappée?

– C'est ce qu'elle a dit. Elle était blessée et angoissée.

– Je comprends. Vous a-t-elle dit qui était cet homme?

– Non, elle m'a dit qu'elle ne le connaissait pas.

– Le lui avez-vous demandé en ces termes?

– Oui. Et elle m'a répondu qu'elle ne le connaissait pas.

– Elle a donc ouvert la porte à un inconnu à dix heures du soir... comme ça?

– Ce n'est pas ce qu'elle a dit.

– Mais vous nous avez bien dit qu'elle ne connaissait pas cet homme, n'est-ce pas?

– C'est exact. C'est ce qu'elle m'a dit. Elle m'a dit: «Je ne sais pas qui c'est.»

– Et vous avez consigné ça dans votre rapport?

– Oui.

Je présentai ce rapport comme pièce à conviction de la défense et obligeai Maxwell à en lire des extraits aux jurés. Ceux où Campo déclarait que l'agression ne faisait suite à aucune provocation et avait été perpétrée par un inconnu.

– «La victime ne connaît pas l'homme qui l'a agressée et ne sait pas pourquoi elle a été attaquée», dit Maxwell en lisant son procès-verbal.

Ce fut John Santos, le coéquipier de Maxwell, qui témoigna ensuite. Il déclara aux jurés que Campo lui avait indiqué l'appartement où il avait trouvé un homme allongé par terre, près de l'entrée. Cet homme était à demi conscient et maintenu à terre par deux voisins de la victime, Edward Turner et Ronald Atkins. L'un d'eux était assis à califourchon sur sa poitrine, l'autre sur ses jambes.

Santos identifia l'homme allongé par terre comme étant l'accusé Louis Ross Roulet. Il ajouta que celui-ci avait du sang sur ses vêtements et sur la main gauche. À l'entendre, Roulet semblait souffrir d'une commotion cérébrale, à tout le moins d'une blessure à la tête, et au début il ne réagissait pas aux ordres qu'on lui donnait. Santos l'aurait alors retourné et menotté dans le dos. Puis il aurait enfermé la main ensanglantée de Roulet dans un sachet en plastique qu'il portait dans une poche de son ceinturon.

Il déclara encore qu'un des deux hommes qui maintenaient Roulet à terre lui avait alors tendu un couteau pliant, celui-ci étant ouvert et ayant du sang sur la lame et sur le manche. Il dit aussi aux jurés qu'il avait enfermé cet article dans un autre sachet en plastique, sachet qu'il avait ensuite confié à l'inspecteur Martin Booker dès que ce dernier était arrivé sur les lieux.

Dans mon contre-interrogatoire, je ne posai que deux questions à Santos.

– Y avait-il du sang sur la main droite de l'accusé?

– Non, il n'y avait pas de sang sur sa main droite, sinon elle aussi, je l'aurais enfermée dans un sac.

– Je vois. Vous n'avez donc du sang que sur sa main gauche et un couteau avec du sang sur le manche. Ne vous semble-t-il pas que si l'accusé avait effectivement tenu ce couteau, il aurait dû le faire de la main gauche?

Minton éleva une objection en arguant du fait que Santos n'était qu'officier de patrouille et que ma question dépassait ses compétences. Je lui renvoyai que ma question n'exigeait qu'une réponse de bon sens, et pas du tout l'avis éclairé d'un expert. Le juge passa outre à l'objection de Minton et le greffier relut la question au témoin.

— C'est ce qu'il me semble en effet, répondit Santos.

Arthur Metz était l'auxiliaire médical qui témoigna ensuite. Il décrivit le comportement de Campo et l'étendue de ses blessures au moment où il s'était occupé d'elle, soit trente minutes après l'agression. D'après lui, la victime avait reçu trois impacts importants au visage. Il mentionna aussi la petite piqûre qu'elle avait au cou. Il caractérisa toutes ces blessures comme superficielles mais douloureuses. Un fort agrandissement de la photo du visage de Campo que j'avais vue le premier jour de l'affaire avait été placé sur un chevalet, face aux jurés. J'élevai une objection en arguant du fait que cette photo portait préjudice à mon client dans la mesure où le tirage était plus grand que nature, mais le juge Fullbright la rejeta.

Et quand ce fut mon tour d'interroger Metz, je m'empressai de me servir de cet agrandissement.

— Que voulez-vous dire exactement lorsque vous déclarez qu'à votre avis la victime aurait reçu au moins trois impacts importants au visage?

— Qu'elle a été frappée avec quelque chose. Un poing ou quelque chose d'émoussé.

— Et donc, en gros, que quelqu'un l'a frappée trois fois. Pourriez-vous avoir l'amabilité de prendre cette flèche laser et de montrer aux jurés à quels endroits de la photo ces impacts se sont produits?

De la poche de ma chemise je sortis une flèche laser et la tins en l'air afin que le juge puisse la voir. Elle m'accorda la permission de l'apporter à Metz. Je l'allumai et la lui tendis. Il fit alors glisser le point rouge du laser sur la photo du visage abîmé de Campo et dessina des ronds autour des trois zones où, d'après lui, elle avait été frappée. Il en fit un premier autour de son œil droit, un second autour de sa joue droite et un troisième autour d'une zone qui englobait sa bouche et son nez.

– Merci, dis-je en lui reprenant mon laser et en regagnant le lutrin. Si donc elle a été frappée trois fois sur la partie droite du visage, ces coups ont dû partir du côté gauche de son assaillant, n'est-ce pas ?

Minton éleva une objection, en arguant une fois encore que ma question dépassait les compétences du témoin. Et une fois encore j'arguai que ce n'était qu'une question de bon sens et une fois encore le juge rejeta son objection.

– Si l'assaillant lui faisait face, il a dû la cogner du gauche, à moins qu'il n'y soit allé du revers, répondit Metz. Alors, oui, le coup aurait pu être porté de la main droite.

Sur quoi il hocha la tête, l'air content de lui. Il devait croire aider l'accusation, mais son effort était d'une fourberie tellement évidente que ce fut sans doute à la défense qu'il donna un coup de main.

– Vous nous laissez donc entendre que l'agresseur de Mlle Campo l'a frappée à trois reprises du revers de la main et que ce sont ces coups qui lui ont infligé des blessures pareilles ?

Je montrai la photo exposée sur le chevalet. Metz haussa les épaules en comprenant qu'il n'avait peut-être pas aidé l'accusation autant que ça.

– Tout est possible, dit-il.

– Tout est possible, répétai-je. Bien, mais y a-t-il, à votre avis, un indice qui pourrait expliquer que ces blessures aient été infligées par autre chose que des coups de poing du gauche ?

Il haussa de nouveau les épaules. Ce n'était pas un témoin impressionnant, surtout après les deux flics et un standardiste qui s'étaient montrés très précis dans leurs déclarations.

– Et si Mlle Campo avait voulu se frapper le visage à coups de poing, ne se serait-elle pas servie de son poing droit pour...

Minton bondit aussitôt pour élever une objection.

– Madame le juge, c'est absolument inadmissible ! s'écria-t-il. Suggérer que la victime ait pu s'infliger ses blessures elle-même est un affront non seulement à la cour, mais à toutes les victimes de crimes violents où que ce soit. Maître Haller s'abaisse à...

– Le témoin vient de me dire que tout était possible, lui renvoyai-je en essayant de lui en faire rabattre. Je tente seulement de voir ce que...

— Objection retenue, lança Fullbright en mettant fin à la querelle. Maître Haller, je vous demande de ne pas continuer dans cette voie à moins que vous ne cherchiez à faire plus qu'à explorer ces possibilités.

— Bien, madame le juge. Je n'ai plus d'autres questions.

Je me rassis, regardai les jurés et compris à leurs visages que j'avais commis une erreur. J'avais transformé un plus en un moins. Le point que j'avais marqué en parlant de l'agression du gauche avait été perdu lorsque j'avais suggéré que la victime ait pu s'infliger elle-même ces blessures. Les trois femmes du jury avaient l'air particulièrement montées contre moi.

J'essayai quand même de me concentrer sur le positif. Il n'était pas mauvais de connaître l'avis du jury sur ce point avant que, Campo étant appelée à témoigner, je lui pose la même question.

Roulet se pencha en avant et me chuchota :

— C'était quoi, ces conneries ?

Sans même lui répondre, je lui tournai le dos et jetai un coup d'œil à la salle. Elle était pratiquement vide. Lankford et Sobel n'étaient pas revenus et les journalistes avaient disparu eux aussi. Cela ne nous laissait que quelques spectateurs. Deux ou trois retraités, des étudiants en droit et des avocats qui se détendaient avant que leurs audiences commencent dans d'autres salles. Cela dit, j'étais sûr qu'un de ces spectateurs était un espion du district attorney. Que Minton joue en solo n'empêchait pas, du moins je le pensais, que son patron ait les moyens de le surveiller et de suivre le déroulement de l'affaire. Je savais bien que c'était tout autant pour cet espion que pour le public que je jouais. Il allait falloir que je sème la panique au deuxième étage avant la fin des débats et que cette panique revienne aux oreilles de Minton. Je devais absolument pousser ce jeunot à tenter une manœuvre désespérée.

L'après-midi s'éternisait. Minton avait encore beaucoup à apprendre sur l'art de régler l'allure et de manipuler les jurés — ce genre de connaissances ne s'acquiert qu'avec la pratique du prétoire. Je ne lâchai pas des yeux les jurés — ce sont eux les vrais juges — et vis que leur ennui grandissait tandis que les témoins se succédaient pour appuyer dans les moindres détails la présentation linéaire, adoptée par l'accusation, des faits qui s'étaient produits le

6 mars. Je ne posais que de rares questions dans mes contre-interrogatoires et tentais d'avoir le même air que les jurés dans leur box.

Il était évident que Minton entendait garder ses grosses munitions pour le lendemain. Il voulait que ce soit à l'enquêteur principal, l'inspecteur Martin Booker, de remettre en ordre tous ces détails et ensuite à la victime elle-même, Regina Campo, de toucher le cœur des jurés. La formule avait certes fait ses preuves – on termine en force et avec de l'émotion –, et marche dans quatre-vingt-dix pour cent des cas, mais cela fait avancer les débats de la première journée à la vitesse d'un glacier.

Les choses commencèrent enfin à bouger avec le dernier témoin de la journée.

Minton fit appeler Charles Talbot, l'homme qui avait emballé Regina Campo Chez Morgan et était monté chez elle le soir du 6. Ce qu'il eut à dire au bénéfice de l'accusation fut négligeable. En gros, on l'avait convoqué pour lui faire dire que Campo était en bonne santé et n'était pas blessée lorsqu'il l'avait quittée. Point à la ligne. Mais si son arrivée sauva la séance des abîmes de l'ennui, ce fut parce que le bonhomme était un vrai adepte des styles de vie alternatifs et que les jurés adorent aller voir ce qui se passe dans les endroits mal famés.

Âgé de cinquante-cinq ans, Talbot avait des cheveux teints en blond qui ne trompaient personne et des tatouages de la marine un peu effacés sur les deux avant-bras. Il avait divorcé vingt ans plus tôt et possédait un magasin de proximité appelé «Kwik Kwik[1]». Cette affaire lui assurait des revenus confortables et de quoi se payer un appartement au Warner Center, une Corvette d'un modèle récent et une vie nocturne incluant un large éventail des professionnelles du sexe de la ville.

Toutes choses que Minton établit au début de son interrogatoire. Le silence devint presque palpable dès que les jurés se branchèrent sur le bonhomme Talbot. Minton se dépêcha de l'amener au soir du 6 mars, Talbot décrivant alors la manière dont il avait abordé Reggie Campo Chez Morgan, dans Ventura Boulevard.

---

1. Soit «Vit' Vit'» *(NdT)*.

– Connaissiez-vous Mlle Campo avant de la rencontrer dans ce bar ce soir-là? lui demanda-t-il.

– Non.

– Comment se fait-il que vous l'y ayez rencontrée?

– Je l'ai appelée et lui ai dit que j'aimerais bien la retrouver. C'est elle qui m'a suggéré de passer Chez Morgan. Je connaissais l'endroit, je lui ai dit que c'était parfait.

– Et comment l'avez-vous appelée?

– Par téléphone.

Plusieurs jurés se mirent à rire.

– Veuillez m'excuser. Je comprends bien que vous vous êtes servi d'un téléphone pour l'appeler. Je voulais plutôt dire: comment saviez-vous comment la contacter?

– J'avais vu sa pub sur le Web et ça m'avait bien plu. Alors j'y suis allé direct, je l'ai appelée et nous nous sommes fixé un rendez-vous. C'est aussi simple que ça. Y a son numéro sur sa pub.

– Et vous vous êtes retrouvés Chez Morgan.

– Oui. C'est là qu'elle donne ses rendez-vous, à ce qu'elle m'a dit. J'y suis allé, nous avons bu deux ou trois verres en bavardant, nous nous sommes bien plu et y a pas eu besoin de plus. Je l'ai suivie chez elle.

– Avez-vous eu des relations sexuelles avec elle quand vous êtes allé à son appartement?

– Et comment! C'était pour ça que j'y étais allé.

– Et vous l'avez payée?

– Quatre cents dollars. Ça valait le coup.

Je vis un juré piquer un fard et sus tout de suite que je ne m'étais pas trompé sur son compte pendant la phase de sélection des jurés la semaine précédente. J'avais voulu qu'il fasse partie du jury en voyant qu'il avait apporté la Bible à lire pendant qu'on interrogeait les autres candidats. Minton, lui, n'avait rien vu, tout absorbé qu'il était à observer ceux qu'on interrogeait. Moi, cette Bible, je l'avais vue et n'avais posé que quelques questions au bonhomme lorsque ç'avait été son tour d'y passer. Minton l'avait accepté, et moi aussi. Je m'étais dit qu'il ne serait pas bien difficile de le monter contre la victime à cause du métier qu'elle exerçait. Le fard qu'il venait de piquer me le confirmait.

– À quelle heure avez-vous quitté son appartement? lui demanda Minton.

– À dix heures moins cinq environ.

– Vous a-t-elle dit qu'elle attendait quelqu'un d'autre à l'appartement?

– Non, elle ne m'a pas parlé de ça. En fait, elle faisait même semblant de se préparer à aller se coucher.

Je me dressai d'un bond et élevai une objection.

– Je ne crois pas que M. Talbot soit qualifié pour dire ce que pouvait penser ou viser Mlle Campo en faisant ce qu'elle faisait.

– Objection retenue, lança le juge avant que Minton ait le temps de développer ses arguments en contre.

– Monsieur Talbot, reprit Minton, pourriez-vous nous dire dans quel état se trouvait Mlle Campo quand vous l'avez quittée quelques minutes avant dix heures, le soir du 6 mars?

– Elle était comblée.

Énorme éclat de rire dans la salle et Talbot rayonna. Je jetai un coup d'œil à M. Labible et eus l'impression que sa mâchoire se crispait.

– Monsieur Talbot, enchaîna Minton, je voulais parler de son état physique. Était-elle blessée? Saignait-elle quand vous l'avez quittée?

– Non, elle allait bien. Elle était en forme. Elle se portait comme un charme et ça, je le sais, parce que ses charmes, je les avais tous essayés.

Sur quoi, fier de sa façon de détourner le langage, il sourit. Sauf que cette fois personne ne rit et que le juge en eut assez de ses expressions à double sens. Elle l'avertit de garder ses propos scabreux pour lui.

– Veuillez m'excuser, madame le juge, dit Talbot.

– Monsieur Talbot, reprit Minton, Mlle Campo n'était donc absolument pas blessée lorsque vous l'avez quittée?

– Non. Absolument pas.

– Elle ne saignait pas.

– Non.

– Et vous ne l'avez pas frappée et n'avez abusé d'elle en aucune façon?

– Encore une fois non. Ce que nous avons fait, nous l'avons fait volontairement tous les deux et y avons pris plaisir. Sans douleur.

– Merci, monsieur Talbot.

Je consultai mes notes un instant avant de me lever. Je voulais qu'il y ait une séparation claire entre l'interrogatoire de Talbot et mon contre.

– Maître Haller ? me lança le juge. Souhaitez-vous interroger le témoin à votre tour ?

Je me levai et m'approchai du lutrin.

– Oui, madame le juge.

Je posai mon bloc-notes et regardai Talbot droit dans les yeux. Il me souriait gentiment, mais je savais que je cesserais de lui plaire dans pas longtemps.

– Monsieur Talbot, lui lançai-je, êtes-vous droitier ou gaucher ?

– Je suis gaucher.

– Gaucher, répétai-je. Et n'est-il pas exact que le soir du 6, avant que vous quittiez son appartement, Mlle Talbot vous a demandé de la frapper plusieurs fois au visage ?

Minton se dressa d'un bond.

– Madame le juge ! s'écria-t-il. Il n'y a rien dans le dossier qui permette à maître Haller de poser ce genre de questions. Maître Haller essaie seulement de troubler les esprits en lançant des propos scandaleux qu'il transforme en questions !

Le juge se tourna vers moi et attendit ma réponse.

– Madame le juge, cela fait partie de l'hypothèse de la défense et a été clairement énoncé dans ma déclaration liminaire.

– Je vais autoriser la question. Mais soyez bref, maître Haller.

La question fut relue à Talbot, qui ricana et hocha la tête.

– Non, ce n'est pas vrai, dit-il. Je n'ai jamais fait de mal à une femme de ma vie.

– Vous l'avez frappée du poing à trois reprises, n'est-ce pas, monsieur Talbot ?

– Non. C'est un mensonge.

– Vous nous avez bien dit que vous n'avez jamais frappé une femme de votre vie.

– C'est exact. Jamais.

– Connaissez-vous une prostituée du nom de Shaquilla Barton ?

Il dut réfléchir un instant avant de répondre.

– Ça ne me dit rien, non.

– Sur le site web où elle fait la publicité de ses services, elle utilise le nom de Shaquilla Shackles[1]. Cela vous dit-il quelque chose maintenant, monsieur Talbot?

– Ah oui… je crois que oui.

– Vous êtes-vous jamais livré à des actes de prostitution avec elle?

– Une fois, oui.

– Quand?

– Ça doit être il y a un an de ça. Peut-être plus.

– Et l'avez-vous frappée à cette occasion?

– Non.

– Et si elle venait ici nous dire que vous l'avez effectivement frappée à coups de poing du gauche, mentirait-elle?

– Et comment, qu'elle mentirait! Je l'ai essayée, cette fille, mais j'ai pas aimé ces trucs de brute. Je suis du genre missionnaire pur et dur, moi. Je l'ai pas touchée.

– Vous ne l'avez pas touchée?

– Non, ce que je veux dire, c'est que je ne l'ai pas cognée ou blessée de quelque manière que ce soit.

– Merci, monsieur Talbot.

Je me rassis. Minton ne se donna même pas la peine de demander un contre-interrogatoire. Talbot remercié, il informa le juge qu'il n'avait plus que deux témoins à présenter, mais que ce qu'ils avaient à dire prendrait du temps. Le juge Fullbright consulta sa montre et suspendit les débats jusqu'au lendemain.

Deux témoins à entendre. Ce ne pouvait être que l'inspecteur Booker et Reggie Campo. Tout indiquait que Minton allait renoncer au témoignage du mouton qu'il avait planqué à la prison de County-USC pour désintoxication. Le nom de Dwayne Corliss n'était apparu sur aucune liste de témoins ou aucun document à faire connaître à la défense. Je me demandai si Minton n'avait pas fait les mêmes découvertes que Raul Levin avant que celui-ci soit assassiné. Quoi qu'il en soit, il semblait bien que

---

1. Soit «Shaquilla les fers» *(NdT)*.

l'accusation ait laissé tomber Corliss. Et c'était justement ça qu'il fallait changer.

Je remis mes papiers et mes documents dans ma mallette et rassemblai tout mon courage pour parler à Roulet. Je le regardai, il ne s'était pas levé et attendait que je lui signifie son congé.

– Alors? Qu'en pensez-vous? lui demandai-je.

– J'en pense que vous avez très bien joué. Il doit déjà y avoir plus que des doutes raisonnables dans la tête des jurés.

Je refermai la mallette en en faisant claquer les serrures.

– Aujourd'hui, je n'ai fait que semer le doute. Demain, tout cela germera et mercredi, ce sera la pleine floraison. Vous n'avez encore rien vu.

Je me levai et soulevai la mallette de dessus la table. Avec tous les documents de l'affaire et mon ordinateur dedans, elle pesait son poids.

– À demain.

Je franchis le portillon. Cecil Dobbs et Mary Windsor attendaient Roulet dans le couloir, près de la porte du prétoire. Ils se tournèrent vers moi pour me parler lorsque je sortis de la salle, mais je ne m'arrêtai pas.

– On se retrouve demain, leur lançai-je.

– Attendez une minute! me cria Dobbs.

Je me retournai.

– On est coincés dehors, nous, dit-il en s'approchant avec Mary Windsor. Comment ça se passe?

Je haussai les épaules.

– Pour l'instant, la vedette, c'est l'accusation, lui répondis-je. Je ne fais que tournicoter autour en essayant de protéger le client. Demain, ce sera à nous de frapper. Et mercredi on tentera le K.-O. Faut que j'aille me préparer.

Je me dirigeai vers l'ascenseur et m'aperçus qu'un certain nombre de jurés m'avaient devancé et attendaient de descendre. La marqueuse en faisait partie. Je gagnai les toilettes près des ascenseurs afin de ne pas me retrouver avec eux. Je posai ma mallette sur la tablette entre les lavabos et me passai de l'eau sur la figure et les mains. Puis je me regardai dans la glace pour voir si l'affaire et tout ce qui allait avec m'avaient marqué. J'avais l'air raisonnablement sain d'esprit et calme pour un pro de la défense qui joue sur deux tableaux à la fois : celui de son client et celui de l'accusation.

L'eau froide me fit du bien et je me sentais tout rafraîchi lorsque je ressortis des toilettes en espérant que les jurés soient partis.

Ils avaient disparu. Mais là, dans le couloir près de l'ascenseur, je tombai sur Lankford et Sobel. Lankford tenait une liasse de documents à la main.

– Ah, vous voilà ! s'écria-t-il. Nous vous cherchions.

30

Le document que Lankford me tendit était un mandat de perquisition autorisant la police à fouiller mon domicile, mon bureau et ma voiture dans l'espoir d'y trouver un Colt calibre .22 modèle Woodsman Sport, numéro de série 656300081-52. La pièce précisait que ce pistolet était très vraisemblablement l'arme du crime dans le meurtre de Raul S. Levin, le 12 avril. Lankford m'avait tendu le papier avec un sourire méprisant, je fis de mon mieux pour lui faire croire qu'il n'y avait rien là que de très habituel, que c'était le genre de choses que je gérais tous les deux jours et deux fois par jour le vendredi. La vérité était que mes genoux étaient au bord de me lâcher.

– D'où sortez-vous ça ? lui demandai-je.

Réaction saugrenue à un moment tout aussi saugrenu.

– Signé, scellé et remis en mains propres, me renvoya-t-il. Bon alors... par où voulez-vous qu'on commence ? Vous avez votre voiture ici, non ? Vous savez bien... la Lincoln avec chauffeur pour vous balader partout comme une pute de haut vol.

Je vérifiai la signature de l'autorité à la dernière page du document et m'aperçus qu'il s'agissait d'un juge municipal de Glendale dont je n'avais jamais entendu parler. Les flics étaient allés voir un type du coin qui devait savoir qu'il aurait besoin du soutien de la police aux prochaines élections. Je commençai à retrouver mes esprits. Cette fouille n'était peut-être qu'une manœuvre de façade.

– Des conneries, tout ça ! Vous n'avez pas de raison valable pour ce truc. Je pourrais vous écrabouiller ça dans la minute.

– Le juge Fullbright n'a pas eu l'air de trouver ça mauvais, me répliqua Lankford.

– Fullbright? Qu'est-ce qu'elle a à voir là-dedans?

– Eh ben, comme on savait que vous étiez au prétoire, on s'est dit que ça serait bien de lui demander si c'était OK de vous balancer ça. Vaut mieux pas foutre une nana comme ça en colère, vous savez? Elle nous a répondu qu'elle ne verrait aucun inconvénient à ce que ce soit fait après l'audience... et elle a rien dit sur une quelconque raison valable ou autre.

Ils avaient dû aller la voir à la suspension de séance de midi, juste après que je les avais aperçus dans la salle. Pour moi, c'était Sobel qui avait eu l'idée de vérifier auprès de Fullbright. Un type comme Lankford aurait adoré me virer de la salle en pleine audience.

Il fallait réfléchir vite. Je regardai Sobel – c'était elle la plus sympathique.

– Je suis au milieu d'un procès de trois jours, lui dis-je. Y aurait-il moyen de remettre ça à mardi?

– Pas question! réagit Lankford avant que sa collègue ait pu dire quoi que ce soit. On ne vous lâche pas des yeux jusqu'à ce que le mandat soit exécuté. Comme si on allait vous laisser le temps de bazarder le flingue! Bon alors, le baveux à la Lincoln, où elle est votre bagnole?

Je vérifiai ce que couvrait le mandat. Il fallait que tout y soit précisé et j'eus de la chance. Il y était demandé de fouiller une Lincoln avec numéro de plaque minéralogique NT GLTY[1] de l'État de Californie. Je compris que quelqu'un avait dû noter ce numéro le jour où j'avais été appelé au domicile de Raul Levin en plein milieu du match de base-ball. Parce que celle-là, c'était l'autre Lincoln, la vieille... celle que je conduisais ce jour-là.

– Elle est chez moi. Quand je suis en audience, je ne me sers pas de mon chauffeur. Ce matin, c'est mon client qui m'a amené ici et j'avais prévu qu'il me ramène. Et d'ailleurs, il doit m'attendre.

Pur mensonge. La Lincoln que j'avais prise se trouvait au parking du tribunal. Mais je ne pouvais pas les laisser la fouiller parce qu'il y avait une arme dans l'accoudoir du siège arrière. Ce n'était pas celle qu'ils cherchaient, mais sa remplaçante. Lorsque j'avais

---

1. Soit «NoT GuiLTY» – non coupable *(NdT)*.

découvert la disparition de mon pistolet après l'assassinat de Raul Levin, j'avais demandé à Earl Briggs de me trouver un flingue pour ma protection. Je savais qu'avec lui je n'aurais pas à attendre dix jours[1] pour l'avoir. Cela étant, ne sachant pas d'où sortait cette arme ni si elle était déclarée, je n'avais aucune envie que ce soit la police de Glendale qui me donne le renseignement.

Mais j'avais de la chance : la Lincoln où se trouvait l'arme n'était pas celle mentionnée dans le mandat. Celle-là dormait dans mon garage, où elle attendait que l'acheteur du service de limousines vienne y jeter un coup d'œil. Et c'était celle-là qui devait être fouillée.

Lankford m'arracha le mandat des mains et le fourra dans une poche intérieure de sa veste.

— Vous inquiétez pas pour le transport, me lança-t-il. On a une voiture. Allons-y.

Nous ne tombâmes pas sur Roulet ou les gens de son entourage en quittant le tribunal. Et bientôt je me retrouvai sur la banquette arrière d'une Grand Marquis et me dis que je ne m'étais pas trompé en choisissant une Lincoln : il y avait plus de place et la conduite était plus souple.

C'était Lankford qui avait pris le volant et je me tenais derrière lui. Les vitres avaient été remontées et je l'entendais mâcher du chewing-gum.

— Passez-moi ce mandat que je le regarde encore, lui lançai-je.

Il ne bougea pas.

— Je vous interdis d'entrer chez moi avant d'avoir pu examiner ce papier à fond. Je peux faire ça en route et vous économisez du temps. Mais je peux aussi…

Il glissa la main dans sa veste, en sortit le mandat et me le tendit par-dessus son épaule. Je savais bien pourquoi il hésitait. Les flics doivent souvent expliquer toute leur enquête dans la demande de mandat afin de convaincre le juge qu'il y a bien une raison valable à leur démarche. Ils n'aiment pas que le suspect lise le document et découvre ainsi le pot aux roses.

---

1. En Californie, les demandes de permis de port d'arme prennent une dizaine de jours *(NdT)*.

Je jetai un coup d'œil par la vitre en passant devant les concessionnaires automobiles de Van Nuys Boulevard. J'aperçus un nouveau modèle de Town Car sur une plate-forme d'exposition devant le magasin Lincoln. Puis je baissai les yeux sur le mandat, l'ouvris à la page des motifs et lus ce qui s'y trouvait.

Il faut reconnaître que Lankford et Sobel avaient commencé par faire du bon boulot. L'un des deux – Sobel, à mon avis – avait tenté le coup d'entrer mon nom dans la base de données des possesseurs d'armes à feu de l'État de Californie et décroché le gros lot. L'ordinateur central leur avait déclaré que je possédais un pistolet de la même marque et du même modèle que l'arme du crime.

La manœuvre était habile, mais ne suffisait pas à établir une raison valable de perquisition. La firme Colt avait produit des Woodsman pendant plus de soixante ans. Il devait donc y en avoir un bon million en circulation – et donc un bon million de suspects à en avoir un.

Ils avaient la fumée. Ils avaient ensuite frotté d'autres bouts de bois pour faire partir le feu exigé. Dans la demande de mandat, il était ainsi déclaré que j'avais caché aux enquêteurs le fait que je possédais cette arme. Il y était aussi précisé que je m'étais fabriqué un alibi lorsqu'on m'avait pour la première fois posé des questions sur la mort de Levin, puis que j'avais essayé d'égarer les inspecteurs en leur donnant une fausse piste sur le trafiquant de drogue Hector Arrande Moya.

Bien qu'expliciter les motivations du suspect ne soit pas nécessaire pour obtenir un mandat, le mandat y faisait allusion – expliquant que la victime, Raul Levin, m'avait extorqué des enquêtes et que j'avais refusé de les lui payer le travail une fois terminé.

Le caractère insultant d'une telle déclaration mis à part, c'était la fabrication de l'alibi qui constituait l'élément principal de la raison invoquée. Il était déclaré que j'avais dit être chez moi au moment du meurtre, mais qu'un message ayant été laissé sur mon répondeur juste avant l'heure présumée du décès, il était clair que de fait je n'y étais pas. Non seulement mon alibi ne tenait pas, mais en plus j'étais un menteur.

Je relus lentement le document deux fois de plus, sans que ma colère retombe pour autant. Je jetai le mandat sur le siège à côté de moi.

– D'une certaine façon, c'est vraiment dommage que je ne sois pas l'assassin, lançai-je.

– Ah oui ? Et pourquoi donc ? me renvoya Lankford.

– Parce que ce mandat est un gros tas de merde et que vous le savez tous les deux. Il ne résistera pas à l'examen. Je vous ai dit que le message était arrivé quand j'étais déjà en ligne et ça, on peut le vérifier. Sauf que vous êtes des paresseux et que vous n'avez pas voulu le faire parce que ça vous aurait sacrément compliqué les choses pour décrocher votre mandat. Même avec le juge de Glendale que vous avez dans votre poche. Vous avez menti sciemment et par omission. Ce document est de mauvaise foi.

Assis derrière Lankford comme je l'étais, je voyais beaucoup mieux Sobel. Je regardai si des doutes lui venaient au fur et à mesure que je parlais.

– Quant à l'idée que Raul m'aurait extorqué des enquêtes et que je ne l'aurais pas payé, c'est complètement risible. Extorqué sous quelle menace ? Et qu'est-ce que je ne lui aurais pas payé ? Je le payais chaque fois qu'il m'envoyait la note. Non, si c'est comme ça que vous menez vos enquêtes, va falloir que j'ouvre boutique à Glendale ! Et ce mandat, je vais vous l'enfourner dans le trou de balle de votre chef de police comme il faut.

– Vous avez menti pour le flingue, me rétorqua Lankford. Et vous deviez de l'argent à Levin. C'est dans son livre de comptes. Quatre mille dollars.

– Je n'ai menti sur rien. Vous ne m'avez jamais demandé si j'avais une arme.

– Mensonge par omission ! À moi de vous renvoyer la balle.

– Conneries !

– Et les quatre mille dollars, hein ?

– Ah oui ! Les quatre mille dollars… Je l'ai tué parce que je ne voulais pas lui filer quatre mille dollars ! m'écriai-je en y mettant tout le sarcasme dont j'étais capable. Alors là, vous m'avez eu, inspecteur ! Les motivations… Cela dit, il ne vous est sans doute pas venu à l'esprit de vérifier s'il me les avait effectivement demandés, ces quatre mille dollars, voire si je ne venais pas de lui régler une facture de six mille une semaine avant qu'il ne soit assassiné.

Lankford ne broncha pas, mais je vis le doute se marquer sur le visage de Sobel.

– Combien ou quand vous l'avez payé n'a aucune importance, me répondit Lankford. Le maître chanteur n'est jamais satisfait. On n'arrête pas de payer jusqu'à ce que le point de non-retour soit atteint. Et c'est de ça qu'il est question. Du point de non-retour.

Je hochai la tête.

– Et comment me tenait-il pour que je lui file des boulots et que je le paye jusqu'à ce que j'arrive à ce «point de non-retour»?

Lankford et Sobel échangèrent un regard et Lankford acquiesça d'un signe de tête. Sobel se pencha vers une mallette par terre et en sortit un dossier qu'elle posa sur le siège à côté de moi.

– Tenez, me lança Lankford, regardez donc. Vous l'avez loupé quand vous foutiez la baraque à feu et à sang. Il l'avait planqué dans un tiroir de la commode.

J'ouvris le dossier et y trouvai plusieurs photos de format 18 × 24. Les clichés avaient été pris de loin et je figurais sur tous. Le photographe avait suivi ma Lincoln plusieurs jours durant et sur plusieurs kilomètres. Dans chaque image, c'était un instant qui avait été figé, les photos me montrant en compagnie de divers individus en qui je reconnus des clients sans aucune difficulté – à savoir des prostituées, des trafiquants de drogue et des Road Saints. Toutes ces photos pouvaient être prises en mauvaise part parce qu'elles saisissaient un bref instant. Un travelo en mini-short quittant le siège arrière de ma Lincoln. Teddy Vogel me tendant une grosse liasse de billets par la vitre arrière. Je refermai le dossier et le jetai par-dessus le siège.

– Vous rigolez, non? Vous croyez que Raul me tenait avec ça? Qu'il m'extorquait des fonds avec ça? Ces gens-là sont mes clients. Vous rigolez ou j'ai raté quelque chose?

– C'est-à-dire que… le barreau de Californie pourrait trouver ça moins rigolo, dit Lankford. On sait que vous êtes plutôt sur un terrain glissant avec eux. Et ça, Levin le savait. Et s'en servait.

Je hochai la tête.

– Incroyable, dis-je.

Je savais qu'il fallait que j'arrête de parler. Je faisais tout de travers avec ces deux-là. Je savais qu'il valait mieux la boucler et laisser filer.

Mais j'éprouvais un besoin quasi irrésistible de les convaincre. Je commençai à comprendre pourquoi tant de dossiers à charge se bâtissent dans les salles d'interrogatoire des commissariats de police. Les gens sont tout simplement incapables de la fermer.

J'essayai de retrouver les circonstances dans lesquelles ces clichés avaient été pris. Celui où l'on voyait Vogel me donner une liasse de billets l'avait été sur le parking du club de strip-tease des Saints, dans Sepulveda Boulevard. C'était juste après le procès d'Harry Casey et Vogel me payait pour avoir interjeté appel. Le prostitué, lui, s'appelait Terry Jones et je m'étais occupé de son accusation de racolage la première semaine d'avril. J'avais dû aller le chercher sur la promenade de Santa Monica la veille au soir d'une audience pour être sûr qu'il y assiste.

Je compris que toutes ces photos avaient été prises entre le matin où j'avais hérité de l'affaire Roulet et le jour où Raul Levin avait été assassiné. Elles avaient ensuite été laissées sur les lieux du crime par l'assassin – tout cela faisant partie du plan que Roulet avait établi pour me coincer. La police avait tout ce qui lui fallait pour me coller le meurtre de Levin sur le dos – tout sauf l'arme du crime. Tant qu'il l'aurait en sa possession, Roulet me tenait.

Force m'était d'admirer le plan et son ingéniosité alors même qu'il ne m'inspirait que du désespoir. J'essayai de baisser la vitre, mais le bouton ne marchait pas. Je demandai à Sobel d'ouvrir sa fenêtre, ce qu'elle fit. De l'air frais commença à entrer dans la voiture.

Au bout d'un moment, Lankford me regarda dans le rétroviseur et tenta de faire repartir la conversation.

– On a fait des recherches sur ce Woodsman, dit-il. Vous savez à qui il a appartenu, non ?

– Si. À Mickey Cohen, répondis-je comme si de rien n'était, et je continuai de regarder les pentes abruptes de Laurel Canyon.

– Comment se fait-il que ce soit vous qui en ayez hérité ?

Je lui répondis sans me détourner de la fenêtre.

– Mon père était avocat. C'est lui qui le représentait.

Il poussa un sifflement. Cohen était un des plus célèbres criminels à avoir élu domicile à Los Angeles. Il avait sévi à l'époque où les gangsters étaient en concurrence avec les vedettes de cinéma pour faire la une des journaux.

– Et alors ? Il a donné un flingue à votre vieux ?

– Cohen avait été accusé dans une histoire de fusillade et c'est mon père qui l'a défendu. Il a plaidé l'autodéfense. Il y a eu procès et mon père lui a obtenu un verdict de non-culpabilité. Lorsque l'arme lui a été rendue, Mickey en a fait cadeau à mon père. Comme une espèce de souvenir, pourrait-on dire.

– Votre père s'est-il jamais demandé combien de gens ce Mick avait zigouillés avec ?

– Je ne sais pas. Je n'ai pas vraiment connu mon père.

– Et Cohen ? Vous l'avez rencontré ?

– Mon père l'a représenté avant même que je sois né. L'arme m'est revenue par testament. Je ne sais pas pourquoi il a choisi que ce soit moi qui l'aie. Je n'avais que cinq ans lorsqu'il est mort.

– Et en grandissant vous êtes devenu avocat comme votre cher père et, en bon avocat que vous êtes, vous l'avez déclarée.

– Je me disais que si jamais on me la volait ou autre, je voulais pouvoir la retrouver. Tournez ici, dans Fareholm.

Lankford fit ce que je lui demandais et nous commençâmes à monter la route qui conduit chez moi. C'est alors que je leur lâchai la mauvaise nouvelle.

– Merci de m'avoir raccompagné, leur dis-je. Vous pouvez fouiller ma maison, mon bureau et ma voiture tant que vous voudrez, mais faut que je vous dise : vous perdez votre temps. Non seulement je ne suis pas le gars que vous cherchez, mais vous ne trouverez jamais cette arme.

Je vis Lankford redresser vivement la tête et me regarder à nouveau dans le rétroviseur.

– Et pourquoi donc, l'avocat ? Vous l'avez déjà bazardée ?

– Parce que l'arme m'a été volée et que je n'ai aucune idée de l'endroit où elle se trouve.

Lankford se mit à rire et je vis de la joie dans ses yeux.

– Ah, ah ! Volée ! Comme c'est commode ! Et ce serait arrivé quand ?

– Difficile à dire. Je n'avais pas vérifié depuis des années.

– Vous avez déclaré le vol à la police ou rempli une demande d'indemnisation à l'assurance ?

– Non.

— Et donc, quelqu'un entre chez vous, vous pique le flingue de Mickey Cohen et vous n'en dites rien aux autorités. Même après nous avoir dit que vous l'aviez déclaré au cas où ce serait très exactement ça qui arrive? Mais... ça vous semble pas un rien pété, à vous qu'êtes avocat et tout et tout?

— Si, sauf que je sais qui me l'a volé. C'est un client. Un client qui m'a dit l'avoir pris et que si jamais je portais plainte contre lui je violerais la clause de confidentialité avocat-client parce que ma plainte conduirait à son arrestation. Disons que la situation est inextricable.

Sobel se retourna pour me regarder. Elle pensait sans doute que j'inventais au fur et à mesure.

— Tout ça, c'est que des conneries et du jargon d'avocat, Haller! me lança Lankford.

— Peut-être, mais c'est la vérité. Nous y sommes. Garez-vous devant le garage.

Lankford se rangea devant mon garage et arrêta le moteur. Puis il se tourna vers moi pour me regarder avant de descendre.

— Qui est ce client qui vous a volé le flingue?

— Je ne peux pas vous le dire, je vous l'ai déjà dit.

— Eh bien mais... vous n'avez que Roulet comme client en ce moment, non?

— Des clients, j'en ai des tas. Mais c'est comme je vous l'ai dit: je ne peux pas vous dire qui.

— À votre avis... on devrait peut-être vérifier les enregistrements de son bracelet, histoire de voir s'il est passé chez vous récemment.

— Vous faites ce que vous voulez. Et, oui, il est effectivement passé ici. Nous avons eu une petite réunion. Dans mon bureau.

— C'est peut-être à ce moment-là qu'il vous l'a fauché.

— Je ne vous dis pas qu'il l'a pris.

— Ouais, bon, ce bracelet exonère Roulet pour l'affaire Levin. On a vérifié le GPS. Et donc, il ne reste plus que vous... maître.

— Et que vous pour perdre votre temps.

Je compris soudain quelque chose sur l'histoire du bracelet et tentai de n'en rien montrer. Quelque chose sur ce petit numéro de disparition à la Houdini. Il allait falloir que je vérifie ça plus tard.

– Alors ? On va rester là à ne rien faire ?

Lankford se retourna et descendit de voiture. Puis il ouvrit ma portière, la poignée intérieure ayant été bloquée pour qu'on puisse transporter des suspects et des prisonniers dans la voiture. Je regardai les deux inspecteurs.

– Vous voulez que je vous montre le coffret ? Vous voyez qu'il est vide et vous partez ? Ça nous ferait gagner du temps.

– Pas tout à fait, maître, me renvoya Lankford. Nous allons tout fouiller. Je m'occupe de la voiture et l'inspecteur Sobel fera la maison.

Je hochai la tête.

– Pas tout à fait, inspecteur, lui répliquai-je à mon tour. C'est pas comme ça que ça marche. Je ne vous fais pas confiance. Votre mandat est pourri et, pour moi, vous l'êtes aussi. Bref, vous travaillez ensemble, que je puisse vous surveiller, ou vous attendez que j'arrive à faire venir un deuxième observateur. Mon manager pourrait être ici en dix minutes. Je peux très bien la faire venir pour vous surveiller. Tenez… vous pourriez même lui demander si elle ne m'a pas appelé le matin où Raul Levin s'est fait tuer.

Le visage de Lankford s'assombrit tellement sous l'insulte et la colère qu'il parut avoir du mal à se dominer. Je décidai de pousser les feux. Je pris mon portable et l'ouvris.

– J'appelle votre juge et je vois si…

– C'est bon ! s'écria-t-il. On va commencer par la voiture. Ensemble. Après, on fera la maison petit à petit.

Je refermai mon portable et le remis dans ma poche.

– Très bien, dis-je.

Je gagnai un boîtier électronique sur le mur du garage. J'entrai le code et la porte du garage commença à se lever, révélant la Lincoln bleu-noir qui attendait leur inspection. Sur sa plaque d'immatriculation on pouvait lire NT GLTY. Lankford la regarda et hocha la tête.

– Oui, bon, dit-il.

Il entra dans le garage, le visage toujours crispé par la colère. Je décidai de détendre un peu l'atmosphère.

– Hé, inspecteur ! lui lançai-je. Quelle est la différence entre un poisson-chat et un avocat de la défense ?

Il ne réagit pas. Il continuait de regarder la plaque d'immatriculation d'un œil mauvais.

— L'un bouffe les saloperies au fond, et l'autre est un gros poisson.

Il ne se dérida pas tout de suite. Puis un sourire se formant sur son visage, il finit par éclater d'un grand rire. Sobel entra dans le garage. Elle n'avait pas entendu la plaisanterie.

— Quoi? demanda-t-elle.

— Je te dirai plus tard, répondit-il.

3 1

Il leur fallut une demi-heure pour fouiller la Lincoln et passer à la maison, où ils commencèrent par le bureau. Je ne cessai de les observer et ne leur adressai la parole que pour leur fournir une explication lorsque quelque chose les arrêtait dans leurs recherches. Ils ne se parlaient pas beaucoup et il devint de plus en plus évident qu'ils avaient des divergences sur la façon dont Lankford conduisait les opérations.

À un moment donné, celui-ci reçut un appel sur son portable et gagna la porte d'entrée pour passer dans la véranda et pouvoir parler en privé. J'avais remonté les stores, ce qui me permettait, en restant dans le couloir, de voir Lankford dehors en me tournant d'un côté et Sobel à l'intérieur en me tournant de l'autre.

– Tout ça ne vous plaît pas trop, n'est-ce pas? demandai-je à celle-ci lorsque je fus sûr et certain que son coéquipier ne pouvait pas l'entendre.

– Que ça me plaise ou pas n'a aucune importance, me renvoya-t-elle. On suit l'affaire et c'est tout.

– Votre coéquipier est toujours comme ça ou c'est seulement avec les avocats?

– Il a claqué 50 000 dollars avec un avocat l'année dernière pour essayer d'obtenir la garde de ses enfants. Et il ne l'a pas eue. Et avant ça on a perdu une grosse affaire… un meurtre… sur un point de droit.

J'acquiesçai d'un signe de tête.

– Et c'est à l'avocat qu'il en veut. Qui avait enfreint le règlement?

Elle ne répondit pas, ce qui me confirma que c'était bien Lankford qui avait commis l'erreur.

– Je vois, dis-je.

Et je jetai à nouveau un coup d'œil à Lankford dans la véranda. Il faisait de grands gestes d'impatience comme s'il essayait d'expliquer quelque chose à un crétin. Son avocat, sans doute. Je décidai de changer de sujet avec Sobel.

– Vous n'avez pas l'impression de vous faire manipuler dans cette affaire ? lui demandai-je.

– De quoi parlez-vous ?

– Les photos planquées dans le bureau, la douille dans le conduit d'aération… Plutôt commode, tout ça, vous ne trouvez pas ?

– Qu'est-ce que vous racontez ?

– Je ne raconte rien du tout. Je pose certaines questions, auxquelles votre collègue n'a pas l'air de s'intéresser.

Je regardai ce dernier. Il composait un numéro sur son portable pour passer un nouvel appel. Je me retournai et franchis le seuil de la pièce. Sobel était en train de regarder derrière des dossiers rangés dans un tiroir. N'y trouvant pas d'arme, elle referma celui-ci et gagna le bureau. Je lui parlai à voix basse.

– Et le message que Raul m'a adressé ? lui lançai-je. Celui où il dit avoir trouvé la sortie pour Menendez… que pensez-vous qu'il voulait dire par là ?

– On n'a pas encore trouvé.

– C'est dommage. À mon avis, c'est important.

– Tout est important jusqu'au moment où ça cesse de l'être.

Je hochai la tête, pas très sûr d'avoir compris ce qu'elle voulait dire par là.

– Vous savez, l'affaire que je défends est plutôt intéressante. Vous devriez venir faire un tour au prétoire et regarder un peu. Vous pourriez apprendre des trucs.

Elle leva les yeux du bureau et m'observa. Nos regards se croisèrent un instant. Puis elle cligna des paupières – le doute –, comme si elle essayait de savoir si quelqu'un qu'on soupçonnait de meurtre n'était pas en train de lui faire du rentre-dedans.

– Vous plaisantez ?

– Non, pourquoi je plaisanterais ?

– Eh bien, et d'un, vous pourriez avoir du mal à rejoindre la salle d'audience si on vous colle au gnouf.

– Eh dites… pas de flingue, pas de dossier. C'est bien pour ça que vous êtes ici, non ?

Elle garda le silence.

– En plus que cette affaire, c'est le dada de votre collègue. Pas le vôtre, je le vois bien.

– On peut pas faire plus avocat que ça. Vous n'en ratez pas une.

– Moi ? Mais non. En fait, je découvre que je suis loin de tout savoir.

Elle changea de sujet.

– C'est votre fille ? me demanda-t-elle en me montrant la photo posée sur le bureau.

– Oui. Elle s'appelle Hayley.

– Hayley Haller, jolie allitération. C'est à cause de la comète ?

– En quelque sorte. Mais ça ne s'écrit pas pareil. C'est mon ex qui a trouvé ce prénom.

C'est alors que Lankford revint en parlant très fort à Sobel du coup de fil qu'il venait de recevoir. Le superviseur leur disait qu'ils étaient à nouveau en piste et qu'ils s'occuperaient du prochain homicide à Glendale, que l'affaire Levin soit encore d'actualité ou pas. Il ne lui dit rien de l'appel qu'il venait de passer.

Sobel l'informa qu'elle avait fini le bureau. Toujours pas d'arme.

– Puisque je vous dis que ce flingue n'est pas ici, lui lançai-je. Vous perdez votre temps. Et le mien. Je suis de tribunal demain et j'ai besoin de me préparer pour les témoignages.

– On fait la chambre, dit-il en ignorant ma protestation.

Je reculai dans le couloir pour leur permettre de sortir de la pièce et passer dans la suivante. Ils longèrent les deux côtés du lit à la tête duquel les attendaient deux tables. Lankford ouvrit le tiroir du haut de la sienne et en sortit un CD.

– *Wreckrium for Lil'Demon*, dit-il. Vous vous foutez de moi ?

Je ne réagis pas. Sobel ouvrit vite ses deux tiroirs et les trouva vides, à l'exception d'une boîte de capotes anglaises. Je me détournai.

– Je prends la penderie, enchaîna Lankford après en avoir fini avec sa table de nuit – dont il laissa les tiroirs ouverts en vrai flic qu'il était.

Il entra dans la penderie et parla tout de suite de l'intérieur.

– Nous y sommes !

Il ressortit de la penderie en tenant le coffret en bois.

— Bingo! lui lançai-je. Vous venez de trouver un coffret en bois vide. Dites, vous ne seriez pas inspecteur?

Il secoua le coffret avant de le poser sur le lit. Ou bien il essayait de jouer avec moi, ou bien le coffret était sacrément lourd. Je sentis l'adrénaline me descendre le long du cou lorsque je compris que Roulet aurait très bien pu entrer à nouveau chez moi pour y remettre le pistolet. Ç'aurait été le meilleur endroit où le cacher. Le dernier où je serais allé voir après avoir déterminé que l'arme avait disparu. Je me rappelai le sourire bizarre qu'il avait eu lorsque je lui avais demandé de me rendre mon flingue. Souriait-il parce que c'était déjà fait?

Lankford ouvrit les fermoirs et souleva le couvercle. Puis il sortit le chiffon huilé. L'emplacement en liège où s'était naguère trouvé le pistolet de Mickey Cohen était vide. Je soufflai si fort que c'en fut presque un soupir.

— Qu'est-ce que je vous disais? lançai-je vite pour essayer de rattraper la sauce.

— C'est ça, qu'est-ce que vous nous disiez? me renvoya Lankford. Heidi? T'as un sac? On embarque le coffret.

Je regardai Sobel. Elle n'avait rien d'une Heidi à mes yeux. Je me demandai s'il ne s'agissait pas d'une espèce de surnom qu'on lui infligeait dans la salle des inspecteurs. Ou alors c'était la raison pour laquelle elle ne donnait pas son prénom sur sa carte de visite professionnelle. Ça ne faisait pas assez Homicide pur et dur.

— Dans la voiture, lui répondit-elle.

— Va le chercher, lui ordonna-t-il.

— Vous allez embarquer un coffret à pistolet vide? À quoi cela va-t-il vous servir?

— Tout ça fait partie des pièces à conviction, maître. Vous devriez le savoir. En plus que ça tombe bien dans la mesure où j'ai l'impression que nous ne le reverrons jamais, ce flingue.

Je hochai la tête.

— Ça tombe peut-être bien dans vos rêves, mais ce coffret ne prouve rien.

— Il prouve que vous étiez en possession de l'arme de Mickey Cohen. C'est marqué sur la petite plaque en cuivre que votre père ou quelqu'un d'autre a fait apposer dessus.

– Et alors, quoi, bordel ?!

– Et alors il se trouve que j'ai passé un appel pendant que j'étais dans votre véranda, maître Haller. On avait quelqu'un qui vérifiait cette histoire d'autodéfense de Mickey Cohen. Et il s'avère qu'aux Scellés du LAPD, ils ont encore toutes les analyses balistiques de l'affaire. Ça tombe bien pour nous vu qu'elle remonte à quoi ? Cinquante ans ?

Je compris tout de suite. Ils allaient prendre les balles et les douilles de l'affaire Cohen et les comparer aux pièces à conviction recueillies dans l'affaire Levin. En rattachant le meurtre de Levin au pistolet de Cohen, ils pourraient me rattacher au coffret et à l'entrée consignée dans la base de données des armes à feu de l'État. Je doutais fort que Roulet ait compris comment la police serait capable de bâtir son dossier sans même avoir l'arme du crime le jour où il avait concocté son plan pour me coincer.

Je restai immobile et gardai le silence. Sobel quitta la pièce sans m'adresser un seul regard, Lankford levant les yeux du coffret pour me décocher un sourire assassin.

– Qu'est-ce qu'il y a, maître ? me lança-t-il. Les pièces à conviction vous ont mangé la langue ?

Enfin j'arrivai à parler.

– Combien de temps faudra-t-il à la balistique ? réussis-je à lui demander.

– Hé, hé ! Pour vous, on va demander qu'ils accélèrent ! Et donc, sortez un peu et profitez de la vie pendant qu'il en est encore temps. Mais ne quittez pas la ville.

Il rit, presque à en avoir le vertige tant il était content de lui.

– Putain ! Et moi qui croyais qu'on ne disait ça que dans les films ! s'exclama-t-il. Sauf que là, c'est bien moi qui l'ai dit ! Dommage que ma collègue n'ait pas été là !

Sobel revint dans la pièce avec un grand sac marron et un rouleau d'adhésif rouge. Je la regardai déposer le coffret dans son sac et sceller ce dernier avec l'adhésif. Je me demandai combien de temps il me restait et si les roues ne venaient pas de tomber du bolide que j'avais mis en route. Je commençai à me sentir aussi vide que le coffret que Sobel venait de sceller dans son grand sac marron.

32

Fernando Valenzuela habitait loin, à Valencia. De chez moi, il me faudrait facilement une heure de voiture, en direction du nord, à cette fin d'heure de pointe. Val avait quitté Van Nuys quelques années plus tôt parce que, ses trois filles étant bientôt en âge d'aller au lycée, il craignait pour leur sécurité et leur instruction. Il avait emménagé dans un quartier plein de gens qui eux aussi avaient fui la ville, ses trajets quotidiens passant aussitôt de cinq minutes à quarante-cinq. Mais il était heureux. Sa maison était plus belle et ses enfants plus en sécurité. Il habitait une maison de style espagnol avec un toit de tuiles rouges dans un quartier plein de maisons elles aussi de style espagnol avec des toits de tuiles rouges. C'était plus que n'en pouvait rêver un prêteur de cautions, mais la facture mensuelle était plutôt raide.

Il était presque neuf heures lorsque j'arrivai chez lui. Je m'arrêtai devant son garage, dont il avait laissé la porte ouverte. Une des places y était occupée par un mini-van, l'autre par un pick-up. Entre ce dernier et un établi avec outillage complet se trouvait un grand carton barré de l'inscription SONY. Je descendis de voiture, gagnai la porte et frappai. Valenzuela mit longtemps à répondre.

— Mick, me lança-t-il, qu'est-ce que tu fous ici ?

— Tu sais que ton garage est ouvert ?

— Merde de merde ! On vient juste de me livrer un écran plasma !

Il me poussa de côté et traversa la cour à toute allure. Je refermai sa porte d'entrée et le suivis. Il se tenait tout sourire devant son carton lorsque j'entrai dans le garage.

— Putain, mec, tu sais que ça ne serait jamais arrivé à Van Nuys !

Ce truc aurait déjà disparu depuis longtemps. Allez, on rentre par là.

Il se dirigea vers une porte qui nous permettrait de passer directement dans la maison. Il appuya sur un commutateur, la porte du garage commençant aussitôt à se fermer en se déroulant.

– Hé, Val, dis-je, attends une minute. Causons un peu ici. On sera plus tranquilles.

– Maria doit avoir envie de te dire bonjour.

– La prochaine fois.

Il revint vers moi, l'œil inquiet.

– Qu'est-ce qu'il y a, Boss ?

– Ce qu'il y a, c'est que je viens de passer plusieurs heures avec les flics à travailler sur l'assassinat de Raul. Ils prétendent avoir innocenté Roulet à cause du bracelet.

Il hocha très fort la tête.

– Oui, oui, dit-il, ils sont venus me voir quelques jours après. Je leur ai montré le système, je leur ai dit comment ça marche et je leur ai sorti le relevé de Roulet pour ce jour-là. Ils ont vu qu'il était au boulot. Je leur ai aussi montré l'autre bracelet que j'ai et leur ai expliqué comment il est absolument impossible de le trafiquer. À cause de son détecteur de masse. En gros, y a pas moyen de l'enlever. Le bracelet le saurait tout de suite et moi après.

Je m'adossai au pick-up et croisai les bras.

– Et donc, ces deux flics t'ont demandé où t'étais ce mardi-là ?

Il reçut la question comme un coup de poing dans la figure.

– Qu'est-ce que t'as dit, Mick ?

Je baissai les yeux sur le carton renfermant la télé à écran plasma, puis revins sur lui.

– Je ne sais pas comment il a fait son coup, mais il l'a tué, Val. Maintenant, c'est moi qui suis dans la ligne de mire et je veux savoir comment il a fait.

– Écoute-moi, Mick, il est innocent. Ce bracelet n'a pas quitté sa cheville, je te le garantis. Ce truc-là ne ment pas.

– Oui, bon, que ça ne mente pas, je le sais, mais…

Enfin il comprit.

– Qu'est-ce que t'es en train de me dire, Mick ?

Il se planta devant moi, tout son corps disant l'agressivité. Je cessai de m'adosser au pick-up et laissai retomber mes mains le long de mes flancs.

– C'est ce que je te demande, Val. Où étais-tu ce mardi matin-là ?

– Espèce de fils de pute ! Comment oses-tu me demander un truc pareil ?

Il s'était mis en position de combat. Cela me désarçonna un instant : il venait de me traiter du même nom que moi Roulet un peu plus tôt dans la journée. Il me sauta brusquement dessus et me repoussa violemment contre son camion. Je le repoussai encore plus fort et l'expédiai droit dans le carton de sa télé. Qui se renversa et s'écrasa par terre avec un grand boum, Val finissant par se retrouver assis dessus. Un craquement sec se fit entendre à l'intérieur.

– Oh merde ! s'écria Val. Oh merde ! T'as pété l'écran.

– Tu m'as poussé, Val. Je t'ai repoussé.

– Oh merde !

Il se pencha sur le côté du carton et tenta de le remettre d'aplomb, mais celui-ci était bien trop lourd et encombrant. Je passai de l'autre côté et lui donnai un coup de main. Le carton se redressant, nous entendîmes des petits bouts de trucs tomber en pluie à l'intérieur. Du verre, c'en avait tout l'air.

– Putain de merde ! hurla Valenzuela.

La porte qui donnait dans la maison s'ouvrit et Maria jeta un œil.

– Hé, Mickey ! Val, qu'est-ce que c'est que ce barouf ?

– Rentre, tu veux ? lui ordonna son mari.

– Eh ben mais, qu'est-ce que…

– Ferme ta grande gueule et rentre !

Elle marqua une pause, nous dévisagea tous les deux et referma la porte. Je l'entendis la verrouiller. J'eus l'impression que Valenzuela allait dormir dans le garage avec sa télé cassée. Je le regardai. Il avait la bouche grande ouverte – le choc.

– Huit mille dollars que ça m'a coûté, murmura-t-il.

– Quoi ? Y a des télés qui valent huit mille dollars ?

C'était à mon tour d'en rester baba. Où allait le monde ?

– Huit mille avec la réduc.

– Val... où as-tu trouvé assez d'argent pour te payer une télé à huit mille dollars ?

Il me regarda, le feu se rallumant dans ses prunelles.

– Et où crois-tu que je l'aie trouvé, hein ? En bossant, mec. Grâce à Roulet, je me paie une année d'enfer. Mais là, putain, Mick ! Je ne l'ai pas libéré de son bracelet pour qu'il aille zigouiller Raul. Raul, je le connaissais depuis aussi longtemps que toi. Ce n'est pas moi qui ai fait ça. Ce n'est pas moi qui ai mis son bracelet pendant qu'il allait flinguer Raul. Pas plus que je ne suis allé tuer Raul pour me payer une télé à huit mille dollars. Si t'arrives pas à le croire, vaudrait mieux que tu dégages d'ici et que je ne te revoie plus jamais !

Il avait dit ça avec tout le désespoir d'un animal blessé. Une pensée soudaine me vint sur Jesus Menendez. Je n'avais pas reconnu l'innocence dans ce qu'il voulait plaider. Et je ne voulais pas que ça se reproduise – jamais.

– Bon, d'accord, Val, dis-je. Je gagnai la porte de la maison et appuyai sur le bouton qui commandait l'ouverture du garage. Je me retournai et m'aperçus qu'il avait pris un cutter sur l'établi et s'était mis à couper le ruban adhésif sur le dessus de l'emballage de la télé. À croire qu'il voulait se confirmer ce que nous savions déjà sur son écran plasma. Je lui passai devant et sortis du garage.

– Je partage la note avec toi, lui dis-je. Je vais demander à Lorna de t'envoyer un chèque dès demain matin.

– T'inquiète pas pour ça. Je leur dirai que ç'a été livré comme ça.

J'arrivai à la portière de ma voiture et le regardai par-dessus mon épaule.

– Surtout n'oublie pas de me passer un coup de fil quand ils t'arrêteront pour fraude. Après que tu te seras payé toi-même ta caution, s'entend.

Je montai dans la Lincoln et sortis de l'allée à reculons. En jetant un dernier coup d'œil au garage, je vis qu'il avait cessé d'ouvrir son carton et se contentait de me regarder.

La circulation pour revenir en ville étant légère, je ne traînai pas sur la route. Je franchissais la porte d'entrée de chez moi lorsque le téléphone se mit à sonner. Je décrochai dans la cuisine en me disant que c'était peut-être Valenzuela qui m'appelait pour m'avertir qu'il avait décidé d'offrir ses services à un autre avocat. Sur le moment, cela me laissa indifférent.

En fait, c'était Maggie McPherson.

– Tout va bien ? lui demandai-je.

Elle n'avait pas l'habitude d'appeler aussi tard.

– Oui.

– Où est Hayley ?

– Elle dort. Je ne voulais pas t'appeler avant.

– Quoi de neuf ?

– Il y a une rumeur bizarre sur toi qui court dans les bureaux.

– Comme quoi ? Que je serais l'assassin de Raul Levin ?

– Haller, c'est sérieux ?

La cuisine était trop petite pour une table et des chaises. Comme je ne pouvais pas aller très loin avec le fil du téléphone, je me hissai sur le comptoir. Par la fenêtre au-dessus de l'évier je vis les lumières de la ville scintiller au loin et là-bas, à l'horizon, un rougeoiement qui, je le savais, montait du Dodger Stadium.

– Oui, je dirais que la situation est sérieuse. On est en train de me coller le meurtre de Raul sur le dos.

– Ah mon Dieu, Michael ! Mais… comment est-ce possible ?

– Y a des tas d'ingrédients divers… un client diabolique, un flic qui a une dent contre moi, un avocat complètement con, tu ajoutes du sucre et des épices et c'est génial.

– C'est Roulet ? C'est lui ?

– Mags, tu sais bien que je ne peux pas parler de mes clients avec toi.

– Bon alors, qu'est-ce que tu as l'intention de faire ?

Il me revint en un éclair une parole d'une chanson de Tupac. *Être un homme dans ce monde de méchanceté*… Voilà, c'était ça que j'avais l'intention de faire.

– T'inquiète pas, je maîtrise, lui répondis-je. Je m'en sortirai.

– Et Hayley ?

Je compris ce qu'elle me disait. Elle m'avertissait de tenir notre fille bien à l'écart de tout ça. Surtout qu'Hayley ne risque pas d'entendre ses copains et copines d'école lui parler de son père l'assassin présumé dont on montrait la photo et donnait le nom partout aux infos télévisées.

— Pas de problème pour Hayley, lui répondis-je. Elle n'en saura jamais rien. Personne n'en saura rien si je joue le coup comme il faut.

Elle garda le silence et je ne trouvai rien à ajouter pour la rassurer. Je changeai de sujet. Et tentai de me montrer confiant, voire joyeux.

— Comment avait l'air ton copain Minton après l'audience d'aujourd'hui ? lui demandai-je.

Elle ne répondit pas tout de suite. Elle devait rechigner à changer de sujet aussi rapidement.

— Je ne sais pas. Bien, apparemment. Mais Smithson avait envoyé un mouchard parce que c'était son premier truc en solo.

Je hochai la tête. Je comptais bien que Smithson enverrait quelqu'un pour surveiller Minton.

— Des échos ?

— Pas encore. Rien que j'aurais entendu. Écoute, Haller, tout ça m'inquiète beaucoup. Toujours d'après la rumeur, on t'aurait même balancé un mandat de perquise au tribunal. C'est vrai ?

— Oui, mais ne t'inquiète pas pour ça. Je te le dis : je maîtrise. Tout se terminera comme il faut. Je te le promets.

Je savais bien que je n'avais pas calmé ses craintes. C'était à notre fille qu'elle pensait, et à tout le scandale possible. Elle devait aussi penser un peu à elle et à tout ce que le fait d'avoir un ex-mari rayé du barreau ou accusé de meurtre pouvait entraîner comme conséquences pour son avancement.

— Sans compter que si tout part en couilles, c'est toi qui seras quand même ma première cliente, pas vrai ?

— Qu'est-ce que tu racontes ?

— Le service des Lincoln Limousines ? T'es partie prenante, non ?

— Haller... ça ne me paraît pas être le moment de plaisanter.

— Mais je ne plaisante pas, Maggie. Je pense beaucoup à tout lâcher. J'y pensais même avant toutes ces conneries. C'est comme je te l'ai dit l'autre soir : j'en peux plus de ce boulot.

Il y eut un grand silence avant qu'elle réponde.

— Quoi que tu fasses, ça nous ira à Hayley et à moi.

J'acquiesçai d'un signe de tête.

— Tu ne sais pas combien ça me fait plaisir de te l'entendre dire. Elle soupira.

— Je sais pas comment tu fais…

— Comment je fais quoi?

— Comment tu fais pour être un avocat de la défense bien crapoteux avec deux ex et une fille de huit ans et qu'on t'aime toutes encore.

Là, je gardai le silence. Et ne pus m'empêcher de sourire.

— Merci, Maggie McFierce, finis-je par lui dire. Bonne nuit. Et je raccrochai.

33

Le deuxième jour du procès commença sur un «Dans mon cabinet, tout de suite» que le juge Fullbright nous adressa à tous les deux. De fait, Fullbright ne voulait parler qu'à moi, mais les règles de procédure lui interdisaient de me rencontrer en privé sur quelque sujet que ce soit et d'ainsi exclure Minton des débats. Abritant son bureau, un coin où s'asseoir à l'écart et trois murs de rayonnages remplis de livres de droit, la pièce était spacieuse. Fullbright nous ordonna de nous asseoir dans les fauteuils en face d'elle.

— Maître Minton, lança-t-elle, je ne peux pas vous interdire d'écouter, mais je vais avoir un entretien avec maître Haller et compte bien que vous n'y participiez pas, ni ne m'interrompiez. Cela ne vous concerne pas et n'a, pour autant que je sache, aucun rapport avec l'affaire Roulet.

Pris au dépourvu, Minton ne sut trop comment réagir et se contenta de laisser pendre sa mâchoire de quelques centimètres et de faire entrer un peu de lumière dans sa bouche. Le juge se tourna vers moi et croisa les mains sur son bureau.

— Maître Haller, y a-t-il quelque chose dont vous auriez besoin de m'entretenir? Ceci sans oublier que vous êtes assis à côté d'un représentant de l'accusation.

— Non, madame le juge, tout va bien. Je suis désolé qu'on vous ait importunée hier.

Je tentai d'afficher un sourire contrit, comme pour lui montrer que le mandat de perquisition n'avait jamais été qu'un petit inconvénient.

— Cela ne m'a pas importunée, maître Haller. Mais nous avons beaucoup investi dans cette affaire. Les jurés, l'accusation, tout le monde. J'espère que ça ne sera pas pour rien. Je n'ai aucune envie de tout recommencer à zéro. J'ai déjà assez d'affaires sur les bras comme ça.

— Excusez-moi, madame le juge, lança Minton, mais puis-je seulement vous demander de quoi…

— Non, vous ne pouvez pas, l'interrompit-elle. À l'exception du moment où cela se produit, ceci n'a aucune incidence sur le procès. Que maître Haller m'assure seulement qu'il n'y a pas de problème et je le prendrai au mot. Vous n'avez besoin d'aucune autre explication.

Elle me jeta un regard appuyé.

— Est-ce que j'ai votre parole sur ce point, maître Haller ?

J'hésitai avant d'acquiescer d'un signe de tête. Ce qu'elle me disait ? Que la note serait salée si jamais je rompais ma promesse et que l'enquête de Glendale venait perturber le procès et occasionnait un vice de procédure.

— Vous avez ma parole, lui dis-je.

Elle se leva dans l'instant et se tourna vers le portemanteau dans le coin de la pièce. Sa robe noire y était suspendue à un cintre.

— Eh bien allons-y, messieurs. Nous avons un jury qui nous attend.

Minton et moi quittâmes le cabinet et entrâmes dans la salle d'audience en passant par le poste du greffier. Roulet avait pris place à la table de la défense et attendait.

— C'était quoi, ce bordel ? me demanda Minton en chuchotant.

— Rien, Ted. Des conneries pour une autre affaire à moi. Vous allez finir aujourd'hui ?

— Ça dépendra de vous. Plus vous prendrez de temps, plus il m'en faudra pour nettoyer vos conneries derrière vous.

— Nettoyer mes conneries derrière moi ? Quand je pense que vous êtes en train de saigner à mort et que vous ne vous en rendez même pas compte !

Il me gratifia d'un sourire confiant.

— Ben voyons !

— Disons que ce sera une mort sous mille coups de lames de rasoir, repris-je. Une lame ne suffit pas, mais toutes ensemble elles y arrivent. Bienvenue au pénal, maître Minton !

Je me séparai de lui et gagnai la table de la défense. À peine y fus-je assis que Roulet me prit à partie.

– C'était quoi, ce truc avec le juge ? me lança-t-il dans un murmure.

– Rien. Elle me donnait un avertissement sur la manière dont je m'occuperai de la victime en contre-interrogatoire.

– Qui ça ? La nana ? Elle l'a vraiment traitée de « victime » ?

– Louis… et d'un, vous baissez la voix. Et de deux, la victime, c'est elle dans cette histoire. Il se peut que vous ayez le don assez rare de vous convaincre d'à peu près tout et n'importe quoi, mais nous… non, disons plutôt moi… moi, je suis toujours dans l'obligation de convaincre les jurés.

Il prit ma rebuffade comme si je lui soufflais des bulles dans la figure et continua.

– Bon mais… qu'est-ce qu'elle a dit ?

– Elle a dit qu'elle n'allait pas me laisser beaucoup de mou dans le contre-interrogatoire. Elle m'a rappelé que Regina Campo est effectivement une victime.

– Je compte sur vous pour la mettre en pièces, pour reprendre une expression que vous avez eue le jour où nous avons fait connaissance.

– C'est que tout a beaucoup changé depuis, vous ne trouvez pas ? Et votre petit canular avec mon flingue est sur le point de me péter à la gueule. Et donc, que je vous dise tout de suite : il n'est pas question que je tombe pour ça. Même si cela doit m'obliger à conduire des gens à l'aéroport jusqu'à la fin de mes jours, je le ferai et je le ferai avec joie si c'est la seule façon que j'aie de m'en sortir. Vous comprenez, Louis ?

– Je comprends, Mick, me renvoya-t-il d'un ton désinvolte. Je suis sûr que vous trouverez la parade. Vous êtes un malin.

Je me retournai pour le regarder. Heureusement que je n'eus rien d'autre à ajouter. L'huissier venait d'ordonner à tout le monde de se lever et le juge alla prendre sa place.

Le premier témoin de Minton fut l'inspecteur du LAPD Martin Booker. C'était un excellent témoin pour l'accusation. Un vrai roc. Ses réponses étaient claires, concises et données sans la moindre hésitation. Il présenta la première pièce à conviction – le couteau avec les initiales de mon client dessus – et, Minton lui posant les questions adéquates, détailla aux jurés toute l'enquête qu'il avait menée sur l'agression dont Regina Campo avait été victime.

Il affirma ainsi avoir été de service à Van Nuys le soir du 6. Et avoir été envoyé à l'appartement de Regina Campo par un commandant de la division de la West Valley pour qui, après que ses officiers de patrouille l'eurent mis au courant, il ne faisait aucun doute que l'agression méritait qu'un enquêteur lui accorde tout de suite son attention. Il expliqua encore que les cinq bureaux d'inspecteurs de la Valley n'avaient leurs pleins effectifs que dans la journée. Et que l'inspecteur de service de nuit devait réagir rapidement et se voyait souvent assigner des affaires pressantes.

– Qu'est-ce qui rendait cette affaire particulièrement pressante, inspecteur ? lui demanda Minton.

– Les blessures infligées à la victime, l'arrestation d'un suspect et l'idée qu'un crime encore plus grave avait été évité, répondit Booker.

– Lequel crime encore plus grave aurait été… ?

– Un assassinat. Tout semblait indiquer que le type voulait la tuer.

J'aurais pu élever une objection, mais j'avais prévu de travailler cet échange dans mon contre-interrogatoire et je laissai filer.

Minton aida ensuite Booker à décrire toutes les décisions d'enquête qu'il avait prises sur les lieux du crime et plus tard, lorsqu'il avait interrogé Campo tandis qu'elle se faisait soigner à l'hôpital.

– Avant d'arriver à l'hôpital, les officiers Maxwell et Santos vous avaient bien mis au courant de ce qui s'était passé, ceci selon la victime, n'est-ce pas ?

– Oui, dans les grandes lignes.

– Vous avaient-ils dit que la victime vendait son corps pour gagner sa vie ?

– Non.

– Quand l'avez-vous découvert ?

– Eh bien… j'ai commencé à m'en douter en allant à son appartement et en y découvrant certains de ses biens.

– De quels biens parlez-vous ?

– De biens qui, je dirais, facilitent le sexe. Et dans une de ses chambres il y avait aussi une penderie dans laquelle on ne voyait que des déshabillés et des tenues sexuellement provocantes. Dans cette pièce il y avait également une télévision et une collection de vidéos porno dans les tiroirs au-dessous. On m'avait dit qu'elle n'avait pas de compagnon, mais il m'a semblé qu'il se passait pas mal de choses dans ces deux chambres. J'ai commencé à me dire qu'une des deux était la sienne, celle où elle dormait disons… quand elle était seule, et que l'autre était dédiée à ses activités professionnelles.

– Quoi ? Une chambre de passe ?

– On pourrait dire ça, oui.

– Cela vous a-t-il fait changer d'opinion sur le caractère de victime de Regina Campo ?

– Non.

– Pourquoi ?

– Parce que n'importe qui peut être une victime. Pape ou prostituée, ça n'a aucune importance. Une victime est une victime.

On apprend par cœur et on recrache gentiment, me dis-je. Minton cocha une case dans son bloc-notes et passa à la suite.

– Bon… quand vous êtes arrivé à l'hôpital… avez-vous demandé à la victime ce qu'elle pensait de votre théorie sur ses chambres et ce qu'elle faisait pour gagner sa vie ?

– Oui.

– Que vous a-t-elle répondu ?

– Elle m'a répondu, et sans détour, que oui, elle était une professionnelle. Elle n'a pas essayé de le cacher.

– Y a-t-il quoi que ce soit dans ses déclarations qui diffère des témoignages que vous avez recueillis sur l'agression quand vous étiez sur les lieux ?

– Non, rien du tout. Elle m'a dit qu'elle avait ouvert la porte à l'accusé et que celui-ci l'avait aussitôt frappée à la figure et repoussée à l'intérieur de l'appartement. Après quoi il l'a agressée encore plus violemment, a sorti un couteau et lui a dit qu'il allait la violer, puis la tuer.

Minton continua d'analyser l'enquête en détail, jusqu'à en barber prodigieusement les jurés. Quand je ne notais pas des questions à poser à Booker pendant le contre-interrogatoire, je regardais ces derniers et voyais leur attention se relâcher sous le poids de tous ces détails.

Pour finir, après une heure et demie de questions, ce fut à mon tour de travailler l'inspecteur de police. J'avais décidé de frapper comme l'éclair. Pendant que Minton faisait l'autopsie complète de l'affaire, je n'avais eu qu'une idée : frapper aux genoux.

– Inspecteur Booker, lui lançai-je, Regina Campo vous a-t-elle expliqué pourquoi elle avait menti à la police ?

– Elle ne m'a pas menti.

– Peut-être pas à vous en effet, mais elle a bien déclaré aux deux premiers policiers arrivés sur les lieux, les officiers Maxwell et Santos, qu'elle ne savait pas pourquoi le suspect était venu chez elle, n'est-ce pas ?

– Comme je n'étais pas là quand ils lui ont parlé, je ne peux pas le certifier. Ce que je sais, c'est qu'elle avait peur, qu'elle venait d'être battue et menacée de viol et de mort quand ils l'ont interrogée pour la première fois.

– Vous me dites donc que, dans ce genre de circonstances, il est acceptable de mentir à la police.

– Non, ce n'est pas ce que je vous dis.

Je vérifiai mes notes et passai au point suivant. Je ne visais pas une quelconque continuité linéaire dans mes questions. Je tirais au jugé, pour essayer de lui faire perdre contenance.

– Avez-vous dressé la liste des vêtements que vous avez trouvés dans la chambre, vêtements dont, selon vous, Mlle Campo se servait pour mener ses activités de prostituée ?

– Non. C'est juste une observation que je m'étais faite. Cela n'avait pas d'importance dans l'affaire.

– L'une quelconque de ces tenues que vous avez découvertes dans la penderie aurait-elle pu être utilisée dans des actes à caractère sadomasochiste ?

– Je ne saurais le dire. Je ne suis pas expert en la matière.

– Et les vidéos porno ? En avez-vous noté les titres ?

– Non. Encore une fois, je ne pensais pas que ce soit d'une quelconque pertinence pour essayer de découvrir qui avait violemment agressé cette femme.

– Vous rappelez-vous si le sujet de l'une quelconque de ces

vidéos avait à voir avec des pratiques sadomasochistes, de bondage ou quoi que ce soit de cette nature?

– Non.

– Bien... Avez-vous recommandé à Mlle Campo de se débarrasser de ces bandes et de vider sa penderie de ces vêtements avant que des membres de la défense travaillant pour M. Roulet puissent visiter l'appartement?

– Certainement pas.

Je barrai ce point dans ma liste et passai au suivant.

– Avez-vous jamais parlé à M. Roulet de ce qui s'était passé dans l'appartement de Mlle Campo ce soir-là?

– Non. Il avait pris un avocat avant que je puisse le joindre.

– Voulez-vous dire par là qu'il a ainsi exercé le droit que lui confère la Constitution de ce pays de garder le silence?

– Oui, c'est très exactement ce qu'il a fait.

– Ce qui fait aussi que, pour autant que vous sachiez, il n'a jamais parlé de ce qui s'était passé à la police.

– C'est exact.

– Quand avez-vous appris qu'il niait avoir jamais agressé ou menacé Mlle Campo et qu'il avait l'intention de se défendre très vigoureusement contre ces accusations?

– Au moment où il vous a engagé, faut croire.

Des petits rires parcoururent la salle.

– Avez-vous cherché d'autres explications aux blessures de Mlle Campo?

– Non, elle m'avait dit ce qui s'était passé et je la croyais. Il l'avait battue et s'apprêtait à...

– Merci, inspecteur Booker. Contentez-vous de répondre aux questions que je vous pose, voulez-vous?

– C'est ce que je faisais.

– Si vous n'avez cherché aucune autre explication aux blessures de Mlle Campo parce que vous ajoutiez foi à ses propos, peut-on dire sans risque que toute cette affaire repose sur sa parole et sa version des événements de ce soir-là?

Il réfléchit un instant. Il savait que j'étais en train de le coincer avec ses propres déclarations. Comme l'assure le dicton, il n'est pire piège que celui que l'on se tend.

— Il ne s'agit pas seulement de sa parole, me répliqua-t-il en croyant avoir trouvé une sortie. Il y a les pièces à conviction. Le couteau. Ses blessures. Cela fait beaucoup plus que ses seuls propos.

Et de hocher la tête d'un air affirmatif.

— Mais la théorie de l'accusation sur ces blessures et sur les autres éléments de preuves n'a-t-elle pas pour origine la version de Mlle Campo?

— On pourrait dire ça, oui, répondit-il de mauvaise grâce.

— Elle est donc bien l'arbre sur lequel tous ces fruits ont poussé, n'est-ce pas?

— Je ne dirais sans doute pas ça comme ça.

— Et comment diriez-vous ça, inspecteur?

Enfin je le tenais. Il se tortillait littéralement comme un ver sur son siège. Minton se dressa pour élever une objection: selon lui, je harcelais le témoin. C'était un truc qu'il avait dû voir à la télé ou au cinéma. Le juge lui intima l'ordre de se rasseoir.

— Vous pouvez répondre à la question, inspecteur, ajouta-t-elle.

— Quelle était la question déjà? demanda Booker en essayant de gagner du temps.

— Vous n'êtes pas d'accord avec moi pour dire que Mlle Campo est l'arbre sur lequel ont poussé tous les éléments de preuves de l'affaire, lui renvoyai-je. Si j'ai tort à vos yeux, comment qualifie-riez-vous sa position dans cette affaire?

Il leva vite les mains en l'air en signe de reddition.

— Ben, c'est la victime, quoi! Bien sûr qu'elle est importante: c'est elle qui nous a dit ce qui s'était passé. Nous dépendions d'elle pour déterminer le cours de l'enquête.

— Et vous dépendez encore énormément d'elle dans cette affaire, n'est-ce pas? On joue la victime et le témoin principal contre l'accusé, c'est ça?

— C'est ça.

— Qui d'autre qu'elle-même a vu l'accusé agresser Mlle Campo?

— Personne.

Je hochai la tête pour bien faire sentir l'importance de cet échange aux jurés. Je me tournai vers eux et regardai ceux du pre-mier rang dans les yeux.

— Bien, inspecteur, repris-je enfin. Et maintenant, permettez que je vous pose des questions sur Charles Talbot. Comment avez-vous découvert son existence ?

– C'est euh... le procureur, maître Minton, qui m'a dit de le trouver.

– Et savez-vous comment maître Minton en est venu à découvrir l'existence de ce monsieur ?

– Je crois que c'est vous qui la lui avez signalée. Vous aviez la bande de surveillance vidéo d'un bar où on le voit avec la victime quelques heures avant l'agression.

Je savais que ce pouvait être le moment de présenter cette pièce, mais je voulais attendre un peu. Je voulais avoir la victime à la barre quand je montrerais la bande aux jurés.

– Et jusqu'à ce moment-là, vous ne pensiez donc pas qu'il était important de retrouver cet homme ?

– Non. J'ignorais son existence, tout simplement.

– Et donc, lorsque après avoir appris son existence vous avez retrouvé ce M. Talbot, avez-vous demandé à ce qu'on examine sa main gauche afin de déterminer s'il s'y trouvait des blessures qu'il aurait pu se faire en cognant quelqu'un à coups de poing dans la figure ?

– Je ne l'ai pas fait, non.

– Est-ce parce que vous étiez persuadé d'avoir eu raison de choisir M. Roulet comme l'auteur de ces coups de poing ?

– Je n'avais rien choisi du tout. C'est à M. Roulet que menait l'enquête. Je n'ai retrouvé Charles Talbot que plus de quinze jours après le crime.

– Vous êtes donc en train de nous dire que si ce monsieur avait eu des blessures, elles auraient eu tout le temps de guérir à ce moment-là, c'est bien ça ?

– Je ne suis pas expert en la matière, mais c'est bien ce que je me suis dit, oui.

– Ce qui fait que vous n'avez pas regardé sa main.

– Pas particulièrement, non.

– Avez-vous demandé aux collègues de M. Talbot s'ils avaient remarqué des bleus ou des blessures sur sa main aux environs de la date du crime ?

– Non.

– Bref, vous n'avez pas vraiment cherché plus loin que M. Roulet, n'est-ce pas ?

– C'est faux. J'attaque toujours mes dossiers avec un esprit ouvert. Sauf que là, M. Roulet y était d'entrée de jeu – et en prison. Et que la victime l'avait identifié comme étant son agresseur. Se concentrer sur lui allait de soi.

– Sur lui ou sur lui seulement, inspecteur Booker ?

– Les deux. Au début, nous nous sommes intéressés à lui parmi d'autres et plus tard, quand on a trouvé ses initiales sur l'arme que l'agresseur avait tenue sur la gorge de Reggie Campo… oui, on pourrait dire que c'est sur lui seul que nous nous sommes focalisés.

– D'où tenez-vous que c'est ce couteau que l'agresseur a tenu sur la gorge de Mlle Campo ?

– C'est elle qui nous l'a dit et elle avait un trou au cou pour le prouver.

– Voulez-vous dire qu'il a été procédé à une analyse de médecine légale montrant que le couteau correspond bien à la blessure qu'elle avait au cou ?

– Non, c'était impossible.

– Ce qui fait qu'une fois de plus c'est sur la foi des déclarations de Mlle Campo et de Mlle Campo seule qu'on décrète que c'est M. Roulet qui lui a tenu le couteau sur la gorge.

– À ce moment-là, je n'avais aucune raison de mettre les paroles de Mlle Campo en doute. Et je n'en ai toujours pas.

– En gros, et sans rien pour l'expliquer, vous diriez donc que le couteau avec les initiales de l'accusé est une pièce à conviction de la plus grande importance, non ?

– Oui, oui. Et je le dirais aussi avec quelque chose pour l'expliquer. C'est en ayant une idée derrière la tête que l'accusé a apporté ce couteau à l'appartement.

– Parce que vous lisez dans les têtes maintenant, inspecteur ?

– Non, c'est parce que je suis inspecteur. Et parce que je me contente de dire ce que je pense.

– Nous soulignerons donc qu'il s'agit de vos pensées à vous.

– Et de ce que je sais pour avoir étudié les éléments de preuves de l'affaire.

– Heureux que vous soyez aussi sûr de vous, inspecteur. Je n'ai pas d'autres questions à vous poser pour l'instant. Je me réserve le droit de rappeler l'inspecteur Booker à la barre, comme témoin de la défense.

Je n'avais aucune intention de le faire, mais je me disais que cette menace pouvait plaire aux jurés.

Je regagnai ma place tandis que Minton tentait de réparer les dégâts en réinterrogeant Booker. Sauf que c'étaient des dégâts dans la perception des jurés et qu'il ne pouvait pas y faire grand-chose. Booker avait fait le lit de la défense. Les vrais dégâts viendraient après.

Booker ayant quitté la barre, le juge suspendit la séance. Elle demanda aux jurés de revenir un quart d'heure plus tard, mais je savais que cette pause-là serait plus longue. Le juge Fullbright fumait et avait déjà reçu plusieurs avertissements plus que sérieux pour en avoir grillé quelques-unes en douce dans son cabinet. Cela signifiait que pour pouvoir satisfaire sa dépendance et éviter un autre scandale elle allait devoir descendre au rez-de-chaussée par l'ascenseur, sortir du bâtiment et se planter à l'entrée réservée aux bus servant au transport des prisonniers et des prévenus. Je me donnai une bonne heure de battement.

Je passai dans le couloir pour faire travailler mon portable. Selon toute probabilité, je ne pourrais pas interroger mes témoins avant la séance de l'après-midi.

Ce fut Roulet qui m'aborda le premier pour me parler du contre-interrogatoire que j'avais infligé à Booker.

– On dirait que ça s'est vraiment bien passé pour nous, dit-il.

– «Nous»?

– Vous savez bien ce que je veux dire.

– On ne peut jamais dire que ça s'est bien ou mal passé avant le verdict. Bon et maintenant, vous me laissez tranquille. J'ai des coups de fil à donner. Dont un à votre mère. Je vais sans doute avoir besoin d'elle cet après-midi. Elle viendra?

– Elle y sera. Vous n'avez qu'à appeler Cecil. Il l'amènera.

Après son départ, ce fut l'inspecteur Booker qui prit sa place – en venant vers moi et me brandissant aussitôt un doigt sous le nez.

– Ça ne marchera pas, Haller! me lança-t-il.

– Qu'est-ce qui ne marchera pas?

— Tout votre système de défense à la con. Vous allez capoter et cramer complètement.

— Nous verrons.

— C'est ça, nous verrons. Vous savez que vous êtes sacrément gonflé d'essayer de démolir Talbot avec ça! Sacrément gonflé. Des couilles comme les vôtres, faut avoir une brouette pour pouvoir se balader avec.

— Je ne fais que mon boulot, inspecteur.

— Et c'est pas du petit, ce boulot! Mentir pour gagner sa vie. Piéger les gens pour qu'ils cessent de regarder la vérité en face. Vivre dans un monde où il n'y a rien de vrai. Que je vous demande un truc... vous savez la différence entre un poisson-chat et un avocat?

— Non, c'est quoi?

— L'un suce et bouffe les cochonneries au fond et l'autre est un poisson.

— Elle est vraiment géniale, celle-là, inspecteur.

Il me laissa et je ne pus m'empêcher de sourire. Pas à cause de la plaisanterie. Ni non plus en comprenant que c'était sans doute Lankford qui avait étendu l'insulte contre les avocats de la défense à tous les avocats de la création en la répétant à Booker. Non, je souris parce que cette plaisanterie me confirmait que Lankford et Booker se parlaient. Ils se parlaient et cela voulait dire que les choses se mettaient en place et commençaient à avoir des effets. Mon plan tenait encore la route. J'avais toujours ma chance.

34

Dans tout procès il y a un événement essentiel. Un témoin ou une pièce à conviction dont tout dépend pour faire pencher la balance d'un côté ou de l'autre. Dans ce procès-là, la tête d'affiche annoncée s'appelait Regina Campo. Victime et accusatrice, c'était sur son témoignage et sa prestation que semblait reposer l'affaire. Cela dit, un bon avocat de la défense a toujours un remplaçant et j'en avais effectivement un : il attendait en secret dans les coulisses et c'était sur lui que je comptais pour modifier l'équilibre du procès.

Il est néanmoins juste de dire que, Minton l'ayant appelée à la barre après la pause, tous les regards se portèrent sur Regina Campo lorsqu'elle entra dans la salle et fut conduite au box des témoins. C'était la première fois que les jurés la voyaient en chair et en os. C'était aussi la première fois que je la voyais, moi. Je fus surpris, mais pas en bien. Elle était minuscule et sa démarche hésitante et sa fragilité faisaient mentir l'image de conspiratrice prête à tout que j'avais fait naître dans l'esprit collectif des jurés.

Il était clair que Minton apprenait vite. Avec Campo, il semblait être arrivé à la conclusion qu'en faire moins rapportait plus. Ce fut donc avec une belle économie qu'il orienta son témoignage. Il commença par brosser un tableau de son passé avant d'en venir aux événements du 6 mars.

L'histoire de Campo était d'un manque d'originalité affligeant et c'était sur ça qu'il comptait. Jeune et belle, elle avait quitté dix ans plus tôt son Indiana natal pour venir à Hollywood dans l'espoir d'y trouver la gloire cinématographique. Il y avait eu plusieurs débuts et plusieurs arrêts dans sa carrière, avec çà et là quelques apparitions dans une émission télévisée. Le visage était nouveau et il ne manquait pas d'hommes désireux de lui faire tenir de petits rôles sans importance. Mais quand son visage avait cessé d'être nouveau, elle avait trouvé du travail dans une série de films pour le câble où elle devait souvent se montrer nue. Elle avait alors complété ses revenus en posant comme modèle et, de là, avait très facilement glissé dans un monde où les petits services s'échangent contre le sexe. Pour finir, elle avait laissé tomber les faux-semblants et s'était mise à échanger ses faveurs contre de l'argent. Ce qui l'avait amenée à la soirée où elle avait rencontré Louis Roulet.

La version des événements qu'elle développa à l'audience ne différait pas des récits qu'avaient faits tous les autres témoins avant elle. Par contre, c'est dans la manière dont elle la présenta que tout changea de façon dramatique. Avec les cheveux bouclés qui encadraient son visage, on aurait dit une petite fille perdue. Elle avait l'air d'avoir peur et parut au bord des larmes dans la deuxième partie de son témoignage. Sa lèvre inférieure et son doigt tremblaient de peur lorsqu'elle montra celui en qui elle reconnaissait son agresseur. Roulet se ratatina sur lui-même, mais garda le visage impassible.

– C'est lui! lança-t-elle d'une voix forte. C'est une bête et on devrait le mettre en prison!

Je laissai passer sans élever d'objection. J'avais tout le temps de m'occuper d'elle. Minton continua de poser ses questions pour lui faire raconter comment elle avait fui, puis il lui demanda pourquoi elle n'avait pas dit aux policiers qui avaient répondu à son appel qu'elle connaissait son agresseur et pourquoi celui-ci se trouvait chez elle.

– J'avais peur, répondit-elle. Je n'étais pas sûre qu'ils me croient si je leur disais pourquoi il était là. Je voulais être certaine qu'ils l'arrêtent parce que j'avais peur de lui.

– Regrettez-vous cette décision aujourd'hui?

– Oui, et c'est parce que je sais que ça pourrait lui permettre de faire ça à quelqu'un d'autre.

J'élevai une objection en arguant que cette remarque pouvait porter préjudice à mon client et le juge me suivit sur ce point. Minton balança encore deux ou trois questions à son témoin, mais il semblait avoir compris que la valeur de son témoignage commençait à décliner et qu'il valait peut-être mieux arrêter avant que la force du doigt qui tremble lorsque la victime identifie le coupable soit perdue.

Campo avait témoigné pendant un peu moins d'une heure. Il était presque onze heures et demie, mais le juge préféra ne pas ordonner une pause pour le déjeuner ainsi que je l'espérais. Elle expliqua aux jurés qu'elle voulait entendre le plus possible de choses dans la journée et qu'ils devraient donc se résigner à un déjeuner tardif et succinct. Cela me mit la puce à l'oreille : savait-elle des choses dont j'ignorais tout ? Les inspecteurs de Glendale l'avaient-ils appelée pendant la pause du milieu de matinée pour l'avertir de mon arrestation imminente ?

— Maître Haller ? Le témoin est à vous, me lança-t-elle pour m'asticoter et faire qu'on ne s'arrête pas.

Je gagnai le pupitre avec mon bloc et consultai mes notes. J'avais parlé d'une défense à mille lames de rasoir, je me devais d'en utiliser au moins cinq cents sur ce témoin. J'étais prêt.

— Mademoiselle Campo, avez-vous requis les services d'un avocat pour poursuivre M. Roulet en justice suite aux prétendus événements du 6 mars ?

Elle eut l'air de s'attendre à cette question, mais pas à se la voir poser en premier.

— Non, répondit-elle.

— Avez-vous parlé de cette affaire à un avocat ?

— Je n'ai engagé personne pour poursuivre l'accusé en justice. Pour l'instant, tout ce qui m'intéresse, c'est que justice soit fai...

— Mademoiselle Campo, l'interrompis-je, je ne vous ai pas demandé si vous aviez engagé un avocat et ce qui vous intéresse pour l'instant. Je vous ai seulement demandé si vous aviez parlé de cette affaire à un avocat... n'importe lequel... et si vous avez envisagé de déférer M. Roulet devant un tribunal.

Elle me regarda de près comme si elle essayait de lire ce que j'avais dans la tête. J'avais posé ma question avec toute l'autorité de quelqu'un qui sait quelque chose, de quelqu'un qui a ce qu'il faut pour étayer son accusation. Minton avait dû lui faire la leçon sur les aspects les plus importants du témoignage — surtout ne pas se faire coincer dans un mensonge.

– Parler à un avocat, oui, je l'ai fait. Mais ça n'est jamais allé plus loin. Je ne l'ai pas engagé.

– Est-ce parce que le procureur vous a dit de n'engager personne avant que ce procès au criminel soit terminé ?

– Non, il ne m'a rien dit de tel.

– Pourquoi avez-vous donc parlé de cette affaire à un avocat ?

Elle avait pris l'habitude d'hésiter avant de donner la moindre réponse. Cela m'allait parfaitement. Pour la plupart des gens, mentir prend du temps. Les réponses honnêtes sortent sans difficulté.

– Je lui ai parlé parce que je voulais connaître mes droits et m'assurer d'être protégée.

– Lui avez-vous demandé si vous pourriez attaquer M. Roulet en dommages et intérêts ?

– Je croyais que tout ce qu'on dit à son avocat est confidentiel.

– Si vous le désirez, vous pouvez parfaitement dire aux jurés de quoi vous avez parlé avec votre avocat.

C'était le premier grand coup de rasoir. Elle se retrouvait dans une position intenable. Quelle que soit sa réponse, elle ne ferait pas bonne figure.

– Je pense que je vais garder ça pour moi, dit-elle enfin.

– Bien. Passons à la soirée du 6 mars, mais en remontant un peu plus en arrière que maître Minton. Remontons au moment où vous avez parlé pour la première fois à mon client, M. Roulet, dans ce bar.

– D'accord.

– Que faisiez-vous Chez Morgan ce soir-là ?

– J'étais venue y retrouver quelqu'un.

– Charles Talbot ?

– Oui.

– Bien, vous le retrouviez donc pour disons… voir si vous aviez envie de le ramener chez vous pour lui vendre vos faveurs, c'est bien ça ?

Elle hésita, mais finit par acquiescer d'un signe de tête.

– Répondez avec des mots, s'il vous plaît, lui enjoignit le juge.

– Oui.

– Diriez-vous que cette manœuvre est une mesure de précaution ?

– Oui.

– Une manière de sécuriser la passe?

– Il faut croire, oui.

– Dans votre métier on appelle bien ça «repérer le cinglé», n'est-ce pas?

– Je n'ai jamais appelé ça comme ça.

– Bon, mais n'est-il pas vrai qu'avant de les emmener chez vous, vous rencontrez vos clients potentiels dans des lieux publics du genre de Chez Morgan pour les tester et être sûre qu'ils ne sont ni cinglés ni dangereux? C'est bien ce qui se passe, non?

– On pourrait dire ça, oui. Mais la vérité est qu'on ne peut jamais être sûr de quiconque.

– C'est vrai. Bref, lorsque vous étiez Chez Morgan vous avez effectivement remarqué que M. Roulet était assis au même comptoir que vous et M. Talbot?

– Oui.

– Et… l'aviez-vous déjà vu avant?

– Oui, je l'avais déjà vu Chez Morgan et dans plusieurs autres endroits.

– Lui aviez-vous déjà parlé?

– Non, nous ne nous étions jamais parlé.

– Aviez-vous déjà remarqué qu'il portait une Rolex?

– Non.

– L'aviez-vous déjà vu arriver dans ce bar ou ailleurs, y arriver ou en repartir, au volant d'une Porsche ou d'une Range Rover?

– Non, je ne l'ai jamais vu au volant de quoi que ce soit.

– Mais vous l'aviez bien déjà vu Chez Morgan ou dans d'autres lieux de ce genre.

– Oui.

– Mais vous ne lui aviez jamais parlé.

– Exact.

– Alors qu'est-ce qui vous a convaincu de l'aborder?

– Je savais qu'il était dans le coup, c'est tout.

– Qu'entendez-vous par «dans le coup»?

– Que les fois où je l'avais vu, il n'y avait pas de doute qu'il consommait. Que je l'avais vu partir avec des filles qui font ce que je fais.

– Vous l'aviez vu partir avec d'autres prostituées?

– Oui.

– Partir pour aller où?

– Je ne sais pas… partir… quitter les lieux. Pour aller à l'hôtel ou chez la fille. Ça, je ne sais pas.

– Vous dites qu'ils avaient quitté les lieux, mais… comment le savez-vous? Ils étaient peut-être allés fumer dehors.

– Je les ai vus monter dans sa voiture et s'en aller.

– Mademoiselle Campo, il y a un instant vous avez déclaré n'avoir jamais vu M. Roulet au volant de quoi que ce soit. Et maintenant vous nous dites l'avoir vu monter dans sa voiture avec une femme qui se prostitue comme vous. Que dois-je comprendre?

Elle se rendit compte de son erreur et se figea un moment avant qu'une réponse ne lui vienne.

– Je l'ai vu monter dans une voiture, mais je ne savais pas de quelle marque.

– Parce que vous ne remarquez pas souvent ce genre de choses, c'est ça?

– En général, non.

– Savez-vous la différence entre une Porsche et une Range Rover?

– Y en a une qui est grosse et l'autre est petite, je crois.

– Dans quel genre de voiture avez-vous vu monter M. Roulet?

– Je ne me rappelle pas.

Je marquai une pause et décidai que j'avais exploité cette contradiction au maximum. Je jetai un coup d'œil à ma liste de questions et passai au point suivant.

– Ces femmes avec qui vous aviez vu partir M. Roulet ont-elles été revues après?

– Je ne comprends pas.

– Ont-elles disparu? Les avez-vous revues?

– Non, elles n'ont pas disparu. Je les ai revues.

– Les avait-on battues ou blessées?

– Pas que je sache, mais je ne leur ai pas demandé.

– Mais c'est bien la somme de tout ça qui vous a fait penser que vous seriez en sécurité en abordant M. Roulet, n'est-ce pas?

– En sécurité, je ne sais pas. Tout ce que je sais, c'est qu'il y avait toutes les chances pour qu'il cherche une fille et que l'homme avec qui j'étais à ce moment-là m'avait déjà informé qu'il aurait fini à dix heures parce qu'il avait d'autres choses à faire.

– Bien, mais pouvez-vous dire aux jurés comment il se fait que vous n'ayez pas été obligée de prendre un verre avec M. Roulet comme vous l'aviez fait avec M. Talbot afin de le soumettre au test du cinglé?

Elle coula un regard à Minton. Elle espérait qu'il lui porte secours, mais rien ne vint.

– Je croyais qu'on était en terrain connu, c'est tout.

– Vous le trouviez sans risque.

– Peut-être. Je ne sais pas. J'avais besoin d'argent et j'ai fait une erreur en l'emmenant chez moi.

– Pensiez-vous qu'il était riche et qu'il pourrait résoudre vos besoins d'argent?

– Non, non, je ne pensais rien de tel. Je voyais en lui un client potentiel et qui n'était pas nouveau dans le circuit. Quelqu'un qui savait ce qu'il faisait.

– Vous avez déclaré avoir vu plusieurs fois M. Roulet avec des femmes qui pratiquent le même métier que vous.

– Oui.

– Ces femmes sont bien des prostituées?

– Oui.

– Les connaissez-vous?

– De loin.

– La courtoisie professionnelle veut-elle que vous les mettiez en garde contre certains clients qui pourraient être dangereux ou refuseraient de payer?

– Parfois, oui.

– Cette même courtoisie professionnelle veut-elle qu'elles vous renvoient la pareille?

– Oui.

– Combien de femmes vous ont-elles alerté contre M. Roulet?

– Eh bien mais… aucune, sinon je ne serais pas allée avec lui.

J'acquiesçai d'un signe de tête et regardai longuement mes notes avant de continuer. Puis je la fis parler plus en détail de ce qui s'était passé Chez Morgan et présentai aux jurés la bande de surveillance vidéo enregistrée par la caméra au-dessus du comptoir. Minton voulut s'y opposer en arguant que cette présentation ne se justifiait pas, mais le juge passa outre. Une télé montée sur un meuble industriel fut introduite dans la salle et placée devant les jurés. La bande passant aussitôt, je vis tout de suite rien qu'à leur attention combien ils aimaient l'idée de voir une prostituée au travail et de découvrir les deux protagonistes principaux de l'affaire filmés au naturel.

– Qu'y avait-il dans le petit mot que vous lui avez donné? demandai-je une fois la télé rangée dans un coin de la salle.

– Seulement mon nom et mon adresse, je crois.

– Vous ne lui disiez pas combien lui coûteraient vos services?

– Il se peut que je l'aie fait. Je ne me rappelle pas.

– Quelle somme demandez-vous?

– Quatre cents dollars, en général.

– En général? Qu'est-ce qui vous fait changer de tarif?

– Ça dépend de ce que veut le client.

Je jetai un coup d'œil aux jurés et vis que l'homme à la Bible avait l'air de plus en plus mal à l'aise.

– Vous arrive-t-il de pratiquer le bondage et la domination avec vos clients?

– Parfois, oui. Mais il ne s'agit que de jeux de rôles. Personne n'y est vraiment blessé. Ce n'est que de la comédie.

– Voulez-vous nous dire que vous n'avez jamais été blessée par un client avant le soir du 6 mars?

– Oui, c'est exactement ce que je suis en train de vous dire. Cet homme m'a blessée et voulait me tu...

– Je vous en prie, mademoiselle Campo, contentez-vous de répondre aux questions que je vous pose... merci. Bien, et maintenant revenons Chez Morgan. Oui ou non, au moment où vous donniez à M. Roulet cette serviette en papier avec votre adresse et votre tarif, pensiez-vous que cet homme ne représentait pas un danger pour vous et qu'il avait assez d'argent sur lui pour vous régler les quatre cents dollars que vous exigeriez de lui pour vos services?

– Oui, je le pensais.

– Alors comment se fait-il que M. Roulet n'ait eu aucun argent liquide sur lui lorsque les policiers l'ont fouillé?

– Je n'en sais rien. Je ne lui ai pas pris d'argent.

– Savez-vous qui le lui a pris ?

– Non.

J'hésitai longtemps – je préférais ponctuer mes montées en puissance avec des silences éloquents.

– Bien, euh… vous travaillez toujours comme prostituée, n'est-ce pas ?

Elle hésita avant de répondre oui.

– Cela vous satisfait-il ?

Minton se leva.

– Madame le juge, je ne vois pas le rapport avec…

– Objection retenue, lança le juge.

– Bon, dis-je. N'est-il donc pas vrai, mademoiselle Campo, que vous avez dit à plusieurs de vos clients l'espoir que vous nourrissiez de laisser tomber ce travail ?

– Si, c'est vrai, me répondit-elle, pour la première fois sans marquer la moindre hésitation.

– N'est-il pas également vrai que dans son aspect financier potentiel, cette affaire pourrait vous aider à en sortir ?

– Non, ce n'est pas vrai, dit-elle avec véhémence et encore une fois sans hésitation. Cet homme m'a agressée. Il allait me tuer ! Voilà de quoi il s'agit !

Je soulignai quelque chose dans mon bloc-notes – énième silence appuyé.

– Charles Talbot était-il un client habituel ?

– Non, c'était la première fois que je le rencontrais.

– Et il avait réussi à votre examen de sécurité ?

– Oui.

– Charles Talbot est-il l'homme qui vous a donné des coups de poing dans la figure le 6 mars ?

– Non, répondit-elle tout de suite.

– Avez-vous proposé à M. Talbot de partager les bénéfices que vous pourriez tirer d'un procès contre M. Roulet ?

– Absolument pas ! C'est un mensonge !

Je regardai le juge.

– Madame le juge, puis-je demander à mon client de se lever ?

– Je vous en prie, maître.

Je fis signe à Roulet de se lever et il obtempéra. Je me retournai vers Regina Campo.

– Bien, mademoiselle Campo, êtes-vous sûre que c'est l'homme qui vous a frappée le soir du 6 ?

– Oui, c'est lui.

– Combien pesez-vous, mademoiselle Campo ?

Elle s'écarta du micro comme si elle était interloquée par ce qu'elle prenait pour une question indiscrète, alors même qu'elle avait répondu à des tas de questions sur sa vie sexuelle. Je remarquai que Roulet commençait à se rasseoir et lui fis signe de rester debout.

– Je ne sais pas trop, dit-elle.

– Sur la pub que vous faites passer sur votre site web, vous vous donnez quarante-huit kilos. Est-ce exact ?

– Je crois.

– Ce qui fait que si les membres du jury devaient ajouter foi à votre version des événements du 6 mars, il leur faudrait croire que vous avez réussi à vous dégager de M. Roulet, puis à le terrasser.

Je montrai du doigt un Roulet qui faisait facilement un mètre quatre-vingts et pesait près de quarante kilos de plus qu'elle.

– Ben… c'est quand même ce que j'ai fait.

– Et tout ça alors que censément il vous tenait un couteau sous la gorge ?

– Je voulais vivre. On fait des choses surprenantes quand on est en danger de mort.

Et d'user de sa dernière défense en se mettant à pleurer comme si ma question réveillait l'horreur de ce qu'elle avait subi à se trouver si près de la mort.

– Vous pouvez vous rasseoir, monsieur Roulet. Je n'ai pas d'autres questions à poser à Mlle Campo pour l'instant, madame le juge.

Je me rassis près de Roulet avec le sentiment d'avoir bien mené mon interrogatoire. Mes coups de rasoir avaient ouvert beaucoup de plaies béantes pour l'accusation. Roulet se pencha vers moi et me souffla un seul mot à l'oreille : « Génial ! »

Minton revint en contre, mais ne fit pas mieux que la mouche qui tourbillonne autour de la blessure qui saigne. Il n'y avait aucun moyen de revenir sur certaines des réponses données par son témoin vedette, ni non plus aucun espoir de modifier certaines des images qui s'étaient gravées dans l'esprit des jurés. Il termina son affaire en dix minutes et je ne demandai pas de nouveau contre-interrogatoire – pour moi, Minton n'avait pas rétabli grand-chose et je pouvais laisser les choses en l'état. Le juge lui demanda s'il avait d'autres témoins, il répondit qu'il aimerait bien prendre le déjeuner pour décider si oui ou non il allait en rester là.

Normalement, j'aurais élevé une objection en exigeant de savoir s'il avait l'intention d'interroger un autre témoin juste après le repas. Mais là encore je laissai filer. J'avais le sentiment que Minton commençait à vaciller sous la pression. Je voulais le pousser à une décision et me disais que lui laisser le déjeuner l'aiderait peut-être à la prendre.

Le juge congédia le jury, mais ne lui donna qu'une heure pour déjeuner au lieu des quatre-vingt-dix minutes habituelles. Fullbright n'avait pas envie de traîner. Elle annonça que l'audience reprendrait à treize heures trente et quitta brusquement sa place. Je me dis qu'elle devait avoir besoin de fumer une cigarette.

Je demandai à Roulet si sa mère pouvait nous rejoindre pour le déjeuner, de façon à ce que nous puissions parler de ce qu'elle allait dire – son témoignage intervenant dans l'après-midi, voire aussitôt après le repas. Il me promit d'arranger ça et me proposa de retrouver tout le monde dans un restaurant français de Ventura Boulevard. Je lui fis remarquer que nous n'avions même pas une heure pour manger et demandai que sa mère nous retrouve au Four Green Fields. Je n'aimais pas beaucoup les amener dans mon sanctuaire, mais je savais que nous pourrions y déjeuner assez rapidement pour être de retour au tribunal dans les temps. La nourriture n'arrivait sans doute pas à la cheville de celle qu'on servait au bistrot français de Ventura Boulevard, mais cela ne m'inquiétait pas.

Je me levai, me détournai de la table de la défense et m'aperçus que les rangées réservées au public étaient vides. Tout le monde s'était précipité pour aller manger. Seul Minton m'attendait près de la rambarde.

– Je peux vous parler une seconde ? me demanda-t-il.
– Bien sûr.

Nous attendîmes que Roulet ait franchi le portillon et quitté la salle avant de reprendre notre conversation. Je savais ce qu'il allait me dire. Il n'était pas rare que l'accusation fasse une offre basse au premier ennui. Et Minton savait bien qu'il en avait de gros. Son témoin phare ne lui avait rapporté qu'un nul, au mieux.

— Qu'est-ce qu'il y a ? lui lançai-je.

— Je pensais à votre coup des mille lames de rasoir.

— Oui, et… ?

— Et j'avais envie de vous faire une offre.

— Vous êtes un peu jeune pour jouer à ça, gamin. Vous n'auriez donc pas besoin de la caution d'une autorité pour me proposer un accord à l'amiable ?

— J'ai toute l'autorité qu'il faut.

— Bon, alors dites-moi ce qu'on vous autorise à m'offrir.

— Je descends à l'agression caractérisée avec blessures graves.

— Et… ?

— Je demande quatre et quatre.

L'offre constituait une réduction substantielle des charges, mais à l'accepter Roulet serait quand même condamné à quatre ans de prison avec quatre ans de mise à l'épreuve à la sortie. La grande concession était qu'il ne serait plus question de crime sexuel et que Roulet n'aurait plus à se déclarer auprès des autorités locales après sa libération.

Je le regardai comme s'il venait d'insulter la mémoire de ma mère.

— Ted, lui dis-je, vous ne trouvez pas ça un peu exagéré vu l'as que vous m'avez sorti de votre manche tout à l'heure ? Vous avez vu le juré qui se balade avec la Bible ? J'ai cru qu'il allait chier le Livre saint pendant qu'elle témoignait !

Pas de réaction. Je compris qu'il n'avait même pas remarqué le juré à la Bible.

— Ah, je ne sais pas, repris-je. Il est évidemment de mon devoir de rapporter votre offre à mon client et je le ferai. Mais je vais aussi lui dire qu'il serait bien bête de l'accepter.

— Bon d'accord, alors qu'est-ce que vous voulez ?

— Dans une affaire de ce genre, il n'y a qu'un verdict possible, Ted. Je vais lui dire d'aller jusqu'au bout. Pour moi, à partir de maintenant tout est dégagé. Allez, Ted, bon appétit !

Et je le laissai au portillon en m'attendant à moitié à ce qu'il me lance une nouvelle offre tandis que je descendais l'allée centrale. Mais il tint bon.

– Mon offre ne tient que jusqu'à treize heures trente, Haller! me cria-t-il d'une drôle de voix.

Je levai une main en l'air et l'agitai sans me retourner. Je franchis la porte du tribunal en croyant fermement avoir entendu du désespoir dans sa voix.

35

À peine revenu de notre repas au Four Green Fields, j'ignorai volontairement Minton. Je voulais le laisser dans l'incertitude le plus longtemps possible. Cela faisait partie du plan que j'avais dressé pour le pousser, lui et le procès, dans la direction que je souhaitais. Lorsque, ayant tous repris place à nos tables, nous fûmes prêts pour le juge, je me tournai finalement vers lui, j'attendis que nos regards se croisent et me contentai de hocher la tête que non : pas d'arrangement à l'amiable. Il hocha la tête à son tour et fit de son mieux pour me montrer combien il était confiant dans son dossier et non, vraiment, ne comprenait pas la décision de mon client. Une minute plus tard, le juge rouvrait la séance et, les jurés revenant s'asseoir dans leur box, Minton décida de plier l'affaire le plus vite possible.

– Maître Minton, lui lança le juge, avez-vous d'autres témoins ?

– Non, madame le juge, l'accusation en restera là pour l'instant.

Fullbright eut une infime hésitation avant de répondre. Elle dévisagea Minton une seconde de plus qu'elle n'aurait dû, ce qui, à mon avis, signifia aux jurés que cette décision la surprenait. Puis elle porta ses yeux sur moi.

– Maître Haller, êtes-vous prêt à poursuivre ?

– Oui, madame le juge.

– Appelez votre premier témoin.

Soit Mary Alice Windsor. Celle-ci fut escortée dans la salle par Cecil Dobbs, qui alla s'asseoir ensuite au premier rang. Mary Windsor portait un tailleur bleu clair et un corsage en mousseline de soie. Elle passa devant le siège du juge à la manière d'une reine et prit place dans le box des témoins. Personne n'aurait pu se douter qu'elle n'avait avalé qu'un hachis Parmentier pour tout déjeuner. Je m'acquittai rapidement de la procédure d'identification et établis les liens aussi bien de sang que d'affaires qui l'unissaient à Louis Roulet. Puis je demandai au juge la permission de montrer au témoin le couteau que l'accusation avait introduit comme pièce à conviction.

Ma permission obtenue, je rejoignis le greffier pour prendre l'arme toujours enveloppée dans son sachet en plastique. Le couteau était ouvert de façon à ce qu'on voie bien les initiales sur la lame. Je l'apportai au témoin et le posai devant elle.

– Madame Windsor, reconnaissez-vous ce couteau?

Elle prit le sac et tenta d'en lisser le plastique sur la lame afin de pouvoir y lire les initiales.

– Oui, dit-elle enfin. C'est le couteau de mon fils.

– Comment pouvez-vous l'affirmer?

– Parce qu'il me l'a montré à plus d'une occasion. Je savais qu'il l'avait toujours sur lui et parfois c'était bien commode au bureau quand nous recevions nos dépliants et que nous devions couper les fils des emballages. Il coupe bien.

– Depuis combien de temps votre fils possède-t-il ce couteau?

– Quatre ans.

– Vous m'avez l'air bien précise sur ce point.

– Je le suis.

– Comment pouvez-vous en être aussi sûre?

– Parce qu'il se l'est procuré pour se protéger il y a quatre ans de ça. Presque jour pour jour.

– Pour se protéger de quoi, madame Windsor?

– Dans notre métier nous faisons souvent visiter des maisons à de parfaits inconnus. Et il arrive que nous nous retrouvions complètement seuls avec ces gens. Des agents immobiliers se sont fait plus d'une fois voler ou agresser... voire assassiner ou violer.

– Pour autant que vous le sachiez, Louis a-t-il jamais été victime de ce genre de crime?

– Pas personnellement, non. Mais il connaissait quelqu'un qui faisait visiter une maison et à qui c'est arrivé...

– Qu'est-ce qui est arrivé?

– Elle s'est fait violer et voler par un homme armé d'un couteau. C'est mon fils qui a retrouvé cette femme. La première chose qu'il a faite après a été de s'acheter un couteau pour se protéger.

– Pourquoi un couteau? Pourquoi pas un revolver ou un pistolet?

– Au début, il m'a dit que c'était ce qu'il allait s'acheter, mais il voulait quelque chose qu'il puisse toujours avoir sur lui et qui ne se remarque pas. C'est pour ça qu'il s'est procuré un couteau et qu'il m'en a donné un à moi aussi. Voilà pourquoi je sais que ça fait presque quatre ans qu'il s'est procuré le sien.

Et de soulever le sachet qui contenait le couteau.

– Il semblerait donc que si votre fils portait ce couteau sur lui le soir du 6 mars, il n'y avait là rien que de très normal dans sa conduite.

Minton éleva une objection en arguant que ma question n'était pas suffisamment fondée pour que Mary Windsor y réponde et le juge accepta. Windsor, qui ignorait tout du droit criminel, crut alors que le juge l'autorisait à répondre.

– Il le portait tous les jours, reprit-elle. Qu'il l'ait fait le 6 mars n'avait rien de diffé…

– Madame Windsor! tonna le juge. J'ai retenu l'objection. Cela veut dire que vous ne pouvez pas répondre à la question. Les jurés ne tiendront pas compte de cette réponse.

– Je vous prie de m'excuser, dit Windsor d'une petite voix.

– Question suivante, maître Haller, reprit le juge.

– Ce sera tout, madame le juge. Merci, madame Windsor.

Celle-ci commença à se lever, mais le juge l'admonesta de nouveau et lui ordonna de rester assise. Je regagnai mon siège, tandis que Minton quittait le sien. Je jetai un coup d'œil au public et n'y reconnus aucun visage hormis celui de C. C. Dobbs. Il m'adressa un sourire d'encouragement, que j'ignorai.

Le témoignage de Mary Windsor était parfait dans la mesure où elle avait respecté à la lettre la stratégie que nous avions élaborée au déjeuner. Elle avait très succinctement expliqué aux jurés le pourquoi du couteau, mais avait aussi laissé dans ses déclarations un véritable champ de mines que Minton allait devoir traverser. De fait, son témoignage n'était pas allé au-delà de ce que j'avais donné à Minton en respectant les règles de la communication des éléments de preuve. Qu'il s'en écarte le moins du monde et il entendrait aussitôt un petit *clic* sous ses pieds.

— Cet incident qui a donné à votre fils l'idée de porter un couteau pliant sur lui… quand a-t-il eu lieu? demanda-t-il.

— Le 9 juin 2001.

— Vous en êtes sûre?

— Absolument.

Je me tournai sur mon siège de façon à voir le visage de Minton en entier. Et lus dans ses pensées: il croyait tenir quelque chose. Que Windsor se rappelle très précisément cette date indiquait clairement qu'elle avait appris sa leçon à l'avance. Il était très excité et ça se voyait.

— Y a-t-il eu un article dans les journaux sur cette prétendue agression sur la personne d'un agent immobilier?

— Non, il n'y en a pas eu.

— Y a-t-il eu une enquête de police?

— Non, il n'y en a pas eu.

— Et pourtant, vous en connaissez la date exacte. Comment cela se fait-il, madame Windsor? Vous a-t-on communiqué cette date avant que vous veniez déposer à la barre?

— Non, cette date, je la connais parce que je ne suis pas près d'oublier le jour où j'ai été agressée.

Elle attendit un moment et je vis au moins trois jurés ouvrir la bouche en silence. Tout comme Minton. J'aurais presque entendu le *clic*.

— Et mon fils n'est pas près de l'oublier non plus, poursuivit-elle. Quand il s'est lancé à ma recherche et m'a retrouvée dans cette maison, j'étais attachée… et nue. Il y avait du sang partout. Ce spectacle l'a beaucoup traumatisé. Je crois que c'est une des raisons qui l'ont poussé à décider de porter un couteau sur lui. Je crois aussi qu'il aurait bien aimé arriver avant et pouvoir empêcher ça.

— Je vois, dit Minton en consultant ses notes.

Sur quoi il resta immobile – il ne savait plus trop comment enchaîner. Il ne voulait pas lever le pied de peur que la mine n'explose et le lui arrache.

– Autre chose, maître Minton ? demanda le juge, une note de sarcasme assez mal déguisée dans sa voix.

– Un instant, s'il vous plaît, répondit-il.

Il se reprit, jeta un dernier coup d'œil à ses notes et tenta de sauver quelque chose du désastre.

– Madame Windsor, votre fils ou vous-même avez-vous appelé la police après qu'il eut découvert ce qui vous était arrivé ?

– Non. Il voulait, mais pas moi. Je pensais que ça ne ferait qu'aggraver le traumatisme.

– Ce qui fait que nous n'avons aucune preuve policière de l'existence de ce crime, n'est-ce pas ?

– Aucune en effet.

Je savais que Minton avait envie d'aller plus loin et de lui demander si elle avait suivi un traitement médical après l'agression. Mais, sentant qu'il pouvait y avoir un autre piège, il préféra ne pas poser sa question.

– Vous nous dites donc que nous n'avons que votre parole pour certifier l'existence de cette attaque ? Votre parole et celle de votre fils… à condition qu'il veuille bien témoigner.

– Cette agression a eu lieu ! Je vis avec tous les jours !

– Mais il n'y a que vous pour le dire.

Elle le regarda d'un air impassible.

– S'agit-il d'une question, maître ?

– Madame Windsor, vous êtes bien venue ici pour aider votre fils, n'est-ce pas ?

– Si je peux, oui. Je sais qu'il est bon et qu'il n'aurait jamais pu commettre ce crime méprisable.

– Vous seriez donc prête à faire tout ce qui est en votre pouvoir pour épargner une condamnation, voire la prison, à votre fils, n'est-ce pas ?

– Oui, mais je ne mentirais pas sur des faits pareils. Serment ou pas, je ne mentirais pas.

– Mais vous voulez sauver votre fils, n'est-ce pas ?

– Oui.

– Et le sauver signifie mentir pour lui, n'est-ce pas ?

– Non, non et non.

– Merci, madame Windsor.

Minton regagna vite son siège. Je n'eus qu'une question à poser en contre.

— Madame Windsor, quel âge aviez-vous lorsque s'est produite cette agression ?

— Cinquante-quatre ans.

Je me rassis. Minton n'ayant aucune autre question à poser, Mary Windsor fut remerciée. Je demandai au juge la permission de la faire asseoir parmi le public pour le reste du procès maintenant qu'elle avait fini de témoigner. Minton ne s'y opposant pas, ma requête fut acceptée.

Mon témoin suivant était un inspecteur du LAPD. David Lambkin de son nom, il était expert en crimes sexuels et avait travaillé sur l'affaire du Violeur de l'immobilier. À coups de questions très brèves, j'établis rapidement les faits ainsi que la véracité des cinq affaires de viol sur lesquelles il y avait eu enquête. Et j'en vins vite aux cinq questions clés dont j'avais besoin pour étayer le témoignage de Mary Windsor.

— Inspecteur Lambkin, quel âge avaient en moyenne les victimes connues de ce violeur ?

— Toutes exerçaient des professions libérales et y réussissaient. Elles étaient plus âgées que les victimes habituelles de viols. Je crois que la plus jeune avait vingt-neuf ans et la plus vieille cinquante-neuf.

— Ce qui fait qu'une femme de cinquante-quatre ans aurait cadré avec le profil de cible du violeur, n'est-ce pas ?

— Oui.

— Pouvez-vous dire aux jurés à quelles dates ont eu lieu la première et la dernière agressions connues ?

— Oui. La première s'est déroulée le 1er octobre 2000 et la dernière le 31 juillet 2001.

— Ce qui signifie que le 9 juin tombe bien dans le laps de temps pendant lequel ce violeur a agressé des femmes dans l'immobilier, n'est-ce pas ?

— Absolument.

— Au cours de votre enquête, êtes-vous arrivé à une conclusion ou à une idée selon laquelle cet individu aurait commis plus de cinq viols ?

Minton éleva une objection en arguant que ma question ne pouvait susciter que de simples spéculations. Le juge retint son objection, mais cela n'avait aucune importance. Ce qui était important, c'était la question et que les jurés voient l'accusation les empêcher d'avoir une réponse tenait de la cerise sur le gâteau.

Cela étant, Minton me surprit dans son interrogatoire en contre. Après son désastre avec Windsor, il avait suffisamment repris ses esprits pour décocher trois questions plus que solides au témoin et récolter trois réponses en sa faveur.

— Inspecteur Lambkin, dit-il, l'équipe qui enquêtait sur ces viols a-t-elle adressé un quelconque avertissement aux femmes qui travaillaient dans l'immobilier ?

— Oui, nous l'avons fait. Nous avons fait distribuer des prospectus et envoyé des mails à deux reprises. La première fois à toutes les agences immobilières recensées dans la région et la deuxième à tous les agents, hommes et femmes, individuellement.

— Ces mails contenaient-ils un signalement et la façon de procéder du violeur ?

— Oui.

— Ce qui fait qu'une femme qui voudrait raconter qu'elle a été agressée par ce monsieur aurait tous les renseignements nécessaires pour le faire, n'est-ce pas ?

— C'est possible, oui.

— Pas d'autres questions, madame le juge.

Minton se rassit fièrement à sa place et Lambkin fut remercié. Je demandai au juge la permission de conférer quelques instants avec mon client, puis je me penchai vers Roulet.

— Bien, lui dis-je, nous y sommes. Il ne nous reste plus que vous. À moins que vous me cachiez quelque chose, vous êtes sorti d'affaire et Minton n'a pas grand-chose à vous renvoyer à la figure. Vous n'avez pas de souci à vous faire à moins que vous ne le laissiez vous intimider. Vous êtes toujours sûr de votre coup ?

Roulet n'avait pas cessé de vouloir témoigner afin de contrer les charges qui pesaient sur lui. Il avait encore une fois réitéré ce désir au déjeuner. Il l'avait même exigé. Je considérais, moi, que laisser témoigner un client était à double tranchant. Tout ce qu'il dit peut lui revenir en pleine figure si le procureur parvient à en altérer le sens au profit de l'accusation. Cela dit, je savais aussi que, quels que soient les avertissements répétés aux jurés quant au droit inaliénable de tout inculpé à garder le silence, tous ont envie de l'entendre dire qu'il n'a pas fait ce dont on l'accuse. Qu'on leur enlève cette possibilité et la rancune n'est pas loin.

— Je veux témoigner, murmura Roulet. Le procureur ne me fait pas peur.

Je repoussai ma chaise et me levai.

— Madame le juge, la défense appelle Louis Roulet à la barre.

36

Louis Roulet s'approcha rapidement du box des témoins, tel le joueur de basket rappelé du banc et envoyé à la table de marque pour voir où on en est de la partie. Il avait tout de celui qui ne veut pas rater l'occasion de se défendre et savait que cette attitude ne passerait pas inaperçue auprès des jurés.

Après m'être rapidement acquitté des préliminaires, j'allai droit au fond de l'affaire. Mes questions le dirigeant, Roulet reconnut volontiers s'être rendu Chez Morgan le soir du 6 mars pour y chercher de la compagnie féminine. Il ne voulait pas, précisa-t-il, se payer les services d'une prostituée à tout prix, mais n'y était pas opposé.

— J'étais déjà sorti avec des femmes que je payais, dit-il. Je n'étais donc pas contre cette idée.

Il déclara encore ne pas avoir eu de contact visuel avec Regina Campo avant que celle-ci l'aborde au comptoir. Pour lui, c'était donc elle qui l'avait agressée, mais sur le coup ça ne l'avait pas ennuyé le moins du monde. Le racolage était clair et ouvert. Elle lui avait dit qu'elle serait libre après vingt-deux heures et qu'il pouvait passer chez elle s'il n'était pas déjà pris ailleurs.

Il détailla ensuite les efforts qu'il avait déployés dans l'heure qui avait suivi, et ce, tant Chez Morgan qu'au Lamplighter, afin de trouver une femme dont il n'aurait pas à payer les services, l'opération se soldant par un échec. C'est alors qu'il avait repris sa voiture pour se rendre à l'adresse que Campo lui avait donnée et qu'il avait fini par frapper à sa porte.

— Qui vous a ouvert ?

— Elle. Elle a entrouvert sa porte et m'a regardé.

– Elle, c'est-à-dire Regina Campo? La femme qui a témoigné ce matin?

– C'est ça, oui.

– Pouviez-vous voir tout son visage par l'entrebâillement de la porte?

– Non. Elle l'avait à peine entrouverte et je ne pouvais pas la voir. Je ne voyais que son œil gauche et un côté de son visage.

– Comment s'ouvrait la porte? Cet entrebâillement par lequel vous dites avoir vu un côté de son visage était-il sur la droite ou sur la gauche?

– À droite pour moi qui regardais la porte.

– Essayons d'être bien clairs sur ce point. L'ouverture était sur la droite, n'est-ce pas?

– Sur la droite, oui.

– Ce qui fait que si elle se tenait derrière la porte et regardait par l'ouverture, elle le faisait de l'œil gauche.

– C'est ça.

– Avez-vous vu son œil droit?

– Non.

– Et donc, auriez-vous pu voir une contusion ou une coupure si elle en avait eu une sur le côté droit de la figure?

– Non.

– Bien. Que s'est-il passé ensuite?

– Elle a vu que c'était moi et m'a dit d'entrer. Elle a ouvert plus grand la porte, mais en restant toujours derrière.

– Vous ne la voyiez donc pas?

– Pas complètement, non. Elle se servait du bord de la porte comme d'une espèce de cale.

– Que s'est-il passé ensuite?

– Eh bien… il y avait comme une entrée, un vestibule, et elle m'a fait signe de passer dans la salle séjour. J'ai fait ce qu'elle me disait.

– Cela signifie-t-il qu'à ce moment-là elle se trouvait derrière vous?

– Oui, quand je me suis tourné vers la salle de séjour, elle était bien derrière moi.

– A-t-elle refermé la porte?

– Je crois. Je l'ai entendue se fermer.

– Et après ?

– J'ai reçu un coup à la nuque et je me suis effondré. J'ai perdu connaissance.

– Savez-vous combien de temps vous êtes resté sans connaissance ?

– Non. Je crois que ça a duré un moment, mais ni la police ni personne d'autre ne me l'a dit.

– Que vous rappelez-vous du moment où vous êtes revenu à vous ?

– Je me rappelle avoir eu du mal à respirer et, quand j'ai rouvert les yeux, j'avais quelqu'un sur le dos. J'étais poitrine contre terre et le type était assis sur moi. J'ai essayé de bouger et c'est là que je me suis aperçu que j'avais aussi quelqu'un d'assis sur mes jambes.

– Que s'est-il passé ensuite ?

– Ces deux hommes se sont relayés pour me dire de ne pas bouger, l'un d'eux précisant qu'il avait mon couteau et que si j'essayais de bouger ou de m'échapper il s'en servirait contre moi.

– Est-il arrivé un moment où la police a débarqué et où vous avez été arrêté ?

– Oui, quelques minutes après les policiers sont arrivés. Ils m'ont passé les menottes et m'ont obligé à me lever. C'est à ce moment-là que j'ai vu que j'avais du sang sur ma veste.

– Et votre main ?

– Je ne pouvais pas la voir parce que j'étais menotté dans le dos. Mais j'ai entendu un des types assis sur moi dire à l'officier de police qu'il y avait du sang dessus et l'officier me l'a immédiatement enfermée dans un sachet. Je l'ai bien senti.

– Comment ce sang s'est-il retrouvé sur votre main et sur votre veste ?

– Tout ce que je sais, c'est que quelqu'un l'y a mis et que ce n'est pas moi.

– Êtes-vous gaucher ?

– Non.

– Vous n'avez pas frappé Mlle Campo du poing gauche ?

– Non.

– Avez-vous menacé de la violer ?

– Non.

– Lui avez-vous dit que vous la tueriez si elle ne coopérait pas ?

– Non.

J'espérais retrouver un peu de la flamme que j'avais remarquée chez lui le premier jour dans le bureau de C. C. Dobbs, mais il se montrait calme et plein de retenue. Je décidai de le bousculer un peu avant d'en finir avec lui en interrogatoire direct, ceci afin de lui faire retrouver cette colère. Au déjeuner, je lui avais dit que je voulais la voir et je ne comprenais pas bien ce qu'il fabriquait et où cette colère était passée.

– Être accusé d'avoir agressé Mlle Campo vous met-il en colère ? lui lançai-je.

– Bien sûr que oui.

– Pourquoi ?

Il ouvrit la bouche, mais rien n'en sortit. Il avait l'air outré que j'ose lui poser une question pareille. Enfin il répondit.

– Comment ça « pourquoi » ? Avez-vous jamais été accusé de quelque chose que vous n'avez pas commis et découvert que vous ne pouvez rien y faire hormis attendre la suite des événements ? Vous est-il jamais arrivé de devoir attendre des semaines, que dis-je ? des mois entiers avant d'avoir enfin l'occasion de passer devant un tribunal et de pouvoir dire qu'on vous a piégé ? Sauf qu'il faut attendre encore plus longtemps que le procureur ait rassemblé un tas de menteurs patentés pour pouvoir enfin entendre leurs mensonges et se défendre ! Bien sûr que ça me met en colère ! Je suis innocent, moi ! Je n'ai rien fait de tout ça !

C'était parfait. En plein dans le mille et un vrai délice pour quiconque a jamais été accusé à tort. J'aurais pu chercher plus, mais me rappelai la règle que je m'étais imposée : on attaque et on file tout de suite. En faire moins rapporte toujours plus. Je décidai de me rasseoir. Si je m'apercevais d'un manque, je pourrais toujours rattraper la sauce en contre.

Je regardai le juge.

– Je n'ai plus de questions, madame le juge.

Minton s'était déjà levé avant même que j'aie pu rejoindre ma place. Il gagna le pupitre sans lâcher Roulet de son regard d'acier. Ainsi montrait-il aux jurés ce qu'il pensait de l'inculpé. Ses yeux étaient comme un faisceau laser transperçant tout dans la pièce. Il empoigna si fort les côtés du lutrin qu'il en eut les phalanges toutes blanches. Comédie pure destinée aux jurés.

– Vous niez avoir touché Mlle Campo ? lança-t-il.

– C'est exact, lui renvoya Roulet.

– Selon vous, elle se serait donc expédié des coups de poing dans la figure ou aurait demandé à un type qu'elle n'avait jamais vu avant ce soir-là de lui faire voir trente-six chandelles, ceci dans le seul but de vous piéger, c'est bien ça ?

– Je ne sais pas qui l'a battue. Tout ce que je sais, c'est que ce n'est pas moi.

– Mais vous nous dites aussi que cette femme, Regina Campo, est une menteuse. Qu'elle est venue dans ce prétoire et qu'elle a menti sans hésiter au juge, aux jurés, à tout le monde.

Et de ponctuer sa phrase en hochant la tête de dégoût.

– Tout ce que je sais, c'est que je n'ai pas fait ce dont elle m'accuse. La seule explication, c'est que l'un de nous deux ment et que ce n'est pas moi.

– Ça, ce sera aux jurés d'en décider, n'est-ce pas ?

– Bien sûr.

– Et ce couteau que censément vous vous seriez procuré pour vous protéger… Êtes-vous en train de dire aux jurés que dans cette affaire la victime savait, Dieu sait comment, que vous aviez un couteau sur vous et qu'elle aurait compté là-dessus pour vous piéger ?

– J'ignore ce qu'elle savait ou ne savait pas. Je ne lui avais jamais montré ce couteau, chez elle ou dans un bar où elle aurait pu se trouver. Voilà pourquoi je ne vois pas trop comment elle aurait pu savoir que j'en avais un. Pour moi, c'est en fouillant dans ma poche pour y chercher de l'argent qu'elle l'a trouvé. Je garde toujours mon argent et mon couteau dans la même poche.

– Ah bon ? Et donc, maintenant vous nous dites qu'en plus Regina Campo vous a volé votre argent dans votre poche ?! Jusqu'où allez-vous aller, monsieur Roulet ?

– J'avais quatre cents dollars sur moi. Quand on m'a arrêté, ils avaient disparu. C'est donc que quelqu'un les a pris.

Au lieu de vouloir en savoir plus sur cet argent, Minton fut assez futé pour comprendre que, quelle que soit la manière dont il jouerait ce point, le résultat ne serait, au mieux, que du cinquante cinquante côté bénefs. S'il essayait de démontrer que Roulet n'avait pas cet argent sur lui et qu'il ne pensait qu'à agresser et violer Regina Campo au lieu de la payer, il savait que je n'aurais qu'à montrer les déclarations d'impôts de mon client pour jeter un doute très sérieux sur l'idée qu'il ne pouvait pas se payer une prostituée. C'est là le genre de témoignage que les avocats traitent de «gros caca en chaîne», et ça, il voulait l'éviter. Il passa donc tout de suite à la grande scène du trois.

En vrai tragédien, il montra en guise de preuve la photo du visage de Regina Campo plein de coups et de contusions.

— Ainsi donc, s'exclama-t-il, Regina Campo n'est qu'une menteuse?

— Oui.

— Elle a demandé à quelqu'un de la rosser, voire s'est rossée elle-même?

— Je ne sais pas qui lui a fait tout ça.

— Mais ce n'est pas vous.

— Non, ce n'est pas moi. Jamais je ne ferais des choses pareilles à une femme. Jamais je ne ferais de mal à une femme.

Et il montra la photo que Minton continuait de tenir en l'air.

— Aucune femme ne mérite ça! s'écria-t-il.

Je me penchai en avant et attendis. Il venait de prononcer la phrase que je lui avais ordonné de trouver le moyen de lâcher à un moment ou à un autre de son témoignage. *Aucune femme ne mérite ça!* C'était maintenant à Minton de mordre à l'appât. Il était intelligent. Il devait comprendre que Roulet venait de lui ouvrir une porte.

— Qu'entendez-vous par «mérite»? dit-il. Croyez-vous que, dans les crimes violents, tout se réduise à savoir si la victime a eu ce qu'elle méritait ou pas?

— Ce n'est pas ce que je voulais dire. Ce que je voulais dire, c'est que quoi qu'elle fasse pour gagner sa vie, elle n'aurait pas dû être battue comme ça. Personne ne mérite ce genre de châtiment.

Minton baissa la main avec laquelle il tenait la photo. Puis il contempla lui-même un instant le cliché avant de reporter son regard sur Roulet.

— Monsieur Roulet, dit-il, je n'ai pas d'autres questions à vous poser.

37

J'avais toujours l'impression d'avoir remporté le combat au rasoir. J'avais fait tout ce que je pouvais pour coincer Minton de telle sorte qu'il ne lui reste plus qu'une option. L'heure était maintenant venue de voir si avoir fait tout mon possible était suffisant. Dès que le jeune procureur se fut rassis, je décidai de ne pas poser d'autres questions à mon client. Il avait bien résisté à l'attaque de Minton et je sentais le vent de la victoire gonfler nos voiles. Je me levai et jetai un coup d'œil à la pendule accrochée au mur du fond. Il n'était que trois heures et demie. Je me retournai vers le juge.

— Madame le juge, lui dis-je, la défense en reste là.

Elle hocha la tête, regarda la pendule à son tour et dit aux jurés de prendre la pause de l'après-midi. Une fois les jurés hors de la salle, elle regarda la table de l'accusation où, la tête penchée en avant, Minton s'était mis à écrire.

— Maître Minton ? lança-t-elle. (Le procureur leva les yeux vers elle.) Maître Minton, nous sommes toujours en séance. Je vous prie de faire attention. Le ministère public de Californie entend-il réfuter la défense ?

Minton se leva.

— Madame le juge, dit-il, j'aimerais ajourner jusqu'à demain de façon à pouvoir décider si nous faisons comparaître d'autres témoins.

— Maître Minton, il nous reste encore une heure et demie de débats possibles aujourd'hui. Je vous ai déjà dit vouloir qu'on avance. Où sont vos témoins ?

— Franchement, madame le juge, je ne m'attendais pas à ce que la défense en reste là après seulement deux témoignages et je...

— À ceci près que maître Haller vous l'avait fait clairement entendre dans ses déclarations liminaires.

— Certes, mais il n'empêche : tout cela a avancé beaucoup plus vite que prévu. Nous avons une demi-journée d'avance. Je demande donc l'indulgence de la cour. J'aurais même bien du mal à faire venir avant six heures du soir les témoins en réfutation auxquels je pense.

Je me tournai et regardai Roulet qui avait regagné son siège à côté de moi. Je hochai la tête et lui adressai un clin d'œil de l'œil gauche afin que le juge ne le voie pas. Tout semblait indiquer que Minton avait mordu à l'appât. Il ne me restait plus qu'à m'assurer que le juge ne le lui fasse pas recracher. Je me levai à mon tour.

— Madame le juge, lui dis-je, la défense ne voit aucune objection à ce que l'accusation demande de repousser jusqu'à demain. Nous pourrons peut-être en profiter pour peaufiner nos plaidoiries et instructions aux jurés.

Le juge Constance Fullbright me regarda en fronçant les sourcils d'un air étonné. Il était rare que la défense ne trouve rien à redire aux atermoiements de l'accusation. Mais l'idée que j'avais semée commençait à germer.

— Voilà qui mérite réflexion, maître Haller, dit-elle. Si nous suspendons la séance assez tôt aujourd'hui, j'entends que nous allions aux plaidoiries dès après la réfutation. Il ne devra plus y avoir la moindre tentative de repousser à plus tard, sauf pour les instructions à donner aux jurés. Est-ce bien clair, maître Minton ?

— Oui, madame le juge, je serai prêt.

— Maître Haller ?

— C'est moi qui en ai eu l'idée, madame le juge. Je serai prêt.

— Très bien. C'est décidé. Dès que les jurés seront de retour, je les congédie pour la journée. Ils pourront éviter les embouteillages et demain matin tout ira si bien et si vite qu'ils pourront entrer en délibération dès l'après-midi.

Elle regarda Minton, puis revint sur moi comme si elle nous mettait au défi de ne pas en être d'accord avec elle. Nous n'en fîmes rien, elle se leva et quitta sa place.

Vingt minutes plus tard les jurés repartaient chez eux tandis que je rassemblais mes affaires à la table de la défense. Minton s'approcha.

– Je peux vous parler ? me demanda-t-il.

Je jetai un coup d'œil à Roulet, lui fis signe de sortir avec sa mère et Dobbs et l'informai que je l'appellerais si j'avais besoin de quoi que ce soit.

– Mais je veux vous parler, moi aussi, dit-il.

– De quoi ?

– De tout. Que pensez-vous de ma prestation ?

– Vous vous en êtes bien tiré et tout marche comme sur des roulettes. Pour moi, nous sommes sur la bonne voie.

Puis je hochai la tête en direction de l'accusation et baissai la voix jusqu'au murmure.

– Et lui aussi le sait. Il se prépare à nous faire une deuxième offre.

– Vous voulez que je reste pour savoir de quoi il retourne ?

Je hochai la tête.

– Non, cette offre n'a aucune importance. Il n'y a toujours qu'un seul verdict, n'est-ce pas ?

– C'est vrai.

Il me tapota l'épaule en se levant et je dus prendre beaucoup sur moi pour ne pas m'écarter de lui.

– Ne me touchez pas, Louis, je vous en prie, lui dis-je. Si vous voulez faire quelque chose pour moi, vous me rendez mon flingue.

Il ne répondit pas. Il se contenta de sourire et se dirigea vers le portillon. Lorsqu'il fut parti, je me tournai vers Minton. La sombre flamme du désespoir brillait dans ses yeux. Il avait absolument besoin d'une condamnation – n'importe laquelle.

– Quoi de neuf ? lui lançai-je.

– J'ai une deuxième offre.

– Je suis tout ouïe.

– Je descends encore. Jusqu'aux simples coups et blessures. Six mois à la prison du comté. Vu la façon dont ils la vident à la fin de chaque mois, en fait il ne fera sans doute même pas soixante jours.

Je hochai la tête. C'était à l'injonction du gouvernement fédéral d'enrayer le surpeuplement des prisons des comtés qu'il faisait allusion. Quelles que fussent les peines prononcées par les tribunaux, nécessité oblige, elles étaient souvent réduites de façon spectaculaire. L'offre de Minton était bonne, mais je n'en montrai rien. Je savais qu'elle devait avoir été concoctée au deuxième étage. Jamais Minton n'aurait eu l'autorité suffisante pour descendre aussi bas.

— Que mon client dise oui et cette nana le dépouillera au civil, lui répondis-je. Je doute qu'il accepte.

— Mais enfin… c'est une sacrée offre !

Le ton était passablement outré. Je me dis que le bulletin de notes de l'observateur sur maître Minton ne devait pas être fameux et que celui-ci avait probablement reçu l'ordre de finir sur une offre de plaider coupable. On se fout du procès, des heures qu'y ont passées le juge et les jurés, et on obtient ce putain de plaider coupable. Les bureaux de Van Nuys n'aimaient pas perdre un procès, surtout deux mois après le fiasco de l'affaire Robert Blake. Jouer cette tactique quand ça devenait dur leur permettait d'en sortir. Minton pouvait donc aller aussi bas qu'il voulait du moment qu'il obtenait une condamnation. Roulet devait tomber — quitte même à ne jamais faire que soixante jours de taule.

— Il se peut que pour vous ce soit une « sacrée offre », lui répondis-je, mais cela n'en signifie pas moins que je dois convaincre un client de plaider coupable pour quelque chose qu'il n'a pas fait. Et ne pas oublier que cette manœuvre laisse ouverte la porte à un procès au civil. Pendant qu'il essaiera de sauver ses fesses soixante jours durant à la prison du comté, Mlle Regina Campo et ses avocats commenceront à causer liquidation financière de mon bonhomme. À sa place, j'irais jusqu'au verdict. Pour moi, nous sommes gagnants. Je sais qu'on a le mec à la Bible et qu'on risque d'avoir un vote en moins, au minimum, mais bon… qui sait si on n'aura pas les douze jurés pour nous ?

Il frappa fort la table du plat de la main.

— Mais qu'est-ce que c'est que ces conneries, Haller ? Vous savez très bien qu'il l'a fait ! Et six mois, ne parlons même pas de deux, pour ce qu'il a infligé à cette femme, c'est une vraie plaisanterie. C'est une telle parodie de justice que je ne vais plus en dormir, mais oui, ils ont bien vu ce qui se passe et ils pensent que vous avez les jurés de votre côté. Bref, je ne peux pas faire autrement.

Je refermai ma mallette avec un bruit sec et plein d'autorité et me levai.

– Bien, dis-je. Alors, j'espère que vous aurez quelque chose de bon à m'opposer en réfutation. Parce que vous allez l'avoir, votre verdict du jury. Et que je vous dise un truc, Ted : vous avez de plus en plus l'air de quelqu'un qui veut se battre au rasoir alors qu'il est tout nu. Vaudrait mieux cesser de vous protéger les noix et commencer à vous battre.

Sur quoi je me levai et franchis le portillon. Arrivé à mi-chemin des portes du fond, je m'arrêtai et le regardai par-dessus mon épaule.

– Hé, vous voulez savoir quelque chose ? ajoutai-je. Si cette affaire ou n'importe quelle autre vous empêche de dormir, vaudrait mieux laisser tomber ce boulot tout de suite et chercher à faire autre chose dans la vie. Sinon, vous ne vous en sortirez jamais, Ted.

Il s'était rassis à sa table et regardait fixement le siège maintenant vide du juge. Il n'avait pas l'air d'avoir entendu ce que je venais de lui dire. Je le laissai réfléchir. Pour moi, j'avais bien joué ma partie. On verrait le résultat le lendemain matin.

Je retournai au Four Green Fields pour travailler à ma plaidoirie. Je n'allais certainement pas avoir besoin des deux heures que le juge nous avait accordées. Je commandai une Guinness au bar et l'apportai à une des tables où je voulais m'asseoir. Les serveuses ne reprendraient pas le boulot avant dix-huit heures. Je rédigeai quelques notes de base, mais d'instinct je savais que je ne ferais en gros que réagir à la plaidoirie de l'accusation. Dans les motions préliminaires, Minton avait déjà demandé, et obtenu, la permission de faire une présentation en PowerPoint afin d'illustrer ses propos à l'adresse du jury. Depuis peu, les jeunes procureurs adoraient faire dérouler un écran et y projeter des graphismes à l'ordinateur, comme si on ne pouvait pas faire confiance aux jurés pour réfléchir et relier les pointillés tout seuls. Il fallait qu'on les gave comme le fait la télé.

Mes clients avaient rarement assez d'argent pour me régler mes honoraires – alors me payer une plaidoirie avec présentation Power Point... Roulet, lui, était l'exception à la règle. Grâce à sa mère, il aurait pu se payer les services d'un Francis Ford Coppola pour lui préparer ce genre de truc s'il l'avait voulu. Mais je n'y avais même pas fait allusion. J'étais vieille école, et jusqu'au bout. J'aimais monter sur le ring tout seul comme un grand. Lorsque mon tour viendrait, je voulais que les jurés ne regardent que moi. Si je n'arrivais pas à les convaincre, rien qui sorte d'un ordinateur n'y parviendrait non plus.

À dix-sept heures trente j'appelai Maggie McPherson à son bureau.

— On ferme! lui lançai-je.

— Peut-être chez les gros bonnets de la défense, mais nous autres pauvres fonctionnaires devons travailler bien après le coucher du soleil.

— Eh ben alors… pourquoi tu te ferais pas une petite pause pour venir boire une Guinness et manger un hachis Parmentier avec moi? Tu pourrais repartir finir le boulot après.

— Non, Haller. Je peux pas. En plus, je sais très bien ce que tu veux.

Je ris. Elle croyait toujours savoir exactement ce que je voulais. Et la plupart du temps elle avait raison, mais pas cette fois.

— Ah oui? Et qu'est-ce que je veux?

— Tu vas essayer de me corrompre encore un coup pour savoir ce que mijote le père Minton.

— Hors de question, Mags. Minton, je le lis à livre ouvert. L'observateur de Smithson est en train de lui coller des mauvaises notes. Smithson lui a ordonné de plier, d'obtenir quelque chose et de se tirer. Sauf que Minton, lui, bosse sur sa plaidoirie avec Power Point et qu'il veut parier – on va jusqu'au bout. En plus de quoi, il a le sang qui bout tellement fort sous l'outrage qu'il n'aime pas du tout l'idée de devoir plier.

— Moi non plus. Smithson a toujours la trouille de perdre… surtout depuis l'histoire Blake. Il est toujours prêt à se vendre au-dessous. Et ça, on peut pas se le permettre.

— J'ai toujours dit qu'ils avaient perdu l'affaire Blake dès l'instant où ils t'ont laissée sur la touche. T'as qu'à leur dire, Maggie.

— Dès que je peux, je le fais!

— Un jour, tu verras.

Elle n'aimait pas trop s'appesantir sur sa carrière en rade. Elle passa à autre chose.

– Tu m'as l'air bien primesautier, reprit-elle. Hier, tu étais soupçonné de meurtre et aujourd'hui tu tiens le district attorney par
les burnes. Qu'est-ce qui s'est passé?

– Rien. C'est juste le calme avant la tempête, je crois. Dis, une
question : as-tu jamais ordonné aux mecs de la balistique de se
grouiller ?

– Quel genre de balistique ?

– Correspondance douille à douille et projectile à projectile.

– Ça dépend de qui s'en charge... de quel service, je veux dire.
Mais quand ils se grouillent vraiment, on peut avoir quelque chose
en vingt-quatre heures.

Je sentis la trouille me dégringoler au fond de l'estomac avec un
bruit sourd. Je compris que je pouvais déjà être en sursis.

– Mais les trois quarts du temps ça ne se produit pas, continua-
t-elle. Deux ou trois jours, en général, ça demande au moins ça
quand il y a urgence. Et quand on veut tout le bazar, genre comparaisons des douilles et des projectiles, ça peut prendre plus longtemps parce que le projectile a été abîmé et qu'on a du mal à y lire
quoi que ce soit. Il faut vraiment bosser dessus.

J'acquiesçai d'un signe de tête. Je ne pensais pas que cela pouvait m'aider. Je savais qu'ils avaient récupéré une douille sur la
scène de crime. Que Lankford et Sobel aient une comparaison
positive avec une balle tirée cinquante ans plus tôt avec l'arme de
Mickey Cohen et ils viendraient me cueillir – la comparaison projectile pourrait attendre.

– T'es toujours là ? me demanda Maggie.

– Oui. Je pensais juste à un truc.

– Tu m'as l'air moins guilleret, tout d'un coup. Tu veux qu'on
en parle ?

– Non, pas tout de suite. Mais si je finis par avoir besoin d'un
bon avocat, tu sais à qui je ferai appel.

– Ben voyons !

– Chiche !

Je laissai passer un ange. Avoir Maggie au bout du fil, rien que
ça, me calmait. J'aimais bien.

– Bon, Haller... faut que je retourne au boulot.

– D'accord, Maggie, va mettre tous ces grands vilains en taule.

– Je m'en occupe.

– Bonne nuit.

Je refermai mon portable, réfléchis à des choses pendant quelques instants, puis je le rouvris et appelai le Sheraton Universal pour voir s'ils avaient une chambre de libre. J'avais décidé de ne pas passer la nuit chez moi – par mesure de précaution. J'aurais très bien pu m'y retrouver nez à nez avec deux inspecteurs de Glendale qui m'attendaient.

38

Ce mercredi matin-là, après une nuit sans sommeil passée dans un mauvais lit d'hôtel, j'arrivai tôt à la cour, et n'y trouvai personne pour m'y accueillir en fanfare – mais aucun inspecteur de Glendale non plus pour m'y présenter un mandat d'arrestation avec le sourire. Un éclair de soulagement me traversa tandis que je franchissais le portique de détection. Je portais le même costume que la veille, mais espérais que personne ne le remarquerait. J'avais mis, c'est vrai, une chemise propre et changé de cravate. J'ai toujours des vêtements de rechange dans le coffre de la Lincoln – pour les jours d'été quand je dois aller travailler dans le désert : il n'est pas question d'en demander trop à ma clim.

En arrivant dans la salle d'audience du juge Fullbright, je fus surpris de découvrir que je n'étais pas un des premiers acteurs du procès à être là. Minton était passé dans la galerie réservée au public et montait l'écran pour sa plaidoirie PowerPoint. La salle d'audience ayant été conçue avant l'ère de ce genre de spectacles, il n'y avait pas de place où mettre un écran de quatre mètres pour que tout le monde, jurés, juge et avocats, puisse le regarder confortablement. Un grand morceau de la salle allant être occupé par l'écran, tout spectateur placé derrière ne pourrait rien voir du show.

– En pleine forme dès le matin ! lançai-je à Minton.

Il leva le nez de son travail et parut lui aussi un peu surpris de me voir si tôt dans la salle.

– Faut bien maîtriser la logistique de ce truc, dit-il. C'est assez enquiquinant.

– Vous pourriez y aller à l'ancienne… en vous contentant de regarder les membres du jury quand vous leur parlez.

– Non merci. Je préfère ça. Avez-vous transmis mon offre à votre client?

– Oui, et il ne marche pas. On dirait bien qu'on va aller jusqu'au bout.

Je posai ma mallette sur la table de la défense et m'interrogeai: que Minton se prépare à sa plaidoirie signifiait-il qu'il avait décidé de ne pas chercher à réfuter mon témoin? Un éclair de panique me traversa. Je jetai un coup d'œil à la table de l'accusation et n'y vis rien qui aurait pu me donner une indication sur ce que préparait Minton. Je savais que j'avais toujours la possibilité de le lui demander sans détour, mais je n'avais pas envie de trahir mes airs de confiance désintéressée.

Au lieu de ça, je gagnai le bureau de l'huissier pour parler avec Bill Meehan, qui commandait les opérations. Je vis un tas de papiers sur son bureau. Il devait avoir la liste des affaires du mois et celle des prisonniers qu'on devait lui amener par bus ce matin-là.

– Bill, je vais me prendre un café, lui dis-je. Tu veux quelque chose?

– Non, mec, mais merci. J'ai déjà fait le plein. Pour l'instant, en tout cas.

Je souris et hochai la tête.

– Dis donc, c'est la liste des prévenus? Je peux y jeter un coup d'œil, histoire de voir si j'ai un client?

– Bien sûr.

Il me tendit plusieurs feuilles de papier agrafées ensemble. J'y trouvai la liste alphabétique de tous les pensionnaires des prisons du comté avec, à côté de chaque nom, la salle d'audience où chacun d'eux était convoqué. En jouant les nonchalants au maximum, je la parcourus et eus vite faite d'y repérer le nom de Dwayne Jeffery Corliss. Le mouton de Minton était déjà arrivé dans les murs et se préparait à entrer dans le prétoire. J'en poussai presque un soupir de soulagement, mais le gardai en moi. Tout disait que Minton allait jouer le coup comme je l'espérais et l'avais prévu.

– Quelque chose qui va pas? me demanda Meehan.

Je le regardai et lui rendis sa liste.

– Non, pourquoi?

– Je ne sais pas. À te voir, on dirait qu'il est arrivé quelque chose.

— Non, rien n'est arrivé, mais ça ne va pas tarder.

Je quittai la salle et descendis à la cafétéria du second. Je faisais la queue pour régler mon café lorsque je vis Maggie McPherson entrer et foncer droit sur les grandes cafetières. Je payai et allai me poster juste derrière elle tandis qu'elle versait dans son café du sucre en poudre sorti d'un sachet rose.

— Saccharine, dis-je. Mon ex me disait toujours que c'est comme ça qu'elle l'aimait.

Elle se retourna et me vit.

— Arrête, Haller, me dit-elle.

Mais en souriant.

— Qu'est-ce que tu fais ? Tu devrais pas être au sixième en train de débrancher l'ordi de Minton ?

— Ça ne m'inquiète pas. De fait même, tu devrais venir voir. La vieille école contre la nouvelle, un combat pour l'éternité.

— Pas vraiment, non. À ce propos… ça serait pas le costume que tu portais hier ?

— Si, si, c'est mon costume porte-chance. Mais dis… comment tu sais ce que je portais hier ?

— Oh, j'ai juste passé deux ou trois minutes la tête dans le prétoire de Fullbite hier. T'étais trop occupé à interroger ton client pour le remarquer.

Tout au fond de moi, je fus très heureux qu'elle remarque jusqu'à mes costumes. Cela voulait dire quelque chose, et je le savais.

— Ben alors… pourquoi tu n'y repasserais pas la tête ce matin ?

— Non, aujourd'hui, je ne peux pas. J'ai trop de boulot.

— Comme quoi ?

— J'ai récupéré un meurtre avec préméditation d'Andy Seville. Il arrête pour passer dans le privé et, hier, ils nous ont partagé ses dossiers. J'ai décroché le bon.

— Génial. L'accusé a-t-il besoin d'un avocat ?

— Pas question de ça, Haller. Je ne veux pas perdre une autre affaire contre toi.

— Je plaisantais. J'ai les mains pleines.

Elle mit un couvercle sur son gobelet et prit ce dernier sur le comptoir avec une pile de serviettes en papier pour se protéger de la chaleur.

— Moi aussi. Et donc je te souhaite bonne chance, mais aujourd'hui je peux pas.

— Oui, je sais. On reste dans la ligne de la boîte. N'oublie pas de remonter un peu Minton quand il redescendra la queue entre les jambes.

— J'essaierai.

Elle quitta la cafétéria et je gagnai une table vide. J'avais encore un quart d'heure à tuer avant que l'audience reprenne. Je sortis mon portable et appelai ma deuxième ex.

— Lorna? C'est moi. Ça marche avec Corliss. T'es prête?

— Je suis prête.

— Bien, je voulais juste savoir. Je te rappelle.

— Bonne chance pour aujourd'hui, Mickey.

— Merci. Je vais en avoir besoin. Tiens-toi prête pour le coup de fil.

Je refermai mon téléphone et allais me relever lorsque je vis l'inspecteur du LAPD Howard Kurlen foncer droit sur moi entre les tables. L'homme qui avait mis Jesus Menendez en prison n'avait pas l'air de vouloir se commander un sandwich aux sardines et cacahuètes. Il portait un document plié. Arrivé à ma table, il l'y jeta, juste devant ma tasse de café.

— C'est quoi, cette merde? me lança-t-il.

Je commençai à déplier le document alors même que je savais parfaitement de quoi il retournait.

— Ça m'a tout l'air d'une citation à comparaître, inspecteur, lui répondis-je. Vous devriez quand même le savoir.

— Vous savez très bien ce que je veux dire, Haller. À quoi vous jouez? J'ai rien à voir avec ce dossier et je n'ai aucune envie d'entrer dans vos conneries.

— Je ne joue à rien du tout et ce ne sont pas des conneries. Je vous ai cité à comparaître comme témoin en contre.

— En contre de quoi? Je vous l'ai déjà dit et vous le savez, je n'ai jamais rien eu à voir avec cette histoire, nom de Dieu! C'est un dossier à Marty Booker, je viens d'y passer un coup de fil et il m'a dit que ça devait être une erreur.

Je hochai la tête comme si je voulais être gentil avec lui.

— Que je vous dise... montez donc à la salle d'audience et prenez-vous un siège. Si c'est une erreur, je la rattraperai dès que possible. Je doute fort que vous deviez rester plus d'une heure. Je vous libère tout de suite pour que vous puissiez repartir à la chasse aux grands vilains.

— Et ça, vous en pensez quoi : je me tire tout de suite et vous rattrapez vos merdes quand ça vous chante ?

— Non, ça, je peux pas, inspecteur. Cette citation à comparaître est tout ce qu'il y a de plus légale et valable et vous êtes tenu de vous montrer dans la salle d'audience à moins qu'on ne vous en dispense légalement. Je vous l'ai dit, je ferai aussi vite que possible. L'accusation a un témoin et après c'est mon tour et je m'en occupe.

— Quelle connerie, quand même !

Il se détourna et retraversa la cafétéria pour gagner la porte. Heureusement qu'il m'avait laissé sa citation à comparaître : elle était bidon. Je ne l'avais pas fait enregistrer au greffe et la signature gribouillée au bas du document était la mienne.

Connerie ou pas, je ne pensais pas que Kurlen allait quitter le bâtiment. Il était homme à comprendre le devoir et la loi. C'était de ça qu'il vivait. Et c'était exactement sur ça que je comptais. Il serait dans la salle d'audience jusqu'à ce qu'on l'en dispense. Ou qu'il comprenne pourquoi je l'y avais fait appeler.

39

À neuf heures trente, le juge fit asseoir les jurés dans leur box et passa sans tarder à l'ordre du jour. Je regardai dans l'assistance et y aperçus Kurlen assis au dernier rang. Il avait l'air pensif, voire carrément en colère. Il était tout près de la porte et je ne savais pas combien de temps il tiendrait. J'allais avoir bien besoin de toute l'heure dont je lui avais parlé.

Je regardai plus loin dans la salle et vis que Lankford et Sobel s'étaient assis sur un banc situé près du bureau du greffier et réservé aux membres des forces de l'ordre. Pas moyen de lire quoi que ce soit sur leurs visages, mais leur présence me posait quand même problème. Je me demandai si j'aurais même seulement droit à l'heure dont j'avais besoin.

— Maître Minton, entonna le juge, l'accusation a-t-elle préparé sa réfutation?

Je revins aux débats. Minton se leva, ajusta sa veste et parut hésiter et se donner du courage avant de répondre.

— Oui, madame le juge. J'appelle Dwayne Jeffery Corliss comme témoin en contre.

Je me levai à mon tour et remarquai qu'à ma droite Meehan, l'huissier, s'était levé lui aussi. Il allait rejoindre l'enclos pour y chercher Corliss.

— Madame le juge? lançai-je. Qui est ce Dwayne Jefferey Corliss et pourquoi n'ai-je pas été informé de sa comparution avant?

— Huissier Meehan, je vous prie d'attendre un instant, dit Fullbright.

Meehan se figea sur place, la clé de l'enclos à la main. Le juge s'excusa auprès des jurés, mais leur ordonna de regagner la salle des délibérés jusqu'à plus ample informé. Après qu'ils eurent franchi la porte derrière le box, le juge se concentra sur Minton.

– Maître Minton, voulez-vous bien nous parler de votre témoin ?

– Dwayne Corliss est un témoin qui coopère avec nous et a parlé avec M. Roulet lorsque celui-ci était en détention juste après son arrestation.

– Des conneries, oui ! aboya Roulet. Je n'ai parlé à...

– Taisez-vous, monsieur Roulet ! tonna le juge. Maître Haller, instruisez donc votre client des dangers qu'il y a à explorer dans ma salle d'audience.

– Merci, madame le juge.

J'étais toujours debout. Je me penchai en avant pour parler à l'oreille de Roulet.

– C'était parfait, lui dis-je. Mais maintenant, vous restez calme et je me charge de la suite.

Il acquiesça d'un signe de tête et se pencha en arrière. Puis il croisa les bras sur sa poitrine – on était en colère. Je me redressai.

– Je vous prie de m'excuser, madame le juge, mais je partage l'indignation de mon client devant ce dernier effort de l'accusation. C'est la première fois que j'entends parler de ce M. Corliss. J'aimerais savoir quand il s'est manifesté pour parler de cette prétendue conversation avec mon client.

Minton était toujours debout lui aussi. Je me dis que c'était bien la première fois de ce procès que nous nous tenions côte à côte pour défendre nos points de vue auprès du juge.

– M. Corliss a contacté notre bureau par l'intermédiaire d'un procureur qui s'est occupé de la première comparution de l'accusé, reprit Minton. Cela étant, ce renseignement ne m'a été communiqué qu'hier, lors d'une réunion du bureau où on m'a demandé pourquoi je n'avais pas réagi à cette information.

C'était un mensonge, mais du genre que je n'avais aucune envie de mettre au jour. Le faire m'aurait forcé à dévoiler la fuite de Maggie McPherson le jour de la Saint-Patrick et aurait pu faire dérailler tout mon plan. Il fallait faire attention. Je devais m'opposer violemment à la déposition de Corliss, mais je devais aussi perdre la bataille.

Je pris l'air le plus outré que je pus.

— C'est incroyable, madame le juge! m'écriai-je. Parce que les services du district attorney ont des problèmes de communication, mon client devrait souffrir les conséquences de ne pas avoir été informé de ce que l'accusation avait un autre témoin contre lui? Il est clair que cet homme ne devrait pas être autorisé à témoigner. Il est trop tard pour qu'on l'introduise dans les débats.

— Madame le juge, dit Minton sans attendre, je n'ai pas eu le temps d'interroger M. Corliss ou de prendre sa déposition moi-même. Parce que je préparais ma plaidoirie, j'ai simplement fait le nécessaire pour qu'il soit amené ici aujourd'hui. Son témoignage est d'une importance capitale pour l'accusation dans la mesure où il permettra de réfuter les arguments *pro domo* de M. Roulet. Ne pas autoriser ce témoin à comparaître rendrait un très mauvais service à l'État de Californie.

Je hochai la tête et souris de frustration. Avec ce dernier propos, Minton menaçait le juge de perdre l'appui du district attorney si jamais elle cherchait à se faire élire contre un autre candidat.

— Maître Haller? reprit le juge. Autre chose avant que je prenne ma décision?

— Je tiens seulement à ce que mon objection soit dûment portée aux minutes.

— C'est noté. Si je vous donnais le temps d'interroger M. Corliss et de mener une enquête sur lui, combien vous faudrait-il?

— Une semaine.

Ce fut au tour de Minton de hocher la tête en souriant faussement.

— C'est ridicule, madame le juge!

— Voulez-vous passer dans l'enclos et lui parler? me demanda Fullbright. Je peux vous le permettre.

— Non, madame le juge. Pour ce qui me concerne, tous les moutons sont des menteurs. Il ne me servirait à rien de l'interroger dans la mesure où tout ce qui sortirait de sa bouche ne pourrait être qu'un mensonge. Tout, madame le juge, tout. D'ailleurs, ce n'est pas tant ce qu'il a à dire qui importe. Ce serait plutôt ce que les autres ont à dire de lui. Et ça, il me faudrait bien du temps pour le savoir.

– Je décide donc d'autoriser sa comparution.

– Madame le juge, lui dis-je, si vous décidez d'autoriser sa comparution, puis-je demander une faveur pour la défense ?

– Quelle faveur, maître Haller ?

– J'aimerais pouvoir passer dans le couloir et donner un coup de fil à un enquêteur. Cela ne me prendra même pas une minute.

Elle réfléchit un instant avant d'acquiescer.

– Allez-y, maître. Pendant ce temps-là, je vais faire entrer les jurés.

– Merci.

Je franchis le portillon et descendis l'allée centrale. Je croisai le regard d'Howard Kurlen, qui me décocha une de ses plus belles moues de mépris.

Arrivé dans le couloir, j'appelai Lorna Taylor, qui décrocha tout de suite.

– Bien, t'es loin ?

– Disons à un quart d'heure.

– T'as pas oublié la sortie d'imprimante et la bande ?

– Je les ai sur moi.

Je consultai ma montre. Dix heures moins le quart.

– OK, bon, c'est parti. Dépêche-toi d'arriver, mais je veux que tu attendes dehors dans le couloir. Et après, à dix heures et quart, tu entres dans la salle et tu me donnes les trucs. Si je suis en train d'interroger le témoin, tu t'assieds au premier rang et tu attends que je remarque ta présence.

– C'est compris.

Je refermai mon portable et réintégrai la salle d'audience. Les jurés avaient repris leurs places et Meehan était en train de faire entrer un homme en combinaison grise par la porte de l'enclos. Dwayne Corliss était maigre et avait des cheveux raides qu'il ne lavait pas assez souvent à la prison de County-USC, où il se faisait désintoxiquer. Je le reconnus aussitôt. C'était bien lui qui m'avait demandé ma carte professionnelle lorsque j'avais interrogé Roulet dans l'enclos à l'occasion de sa première comparution.

Il fut accompagné par Meehan jusqu'au box des témoins, où l'huissier lui fit jurer de dire toute la vérité et rien que la vérité, Minton reprenant ensuite la direction du grand show.

– Monsieur Corliss, dit-il, avez-vous été arrêté le 5 mars de cette année ?

– Oui, la police m'a arrêté pour cambriolage et possession de drogue.

– Êtes-vous présentement incarcéré ?

Corliss regarda autour de lui.

– Euh… non, je crois pas. Je suis juste dans la salle d'audience.

J'entendis le rire grossier de Kurlen dans mon dos, mais personne ne se joignit à lui.

– Non, je veux dire… êtes-vous en prison ? Quand vous n'êtes pas ici, s'entend.

– Je suis enfermé à la prison du Los Angeles County-USC Medical Center et j'y suis un programme de désintoxication.

– Êtes-vous toxicomane ?

– Oui. Je suis héroïnomane, mais pour le moment je ne consomme pas. J'ai pas pris d'héroïne depuis qu'on m'a arrêté.

– Soit depuis plus de soixante jours.

– C'est exact.

– Reconnaissez-vous le prévenu ?

Corliss se tourna vers Roulet et acquiesça d'un signe de tête.

– Oui, je le reconnais.

– Pourquoi ?

– Parce que je l'ai rencontré dans l'enclos après mon arrestation.

– Vous nous dites donc qu'après votre arrestation vous êtes entré en contact avec l'accusé, Louis Roulet ?

– Oui, le lendemain.

– Comment cela s'est-il produit ?

– Ben, on était tous les deux à la prison de Van Nuys, dans des ailes différentes. Mais après on a été amenés ici en bus et on était ensemble, d'abord dans le bus et après dans l'enclos, et après on a été conduits dans la salle d'audience pour la première comparution. On a été ensemble tout ce temps-là.

– Que voulez-vous dire quand vous dites que vous avez été « ensemble » ?

– Ben, qu'on est restés tout près parce qu'on était les seuls Blancs dans le groupe qu'on était.

– Bien. Avez-vous parlé pendant que vous étiez ensemble ?

Corliss acquiesça de la tête pendant que Roulet secoua la sienne pour dire non. Je lui touchai le bras pour le mettre en garde contre toute manifestation intempestive.

– Oui, on a parlé, répondit Corliss.

– De quoi ?

– Surtout de cigarettes. On en avait besoin tous les deux, mais ils vous laissent pas fumer en prison.

Corliss y alla d'un geste à la « mais-bon-hein-qu'est-ce-qu'on-peut-y-faire ? », quelques jurés, des fumeurs, c'est probable, se mettant à sourire et hocher la tête.

– Est-il arrivé un moment où vous avez demandé à M. Roulet pourquoi il était en prison ?

– Oui.

– Et qu'a-t-il répondu ?

Je me dressai d'un bond et élevai une objection, qui fut aussitôt rejetée.

– Que vous a-t-il répondu, monsieur Corliss ? le pressa Minton.

– Ben, il a commencé par me demander pourquoi j'étais là et j'y ai dit. Alors après, moi, j'y ai demandé pourquoi il était au gnouf et y m'a dit : « Pour avoir donné à une salope très exactement ce qu'elle méritait. »

– Ce sont ses propres paroles ?

– Oui.

– A-t-il précisé ce qu'il voulait dire par là ?

– Non, pas vraiment.

Je me penchai en avant et attendis que Minton pose la question suivante, celle à laquelle tout le monde s'attendait. Mais il n'en fit rien et passa à autre chose.

– Bien, monsieur Corliss, les services du district attorney ou moi-même vous avons-nous promis quoi que ce soit en échange de ce témoignage ?

– Non. Je me suis seulement dit que c'était ce qu'il fallait faire.

– Où en est votre affaire ?

– J'ai encore les charges qui pèsent sur moi, mais on dirait que si j'arrive au bout de ma cure de désintox, on pourrait m'en enlever quelques-unes. Pour la drogue en tout cas. Pour le cambriolage, je sais pas encore.

– Mais je ne vous ai fait aucune promesse d'aide sur ce point, n'est-ce pas?

– Non, monsieur.

– Quelqu'un d'autre vous a-t-il fait des promesses au bureau du district attorney?

– Non, monsieur.

– Je n'ai pas d'autres questions.

Je restai assis sans bouger et dévisageai Corliss. J'avais l'air de quelqu'un qui est en colère, mais ne sait pas trop quoi y faire. Pour finir, le juge me poussa à réagir.

– Maître Haller, voulez-vous interroger le témoin en contre?

– Oui, madame le juge.

Je me levai et jetai un coup d'œil à la porte comme si je m'attendais à y voir apparaître un miracle. Puis je regardai la grosse pendule au-dessus de la porte du fond et m'aperçus qu'il était dix heures cinq. En reportant les yeux sur le box du témoin, je remarquai que Kurlen était toujours là. Il n'avait pas bougé de la dernière rangée et avait le même air de mépris sur le visage. Je me demandai si ce n'était pas son air naturel.

Enfin je me tournai vers le témoin.

– Quel âge avez-vous, monsieur Corliss?

– Quarante-trois ans.

– Vous vous appelez bien Dwayne?

– C'est exact.

– D'autres noms?

– On m'appelait D. J. quand j'étais petit. Tout le monde.

– Où avez-vous grandi?

– À Mesa, dans l'Arizona.

– Monsieur Corliss, combien de fois avez-vous été arrêté?

Minton éleva une objection, mais le juge passa outre. Je savais qu'elle allait me laisser beaucoup de champ avec le témoin dans la mesure où, censément, c'était moi qui m'étais fait coincer.

– Combien de fois avez-vous été arrêté, monsieur Corliss? répétai-je.

– Sept fois, je crois.

– Ce qui fait que vous avez connu pas mal de prisons, n'est-ce pas?

— On pourrait dire ça, oui.

— Toutes dans le comté de Los Angeles?

— La plupart, oui. Mais je me suis fait aussi arrêter une fois à Phoenix.

— Vous savez donc comment fonctionne la machine, n'est-ce pas?

— J'essaie seulement de m'en sortir.

— Et parfois, essayer de s'en sortir amène à accuser ses copains de taule, n'est-ce pas?

— Madame le juge? lança Minton en se dressant pour élever une objection.

— Asseyez-vous, maître, lui renvoya Fullbright. Je vous ai laissé toute latitude pour faire comparaître votre témoin. C'est au tour de maître Haller de profiter de cette même latitude. Le témoin répondra à la question.

La greffière relut la question à l'adresse de Corliss.

— Faut croire, oui, répondit-il.

— Combien de fois avez-vous accusé un autre prisonnier?

— Je ne sais pas. Plusieurs.

— Combien de fois avez-vous témoigné au bénéfice de l'accusation?

— Cela inclut-il mes propres affaires?

— Non, monsieur Corliss, au bénéfice de l'accusation. Combien de fois avez-vous témoigné contre un prisonnier au bénéfice de l'accusation?

— Ça doit être la quatrième.

J'eus l'air surpris et atterré alors même que je n'étais ni l'un ni l'autre.

— Bref, vous êtes un pro, n'est-ce pas? Vous pourriez presque dire que votre métier est celui de mouton accro à la drogue.

— Je me contente de dire la vérité. Quand on me dit des trucs qui sont pas bien, je me sens obligé de les rapporter.

— À ceci près que vous essayez de pousser ces gens à vous les dire, n'est-ce pas?

— Pas vraiment, non. Je suis juste assez amical.

— Amical, hein? Vous espérez donc que ce jury va croire qu'un type que vous ne connaissiez pas est tombé du ciel et vous a dit, lui, un parfait inconnu, qu'il avait «donné à une salope très exactement ce qu'elle méritait»?

— C'est ce qu'il a dit.

— Et donc, il vous a juste dit ça et après vous avez recommencé à parler de cigarettes, c'est ça?

— Pas exactement.

— Pas exactement? Qu'entendez-vous par là?

— Il m'a aussi dit qu'il l'avait déjà fait avant. Il m'a dit qu'il s'en était déjà tiré et que ça serait pareil ce coup-là. Il s'en vantait parce que le coup d'avant, il a dit qu'il avait tué la salope et qu'il s'en était sorti sans problème.

Je me figeai sur place. Puis je regardai Roulet qui s'était figé sur son siège, l'air surpris, avant de me retourner vers le témoin.

— Vous…

Et de commencer à parler, puis m'arrêter, de faire comme si j'étais le type coincé dans un champ de mines et qui vient d'entendre un déclic sous son pied. Du coin de l'œil, je vis aussi que Minton s'était raidi.

— Maître Haller? me pressa le juge.

Je détachai les yeux de Corliss et me tournai vers Fullbright.

— Je n'ai plus d'autres questions à poser pour l'instant, madame le juge.

40

Minton bondit de son siège tel le boxeur qui sort de son coin du ring pour sauter sur son adversaire en sang.

— Voulez-vous interroger le témoin, maître Minton? lui demanda Fullbright.

Il était déjà au lutrin.

— Absolument, madame le juge.

Il regarda les jurés comme pour souligner l'importance de l'échange à venir, puis il se concentra sur Corliss.

— Monsieur Corliss, vous venez de dire que M. Roulet se vantait. Comment se vantait-il?

— Ben, il m'a raconté la fois où il avait vraiment tué une fille et s'en était sorti.

Je me levai.

— Madame le juge, ceci n'a rien à voir avec l'affaire présente et il s'agit d'un contre qui ne se rapporte pas à des preuves communiquées par la défense. Le témoin ne peut pas…

— Madame le juge! s'écria Minton. Ces renseignements ont été obtenus par l'avocat de la défense. L'accusation a le droit de poursuivre.

— J'autorise l'accusation à poursuivre.

Je me rassis et pris l'air abattu. Minton fonça droit devant. Pile où je voulais.

— Monsieur Corliss, M. Roulet vous a-t-il donné des détails sur cet incident au cours duquel, dit-il, il aurait tué une femme et s'en serait sorti sans encombre?

— Il a dit que c'était une danseuse à serpents. Elle dansait dans un bouge où qu'elle était comme dans une fosse à serpents.

Je sentis Roulet refermer ses doigts autour de mon biceps. Son souffle chaud m'arriva dans l'oreille.

– C'est quoi, cette merde? murmura-t-il.

Je me tournai vers lui.

– J'en sais rien. Qu'est-ce que vous lui avez raconté, à ce type?

Il me répondit en marmonnant, les dents serrées.

– Je ne lui ai rien dit du tout. C'est un coup monté. Vous m'avez piégé!

– Moi? Mais qu'est-ce que vous racontez? Je vous l'ai dit: je n'avais aucun moyen de contacter ce type en prison. Si vous ne lui avez pas dit ces conneries, c'est que quelqu'un d'autre l'aura fait. Réfléchissez, tout de suite. Qui est-ce?

Je me retournai et regardai Minton qui, toujours debout au lutrin, continuait d'interroger Corliss.

– M. Roulet vous a-t-il dit autre chose sur cette danseuse qu'il aurait tuée?

– Non, c'est tout ce qu'il m'a vraiment dit.

Minton jeta un coup d'œil à ses notes pour voir s'il y avait autre chose, puis il hocha la tête.

– Pas d'autres questions, madame le juge.

Fullbright me regarda. Je vis presque de la sympathie dans ses yeux.

– La défense souhaite-t-elle réinterroger le témoin?

Avant que je puisse répondre, un bruit se faisant entendre au fond de la salle, je me retournai et vis entrer Lorna Taylor. Elle monta vite l'allée pour rejoindre le portillon.

– Madame le juge, puis-je conférer un instant avec mon équipe?

– Dépêchez-vous, maître.

Je retrouvai Lorna au portillon et lui pris une bande vidéo entourée d'une seule feuille de papier attachée à l'aide d'un élastique. Comme je lui en avais donné l'ordre, elle me murmura des choses dans l'oreille.

– C'est là que je fais semblant de te dire des trucs très importants à l'oreille, me dit-elle. Ça marche?

Je hochai la tête en ôtant l'élastique de la bande vidéo et jetant un coup d'œil à la feuille de papier.

– Pile au bon moment, lui soufflai-je en retour. Je suis prêt.

– Je peux rester regarder?

– Non, je veux que tu t'en ailles. Il ne faut pas qu'on te parle quand ça sera fini, personne.

Je hochai la tête, elle hocha la tête à son tour et vida les lieux. Je regagnai le lutrin.

– Non, madame le juge, pas d'interrogatoire en contre.

Je me rassis et attendis. Roulet m'attrapa le bras.

– Qu'est-ce que vous fabriquez?

Je le repoussai.

– Arrêtez de me toucher, lui dis-je. Nous avons de nouvelles informations dont nous ne pouvons pas faire état en contre.

Je me concentrai sur Fullbright.

– D'autres témoins, maître Minton? demanda-t-elle.

– Non, madame le juge. Nous en resterons là.

Elle acquiesça d'un signe de tête.

– Le témoin est remercié.

Meehan commença à traverser la salle pour reprendre Corliss. Le juge me regarda et je me relevai.

– Maître Haller? Nouvel interrogatoire en réfutation?

– Oui, madame le juge. La défense souhaite rappeler D. J. Corliss à la barre pour un nouvel interrogatoire en réfutation.

Meehan s'arrêta net, tous les regards se tournant vers moi. Je levai haut la bande vidéo et la feuille de papier que Lorna m'avait apportées.

– J'ai de nouveaux renseignements sur M. Corliss, madame le juge. Je ne pouvais pas en faire état en contre.

– Très bien. Allez-y.

– Pouvez-vous m'accorder un instant, madame le juge?

– Juste une seconde.

Petit comité avec Roulet.

– Écoutez, lui soufflai-je, je ne sais pas ce qui se passe, mais ça n'a pas d'importance.

– Comment ça «ça n'a pas d'importance»? Vous êtes en train de…

– Écoutez-moi. Ça n'a pas d'importance parce que j'ai toujours de quoi le bousiller. Qu'il dise même que vous avez tué vingt femmes n'aurait aucune importance. S'il ment, il ment. Je le bousille et rien de ce qu'il aura dit ne comptera. Vous comprenez?

Il hocha la tête et parut se calmer en réfléchissant à ce que je venais de lui dire.

— Alors, allez-y: massacrez-le.

— C'est ce que je vais faire. Mais il faut que je sache. Sait-il autre chose qu'il pourrait nous sortir? Y a-t-il quoi que ce soit auquel il vaudrait mieux que je ne touche pas?

Il me murmura lentement à l'oreille, comme s'il expliquait quelque chose à un enfant.

— Je ne sais pas parce que je n'ai jamais parlé avec ce type. Je ne suis pas assez bête pour discuter cigarettes et assassinat avec un parfait inconnu, bordel de merde!

— Maître Haller, me pressa le juge.

Je la regardai.

— Oui, madame le juge.

La bande et la feuille de papier avec moi, je me relevai pour retourner au lutrin. Chemin faisant, je jetai un rapide coup d'œil dans la salle et m'aperçus que Kurlen était parti. Je n'avais aucun moyen de savoir combien de temps il était resté et ce qu'il avait entendu. Lankford lui aussi avait disparu. Il n'y avait plus que Sobel et elle se détourna de moi. Je concentrai mon attention sur Corliss.

— Monsieur Corliss, pouvez-vous dire aux jurés où vous vous trouviez quand M. Roulet vous a censément fait ses révélations sur ces attaques et ces meurtres?

— Quand nous étions ensemble.

— Ensemble où, monsieur Corliss?

— Ben, dans le bus on n'a pas parlé parce qu'on n'était pas à côté. Mais quand on est arrivés au tribunal, on a été dans la même cellule avec six autres types et on s'est assis ensemble et on a causé.

— Et ces six autres types vous ont tous vu parler avec M. Roulet, c'est bien ça?

— Fallait bien. Ils étaient là.

— Vous nous dites donc que si je les faisais venir ici l'un après l'autre et si je leur demandais s'ils vous ont vu parler avec M. Roulet, ils confirmeraient?

— Ben, ils devraient. Mais…

– Mais quoi, monsieur Corliss?

– C'est juste qu'ils parleraient sans doute pas, c'est tout.

– Serait-ce parce que personne n'aime les moutons, monsieur Corliss?

Il haussa les épaules.

– Faut croire, oui.

– Bien. Essayons de voir si nous vous avons bien compris. Vous n'avez pas parlé avec M. Roulet dans le bus, mais vous l'avez fait quand vous étiez en cellule ensemble. Avez-vous parlé avec lui autre part?

– Oui, on a parlé quand ils nous ont fait entrer dans la salle d'audience. Ils vous collent dans une zone entourée de verre, où qu'on doit attendre qu'ils appellent votre affaire. On s'est causé un peu là aussi, jusqu'à ce que l'affaire soit appelée. C'est lui qu'est entré le premier.

– Soit dans la salle des mises en accusation, où vous comparaissiez devant le juge pour la première fois?

– C'est ça.

– Et donc, vous bavardiez dans cette salle et c'est là que M. Roulet vous aurait révélé le rôle qu'il a joué dans les crimes que vous nous décrivez?

– C'est ça.

– Vous rappelez-vous précisément ce qu'il vous a dit quand vous étiez dans la salle d'audience?

– Non, pas vraiment. Pas dans le détail. Je crois que c'est là qu'il m'a parlé de la fille qu'était une danseuse.

– Très bien, monsieur Corliss.

Je levai la bande vidéo en l'air, précisai qu'il s'agissait de celle filmée à l'occasion de la première comparution de Louis Roulet et demandai à ce qu'on l'enregistre comme élément de preuve au bénéfice de la défense. Minton essaya de s'y opposer en arguant du fait que je n'en avais pas mentionné l'existence dans la phase de communication des preuves, mais son objection fut vite et facilement rejetée par le juge avant même que je doive réfuter ses arguments. Il essaya encore une fois de s'opposer à la projection en faisant remarquer que rien n'en authentifiait la source.

– J'essaie seulement de ne pas faire perdre son temps à la cour, lui renvoyai-je. Si vous pensez que c'est nécessaire, je peux très bien faire venir en moins d'une heure la personne qui a filmé ce document et lui demander de l'authentifier. Mais je crois que madame le juge n'aura aucun mal à le faire : un seul coup d'œil y suffira.

— J'autorise la projection, dit Fullbright. Une fois la bande passée, l'accusation aura tout loisir d'élever ses objections si elle en a envie.

La télévision et le lecteur de vidéos dont je m'étais déjà servi furent réintroduits dans la salle et placés de façon à ce que Corliss, les jurés et le juge puissent regarder, Minton devant aller s'asseoir sur une chaise à côté du box des jurés pour voir correctement. La bande passa. La projection dura vingt minutes et montra les agissements de Roulet à partir de son entrée dans l'enclos jusqu'au moment où il avait été reconduit à l'extérieur du bâtiment après que la caution avait été fixée à l'audience. À aucun moment on ne l'y voyait parler à quiconque en dehors de moi. La bande visionnée, je laissai la télévision à sa place au cas où l'on en aurait encore besoin. Puis, un rien d'indignation dans la voix, je m'adressai à Corliss.

— Monsieur Corliss, vous êtes-vous vu parler avec M. Roulet à un moment quelconque de cet enregistrement ?

— Euh... non. Je...

— Et pourtant, vous venez de déclarer sous serment et sous peine de parjure qu'il vous a avoué des crimes alors que vous étiez tous les deux dans la salle d'audience... c'est bien ça ?

— Je sais que j'ai dit ça, mais j'ai dû me tromper. Il a dû me dire ces trucs pendant que nous étions en cellule.

— Vous venez donc de mentir aux jurés, n'est-ce pas ?

— Je voulais pas. C'est comme ça que je me rappelais, mais j'ai dû me tromper. Je redescendais d'un trip ce matin-là. Les trucs se mélangeaient.

— On dirait. Que je vous pose une question : les trucs se mélangeaient-ils quand vous avez témoigné contre Frederic Bentley en 1989 ?

Il fronça les sourcils pour se concentrer, mais garda le silence.

— Vous vous rappelez Frederic Bentley, n'est-ce pas ?

Minton se leva.

— Objection. 1989 ? Où cela nous conduit-il ?

— Madame le juge, cela nous conduit à établir le degré de véracité des propos du témoin. Et cela pose plus que problème.

— Reliez les pointillés, maître Haller, m'ordonna Fullbright. Vite.

— Oui, madame le juge.

Je m'emparai de la feuille de papier et m'en servis comme d'un accessoire en posant mes dernières questions à Corliss.

— En 1989, Frederic Bentley a été condamné, avec votre aide, pour avoir violé une jeune fille de seize ans à Phoenix. Vous en souvenez-vous ?

— Vaguement, répondit-il. Je me suis pas mal drogué depuis ce temps-là.

— À son procès, vous avez déclaré qu'il vous avait avoué son crime alors que vous vous trouviez tous les deux dans une cellule de commissariat. Je me trompe ?

— Comme je vous l'ai dit, j'ai du mal à me rappeler si loin en arrière.

— Les flics vous avaient mis dans cette cellule parce qu'ils savaient que vous étiez prêt à dénoncer, et même à inventer. Je me trompe ?

Ma voix se faisait plus forte avec chaque question nouvelle.

— Je ne me rappelle pas, non, dit-il. Mais j'invente pas.

— Après, huit ans plus tard, l'homme qui, d'après vos déclarations, vous aurait dit avoir commis ce crime, en a été innocenté suite à un test ADN qui a montré que le sperme du violeur appartenait à un autre homme. C'est bien cela, monsieur ?

— Je ne… enfin… c'était il y a longtemps.

— Vous rappelez-vous avoir été interrogé par un journaliste de l'*Arizona Star* suite à la libération de Frederic Bentley ?

— Vaguement, oui. Je me rappelle que quelqu'un m'a appelé, mais que j'ai rien dit.

— Il vous a dit que les tests ADN innocentaient Bentley et vous a demandé si vous aviez inventé les aveux de Bentley, c'est bien ça ?

— Je ne sais pas.

Je montrai au juge la feuille de papier que je serrais dans ma main.

– Madame le juge, je suis en possession d'un article sorti des archives de l'*Arizona Star*. Il est daté du 9 février 1997. C'est un membre de mon équipe qui l'a trouvé en interrogeant le moteur de recherche Google sur le nom de D. J. Corliss. Je demande que cet article soit référencé comme élément de preuve de la défense et admis comme document historique décrivant un mensonge par omission.

Ma demande déclencha aussitôt un violent accrochage avec Minton sur des questions d'authenticité de la pièce et de bien-fondé de la démarche, le juge finissant par statuer en ma faveur. Elle aussi montrait, jusqu'à un certain point, l'indignation que j'étais en train de susciter et Minton n'avait guère de chances de l'emporter.

L'huissier apporta la sortie d'imprimante à Corliss, le juge ordonnant à ce dernier de la lire à haute voix.

– Je lis pas très bien, juge, dit-il.

– Essayez, monsieur Corliss.

Il leva le papier et colla son nez dessus pour lire.

– Plus fort, s'il vous plaît! aboya Fullbright.

Il s'éclaircit la gorge et lut d'une voix hésitante.

– «Condamné à tort à la prison pour viol, un homme a été libéré samedi de l'Arizona Correctional Institution et jure vouloir rendre justice à tous les détenus faussement accusés. Frederic Bentley, trente-quatre ans, a purgé presque huit ans de prison pour avoir agressé une jeune fille de seize ans originaire de Tempe. La victime avait identifié Bentley, un voisin, comme étant son agresseur, des analyses de sang montrant que le type sanguin du violeur correspondait au sperme retrouvé sur la jeune fille. L'accusation fut ensuite étayée lors du procès par un informateur qui déclara que Bentley lui avait avoué son crime alors que tous deux se trouvaient dans une cellule de détention. Bentley clama son innocence tout au long du procès, et même après sa condamnation. Les tests ADN étant enfin acceptés par les tribunaux de l'État comme pièces à conviction valides, il a engagé des avocats pour demander des analyses du sperme retrouvé sur la victime. Un juge ayant ordonné plus tôt cette année qu'un tel test soit pratiqué, les résultats ont montré que Bentley n'était pas l'agresseur.

« Lors d'une conférence de presse tenue à l'Arizona Biltmore, Frederic Bentley, tout récemment libéré, s'est répandu en injures contre les moutons et a demandé que soit adoptée une loi précisant les limites dans lesquelles peuvent travailler les policiers et les procureurs souhaitant recourir à leurs services.

« L'informateur qui déclara sous serment que Bentley lui aurait avoué son viol a été identifié comme étant un certain D. J. Corliss. Originaire de Mesa, ce dernier avait été arrêté pour trafic de drogue. Interrogé – après qu'on l'eut informé de ce que Bentley était innocenté de son crime – sur le fait de savoir s'il avait trafiqué sa déposition, Corliss a refusé de répondre samedi. Au cours de sa conférence de presse, Bentley a déclaré que Corliss était un mouchard fort connu de la police qui l'avait plusieurs fois chargé de faire ami ami avec des suspects. Bentley a ajouté que ledit Corliss avait coutume d'inventer des aveux lorsqu'il n'arrivait pas à les soutirer aux accusés. L'affaire Bentley… »

– Bien, monsieur Corliss, dis-je. Je crois que ça suffira.

Il reposa la sortie d'imprimante et me regarda comme un enfant qui vient d'ouvrir la porte d'un placard encombré et découvre que tout va lui tomber sur la tête.

– Avez-vous été accusé de parjure dans l'affaire Bentley ? lui demandai-je.

– Non, répondit-il avec force, comme si cela l'exonérait de sa faute.

– Est-ce parce que la police était complice d'avoir piégé M. Bentley avec votre aide ?

– Je suis sûr que M. Corliss n'a aucune idée de ce qui a pu décider les autorités à l'accuser de parjure ou pas, m'objecta Minton.

Fullbright accepta l'objection, mais je m'en moquais. J'avais pris tellement d'avance avec le témoin qu'il n'y avait plus moyen de nous rattraper. Je me contentai de passer à la question suivante.

– Un procureur ou un officier de police vous a-t-il demandé de faire ami ami avec M. Roulet afin que celui-ci vous confie des secrets ?

– Non, ça devait être un coup de chance.

– On ne vous a pas demandé d'obtenir des aveux de M. Roulet ?

– Non.

Je le dévisageai longuement, le dégoût dans les yeux.

— Pas d'autres questions.

Je gardai mes airs de colère jusqu'à mon siège et jetai violemment la bande vidéo devant moi avant de m'asseoir.

— Maître Minton? lança le juge.

— Pas d'autres questions pour moi non plus, répondit-il d'une voix faible.

— Bien, s'empressa de dire Fullbright. Je vais donc libérer les jurés pour le déjeuner. J'aimerais que vous soyez tous de retour à une heure pile.

Elle afficha un sourire forcé et en gratifia les jurés jusqu'à ce qu'ils aient tous quitté la salle. Dès que la porte fut refermée, son sourire dégringola de sa figure.

— Je veux voir les avocats dans mon cabinet, dit-elle. Immédiatement.

Elle n'attendit même pas que nous réagissions et quitta son siège si rapidement que sa robe flotta derrière elle comme la tunique noire de la Faucheuse.

41

Le juge Fullbright avait déjà allumé une cigarette lorsque nous entrâmes dans son cabinet. Elle en tira une grande bouffée, l'écrasa sur un presse-papiers en verre et rangea le mégot dans une poche Ziploc qu'elle avait sortie de son sac. Elle referma la poche, la plia et la remit dans son sac : pas question de laisser des traces de sa transgression aux employés du service de nettoyage de nuit ou à quiconque. Elle souffla la fumée vers un orifice de ventilation dans le plafond et abaissa enfin les yeux sur Minton. Vu le regard qu'elle avait, je fus content de ne pas être à la place de mon collègue.

– Maître Minton, c'est quoi, cette merde que vous m'avez foutue dans mon procès ?

– Madame le…

– Fermez-la et asseyez-vous. Tous les deux.

Nous nous exécutâmes. Elle se calma et se pencha sur son bureau. Elle n'avait toujours pas lâché Minton des yeux.

– Qui s'est occupé de vérifier le passé de ce témoin ? demanda-t-elle posément.

– Euh, ça doit être… en fait, nous n'avons vérifié que la partie comté de L.A. Il n'y avait rien pour nous alerter, pas de clignotants rouges. J'avais passé son nom à l'ordinateur, mais sans les initiales.

– Combien de fois avait-on eu recours à ses services dans le comté avant aujourd'hui ?

– Une seule fois au prétoire. Mais il avait donné des renseignements dans trois autres affaires que j'ai pu examiner. Il n'y avait rien du côté Arizona.

– Personne n'a songé à vérifier si ce type avait fait surface ailleurs ou orthographié son nom autrement ?

— Il faut croire que non. Ce témoin m'a été donné par le premier procureur attaché à l'affaire. J'ai pensé qu'elle avait fait les vérifications nécessaires.

— Des conneries, tout ça, dis-je.

Le juge se tourna vers moi. Je n'avais aucun regret à voir Minton s'effondrer, mais je n'avais aucune envie qu'il entraîne Maggie McPherson dans sa chute.

— Le premier procureur était Maggie McPherson, repris-je. Elle a dû avoir le dossier un maximum de trois heures. C'est mon ex-femme. Dès qu'elle a vu que c'était moi qui assurais la défense, elle a compris qu'elle ne pourrait pas aller plus loin. Et vous, Minton, avez hérité de l'affaire le jour même. Comment voulez-vous qu'elle ait pu vérifier le passé de vos témoins, surtout celui d'un type qui n'est sorti de son trou qu'après la première comparution? Elle vous l'a passé et c'est tout.

Minton ouvrit la bouche pour dire quelque chose, mais le juge le coupa net.

— Savoir qui aurait dû vérifier n'a aucune importance. Cela n'a pas été fait correctement et pour moi, citer à comparaître cet individu relève de la faute grave de la part de l'accusation.

— Madame le juge! aboya Minton. J'ai…

— Gardez ça pour votre patron. C'est lui que vous allez devoir convaincre. Quel est le dernier deal offert à M. Roulet par l'accusation?

Minton avait l'air figé et incapable de réagir. Je répondis à sa place.

— Coups et blessures, six mois à la prison du comté.

Fullbright haussa les sourcils et me regarda.

— Et vous n'avez pas pris?

Je hochai la tête.

— Mon client refuse toute condamnation. Ce qui va le ruiner. Il veut tenter le coup et aller jusqu'au verdict.

— Vous voulez un vice de procédure?

Je ris et hochai à nouveau la tête.

— Non, je ne veux pas de vice de procédure. Ça ne fera jamais que donner le temps à l'accusation de nettoyer derrière elle, de faire ce qu'il faut et de nous réattaquer.

— Bon alors… qu'est-ce que vous voulez?

— Ce que je veux? Un jugement en premier et dernier ressort m'irait assez. Quelque chose sur quoi l'accusation ne peut pas revenir. Sinon, on va jusqu'au bout.

Fullbright hocha la tête et serra les mains sur son bureau.

— Un jugement en premier et dernier ressort serait parfaitement ridicule, madame le juge, dit Minton en retrouvant enfin sa voix. De toute façon, on est déjà à la fin du procès. On ferait aussi bien d'aller jusqu'au bout. Les jurés le méritent. Ce n'est pas parce que l'accusation a commis une erreur qu'il faut subvertir toute la procédure.

— Ne soyez pas idiot, Minton, lui répliqua le juge d'un ton dédaigneux. La question n'est pas de savoir ce que mérite le jury. Et pour ce qui me concerne, une faute comme celle que vous venez de commettre me suffit. Je n'ai aucune envie que cette histoire me soit renvoyée à la figure par la Second et c'est évidemment ce qu'ils vont faire. Et ce sera moi qui porterai le chapeau à cause de votre…

— Je ne savais pas! s'écria Minton avec force. Je jure devant Dieu que je ne savais pas.

L'intensité qu'il y avait mise ramena un instant le calme dans le cabinet. Mais je me ruai aussitôt dans la brèche.

— Et pour le couteau non plus vous ne saviez pas, hein, Ted?

Fullbright lâcha Minton des yeux, me regarda, puis revint sur Minton.

— Quel couteau? demanda-t-elle.

— Dites-lui, insistai-je.

Il hocha la tête.

— Je ne sais pas de quoi il parle, répondit-il.

— Alors vous me dites, vous, m'ordonna Fullbright.

— Madame le juge, si vous attendez que le district attorney vous communique les pièces, vous feriez aussi bien de renoncer dès le début. Les témoins disparaissent, les versions changent, bref, on peut perdre son affaire rien qu'à attendre.

— Bien, mais… et le couteau?

— J'avais besoin d'avancer dans le dossier. J'ai donc demandé à mon enquêteur de passer par la porte dérobée et d'obtenir des rapports. Il n'y a pas de mal à ça. Mais ils l'attendaient au tournant et lui ont falsifié un rapport sur le couteau de façon à ce que je ne sois pas au courant des initiales. Je ne l'ai su qu'au moment où j'ai reçu le paquet de la communication des preuves.

Les lèvres du juge ne furent plus qu'une ligne dure.

— C'est la police, pas le district attorney, s'empressa de préciser Minton.

— Il y a trente secondes, vous disiez ne pas savoir de quoi parlait maître Haller, lui renvoya Fullbright. Et maintenant, tout d'un coup vous savez? Je me fiche de savoir qui a fait ça. Mais vous êtes bien en train de me dire que c'est ce qui s'est produit, n'est-ce pas?

Minton acquiesça à contrecœur.

— Oui, madame le juge. Mais je jure que je…

— Vous savez ce que ça me dit? l'interrompit le juge. Ça me dit que du début jusqu'à la fin le parquet de Californie n'a pas été fairplay dans cette affaire. Peu importe qui a fait quoi. Peu importe même que l'enquêteur de M. Haller ne se soit pas conduit correctement. L'État doit être au-dessus de tout cela. Et ce qui s'est passé aujourd'hui dans mon prétoire montre bien qu'il n'en est rien.

— Madame le juge, ce n'est…

— Ça suffit, maître Minton. Je crois en avoir entendu assez. Je veux que vous sortiez immédiatement, tous les deux. Dans une demi-heure je reviens dans la salle et je vous dis ce que nous allons faire pour corriger ça. Je ne sais pas trop ce que ça va être, mais que ce soit ceci ou cela, vous n'allez pas aimer, monsieur Minton. Et je vous ordonne de dire à votre patron, M. Smithson, d'être à l'audience avec vous pour entendre ma décision.

Je me levai. Minton, lui, ne bougea pas. Il avait toujours l'air rivé à son siège.

— J'ai dit que vous pouviez sortir! aboya Fullbright.

42

Je suivis Minton qui franchit la porte donnant sur le bureau du greffier et entra dans la salle d'audience. Celle-ci était vide, à l'exception de Meehan toujours assis à son poste. Je pris ma mallette sur la table de la défense et me dirigeai vers la sortie.

– Hé, Haller, attendez une minute! me cria Minton en rassemblant ses dossiers sur la table de l'accusation.

Je m'arrêtai au portillon et jetai un coup d'œil derrière moi.

– Quoi?

Il me rejoignit au portillon et me montra la porte de derrière.

– Sortons par ici, me dit-il.

– Mon client m'attend dehors.

– Venez ici, juste ça.

Il se dirigea vers la porte et je le suivis. Dans le vestibule où j'avais fait face à Roulet deux jours plus tôt, Minton s'arrêta pour me regarder. Mais il ne dit rien. Il préparait son speech. Je décidai de le pousser à bout.

– Tenez… pendant que vous allez chercher Smithson, je vais passer au bureau du *Times* au deuxième et m'assurer que le journaliste local est au courant du feu d'artifice qu'on va se payer dans une demi-heure.

– Écoutez, bafouilla-t-il enfin. Il faut qu'on trouve une solution.

– «On»?

– Attendez un peu pour le *Times*, d'accord? Donnez-moi votre numéro de portable et laissez-moi dix minutes.

– Pour quoi faire?

– Juste le temps de descendre au bureau et de voir ce que je peux faire.

— Je ne vous fais pas confiance, Minton.

— Peut-être, mais si vous voulez ce qu'il y a de mieux pour votre client au lieu d'une lamentable une dans les journaux, vous allez devoir me faire confiance pendant dix minutes.

Je regardai ailleurs et fis comme si j'analysais son offre. Puis je me retournai vers lui. Nous étions à cinquante centimètres l'un de l'autre.

— Vous savez quoi, Minton? lui renvoyai-je. J'aurais pu supporter toutes vos conneries : le couteau, le mépris et tout le reste. Je suis un pro et donc bien obligé de supporter les merdes de l'accusation tous les jours que Dieu fait. Mais quand vous avez essayé de faire endosser la faute Corliss à Maggie McFierce, j'ai décidé d'être sans pitié avec vous.

— Écoutez... je n'ai rien fait de propos délibéré...

— Minton, regardez autour de vous. Il n'y a que nous, ici. Il n'y a ni caméras, ni bandes vidéo, ni témoins. Vous allez rester planté là à me dire que vous n'aviez jamais entendu parler de Corliss avant votre réunion de bureau d'hier?

Pour toute réponse il me brandit son doigt sous le nez.

— Et vous, vous allez rester planté là à me dire que vous n'aviez jamais entendu parler de lui avant ce matin? me répliqua-t-il avec colère.

Nous nous dévisageâmes un bon moment.

— Je ne suis peut-être qu'un bleu, mais je ne suis pas con, Haller! Toute votre stratégie a consisté à me pousser à recourir à Corliss. Et depuis le début vous saviez parfaitement ce que vous pouviez faire avec lui. Même que c'est sans doute votre ex qui vous l'a soufflé.

— Prouvez-le donc! lui renvoyai-je.

— Oh, ne vous inquiétez pas pour ça, je pourrais si j'en avais le temps. Mais comme je n'ai qu'une demi-heure en tout et pour tout...

Je levai lentement le bras et consultai ma montre.

— Moi, je dirais plutôt vingt-six minutes.

— Donnez-moi votre numéro de portable.

Je m'exécutai et il disparut. J'attendis quinze secondes dans le vestibule avant de franchir la porte. Roulet se tenait près de la baie vitrée donnant sur la place au-dessous. Sa mère et C. C. Dobbs étaient assis sur un banc, le long du mur d'en face. Plus loin, j'aperçus l'inspecteur Sobel qui traînait dans le couloir.

Roulet me vit et s'approcha vite, sa mère et Dobbs le suivant sans attendre.

– Qu'est-ce qui se passe? demanda Roulet le premier.

J'attendis qu'ils soient tous réunis autour de moi avant de répondre.

– Je crois que tout va péter.

– Que voulez-vous dire? demanda Dobbs.

– Le juge envisage un jugement en premier et dernier ressort. On devrait le savoir très vite.

– Qu'est-ce que c'est? voulut savoir Mary Windsor.

– C'est quand le juge enlève l'affaire aux jurés et prononce un verdict d'acquittement. Et notre juge est très en colère parce que, pour elle, Minton a commis une faute grave avec Corliss et fait d'autres trucs pas bien.

– Elle en a le droit? Elle peut l'acquitter comme ça?

– C'est elle, le juge. Elle peut faire ce qu'elle veut.

– Ah mon Dieu!

Windsor porta la main à sa bouche et parut sur le point de fondre en larmes.

– J'ai seulement dit qu'elle l'envisageait, précisai-je. Ça ne veut pas dire que c'est ce qui se passera. Mais elle nous a déjà offert un vice de forme et j'ai refusé tout net.

– Vous avez refusé?! glapit Dobbs. Mais pourquoi, bon sang?

– Parce que ça ne veut rien dire. Le procureur pourrait faire rejuger... et cette fois avec un meilleur dossier vu qu'il connaîtrait notre stratégie. Ce qu'on veut, c'est un arrêt sur lequel il ne sera pas possible de revenir ou alors on va jusqu'au verdict aujourd'hui. Et s'il nous est contraire, on a de solides arguments pour interjeter appel.

– Ça ne serait pas plutôt à Louis de décider? demanda Dobbs. Après tout, c'est lui...

– La ferme, Cecil! lâcha sèchement Windsor. Tu la fermes et tu arrêtes de critiquer tout ce que cet homme fait pour Louis. D'autant plus qu'il a raison. Il n'est pas question de se retaper tout ça!

Dobbs eut l'air d'avoir reçu une gifle et parut se mettre en retrait de notre petit comité. Je regardai Mary et lui découvris un autre visage. Celui d'une femme qui avait monté une affaire en partant de zéro et qui l'avait menée au top. Je regardai aussi Dobbs d'un œil différent et compris qu'il n'avait probablement pas cessé de lui susurrer de gentils assassinats de ma personne à l'oreille.

Je laissai filer et me concentrai sur ce qui nous occupait.

— S'il y a quelque chose que le bureau du district attorney déteste encore plus que de perdre une affaire, c'est bien d'être mis dans l'embarras par un juge qui prononce un jugement en premier et dernier ressort. Surtout si c'est parce que ce juge a découvert une faute grave de l'accusation. Minton est descendu parler à son boss, lequel est un type très malin qui sent toujours le vent. On devrait en savoir plus dans quelques minutes.

Roulet se trouvait juste en face de moi. Je regardai par-dessus son épaule et vis que Sobel était toujours dans le couloir. Elle parlait dans son portable.

— Écoutez, dis-je. Vous restez tous bien sages. Si le district attorney ne me donne pas de ses nouvelles, on retourne tous à la salle d'audience dans vingt minutes et on voit ce qu'a décidé le juge. Bref, ne vous éloignez pas. Si vous voulez bien m'excuser, moi, je vais aller faire un tour aux toilettes.

Je m'écartai d'eux et pris le couloir dans la direction de Sobel. Mais Roulet se détacha de sa mère et de son avocat et me rattrapa. Et me prit par le bras pour m'arrêter.

— Je veux savoir comment Corliss a eu vent de toutes ces merdes qu'il racontait, me lança-t-il.

— Aucune importance! C'est bon pour nous. C'est ça qui compte.

Il me colla son visage sous le nez.

— Ce type me traite d'assassin à la barre et vous trouvez que c'est bon pour nous?

— Oui, parce que personne ne l'a cru. C'est même pour ça que le juge est si furibard : elle n'a pas apprécié que l'accusation fasse comparaître un menteur professionnel pour dire les pires saloperies sur vous. Présenter ça aux jurés et que l'instant d'après ceux-ci s'aperçoivent qu'il s'agit d'un menteur, c'est la faute grave. Vous ne comprenez pas? J'ai dû faire monter les enjeux. C'était la seule façon que j'avais d'amener le juge à bousculer l'accusation. Je suis en train de faire très exactement ce que vous vouliez, Louis. Je suis en train de vous en sortir.

Je scrutai son visage tandis qu'il digérait ce que je venais de lui dire.

— Alors, je vous en prie, laissez tomber, ajoutai-je. Retournez voir votre mère et Dobbs et laissez-moi aller pisser.

Il hocha la tête.

— Non, Mick, dit-il, pas question de laisser tomber.

Et il me planta son doigt dans la poitrine.

— Il se passe des trucs et j'aime pas du tout. Il ne faudrait pas que vous oubliiez quelque chose, Mick : j'ai toujours votre flingue. Et vous avez une fille. Il vaudrait mieux…

Je refermai la main sur son doigt et l'écartai de ma poitrine.

— Ne vous avisez jamais de menacer ma famille, lui renvoyai-je en dominant difficilement ma colère. Vous voulez vous en prendre à moi, parfait, vous vous en prenez à moi et allons-y. Mais que vous menaciez encore une fois ma fille et je vous promets de vous enterrer si profondément qu'on ne vous retrouvera jamais. Me comprenez-vous bien, Louis ?

Il hocha lentement la tête, un sourire déformant son visage.

— Bien sûr, Mick. Comme ça, on sait exactement où on en est.

Je lui lâchai la main et m'éloignai. Je partis vers le bout du couloir, où se trouvaient les toilettes et où Sobel donnait l'impression d'attendre quelque chose tout en parlant dans son portable. J'avançais sans rien voir tant la menace contre ma fille m'empêchait d'avoir les idées claires. Mais, arrivé près de Sobel, je me secouai. Elle mit un terme à son entretien téléphonique.

— Inspecteur Sobel, dis-je.

— Monsieur Haller.

— Puis-je vous demander pourquoi vous êtes ici ? Vous allez m'arrêter ?

— Je suis ici parce que vous m'avez invitée, vous vous rappelez ?

— Euh… non, je ne me rappelle pas.

Elle plissa les paupières.

— Vous m'avez dit de passer au tribunal ce mercredi parce que ce serait ce jour-là que vous auriez votre chance.

Je compris brusquement qu'elle se référait à la conversation embarrassée que nous avions eue dans mon bureau pendant la fouille de ma maison le lundi soir.

– Ah oui! J'avais oublié. Eh bien, je suis content que vous m'ayez pris au mot. J'ai vu votre collègue tout à l'heure. Qu'est-ce qui lui est arrivé?

– Oh, il est dans le coin.

J'essayai de deviner ce qu'elle me disait vraiment. Elle n'avait pas répondu à la question de savoir si elle allait m'arrêter ou pas. Je lui montrai la salle d'audience d'un geste.

– Alors? Qu'est-ce que vous en dites?

– C'est intéressant. J'aurais bien aimé être une petite souris pour entendre ce qui s'est passé dans le cabinet du juge.

– Eh bien, restez donc encore un peu. Ce n'est pas fini.

– Je vais peut-être le faire.

Mon portable se mit à vibrer. Je glissai la main sous ma veste et le tirai de ma ceinture. L'écran m'informa que l'appel venait du bureau du district attorney.

– Il faut que je prenne ça, dis-je à Sobel.

– Je vous en prie.

J'ouvris mon portable et retournai vers l'endroit où Roulet faisait les cent pas.

– Allô?

– Mickey Haller, Jack Smithson du bureau du district attorney à l'appareil. Comment ça va?

– J'ai connu mieux.

– Ça ne sera plus pareil après que vous aurez entendu ce que je vais vous offrir.

– Je vous écoute.

43

Le juge mit quinze minutes de plus que les trente qu'elle avait promises avant de sortir de son cabinet. Nous étions tous à l'attendre. Roulet et moi à la table de la défense, sa mère et Dobbs derrière nous au premier rang. À la table de l'accusation, Minton n'officiait plus seul. À côté de lui se tenait Jack Smithson. Ce devait être la première fois que celui-ci voyait l'intérieur d'une salle d'audience depuis un an.

Minton avait l'air vaincu et démoralisé. Assis comme il était à côté de Smithson, on aurait pu le prendre pour un prévenu avec son avocat. Il avait l'air coupable de tout ce qu'on lui reprochait.

L'inspecteur Booker ne se montrant pas dans la salle, je me demandai s'il travaillait sur quelque chose ou si c'était plus simplement que personne ne lui avait téléphoné pour lui annoncer la mauvaise nouvelle.

Je me tournai pour jeter un coup d'œil à la grosse pendule du mur du fond et observer le public. L'écran qui aurait dû servir à la présentation PowerPoint avait disparu, indice de ce qui allait se produire. J'aperçus Sobel assise au dernier rang, mais son collègue et Kurlen étaient, eux, toujours invisibles. Il n'y avait personne en dehors de Dobbs et de Windsor et, ni l'un ni l'autre, ils n'avaient d'importance. La rangée de sièges réservés aux médias était vide. On ne les avait pas alertés. Je respectais ma part du deal passé avec Smithson.

L'huissier Meehan ayant rappelé tout le monde à l'ordre, Fullbright alla prendre sa place avec panache, une odeur de lilas se répandant vers les tables. Elle avait dû fumer une ou deux cigarettes dans son cabinet et forcer sur le parfum pour couvrir l'odeur.

– Dans l'affaire État de Californie contre Louis Ross Roulet, le greffier me signale que nous avons une motion.

Minton se leva.

– Oui, madame le juge.

Il n'alla pas plus loin, comme s'il ne pouvait pas se résoudre à parler.

– Alors, maître, vous avez décidé de me l'envoyer par télépathie ?

– Non, madame le juge.

Il baissa les yeux sur Smithson, qui lui donna le feu vert.

– L'accusation a décidé d'abandonner toutes les charges contre Louis Ross Roulet.

Le juge hocha la tête comme si elle s'y attendait. J'entendis quelqu'un aspirer fort dans mon dos et sus que c'était Mary Windsor. Elle savait ce qui allait se produire, mais avait contenu ses émotions jusqu'à ce qu'elle l'entende déclarer en plein tribunal.

– Premier et dernier ressort ? demanda le juge.

– Oui, madame le juge.

– Vous êtes bien sûr, maître Minton ? Cela signifie que l'accusation ne pourra pas y revenir.

– Oui, madame le juge, je sais, lui répondit Minton avec un rien d'agacement que le juge ait éprouvé le besoin de lui expliquer ce point de droit.

Elle écrivit quelque chose, puis revint sur Minton.

– Je crois nécessaire de consigner aux minutes que l'accusation se doit de donner une explication de cette décision. Nous avons sélectionné un jury et entendu des témoins pendant plus de deux jours. Comment se fait-il que l'accusation en soit arrivée à cette décision à ce stade du procès, maître Minton ?

Smithson se leva. Grand, mince, le teint pâle. Le procureur dans toute sa splendeur. Personne n'avait envie d'un gros lard au poste de district attorney et c'était très exactement cette fonction qu'il espérait occuper un jour. Il portait un costume gris anthracite avec ce qui était devenu sa marque de fabrique : un nœud papillon marron avec mouchoir de la même couleur qui sortait de sa poche de poitrine. Chez les pros de la défense, la rumeur voulait qu'un conseiller politique lui ait dit de commencer à se façonner une image publique reconnaissable de façon à ce que, l'heure étant venue de se présenter aux élections, les électeurs aient déjà l'impression de le connaître. Sauf que c'étaient là des circonstances dans lesquelles il n'avait aucune envie que les médias répandent son image auprès des électeurs.

— Si je peux, madame le juge ? dit-il.

— Il sera versé au dossier que l'assistant au district attorney John Smithson, chef de la division de Van Nuys, est présent dans cette cour. Bienvenue, Jack. Allez-y, je vous en prie.

— Madame le juge Fullbright, il est venu à mon attention que, dans l'intérêt de la justice, les charges retenues contre M. Roulet soient abandonnées.

Il avait écorché le nom du prévenu.

— Jack, dit Fullbright, c'est tout ce que vous pouvez nous donner comme explications ?

Smithson délibéra dans sa tête avant de répondre. S'il n'y avait pas de journalistes dans la salle, les minutes du procès seraient rendues publiques et ses paroles avec.

— Madame le juge, reprit-il, il est venu à mon attention que des irrégularités ont été commises dans l'enquête et dans la manière dont l'accusation a été menée ensuite. Or nos services ont pour fondement le caractère sacré du système judiciaire. Je m'en porte personnellement garant à la division de Van Nuys et prends cette question très très au sérieux. Voilà pourquoi il vaut mieux que nous renoncions à ces poursuites plutôt que de compromettre la justice en quelque façon que ce soit.

— Merci, monsieur Smithson. Voilà qui est agréable à entendre.

Elle prit encore une note, puis porta son regard sur nous.

— La motion est acceptée, dit-elle. Toutes les charges retenues contre Louis Roulet sont abandonnées en premier et dernier ressort. Monsieur Roulet, vous êtes libre.

— Merci, madame le juge, dis-je.

— Mais les jurés devront revenir à treize heures, reprit Fullbright. Je leur expliquerai que l'affaire a été résolue. Si les avocats de la défense et de l'accusation désirent assister à la séance, je suis sûre que les jurés auront bien des questions à leur poser. Cela dit, vous n'êtes pas tenus de venir.

Je hochai la tête, mais ne dis pas que je reviendrais. Parce que je n'avais aucune intention de le faire. Les douze personnes qui avaient été d'une importance capitale pour moi pendant la semaine écoulée venaient de disparaître du tableau, tout simplement. Elles m'étaient maintenant tout aussi insignifiantes que les automobilistes qui roulaient dans l'autre sens sur le freeway. Elles étaient passées et j'en avais fini avec elles.

Le juge quittant son siège, Smithson fut le premier à sortir de la salle. Ni à Minton ni à moi, il n'avait rien à dire. Sa priorité numéro un était de prendre ses distances avec cette catastrophe. Je levai les yeux et vis que Minton avait perdu ses couleurs. J'en déduisis que je verrais assez vite son nom dans les Pages jaunes. Le district attorney ne le gardant pas, il rejoindrait les rangs des pros de la défense, ce premier passage au tribunal lui ayant coûté un maximum.

Roulet s'était penché par-dessus la barrière et serrait sa mère dans ses bras. Dobbs avait posé sa main sur son épaule pour le féliciter, mais l'avocat de la famille qu'il était ne s'était pas remis de la sévère rebuffade que lui avait infligée Windsor dans le couloir.

Les étreintes terminées, Roulet se tourna vers moi et me serra la main en marquant une hésitation.

– Je ne m'étais pas trompé sur votre compte, dit-il. Je savais que c'était vous et pas un autre.

– Je veux l'arme, lui renvoyai-je sans sourciller ni montrer la moindre satisfaction de l'avoir emporté.

– Mais bien sûr, dit-il, et il se retourna vers sa mère.

J'hésitai un instant, puis je me retournai vers la table de la défense. J'ouvris ma mallette pour y ranger tous mes dossiers.

– Michael ?

Je me retournai encore. C'était Dobbs qui me tendait la main par-dessus la rambarde. Je la lui serrai et hochai la tête.

– Vous avez bien joué, dit-il comme si j'avais besoin de le lui entendre dire. Nous apprécions tous beaucoup.

– Merci d'avoir tenté le coup avec moi. Je sais que vous n'étiez pas très chaud au début.

Je lui fis la gentillesse de ne pas lui rappeler l'éclat de Windsor dans le couloir et ce qu'elle avait dit de la façon qu'il avait eue de me poignarder dans le dos.

– C'est seulement parce que je ne vous connaissais pas, dit-il. Maintenant que c'est fait, je sais qui recommander à mes clients.

– Merci. Mais avec le genre de clients que vous avez, j'espère qu'ils n'auront jamais besoin de mes services.

– Moi aussi ! dit-il en riant.

Puis ce fut au tour de Mary Windsor de me tendre la main par-dessus la barrière.

– Monsieur Haller, je vous remercie pour mon fils.

– De rien, lui répondis-je, impassible. Prenez bien soin de lui.

– Je n'arrête pas.

J'acquiesçai d'un signe de tête.

– Et si vous passiez dans le couloir ? leur dis-je à tous. Je sors dans une minute. Il faut que je finisse quelques trucs avec l'huissier et maître Minton.

Je me retournai vers la table. Puis j'en fis le tour et m'approchai de la greffière.

– Dans combien de temps pourrai-je avoir un exemplaire signé de l'arrêt ?

– On doit l'enregistrer cet après-midi. On peut vous en envoyer une copie si vous n'avez pas envie de revenir.

– Ça serait parfait. Vous pourriez aussi m'en faxer une ?

Elle me répondit que oui et je lui donnai le numéro de fax de l'appartement de Lorna Taylor. Je ne savais pas trop à quoi cela me servirait, mais je me doutais bien qu'une telle décision pourrait me gagner un ou deux clients.

Je me retournais pour reprendre ma mallette et partir lorsque je remarquai que l'inspecteur Sobel avait quitté la salle. Il ne restait plus que Minton. Il s'était levé et rassemblait ses affaires.

– Navré de n'avoir pas pu voir votre truc au PowerPoint, lui lançai-je.

Il hocha la tête.

– Ouais, c'était vraiment pas mal. Je suis sûr que ç'aurait convaincu le jury.

Je hochai la tête à mon tour.

– Qu'est-ce que vous allez faire ?

– Je ne sais pas. Je vais voir si je peux me démerder de ça et ne pas perdre mon boulot.

Il mit ses dossiers sous son bras. Il n'avait pas de mallette. Il ne descendait qu'au deuxième. Il se tourna vers moi et me fusilla du regard.

— La seule chose que je sais, ajouta-t-il, c'est que je n'ai aucune envie de passer de l'autre côté de l'allée. Je ne veux pas devenir comme vous, Haller. J'aime trop bien dormir la nuit pour ça.

Sur quoi il franchit le portillon et sortit de la salle à grands pas. Je jetai un coup d'œil à l'huissier pour voir si elle avait entendu ce qu'il venait de dire. Elle fit comme si de rien n'était.

Je pris tout mon temps pour quitter la salle à mon tour. Je ramassai ma mallette et me tournai en arrière en poussant le portillon. Je regardai le siège du juge et le sceau de l'État juste au-dessus, sur le mur. Je hochai la tête à l'adresse de rien en particulier, puis je sortis.

44

Roulet et son entourage m'attendaient dans le couloir. Je regardai dans les deux sens et aperçus Sobel près des ascenseurs. Elle parlait dans son portable et j'eus l'impression qu'elle attendait un ascenseur, mais le bouton d'appel n'avait pas l'air allumé.

– Michael, vous pouvez vous joindre à nous pour déjeuner ? me lança Dobbs en me voyant. Nous allons fêter ça !

C'était la deuxième fois qu'il m'appelait par mon prénom. La victoire rendait tout le monde bien amical.

– Euh… dis-je sans cesser de regarder Sobel. Je ne crois pas pouvoir.

– Mais pourquoi donc ? Vous ne serez évidemment pas de prétoire cet après-midi !

Je finis par le regarder. J'avais envie de lui dire que je ne pouvais pas déjeuner avec lui parce que je ne voulais plus jamais le revoir, lui, ni non plus Mary Windsor ou Louis Roulet.

– Je vais rester dans le coin pour parler aux jurés quand ils reviendront à une heure.

– Pourquoi ? voulut savoir Roulet.

– Parce que ça m'aidera à savoir ce qu'ils pensaient et comment nous nous en sortions.

Dobbs me donna une claque sur le haut du bras.

– Toujours à apprendre et vouloir être meilleur pour la prochaine affaire ! Ce n'est pas moi qui vous le reprocherai.

Il eut l'air ravi que je ne me joigne pas à eux. Et pour de bonnes raisons : il devait mourir d'envie de me voir dégager de façon à pouvoir renouer avec Mary Windsor. Ce pactole-là, c'était pour lui seul qu'il le voulait à nouveau.

J'entendis le bruit sourd de l'ascenseur et regardai vers le bout du couloir. Sobel se tenait toujours devant la porte qui s'ouvrait. Elle allait partir. Cela voulait dire que j'étais…

Mais voilà que Lankford, Kurlen et Booker sortaient de la cage et rejoignaient Sobel. Puis ils se tournèrent et vinrent dans notre direction.

— Bien, on vous laisse, dit Dobbs, le dos tourné aux inspecteurs qui approchaient. Nous avons réservé pour midi à l'Orso et je crains fort que nous ne soyons déjà en retard pour repasser la colline.

— Parfait, dis-je en continuant de regarder dans le couloir.

Dobbs, Windsor et Roulet se retournèrent pour partir juste au moment où les trois inspecteurs fondaient sur nous.

— Louis Roulet! lança Kurlen. Vous êtes en état d'arrestation. Tournez-vous, s'il vous plaît, et mettez les mains dans le dos.

— Non! hurla Mary Windsor. Vous ne pouvez pas…

— Qu'est-ce que c'est que ça! s'écria Dobbs.

Kurlen ne répondit pas et n'attendit pas davantage que Roulet lui obéisse. Il s'avança et le fit brutalement pivoter. Roulet croisa mon regard.

— Qu'est-ce qui se passe, Mick? me demanda-t-il calmement. Ce n'était pas prévu au programme.

Mary Windsor s'approcha de son fils.

— Ôtez les pattes de mon fils!

Elle attrapa Kurlen par-derrière, mais Booker et Lankford la séparèrent vite de l'inspecteur, en douceur mais fermement.

— Reculez, madame, lui ordonna Booker. Sinon je vous mets en prison.

Kurlen commença à lire ses droits à Roulet. Windsor resta en arrière, mais ne se tut pas.

— Comment osez-vous? cria-t-elle. Vous n'avez pas le droit!

Elle ne cessait de se tortiller et donnait l'impression que des mains invisibles l'empêchaient de se ruer sur Kurlen à nouveau.

— Maman! lança Roulet d'une voix plus forte et contrôlée que celles de tous les inspecteurs.

Enfin son corps renonça. Elle abandonnait. Mais pas Dobbs.

— Pour quelle raison l'arrêtez-vous? demanda-t-il.

– Il est soupçonné de meurtre, lui répondit Kurlen. Celui de Martha Renteria.

– Mais c'est impossible! s'écria Dobbs. Tout ce que ce Corliss a déclaré a été reconnu comme mensonger. Vous êtes fou? C'est à cause de ces mensonges que le juge a renoncé aux poursuites!

Kurlen cessa de réciter ses droits à Roulet et se tourna vers Dobbs.

– Si ce n'étaient que des mensonges, comment savez-vous que c'était de Martha Renteria qu'il parlait?

Dobbs se rendit compte de la faute qu'il avait commise et se retira de la mêlée. Kurlen sourit.

– C'est bien ce que je pensais, dit-il.

Il attrapa Roulet par un coude et le fit pivoter à nouveau.

– Allons-y, dit-il.

– Mick? me lança Roulet.

– Inspecteur Kurlen, dis-je, puis-je parler un instant à mon client?

Il me regarda, parut lire quelque chose dans mes yeux et acquiesça d'un signe de tête.

– Juste une minute. Dites-lui de se conduire comme il faut et tout ira beaucoup mieux pour lui.

Et il poussa Roulet vers moi. Je le pris par un bras et lui fis faire quelques pas de côté pour que nous ne puissions pas être entendus en parlant bas. Je m'approchai de lui et commençai par chuchoter.

– C'est fini, Louis. C'est là que je vous dis adieu. Je vous ai fait libérer. À vous de jouer maintenant. Trouvez-vous un autre avocat.

Le choc se lut dans son regard. Puis son visage s'assombrit sous la colère. C'était de la rage pure, celle, je le compris, qu'avaient dû voir Regina Campo et Martha Renteria.

– Je n'aurai pas besoin d'avocat, me renvoya-t-il. Vous croyez qu'ils vont pouvoir bâtir un dossier à partir de ce que vous avez réussi à coller dans le crâne de cette espèce de mouton? Vous feriez mieux d'y réfléchir à deux fois.

– Ils n'auront pas besoin de lui. Croyez-moi, Louis, ils trouveront d'autres choses. Même qu'ils doivent en avoir déjà plus contre vous dès aujourd'hui.

– Et vous, Mick? Vous n'oublieriez pas quelque chose? J'ai...

– Je sais. Mais ça n'a plus d'importance. Ils n'ont pas besoin de mon flingue. Ils ont déjà tout ce qui leur faut. Cela étant, quoi qu'il m'arrive, je saurai toujours que je vous ai fait tomber. Et à la fin, après le procès et tous vos recours en appel, quand ils vous planteront enfin l'aiguille dans le bras, ce sera à cause de moi, Louis, de moi. Ne l'oubliez pas.

Je souris sans humour et m'approchai encore.

– C'est pour Raul Levin. Il se peut que vous ne tombiez pas pour lui, mais ne vous y trompez pas : pour tomber, vous allez tomber.

Je le laissai digérer un instant, puis je m'écartai et fis un signe de tête à Kurlen. Booker et lui se postèrent de part et d'autre de Roulet et le prirent par le haut des bras.

– Vous m'avez piégé, dit Roulet en gardant Dieu sait comment son calme. Vous n'êtes pas avocat. Vous travaillez pour eux.

– Allons-y, répéta Kurlen.

Ils se mirent en devoir de le faire avancer, mais il se dégagea un bref instant et concentra son regard furibond sur moi.

– Tout ça n'est pas fini, Mick ! me lança-t-il. Demain matin je serai libre. Et qu'est-ce que vous ferez, hein ? Pensez-y. Qu'est-ce que vous ferez ? Vous ne pouvez pas protéger tout le monde.

Les deux policiers resserrèrent leur emprise sur lui et le firent tourner brutalement vers les ascenseurs. Cette fois, il partit sans se débattre. Sa mère et Dobbs derrière lui, il arriva à la moitié du couloir, tourna la tête pour me regarder par-dessus son épaule et sourit, d'un sourire qui me glaça.

Vous ne pouvez pas protéger tout le monde.

Un frisson de peur me parcourut.

Quelqu'un attendait l'ascenseur, qui s'ouvrit pile au moment où la petite troupe y arrivait. Lankford fit signe de reculer à l'homme qui attendait et entra dans la cage, Roulet y étant poussé sans ménagement. Dobbs et Windsor s'apprêtaient à le suivre lorsque Lankford les arrêta de la main. Les portes de l'ascenseur commençant à se refermer, Dobbs appuya sur le bouton d'à côté en un geste de colère et d'impuissance.

J'avais l'espoir de ne plus jamais revoir Louis Roulet, mais la peur restait enfermée dans ma poitrine et y voletait tel un papillon de nuit pris dans la lanterne d'une véranda. Je me détournai et faillis rentrer droit dans Sobel. Je n'avais pas remarqué qu'elle était restée derrière les autres.

— Vous avez ce qu'il faut, n'est-ce pas? lui demandai-je. Dites-moi que vous n'auriez pas agi aussi vite si vous n'aviez pas eu ce qu'il faut pour le garder.

Elle me regarda longuement avant de répondre.

— Ce n'est pas à nous de décider. Ce sera au district attorney. Ça dépendra sans doute de ce qu'ils tireront de lui à l'interrogatoire. Mais il faut dire que jusqu'à maintenant il a eu un avocat plutôt malin : il doit savoir qu'il ne faut rien nous dire.

— Dans ce cas pourquoi ne pas avoir attendu?

— Ce n'était pas à moi de décider.

Je hochai la tête. J'avais envie de lui dire qu'ils étaient allés trop vite. Ça ne faisait pas partie du plan. Je voulais planter l'idée, rien de plus. Je voulais qu'ils y aillent doucement et qu'ils jouent le coup comme il fallait.

Le papillon de nuit trembla en moi et je baissai les yeux par terre. Je ne pouvais me débarrasser de l'idée que, toutes mes machinations ayant échoué, ma famille et moi étions maintenant dans la ligne de mire d'un tueur. *Vous ne pouvez pas protéger tout le monde.*

Ce fut comme si Sobel lisait dans mes craintes.

— Mais on va essayer de le garder, reprit-elle. Nous avons déjà ce que le mouton a déclaré au tribunal, et le PV. Nous travaillons sur les témoins et l'aspect médico-légal.

Je levai les yeux vers elle.

— Quel PV?

Le soupçon s'installa dans son regard.

— Je croyais que vous aviez compris. Nous avons tout établi dès que le mouton a parlé de la «danseuse à serpents».

— Oui. Martha Renteria. Ça, j'avais pigé. Mais de quel PV me parlez-vous?

Je m'étais trop approché d'elle, elle recula de quelques pas. Ce n'était pas à cause de mon haleine. C'était à cause de ma frustration.

— Je ne sais pas si je devrais vous le dire, Haller. Vous êtes avocat de la défense. Et qui plus est son avocat, à lui.

— Plus maintenant. Le contrat est terminé.

— Aucune importance. Il…

— Écoutez… vous venez d'arrêter ce type à cause de moi. Et moi, pour ça, je risque de me faire radier du barreau. Il se pourrait même que j'aille en prison pour un meurtre que je n'ai pas commis. De quel PV parlez-vous ?

Elle hésita, j'attendis, enfin elle parla.

— Les dernières paroles de Raul Levin, lança-t-elle. Il a dit qu'il avait le PV de sortie pour Jesus.

— Ce qui signifie ?

— Vous ne savez vraiment pas ?

— Écoutez, dites-le-moi, c'est tout. Je vous en prie.

Elle se laissa fléchir.

— Nous avons remonté les dernières allées et venues de Levin. Avant d'être assassiné, il avait enquêté sur les contredanses de Roulet. Il en avait même fait faire des photocopies. Nous avons fait l'inventaire de ce que nous avions au bureau et comparé avec ce qu'il y avait à l'ordinateur central. Il lui en manquait une. Nous ne savions pas si son assassin la lui avait prise ce jour-là ou si Levin avait tout simplement oublié d'en faire faire une copie. Bref, nous nous en sommes fait tirer une copie nous-mêmes. Elle avait été émise deux ans auparavant, le soir du 8 avril. C'était un PV pour stationnement illégal devant une bouche d'incendie de Blythe Street, à Panorama City, à la hauteur du 1700.

Tout me revint en mémoire, comme le dernier grain de sable qui passe dans le sablier. Raul Levin avait effectivement trouvé le PV de sortie pour Jesus Menendez.

— Martha Renteria a été assassinée il y a deux ans, le 8 avril, dis-je. Et elle habitait dans Blythe Street, à Panorama City.

— Voilà, mais ça, nous ne le savions pas. Nous n'avions pas fait le lien. Vous nous aviez dit que Levin travaillait sur d'autres affaires pour vous. Les enquêtes sur Jesus Menendez et Louis Roulet étaient distinctes et Levin les avait classées comme ça, lui aussi.

— C'était une question de communication des pièces à la partie adverse. Il tenait les deux dossiers bien à part de façon à ce que je ne sois pas obligé de donner quoi que ce soit sur Roulet qu'il aurait pu trouver sur Menendez.

— Encore un de vos trucs d'avocats. Eh bien, sachez que ça nous a empêchés de piger jusqu'au moment où Corliss a parlé de la «danseuse à serpents». C'est ça qui nous a permis de relier tous les pointillés.

J'acquiesçai d'un signe de tête.

— Bref, le type qui a tué Raul Levin avait piqué le PV.

— Nous le pensons.

— Avez-vous vérifié si le téléphone de Raul était sur écoute ? Dieu sait comment quelqu'un savait qu'il l'avait trouvé, ce PV.

— Nous avons vérifié, oui. Il n'était pas sur écoute. Mais il est possible que les micros aient été repris au moment du meurtre. Ou alors c'était le téléphone de quelqu'un d'autre qui était sur écoute.

À savoir le mien. Ce qui aurait pu expliquer comment il se faisait que Roulet connaisse tous mes faits et gestes et qu'il ait pu se payer le luxe de m'attendre chez moi le soir où j'étais revenu de ma visite à Jesus Menendez.

— Je vais faire vérifier mon téléphone, lui dis-je. Bien. Tout cela signifie-t-il que je suis hors de cause dans le meurtre de Raul ?

— Pas nécessairement. Nous voulons quand même savoir ce que va nous donner la balistique. Nous espérons avoir quelque chose aujourd'hui.

Je hochai la tête. Je ne savais pas comment réagir. Sobel ne partait toujours pas et donnait l'impression de vouloir me dire ou demander quelque chose.

— Quoi ? dis-je.

— Je ne sais pas. Vous voulez me dire quelque chose ?

— Comme quoi ? Il n'y a rien à dire.

— Vraiment ? Au prétoire on avait bien l'impression que vous essayiez de nous dire des tas de trucs.

Je gardai le silence un instant et tentai de lire entre les lignes.

— Qu'est-ce que vous attendez de moi, inspecteur Sobel ?

— Vous savez très bien ce que je veux. Je veux le nom du type qui a tué Raoul Levin.

— Mais moi aussi ! Cela étant, je ne pourrais pas vous jurer que c'est Roulet même si je le voulais. Je ne sais pas comment il s'y est pris. Et ça, c'est entre nous.

– Ce qui vous laisse, vous, toujours dans le collimateur.

Elle regarda au bout du couloir, du côté des ascenseurs – l'insinuation était claire. Si la balistique trouvait une correspondance, je risquais encore d'avoir des problèmes pour l'assassinat de Levin. La police s'en servirait comme d'un levier. Genre «vous nous dites comment a fait Roulet ou c'est vous qui tombez pour ce meurtre». Je changeai de sujet.

– Combien de temps pensez-vous qu'il faudra pour élargir Menendez? lui demandai-je.

Elle haussa les épaules.

– Difficile à dire. Cela dépendra du dossier qu'ils pourront monter contre Roulet… à condition qu'ils puissent même y arriver. Mais je sais au moins une chose : ils ne pourront jamais poursuivre Roulet tant qu'il y aura un autre type en prison pour ce crime.

Je me tournai et gagnai la paroi de verre. Je posai la main sur la rambarde qui courait tout le long. J'éprouvais un mélange d'allégresse et de peur et mon papillon de nuit n'arrêtait pas de battre des ailes dans ma poitrine.

– Pour moi, il n'y a que ça qui compte, dis-je calmement. Le faire sortir de taule. Ça et trouver l'assassin de Raul.

Elle s'approcha de moi.

– Je ne sais pas ce que vous fabriquez, dit-elle, mais laissez-nous nous charger du reste.

– Si je fais ça votre collègue a toutes les chances de me foutre en taule pour un meurtre que je n'ai pas commis.

– Vous jouez un jeu dangereux. Laissez tomber.

Je la regardai, puis je baissai les yeux sur la place.

– C'est ça, dis-je. Je laisse tomber dès maintenant.

Elle avait entendu ce qu'elle voulait, elle fit mine de partir.

– Bonne chance, ajouta-t-elle

Je la regardai à nouveau.

– À vous aussi.

Enfin elle partit et je restai seul. Je me retournai vers la baie vitrée et regardai à nouveau la place. J'y vis Dobbs et Windsor marcher sur les carrés de ciment et se diriger vers le parking. Mary Windsor s'appuyait sur lui pour tenir debout. Je doutai qu'ils se rendent toujours à l'Orso.

45

Dès le soir la rumeur s'était répandue. Pas les détails secrets, seulement l'histoire rendue publique. Elle disait que je ne l'avais emporté, que je n'avais obtenu une motion de désistement du district attorney avec impossibilité d'y revenir que pour mieux voir mon client se faire arrêter pour meurtre dans le couloir même du prétoire où je venais de le faire libérer. Je n'arrêtais pas de recevoir des coups de fil de tous les pros de la défense que je connaissais. Jusqu'à ce que mon portable finisse par rendre l'âme. Tous mes confrères me félicitaient : pour eux je ne pouvais qu'y gagner. Roulet, c'était le pactole. J'avais décroché des honoraires de première classe pour le premier procès, je ne pouvais pas manquer d'en obtenir de semblables pour le suivant. C'était le coup double dont tous les pros de la défense ne peuvent que rêver. Et bien sûr, quand je leur disais que je n'assurerais pas la défense dans ladite affaire suivante, tous autant qu'ils étaient ils me demandaient de leur envoyer Roulet.

Enfin je reçus sur mon fixe l'appel que je désirais le plus. Celui de Maggie McPherson.

– J'ai passé toute la soirée à attendre que tu m'appelles, lui dis-je.

En laisse au bout du fil du téléphone, je faisais les cent pas dans ma cuisine. J'avais vérifié tous mes appareils téléphoniques en rentrant et n'y avais trouvé aucune trace d'engin d'écoute.

– Je suis désolée, dit-elle. J'étais en salle de conférences.

– J'ai entendu dire qu'on t'avait rappelée pour Roulet.

– Oui, c'est pour ça que je t'appelle. Ils vont le libérer.

– Qu'est-ce que tu racontes ? Ils vont le laisser filer ?

– Oui. Ça fait neuf heures qu'ils l'interrogent et il n'a toujours pas craqué. Peut-être lui as-tu appris un peu trop bien à ne pas parler ; c'est un vrai roc et ça, ça veut dire qu'ils n'ont rien de nouveau et donc pas assez de munitions pour le garder.

– Tu as tort. Les flics ont ce qu'il faut. Ils ont le PV et il doit quand même y avoir des témoins pour confirmer qu'il se trouvait au Cobra Room. Jusqu'à Menendez qui peut affirmer qu'il y était.

– Tu sais aussi bien que moi que Menendez ne servirait à rien. Il est prêt à dire n'importe quoi pour sortir. Et s'il y avait d'autres témoins au Cobra Room, il faudra du temps pour les retrouver. Avec le PV on sait qu'il était dans le quartier, mais on ne peut pas dire qu'il était chez elle.

– Et le couteau ?

– Ils y travaillent, mais ça aussi, ça va prendre du temps. Écoute, il faut faire ça dans les règles. C'est Smithson qui a pris la décision et, crois-moi, lui aussi voulait le garder en prison. Ça l'aurait aidé à sortir du pétrin dans lequel tu l'as mis aujourd'hui. Sauf qu'on n'y est pas. Pas encore. Ils vont le libérer, travailler l'angle médico-légal et chercher les témoins. Si Roulet est le coupable, on l'aura et ton autre client pourra sortir. Tu n'as pas besoin de t'inquiéter. Mais il faut faire tout ça correctement.

D'impuissance, je donnai un coup de poing en l'air.

– Ils sont allés trop vite. Ils n'auraient jamais dû agir aujourd'hui, bon sang !

– Ils devaient se dire que neuf heures d'interrogatoire suffiraient.

– Ils ont été cons.

– Personne n'est parfait.

Son attitude m'agaçait, mais je le gardai pour moi. J'avais besoin d'elle pour rester au courant.

– Quand vont-ils le libérer, exactement ? demandai-je.

– Je ne sais pas. On vient juste de l'apprendre. Kurlen et Booker sont venus ici pour l'annoncer et Smithson vient de les renvoyer au commissariat. Pour moi, ils le flanqueront dehors dès leur arrivée.

– Écoute-moi, Maggie. Roulet connaît l'existence d'Hayley.

Le silence fut horriblement long avant qu'elle réponde.

— Qu'est-ce que tu dis ?! Tu as laissé notre fille se faire embar...

— Je n'ai rien laissé faire. Il est entré chez moi par effraction et a vu sa photo. Cela ne signifie pas qu'il sache où elle habite, ni même comment elle s'appelle. Mais il connaît son existence et il veut me faire payer son arrestation. Bref, il faut que tu rentres tout de suite à la maison. Je veux que tu sois avec elle. Tu la prends et vous quittez l'appartement. Il faut jouer la sécurité.

Quelque chose m'empêcha de lui dire toute la vérité, à savoir que Roulet avait très précisément menacé ma famille au prétoire. *Vous ne pouvez pas protéger tout le monde.* Je ne l'aurais fait que si elle avait refusé de faire ce que je voulais avec Hayley.

— Je m'en vais tout de suite, dit-elle. Et on vient chez toi.

Je savais qu'elle allait dire ça.

— Non, vous ne venez pas chez moi.

— Pourquoi ?

— Parce que lui pourrait très bien venir ici.

— Mais c'est fou ! Qu'est-ce que tu vas faire ?

Être un homme dans ce monde de méchanceté.

— Je ne sais pas trop pour le moment. Va chercher Hayley et emmène-la en lieu sûr. Après, tu m'appelles sur mon portable, mais tu ne me dis pas où tu es. Il vaut mieux que je ne le sache pas.

— Haller, appelle les flics, c'est tout. Ils pourront...

— Pour leur dire quoi ?

— Je ne sais pas... qu'on t'a menacé.

— Un avocat de la défense dire aux flics qu'il se sent menacé... ben voyons ! Tu parles s'ils vont sauter sur l'occase ! Même qu'ils pourraient m'envoyer une équipe du SWAT[1] !

— Ben, faut quand même que tu fasses quelque chose.

— Je croyais l'avoir fait. Je pensais qu'il allait finir sa vie en taule. Mais vous avez agi trop vite et maintenant vous ne pouvez pas faire autrement que de le laisser filer.

— Je te l'ai dit, on n'avait pas assez de trucs. Même avec ces menaces possibles sur Hayley, on est loin du compte.

— Alors, tu rejoins notre fille et tu t'occupes d'elle. Et tu me laisses me démerder du reste.

---

1. Équivalent américain du GIGN *(NdT)*.

– J'y vais.

Mais elle ne raccrocha pas. Tout se passait comme si elle me laissait la possibilité de dire autre chose.

– Je t'aime, Mags, lui lançai-je. Je vous aime toutes les deux. Faites attention.

Et je raccrochai avant qu'elle puisse répondre. Et décrochai presque aussitôt pour appeler Fernando Valenzuela. Il décrocha au bout de cinq sonneries.

– Val, c'est moi, Mick.

– Merde. Si j'avais su, j'aurais pas décroché.

– Écoute, j'ai besoin de ton aide.

– De mon aide ?! Tu me demandes de t'aider après ce que tu m'as dit l'autre soir ? Après m'avoir accusé ?

– Écoute, Val, c'est une urgence. Ce que je t'ai dit l'autre soir était complètement déplacé et je m'excuse. Je te rembourse ta télé, je fais tout ce que tu veux, mais j'ai besoin de ton aide… tout de suite.

J'attendis. Il marqua une pause et répondit enfin.

– Qu'est-ce que tu veux que je fasse ?

– Roulet a encore son bracelet à la cheville, non ?

– Oui. Je sais ce qui s'est passé au tribunal, mais il ne m'a pas encore fait signe. Un de mes contacts au prétoire m'a dit que les flics l'avaient rembarqué, mais je ne sais pas ce qui se passe.

– Ils l'ont rembarqué, mais il va être libéré. Il y a des chances pour qu'il t'appelle et te demande de lui enlever son bracelet.

– Je suis déjà chez moi, mec. Il pourra me trouver dès demain matin.

– C'est ça que je te demande. Fais-le attendre.

– Ça, c'est pas un service, mec.

– Si. Je veux que tu ouvres ton ordinateur portable et que tu le files. Je veux savoir où il va dès qu'il quittera le commissariat. Tu peux faire ça pour moi ?

– Quoi ? Tout de suite ?

– Oui, tout de suite. Ça te pose un problème ?

– Un peu, oui.

Je me préparai à une autre discussion. Mais il me surprit.

– Je t'ai dit pour l'alarme de la pile sur le bracelet, non ? me demanda-t-il.

— Oui, je me rappelle.

— Ben, j'ai eu le signal de 20 % y a à peu près une heure.

— Et donc, combien de temps peux-tu le suivre avant que la pile soit morte ?

— Disons entre six et huit heures à repérage actif avant qu'on tombe à bas niveau. Après, je l'aurai une fois tous les quarts d'heure pendant huit heures de plus.

Je réfléchis. Il me suffisait de tenir la nuit et de savoir que Maggie et Hayley étaient en sécurité.

— Le truc, c'est que lorsque c'est à niveau bas il y a un bip, reprit Valenzuela. Tu l'entendras venir. Ou alors il en aura marre du bruit et il rechargera la pile.

Ou nous refera un numéro à la Houdini, me dis-je.

— Bien. Tu m'as aussi dit qu'il y avait d'autres signaux d'alarme qu'on pouvait insérer dans le logiciel de poursuite.

— Exact.

— Tu peux en monter un pour avertir au cas où il approcherait d'un lieu particulier ?

— Oui. C'est comme pour les violeurs d'enfants quand ils s'approchent d'une école. Tu vois le truc ? Mais la cible doit être fixe.

— D'accord.

Je lui donnai l'adresse de l'appartement de Dickens Street où habitaient Maggie et ma fille.

— Si jamais il se pointe à seulement dix rues de là, tu m'appelles. Quelle que soit l'heure. C'est ça, le service que je te demande.

— C'est quoi, cet endroit ?

— C'est là où habite ma fille.

Le silence fut long avant qu'il me réponde.

— Avec Maggie ? Tu crois qu'il va y aller ?

— Je ne sais pas. J'espère qu'il ne fera pas le con tant qu'il aura le bracelet.

— Bien, Mickey. C'est entendu.

Je gardai le silence un instant et me demandai ce que je pouvais faire d'autre pour racheter la façon dont je l'avais trahi. Et finis par laisser tomber : c'était sur la menace présente qu'il fallait se concentrer.

Je quittai la cuisine et pris le couloir jusqu'à mon bureau. Je fis tourner mon Rolodex, y trouvai un numéro et m'emparai du téléphone.

Je composai le numéro et attendis. Puis je regardai par la fenêtre à gauche de mon bureau et m'aperçus pour la première fois qu'il pleuvait. Tout indiquant que la pluie allait tomber fort, je me demandai si cela risquait d'affecter le pistage de Roulet. Et passai à autre chose lorsque Teddy Vogel, le patron des Road Saints, décrocha enfin.

— Parle.

— Ted, c'est moi, Mickey Haller.

— Comment va, l'avocat?

— Pas terrible ce soir.

— Content que t'appelles. Qu'est-ce que je peux faire?

Je regardai à nouveau la pluie par la fenêtre avant de répondre. Je savais qu'en continuant, j'allais être l'obligé de gens auxquels je n'avais aucune envie d'être lié.

Mais je n'avais pas le choix.

— Vous avez des mecs du côté de chez moi ce soir? lui demandai-je.

Il marqua une hésitation avant de répondre. Je me doutais bien qu'un appel à l'aide de son avocat ne pouvait que l'intriguer. À l'évidence, le genre d'aide que je lui demandais incluait flingues et gros bras.

— J'ai quelques mecs qui surveillent le club, ouais. C'est pour quoi?

Le club dont il parlait était la boîte de strip-tease de Sepulveda Boulevard, pas très loin de Sherman Oaks. C'était sur ça que je comptais.

— Y a quelqu'un qui menace ma famille, Ted. J'ai besoin de quelques balèzes pour faire obstacle, voire s'emparer du type.

— Dangereux et armé?

J'hésitai, mais pas très longtemps.

— Oui, dangereux et armé.

— Ça entre dans nos compétences. Où veux-tu que je les poste?

Il était prêt à agir, et tout de suite: il savait l'intérêt de me tenir à la gorge plutôt que de me garder à son service avec des avances sur honoraires. Je lui donnai l'adresse de l'appartement de Dickens

Street et le signalement de Roulet et lui décrivis les vêtements que ce dernier portait à l'audience.

— Si jamais il se pointe à l'appartement, il faut l'arrêter. Et j'ai besoin que vos mecs y aillent tout de suite.

— Comme si c'était fait.

— Merci, Ted.

— Non, c'est moi. On est contents de te filer un coup de main… après tout ce que t'as fait pour nous.

Ben tiens, pardi, me dis-je. Je raccrochai en sachant parfaitement que je venais de franchir une des lignes jaunes de l'autre côté desquelles on espère toujours ne jamais devoir passer. Je regardai à nouveau par la fenêtre. La pluie s'était mise à tomber fort du toit. Je n'avais pas de gouttières à l'arrière de la maison, elle dégringolait en une manière de rideau translucide qui brouillait les lumières. Je songeai qu'il n'y avait eu que ça, cette année : de la pluie. De la pluie et rien d'autre.

Je quittai mon bureau et regagnai le devant de la maison. Sur la table du coin repas était posée l'arme qu'Earl Briggs m'avait donnée. Je l'examinai en repensant à toutes mes décisions. Au fond, je n'avais fait que fuir à l'aveugle et mettre en danger bien plus que moi seul en le faisant.

La panique s'installait. Je décrochai le téléphone mural de la cuisine et appelai le portable de Maggie. Elle répondit tout de suite. Je compris qu'elle était en voiture.

— Où es-tu ? lui demandai-je.

— J'arrive à la maison. Je prends quelques affaires et on dégage.

— Parfait.

— Qu'est-ce que je dis à Hayley ? Que son père l'a mise en danger de mort ?

— Non, c'est pas ça, Maggie. C'est lui. Roulet. Je n'arrivais pas à le contrôler. Un soir je suis rentré à la maison et je l'ai trouvé assis dans mon fauteuil. Il bosse dans l'immobilier et sait très bien comment retrouver des adresses. Il a vu la photo d'Hayley sur mon bureau et… qu'est-ce que je pouvais…

— On pourrait pas parler de ça plus tard ? Il faut que j'aille récupérer ma fille.

Pas notre fille, non : *ma* fille.

– Bien sûr. Appelle-moi dès que t'auras trouvé un endroit.

Elle raccrocha sans un mot de plus, je replaçai lentement le combiné sur sa fourche. Puis, ma main toujours sur l'appareil, je me penchai en avant jusqu'à ce que mon front touche le mur. Je ne pouvais plus rien faire. Je ne pouvais plus qu'attendre que Roulet passe à la suite.

La sonnerie du téléphone me fit bondir. L'appareil tomba par terre, je le ramenai à moi en tirant sur le fil. C'était Valenzuela.

– T'as eu mon message ? Je viens d'appeler, dit-il.

– Non, j'étais en ligne. Qu'est-ce qu'il y a ?

– Ben, je suis content de te rappeler. Il s'est mis en route.

– Il va où ?!

J'avais crié trop fort. Je commençais à perdre les pédales.

– Il a pris par Van Nuys, vers le sud. Il m'a appelé pour me dire qu'il ne voulait plus porter le bracelet. Je lui ai répondu que j'étais déjà chez moi et qu'il pouvait me rappeler demain. Et j'ai ajouté qu'il ferait mieux de recharger la pile pour que ça ne se mette pas à sonner en pleine nuit.

– Bien vu, ça. Il est où maintenant ?

– Toujours dans Van Nuys Boulevard.

J'essayai d'imaginer Roulet au volant de sa voiture. S'il avait effectivement pris par Van Nuys en direction du sud, cela voulait dire qu'il allait droit sur Sherman Oaks et le quartier où habitaient Maggie et Hayley. Cela étant, il pouvait aussi traverser Sherman Oaks pour franchir la colline et rentrer chez lui. Il fallait que j'attende pour être sûr.

– Quel est le délai de transmission du GPS sur ce truc ? demandai-je.

– C'est en temps réel, mec. Ça montre où il est quand il y est. Il vient juste de passer sous le pont de l'autoroute 101. Il n'est pas impossible qu'il rentre chez lui, Mick.

– Je sais, je sais. Attends qu'il traverse Ventura Boulevard. Après, c'est Dickens Street. S'il tourne, c'est qu'il ne rentre pas chez lui.

Je me levai sans plus savoir que faire. Je me mis à faire les cent pas, le téléphone appuyé fort contre mon oreille. Je savais que même si Teddy Vogel les avait mis en branle aussitôt, ses hommes étaient encore à plusieurs minutes de la maison. Ils ne me servaient plus à rien.

– Et la pluie? Ça affecte le fonctionnement du GPS?

– C'est pas censé le faire, non.

– C'est déjà ça.

– Il s'est arrêté.

– Où?

– Il doit y avoir un feu. Ça doit être au croisement de Moorpark Avenue.

C'était à une rue de Ventura Boulevard et deux de Dickens Street. J'entendis un bip dans l'écouteur.

– C'est quoi?

– L'alarme à dix rues que tu m'as demandé d'installer.

Les bip bip s'arrêtèrent.

– Je viens de l'éteindre.

– Je te rappelle tout de suite, lançai-je sans attendre sa réponse.

Je raccrochai et appelai le portable de Maggie. Elle répondit à la première sonnerie.

– Où es-tu?

– Tu m'as dit de ne pas te le dire.

– Tu as quitté l'appartement?

– Non, pas encore. Hayley est en train de prendre les crayons pastel et les albums à colorier qu'elle veut emporter.

– Mais bon sang, dégage, quoi! Tout de suite!

– On fait aussi vite qu'on…

– Partez! Je te rappelle. N'oublie pas de répondre.

Je raccrochai et rappelai Valenzuela.

– Où est-il?

– Ça y est, il est à Ventura. Il a dû se prendre un deuxième feu parce qu'il n'avance pas.

– T'es sûr qu'il est sur la route et pas seulement garé quelque part?

– Non, je n'en suis pas sûr. Il pourrait très bien… T'occupe, il est reparti. Merde, il a tourné dans Ventura.

– De quel côté?

Je recommençai à faire les cent pas, l'appareil appuyé si fort contre mon oreille que celle-ci me faisait mal.

– À droite… euh, vers l'ouest. Il part vers l'ouest.

Il roulait dans une rue parallèle à Dickens Street et se dirigeait vers l'appartement de ma fille.

– Il vient encore de s'arrêter, reprit Valenzuela. C'est pas à un croisement. On dirait qu'il est au milieu du pâté de maisons. J'ai l'impression qu'il s'est garé.

Je fis courir ma main libre dans mes cheveux, comme un homme désespéré.

– Eh merde ! Faut que j'y aille ! Mon portable est mort. Appelle Maggie et dis-lui qu'il arrive dans sa direction. Dis-lui de monter en voiture et de filer !

Je hurlai le numéro de Maggie dans le téléphone et laissai tomber ce dernier en sortant de la cuisine. Je savais qu'il me faudrait au moins vingt minutes pour arriver à Dickens Street – et ce serait en prenant les virages de Mulholland à quatre-vingt-dix kilomètres à l'heure avec la Lincoln –, mais je ne pouvais plus rester à hurler dans le téléphone alors que ma fille était en danger. Je ramassai le flingue sur la table et me mis en route. Je finissais de glisser l'arme dans ma poche lorsque j'ouvris la porte.

Et tombai sur Mary Windsor, les cheveux ruisselants de pluie.

– Mary, mais qu'est-ce que… ?

Elle leva la main. Je baissai les yeux et découvris l'éclat métallique de son arme au moment même où elle tirait.

46

La détonation fut assourdissante, l'éclair aussi brillant que celui d'un flash et l'impact de la balle qui me déchirait les chairs aussi fort qu'une ruade de cheval. J'étais debout, une fraction de seconde plus tard je partais en arrière. Et m'écrasai violemment sur le parquet, où je fus expédié droit dans le mur à côté de la cheminée de ma salle de séjour. J'essayai de porter les deux mains à la plaie que j'avais au ventre, mais ma main droite s'était coincée dans la poche de ma veste. Je me retins avec la main gauche et tentai de me relever.

Mary Windsor fit un pas en avant et entra dans la maison. J'étais obligé de lever la tête vers elle. Dans son dos je vis la pluie par la porte ouverte. Elle leva son arme et la braqua sur mon front. En un éclair, l'image de ma fille m'envahit et je sus que je n'allais pas la laisser filer.

– Vous m'avez pris mon fils! hurla Windsor. Vous pensiez vraiment que j'allais vous laisser faire ça sans réagir?

Alors je compris, tout se cristallisant dans ma tête. Je compris que c'était ça qu'elle avait dit à Raul Levin avant de le tuer. Et je compris aussi qu'il n'y avait jamais eu de viol dans la maison vide de Bel-Air. Mary Windsor était une mère qui faisait ce qu'il fallait. Les paroles de Roulet me revinrent en mémoire: *Vous avez raison sur un point. Je suis bien un fils de pute.*

Et, ça aussi je le sus – le dernier geste qu'avait eu Raul Levin n'avait pas été de dessiner le signe du diable, mais la lettre M ou W, selon qu'on regardait dans un sens ou dans l'autre.

Mary Windsor fit un deuxième pas en avant, vers moi.

– Allez au diable! me lança-t-elle.

Et elle calma sa main pour faire feu à nouveau. Je levai la main droite. Celle-ci étant toujours dans ma poche de veste, elle dut croire qu'il s'agissait d'un geste de défense car elle ne se pressa pas. Elle goûtait l'instant, je le voyais bien. Jusqu'au moment où je tirai.

Elle partit brutalement en arrière sous le choc et tomba sur le dos en travers de la porte. Son arme dégringolant par terre avec un bruit métallique, j'entendis Mary Windsor pousser un gémissement suraigu. Puis un bruit de pas sur les marches de la véranda.

— Police! cria une femme. Jetez vos armes!

Je regardai par la porte et ne vis personne.

— Jetez vos armes et sortez, les mains en l'air.

Cette fois, c'était un homme et je reconnus sa voix.

Je sortis l'arme de ma poche, la posai par terre et la fis glisser sur le parquet.

— L'arme est par terre, criai-je aussi fort que me le permettait ma blessure au ventre. Mais je suis touché. Je ne peux pas me lever. Nous sommes touchés tous les deux.

Je vis le canon d'un pistolet se matérialiser à la porte. Puis ce fut une main, puis un imperméable mouillé, celui de l'inspecteur Lankford. Il entra dans la maison, vite suivi par sa collègue, l'inspecteur Sobel. Il s'empara de l'arme de Windsor et garda la sienne pointée sur moi.

— Quelqu'un d'autre dans la maison? demanda-t-il en parlant fort.

— Non, dis-je. Écoutez-moi.

J'essayai de me redresser, mais la douleur me transperça tout le corps et Lankford hurla.

— Ne bougez pas. Restez où vous êtes!

— Écoutez-moi. Ma famil…

Sobel prit sa radio et cria qu'on lui envoie des infirmiers et des ambulances pour deux personnes blessées par balle.

— Une seule ambulance. Elle est morte, la reprit Lankford en montrant Windsor du bout de son arme.

Sobel enfourna sa radio dans la poche de son imper et vint vers moi. Elle s'agenouilla et écarta ma main de ma blessure. Puis elle tira sur ma chemise pour la faire sortir de mon pantalon et évaluer les dégâts. Enfin elle reprit ma main et l'appuya fort sur le trou de la balle.

— Appuyez aussi fort que vous pouvez, me dit-elle. Ça saigne beaucoup. Vous m'entendez? Il faut pousser avec la main.

— Écoutez-moi, répétai-je. Ma famille est en danger. Il faut que vous…

— Attendez…

Elle glissa la main dans la poche de son imper et sortit un portable de sa ceinture. Elle l'ouvrit d'un coup sec et composa un numéro rapide. La personne qu'elle appelait décrocha aussitôt.

— Sobel à l'appareil. Vous ferez bien de le ramener au commissariat. Sa mère a essayé de flinguer l'avocat. C'est lui qui l'a eue le premier.

Elle écouta un instant, puis demanda:

— Bon mais, où est-il?

Elle écouta encore un peu, puis dit au revoir. Je la fixais des yeux lorsqu'elle referma son portable.

— Ils vont le ramasser. Votre fille est hors de danger.

— Vous le surveilliez?

Elle acquiesça d'un signe de tête.

— On s'est accrochés à votre plan, Haller. On a beaucoup de choses contre lui, mais on espérait en avoir plus. Je vous l'ai dit, on veut régler l'affaire Levin. En le laissant filer, on espérait qu'il nous montre son jeu et la façon dont il était arrivé jusqu'à Levin. Mais c'est la mère qui nous a donné la clé du mystère.

Je compris. Même avec tout le sang, ma vie, oui, qui filait par ma blessure, je réussis à terminer le puzzle. Libérer Roulet n'avait été qu'une manœuvre. Ils espéraient que celui-ci se lance à ma poursuite, révélant ainsi la méthode dont il s'était servi pour tromper le bracelet GPS en tuant Raul Levin. À ceci près que ce n'était pas lui qui l'avait tué, mais sa mère.

— Et Maggie? demandai-je faiblement.

Elle hocha la tête.

— Elle va bien. Elle a été obligée de suivre le plan parce que nous ne savions pas si Roulet vous avait sur écoute ou pas. Elle ne pouvait pas vous dire qu'Hayley et elle étaient en sûreté.

Je fermai les yeux. Je ne savais plus s'il fallait la remercier qu'elles aillent bien, ou être en colère contre une Maggie qui s'était servie du père de sa fille pour appâter un tueur.

J'essayai de me redresser.

– Je veux lui parler. Elle…

– Ne bougez pas. Restez tranquille.

Je reposai ma tête sur le plancher. J'avais froid, j'étais au bord des tremblements et avais l'impression de suer. Je me sentais de plus en plus faible au fur et à mesure que ma respiration se faisait plus courte.

Sobel ressortit sa radio de sa poche et demanda qu'on lui précise l'heure d'arrivée des infirmiers. Le régulateur lui répondit qu'ils étaient encore à six minutes de l'endroit où nous nous trouvions.

– Accrochez-vous, me dit encore une fois Sobel. Vous allez vous en sortir. D'après ce qu'a fait la balle, vous devriez vous en tirer.

– Gén…

J'avais voulu dire «génial» en y mettant tout ce que je pouvais de sarcasme. Mais je faiblissais.

Lankford s'approcha de Sobel et me regarda. En la tenant dans sa main gantée, il me montra l'arme avec laquelle Mary Windsor avait tiré sur moi. J'en reconnus les plaquettes en nacre. L'arme de Mickey Cohen. La mienne. Celle avec laquelle elle avait tué Raul.

Il hocha la tête et j'y vis une espèce de signe. Que, qui sait, pour lui je m'étais montré à la hauteur et qu'il savait bien que j'avais fait tout le boulot à leur place en faisant sortir la meurtrière de chez elle… Il se pouvait même que ce soit une offre de trêve. Qu'après ça, il ne haïsse plus autant les avocats.

Mais non, probablement pas. Je ne lui renvoyai pas moins son hochement de tête, ce geste infime me faisant tousser. Je sentis un drôle de goût dans ma bouche et compris que c'était du sang.

– N'allez pas nous faire un cardiogramme plat maintenant, hein! m'ordonna Lankford. Ne nous obligez pas à faire du bouche-à-bouche à un avocat de la défense: on ne s'en remettrait jamais.

Il sourit et je lui rendis son sourire. Ou essayai. L'obscurité grandissait dans mes yeux. Bientôt j'y flottai entièrement.

TROISIÈME PARTIE

CARTE POSTALE DE CUBA

47

Cinq mois se sont écoulés depuis ma dernière apparition dans une salle d'audience. Pendant ce temps, j'ai subi trois opérations pour me remettre d'aplomb et me suis vu poursuivre au civil à deux reprises, sans parler des enquêtes auxquelles m'ont soumis aussi bien la police de Los Angeles que le barreau de Californie. Dépenses médicales, coût de la vie, pension alimentaire pour ma fille et, oui, sommes dues à mes propres confrères avocats ont saigné à blanc mon compte en banque.

Mais j'en ai réchappé et aujourd'hui, pour la première fois depuis que Mary Alice Windsor m'a tiré dessus, je vais aller me promener sans canne ni analgésiques pour m'engourdir. Pour moi, c'est le vrai premier pas vers le retour à la vie. La canne est un signe de faiblesse. Et personne ne veut d'un avocat qui a l'air faiblard. Il va falloir que je me redresse, que j'étire les muscles dans lesquels le chirurgien a taillé pour arriver à la balle et que je réapprenne à marcher tout seul avant de me dire que je peux réintégrer un prétoire.

Que je n'aie pas remis les pieds dans un tribunal ne m'empêche pas de faire l'objet de procédures judiciaires. Jesus Menendez et Louis Roulet me poursuivent tous les deux et ces affaires vont sans doute me coller aux fesses pendant des années. Il s'agit de plaintes séparées, mais, l'un comme l'autre, mes deux anciens clients m'accusent de faute professionnelle et de violation de l'éthique du droit. Malgré toutes les accusations qu'il a lancées contre moi, Roulet n'a jamais pu savoir comment j'ai réussi à entrer en contact avec Dwayne Jeffery Corliss à County-USC et à l'abreuver de renseignements confidentiels. Et il y a peu de chances qu'il y parvienne jamais. Il y a longtemps que Laura Larsen a quitté la prison. Elle a terminé sa cure de désintoxication, a pris les 25 000 dollars que je lui ai donnés et a filé à Hawaï pour y recommencer sa vie. Et Corliss, qui sait sans doute mieux que quiconque tout l'intérêt qu'il y a à fermer sa gueule, n'en a jamais dit plus que ce qu'il a déclaré au tribunal – à savoir que c'est au moment où il se trouvait en prison que Roulet lui avait parlé du meurtre de la danseuse aux serpents. Il a évité toutes les poursuites en parjure dans la mesure où l'attaquer affaiblirait le dossier contre Roulet et constituerait un bel acte d'autoflagellation de la part des services du district attorney. D'après mon avocat, les poursuites que Roulet a entamées contre moi ne sont que vains efforts pour sauver la face : elles n'ont pas de valeur et devraient finir par s'éteindre. Sans doute lorsque je n'aurai plus un sou pour régler mes frais d'avocat.

Mais l'affaire Menendez, elle, n'est pas près de disparaître. C'est lui qui me hante le soir, lorsque je m'installe sur ma terrasse pour regarder la vue à un million de dollars que je découvre de ma maison – à un million de dollars à crédit. Il a été gracié par le gouverneur et libéré de San Quentin deux jours après que Roulet a été accusé du meurtre de Martha Renteria. Mais il n'a jamais fait qu'échanger une condamnation à perpétuité contre une autre. Il s'est en effet avéré qu'il avait contracté le sida en prison et là, il n'y a pas de grâce du gouverneur. Du gouverneur ou de quiconque. Tout ce qui lui arrivera sera de ma faute. Je le sais. Je vis avec ça tous les jours que Dieu fait. Mon père avait raison. Il n'y a pas de client plus effrayant qu'un innocent. Menendez veut me cracher dessus et me prendre tout mon argent pour me punir de ce que j'ai fait et pas fait. Pour moi, il en a le droit. Cela dit, quelles qu'aient pu être mes erreurs de jugement et mes défaillances en matière d'éthique, je sais qu'en fin de compte je n'ai commis bien des entorses que pour faire ce qu'il fallait. J'ai échangé le mal contre l'innocence. C'est grâce à moi que Roulet est en taule. Et grâce à moi aussi que Menendez en est sorti. Malgré les efforts de son nouvel avocat – il a engagé les services du cabinet Dan Daly et Roger Mills pour me remplacer –, Roulet ne connaîtra plus jamais la liberté. D'après ce que me dit Maggie McPherson, les services du district attorney ont construit un dossier en béton contre lui dans l'affaire Renteria. Ils ont aussi repris les pistes ouvertes par Raul

Levin et réussi à le relier à un autre assassinat : celui d'une serveuse qui travaillait dans un club d'Hollywood et qu'il a suivie jusque chez elle pour la violer et la poignarder. Les caractéristiques de son couteau correspondant aux blessures fatales qu'il a infligées à cette femme, pour Roulet l'expertise médico-légale est l'iceberg qu'il aura vu trop tard. Son navire ne pourra que couler par le fond. De fait, Roulet n'a plus qu'une bataille à livrer : celle qui lui permettra de rester en vie. Ses avocats ont entamé des négociations pour lui éviter la piqûre. Ils laissent entendre qu'il y aurait d'autres affaires de viols et de meurtres qu'il pourrait éclaircir en échange de la vie sauve. Quelle que soit l'issue de ces démarches et qu'il reste vivant ou qu'il meure, il ne reviendra plus jamais dans ce monde et c'est là que je vois mon salut. C'est cela qui m'a remis sur pied mieux que n'importe quel chirurgien.

Maggie McPherson et moi tentons, nous aussi, de refermer nos blessures. Elle m'amène ma fille toutes les semaines et reste souvent passer la journée avec moi. Nous nous installons sur la terrasse et nous parlons. Nous savons tous les deux que c'est notre fille qui nous sauvera. Je ne peux plus en vouloir à Maggie de s'être servie de moi pour appâter un tueur. Et je crois que Maggie, elle, ne m'en veut pas d'avoir fait les choix que j'ai faits.

Après avoir examiné tous mes actes, le barreau de Californie m'a envoyé en vacances à Cuba. C'est ainsi que les professionnels de la défense appellent la suspension pour Conduite Ultra-indigne d'un Bon Avocat. C.U.B.A. J'ai été mis au rancart pendant un mois et demi. Sur des conclusions de merde : comme ils n'arrivaient pas à me coller la moindre violation de l'éthique dans mes rapports avec Corliss, ils m'ont coincé pour avoir emprunté une arme à mon client, Earl Briggs. Et là, j'ai eu de la chance. Ce n'était pas une arme volée ou pas déclarée. Comme elle appartenait au père d'Earl, mon infraction a été jugée mineure.

Je ne me suis pas donné la peine de contester la réprimande du barreau ou de faire appel de ma suspension. Après avoir pris une balle dans le ventre, me faire mettre un mois et demi à l'écart ne me paraissait pas insupportable. J'ai purgé ma peine pendant ma convalescence, les trois quarts du temps en robe de chambre, à regarder *Court TV*.

Ni le barreau ni la police n'ont pu m'accuser d'avoir violé quelque règle que ce soit dans la mort de Mary Windsor. Elle est entrée chez moi avec une arme volée. C'est elle qui a tiré la première. Deux inspecteurs du commissariat de Glendale ont même vu la scène depuis la rue : légitime défense, purement et simplement. Moins purs et moins simples sont les sentiments que j'éprouve en repensant à ce que j'ai fait. Je voulais venger mon ami Raul Levin, mais je ne voulais pas faire couler le sang pour autant. Et maintenant, j'ai tué. M'être fait sanctionner ne tempère que modérément ce que j'éprouve.

Toutes ces enquêtes et conclusions mises à part, je me vois, moi, coupable de conduite indigne de moi-même dans l'affaire Menendez-Roulet. Et pour ça, la peine est bien plus dure que tout ce que l'État de Californie ou le barreau pourrait jamais m'infliger. Quoi qu'il arrive. Elle me suivra partout dès que je reprendrai le travail. Mon travail. Je sais où est ma place en ce monde et dès que je devrai reprendre le chemin du prétoire l'année prochaine, je sortirai la Lincoln du garage et me remettrai à chercher des perdants. Je ne sais ni où j'irai ni quel genre d'affaires je trouverai en route. Je sais seulement que je serai guéri et prêt une fois encore à me tenir droit dans ce monde sans vérité.

Remerciements

Ce roman a été inspiré par une rencontre et une conversation occasionnelles avec l'avocat David Ogden il y a bien des années de ça, au cours d'un match de base-ball des Los Angeles Dodgers. De cela, l'auteur lui sera toujours reconnaissant. Bien que le personnage et les exploits de Mickey Haller soient pure fiction tout droit sortie de mon imagination, je n'aurais jamais pu écrire cette histoire sans l'aide et les conseils des avocats Daniel F. Daly et Roger O. Mills : l'un comme l'autre, ils m'autorisèrent à les regarder travailler et élaborer des stratégies, l'un comme l'autre ils se montrèrent infatigables dans les efforts qu'ils déployèrent pour s'assurer que l'univers de la défense au pénal soit décrit avec exactitude dans ces pages. Toutes les.erreurs ou exagérations du droit ou de sa pratique doivent être imputées à l'auteur et seulement à lui.

Le juge de la Cour supérieure Judith Champagne et son équipe de la chambre 24 du tribunal pénal de Los Angeles ont autorisé l'auteur à pénétrer dans le prétoire, les cabinets des juges et les cellules, et ont bien voulu répondre à toutes ses questions. Ma dette envers le juge et envers Joe, Marianne et Michelle est énorme et je les remercie.

D'une grande aide à l'auteur furent aussi, en plus de leurs contributions à l'histoire, Asya Muchnick, Michael Pietsch, Jane Wood, Terrill Lee Lankford, Jerry Hooten, David Lambkin, Lucas Foster, Carolyn Chriss et Pamela Marshall.

Last but not least, l'auteur tient à remercier Shannon Byrne, Mary Elizabeth Capps, Jane Davis, Joel Gotler, Philip Spitzer, Lukas Ortiz et Linda Connelly pour leur aide et leur soutien pendant la rédaction de cet ouvrage.

Les Égouts de Los Angeles
Prix Calibre 38, 1993
Seuil, 1993, nouvelle édition, 2000
et « Points », n° P 19

La Glace noire
Seuil, 1995
et « Points », n° P 269

La Blonde en béton
Prix Calibre 38, 1996
Seuil, 1996
et « Points », n° P 390

Le Poète
Prix Mystère, 1998
Seuil, 1997
et « Points », n° P 534

Le Cadavre dans la Rolls
Seuil, 1998
et « Points », n° P 646

Créance de sang
Grand Prix de littérature policière, 1999
Seuil, 1999
et « Points », n° P 835

Le Dernier Coyote
Seuil, 1999
et « Points », n° P 781

La lune était noire
Seuil, 2000
et « Points », n° P 876

L'Envol des anges
Seuil, 2000
et « Points », n° P 989

L'Oiseau des ténèbres
Seuil, 2001
et « Points », n° P1042

Wonderland Avenue
Seuil, 2002
et « Points », n° P 1088

Darling Lilly
Seuil, 2003
et « Points », n° P 1230

Lumière morte
Seuil, 2003
et « Points », n° P 1271

Los Angeles River
Seuil, 2004
et « Points », n° P 1359

Deuil interdit
Seuil, 2005
et « Points », n° P 1476

RÉALISATION : PAO ÉDITIONS DU SEUIL
IMPRESSION : S.N. FIRMIN-DIDOT AU MESNIL-SUR-L'ESTRÉE
DÉPÔT LÉGAL : MAI 2006. N° 66275 (79220)
IMPRIMÉ EN FRANCE

Elsa Lewin
Le Parapluie jaune

Herbert Lieberman
Nécropolis
Le Tueur et son ombre
La Fille aux yeux de Botticelli
Le Concierge
Le Vagabond de Holmby Park

Michael Malone
Enquête sous la neige
Juges et Assassins
First Lady

Henning Mankell
Le Guerrier solitaire
La Cinquième Femme
Les Morts de la Saint-Jean
La Muraille invisible
Les Chiens de Riga
La Lionne blanche
L'Homme qui souriait
Avant le gel
Le Retour du professeur de danse

Dominique Manotti
Sombre Sentier

Alexandra Marinina
Le Cauchemar
La Mort pour la mort
La Mort et un peu d'amour
La Liste noire
Je suis mort hier
Le Styliste
Ne gênez pas le bourreau

Petros Markaris
Le Che s'est suicidé

Andreu Martín
Un homme peut en cacher un autre